Wahrheit

Peter Temple

Wahrheit

Roman

Deutsch von Hans M. Herzog

Büchergilde Gutenberg

Die Originalausgabe erschien unter dem Titel
"Truth"
bei The Text Publishing Company, Melbourne.

Für Anita und Nick,
die Leuchtfeuer auf dem Hügel.
Und für MH, dessen Glaube alle
Einwände überwunden hat.

»Aber weil Hiersein viel ist
und weil uns scheinbar alles das Hiesige braucht,
dieses Schwindende, das seltsam uns angeht.
Uns, die Schwindendsten.«

Rainer Maria Rilke

Sie fuhren über die West Gate Bridge, hinter ihnen lag eine Wohnung in Altona, eine tote Frau, eigentlich noch ein Teenager, schmutzige, rot gefärbte Haare, ausgebleichte Tätowierungen, Stichverletzungen in Bauch, Brustkorb, Rücken, Gesicht, zu viele, um sie zu zählen. Dem Kind, männlich, zwei oder drei Jahre alt, hatte man den Kopf eingetreten. Überall war Blut. Auf dem Nylonteppich in Pfützen, eine Kette klebriger schwarzer Pfützen.

Villani betrachtete die Hochhäuser der City, zitternd, unbeständig in dem schwefligen Dunst. Er hätte nicht kommen sollen. Es war überflüssig. »Diese Klimaanlage ist im Arsch«, sagte er. »Die zweite diese Woche.«

»Immer wenn ich hier rüberfahre, muss ich dran denken«, sagte Birkerts.

»An was?«

»Mein Opa. War auf der Brücke.«

An einem Frühlingsmorgen im Jahr 1970 ragte es in den Himmel, das halb fertige Stahlgerippe der Brücke, auf dem es von Männern wimmelte, ledigen Männern, Männern mit Frauen, Männern mit Frauen und Kindern, Männern mit Kindern, die sie nicht kannten, Männern, die nichts hatten außer der Arbeit und einem schlimmen, schlimmen Kater, und dann stürzte das Brückenteil zwischen den Trägern 10 und 11 ein.

Einhundertundzwölf Meter, neu errichtet aus Stahl und Beton, zweitausend Tonnen schwer.

Männer und Maschinen, Werkzeuge, Lunchboxen, Toi-

7

letten, ganze Schuppen – sogar, wie jemand behauptete, ein schwarzes bellendes Hündchen –, alle fielen durch die Luft. In wenigen Momenten waren fünfunddreißig Männer tot oder lagen im Sterben, die Körper zerschmettert, eingesunken in den übel riechenden, grauen, verkrusteten Schlamm am Ufer des Yarra-Flusses. Überall war Diesel. Ein Feuer brach aus, und langsam stieg eine schmutzige Rauchfahne auf und markierte den Ort der Katastrophe.

»Tot?«, fragte Villani.

»Nein, er war gerade scheißen, ist mit dem Plumpsklo bis ganz nach unten gerutscht.«

»Sein Talent, durch die Scheiße zu rutschen, hat er jedenfalls weitervererbt«, stellte Villani fest und dachte an Singleton, der auch nicht die Hände von der Arbeit lassen, nicht im Büro bleiben konnte. Was man beim Leiter des Morddezernats nicht bewunderte.

Sie fuhren gerade von der Brücke ab, als Birkerts' Handy klingelte; er hatte es auf Lautsprecher gestellt.

Finucanes tiefe Stimme:

»Chef. Chef, wegen Altona, wir sind jetzt im Haus von dem Bruder des Ehemanns in Maidstone. Er ist hier, der Göttergatte, in der Garage. Schlauch. Na ja, kein Gartenschlauch, so 'n schwarzes Plastikdings, 'ne Art Schwimmbeckenschlauch, verstehen Sie?«

»Ausgezeichnete Arbeit«, sagte Birkerts. »Er hätte inzwischen in Alice Springs sein können. Oder in Tennant Creek.«

Finucane hustete. »Tja, also, vielleicht kann die Spurensicherung herkommen, Chef. Und der Wagen.«

»Regeln Sie das, Fin. Könnte auf Pizza hinauslaufen.«

»Ich sag meiner Frau, sie soll mit den Steaks warten.«

Birkerts beendete das Telefonat.

»Die Altona-Sache in einer Stunde abgeschlossen«, sagte er. »Das ist ziemlich gut für die Aufklärungsrate.«

Villani hatte Singo im Ohr:

Scheiß auf die Aufklärungsrate. Wichtig ist, dass man anständige Arbeit leistet.

Joe Cashin hatte geglaubt, anständige Arbeit zu leisten, und man brauchte den Spreizer, um das unter dem eingestürzten Haus begrabene Auto zu öffnen. Diab war tot, Cashin atmete zwar, aber es war hoffnungslos, zu großer Blutverlust, zu viel gebrochen und gerissen.

Singleton verließ das Krankenhaus nur, um in seinem Wagen zu sitzen, dem alten Falcon. Er alterte selbst, graue Stoppeln sprossen, seine seidigen Haare wurden fettig. Als man ihm nach der Operation sagte, Joe habe eine kleine Chance, und ihn in das Zimmer ließ, nahm er Joes schlaffe Hand und küsste die Fingerknöchel. Dann stand er auf, strich Joes Haare glatt, bückte sich und küsste ihn auf die Stirn.

Finucane war dabei, er war Zeuge, und er erzählte Villani davon. Sie hatten nicht gewusst, dass Singleton zu solchen Gefühlen fähig war.

Als Cashin das nächste Mal aus dem Krankenhaus kam, das zweite Mal in drei Jahren, war er bleich wie ein entrindeter Baum. Singo war inzwischen tot, sein zweiter Schlaganfall, und Villani war kommissarischer Leiter des Morddezernats.

»Die Aufklärungsrate«, sagte Villani. »Dass du diesen Begriff verwendest, ist für mich eine herbe Enttäuschung.«

Sein Handy.

Gavan Kiely, seit zwei Monaten stellvertretender Leiter des Morddezernats.

»Wir haben eine Tote im Prosilio-Tower, das ist in den Docklands«, sagte er. »Paul Dove hat um Unterstützung gebeten.«

»Wieso?«

»Ist überfordert. Ich fliege später nach Auckland, könnte aber vorher hinfahren.«

»Nein«, sagte Villani. »Dieses Kreuz nehme ich auf mich.«

Er ging durch den Flur in das Schlafzimmer, ein Bett groß genug für vier Schläfer, Matratze und Kissen nackt, nicht bezogen. Die Forensik war hier fertig. Er hob ein Kissen mit den Fingerspitzen hoch, roch daran.

Kaum merklicher Parfümduft. Er sog den Duft tiefer ein. Das zweite Kissen. Ein anderes Parfüm, etwas intensiver.

Er ging durch das leere Ankleidezimmer ins Bad, sah die gläserne Badewanne, neben der ein Bronzearm aus dem Boden aufragte, dessen Hand ein Stück Seife hielt.

Sie lag auf dem Plastiksack in einer Art Yoga-Ruhestellung – Beine leicht gespreizt, Handflächen nach oben, hellrote Zehennägel, lange Beine, schütteres Schamhaar. Die Schulter einer knienden Kriminaltechnikerin aus der Forensik verdeckte Villani die Sicht. Er trat einen Schritt beiseite, sah das Gesicht der Toten und wich zurück. Einen schrecklichen Augenblick lang, in dem ihm das Herz bis zum Hals schlug, dachte er, es sei Lizzie, so groß war die Ähnlichkeit.

Er drehte sich zu der Glaswand um, atmete aus, sein Herzschlag beruhigte sich. Vor ihm lag die triste graue Bucht, und zwischen den Köpfen tauchte ein Stecknadelkopf auf, ein Containerschiff. Nach und nach zeigte es seinen massigen Rumpf, eine riesige, schlingernde, flache, stählerne Nacktschnecke, die Rost, Öl und stinkende Abwasser ausblutete.

»Alarmknopf«, sagte Dove. Er trug einen marineblauen Anzug, ein weißes Hemd und einen dunklen Schlips, ein Neurochirurg auf Visite.

Villani sah hin: Gummi, mit Grübchen wie ein Golfball, zwischen Dusche und Kopfende der Wanne in die Wand eingelassen.

»Schicke Dusche«, sagte Dove.

Über einem perforierten metallenen Rechteck hing eine Scheibe aus rostfreiem Edelstahl. Auf einem gläsernen Regalbrett lagen ein Dutzend oder mehr Seifenstücke wie zum Verkauf.

Die Technikerin sagte: »Genickbruch. Die Wanne ist leer, aber die Frau ist feucht.«

Sie war neu, Kanadierin, eine burschikose junge Frau, ungeschminkt, sonnengebräunt, Bürstenhaarschnitt.

»Wie bricht man sich im Bad das Genick?«, fragte Villani.

»Das schafft man allein kaum. Ein Genick zu brechen ist nicht leicht.«

»Echt?«

Sie hörte seinen Unterton nicht. »Aber ja. Da muss man Kraft aufwenden.«

»Was noch?«, fragte Villani.

»Nichts, was mir spontan auffällt.«

»Todeszeitpunkt? Begründete Schätzung.«

»Keine vierundzwanzig Stunden, oder ich muss zurück auf die Uni.«

»Die freuen sich bestimmt, Sie wiederzusehen. Haben Sie die Wassertemperatur berücksichtigt?«

»Was?«

Villani streckte den Zeigefinger aus. Der kleine digitale Touchscreen an der Tür stand auf achtundvierzig Grad.

»Hab ich nicht gesehen«, gab sie zu. »Hätte ich aber noch. Zu gegebener Zeit.«

»Zweifellos.«

Ein leichtes Lächeln. »In Ordnung, Lance«, sagte sie. »Mach den Reißverschluss zu.«

Lance war ein hagerer Mann mit Kinnbart. Er versuchte,

den Reißverschluss des Leichensacks zu schließen, der unterhalb der Brüste klemmte. Lance ruckte den Schieber hin und her, bekam ihn frei, hüllte die Tote in Plastik.

Nicht unsanft hoben sie den Sack auf die Fahrtrage.

Als sie weg waren, traten Dove und Weber zu ihm.

»Wem gehört das hier?«, fragte Villani.

»Sie finden es gerade heraus«, sagte Dove. »Anscheinend ist es kompliziert.«

»Sie?«

»Die Verwaltung. Die Leute warten unten auf uns.«

»Soll ich das übernehmen?«, sagte Villani.

Dove fasste sich an den Wangenknochen, bekümmert. »Das wäre hilfreich, Chef.«

»Möchten Sie es machen, Web?«, fragte Villani, um Dove zu ärgern.

Weber war Mitte dreißig, sah aus wie zwanzig, ein lediger, bibeltreuer Christ. Er hatte auf dem Land jede Menge Erfahrungen gesammelt: Mütter, die Kleinkinder ertränkten, Söhne, die ihre Mütter mit der Axt erschlugen, ledige Väter mit Umgangsrecht, die ihre Kinder verschwinden ließen. Doch alttestamentarische Morde im ländlichen Wohlfahrtssumpf waren keine Vorbereitung auf tote Frauen, die in Wohnungen mit privaten Aufzügen, gläsernen Badewannen, französischen Seifen und drei Flaschen Moët herumlagen.

»Nein, Chef«, sagte Weber.

Sie gingen auf dem Plastikstreifen entlang, durch die kleine, matt marmorne Diele der Wohnung, durch die Vordertür in einen Flur. Sie warteten auf den Fahrstuhl.

»Wie heißt sie?«, fragte Villani.

»Sie wissen es nicht«, sagte Dove. »Die wissen nichts über sie. Es wurde kein Ausweis gefunden.«

»Nachbarn?«

»Gibt keine. Sechs Wohnungen auf dieser Etage, alle leer.«

Der Aufzug kam, sie fielen dreißig Stockwerke tief. Im

sechsten warteten an einem Schreibtisch drei Anzugträger, zwei Männer und eine Frau. Der dickliche Mittfünfziger trat vor, strich welke Haare zurück.

»Alex Manton, Gebäudemanager.«

Dove sagte: »Das ist Inspector Villani, Leiter des Morddezernats.«

Manton streckte die Hand aus. Sie fühlte sich trocken an, kreidig.

»Wir sollten im Besprechungsraum reden, Inspector«, sagte Manton.

In dem Raum hing ein diffus meermäßig anmutendes, mindestens fünf mal drei Meter großes Gemälde an der Wand, blaugraue, möglicherweise mit einem Mopp aufgetragene Schlieren. Sie nahmen an einem langen Tisch mit Beinen aus verchromtem Rohr Platz.

»Wem gehört das Apartment?«, fragte Villani.

»Einer Firma namens Shollonel Pty. Ltd., Firmensitz im Libanon«, sagte Menton. »Unseres Wissens ist es nicht bewohnt.«

»Sie sind sich nicht sicher?«

»Nun, so etwas zu wissen, ist keine Selbstverständlichkeit. Leute kaufen Wohnungen, um darin zu wohnen, als Geldanlage, für spätere Nutzung. Manche wohnen da überhaupt nicht, andere für kurze oder lange Zeiträume. Wir bitten die Leute, sich anzumelden, wenn sie hier wohnhaft sind. Aber man kann sie nicht zwingen.«

»Wie wurde sie gefunden?«, fragte Villani.

»Sylvia«, sagte Manton. »Unsere Chefconcierge, Sylvia Allegro.«

Die Frau, ein Puppengesicht. »Die Wohnungstür war nicht ganz geschlossen«, sagte sie. »Das Schloss schnappte nicht ein. Dadurch wird in der Wohnung ein Alarmton ausgelöst. Wenn man die Tür nicht innerhalb von zwei Minuten schließt, wird die Security alarmiert, die in der Wohnung anruft. Falls das zu nichts führt, fahren Sicherheitsleute nach oben.«

»Die binnen vier, fünf Minuten eintreffen?«, sagte Villani.

Sylvia sah Manton an, der den anderen Mann ansah, Mittvierziger, ein Kopf wie die Eichel eines Penis.

»Wohl nicht ganz«, sagte der Mann.

»Und Sie sind?«, fragte Villani.

»David Condy, Securitychef für Apartments und Hotel.« Er war Engländer.

»Was heißt ›nicht ganz‹?«

»Wie man mir sagte, hat die gesamte Elektronik gestern Abend bei ihrer ersten großen Generalprobe versagt. Bei der Eröffnung des Kasinos. Orion. Vierhundert Gäste.«

»Zur offenen Tür. Gibt Ihnen das elektronische System den Zeitpunkt an?«

»Im Prinzip ja. Aber da das …«

»Also nein?«

»Ja. Nein.«

»Da oben gibt es Alarmknöpfe.«

»In allen Wohnungen.«

»Die nicht betätigt wurden?«

Condy schob sich einen Finger unter den Hemdkragen. »Dafür gibt es kein Indiz.«

»Sie wissen es nicht?«

»Es ist schwer zu sagen. Wegen des Systemversagens haben wir keine Aufzeichnungen.«

»Dann ist es nicht schwer«, sagte Villani, »sondern unmöglich.«

Manton hob eine Patschehand. »Ein Wort zu den Gründen, Inspector, es war eine umfassende IT-Fehlfunktion. Da sie mit dieser Angelegenheit zeitlich zusammenfällt, stehen wir ein wenig blöd da.«

Villani sah die Frau an. »Das Bett wurde abgezogen. Wie könnte man sich der Laken und so weiter entledigen?«

»Entledigen?«

»Sie loswerden.«

Die Frau warf einen kurzen Blick auf Manton. »Nun, der Müllschlucker, nehme ich an«, sagte sie.

»Lässt sich feststellen, woher der Müll gekommen ist?«

»Nein.«

»Erklären Sie mir dieses Gebäude, Mr. Manton. Ein Überblick genügt.«

Mantons rechte Hand konsultierte seine Haare. »Wenn man oben beginnt, vier Etagen mit Penthouses. Dann kommen sechs Etagen mit vier Wohnungen pro Stockwerk. Darunter liegen vierzehn Etagen mit Apartments, sechs pro Stock. Es folgen die drei Freizeitetagen, Swimmingpools, Fitnessräume, Wellnesseinrichtungen und dergleichen. Anschließend noch zwölf Etagen mit Apartments, acht pro Stockwerk. Dann die vier Kasinoetagen, das zehnstöckige Hotel sowie zwei Stockwerke für Catering und Housekeeping. Und diese drei Etagen hier mit Empfangsbereichen, sprich Concierge, Verwaltung und Security. Das Kasino hat seine eigene Security, doch deren Systeme sind mit denen des Gebäudes verzahnt.«

»Oder auch nicht.« Villani zeigte nach unten.

»Unter uns liegen die Geschäftsetagen, Einzelhandel, Bewirtung, das Einkaufszentrum im Erdgeschoss. Fünf unterirdische Ebenen mit Parkmöglichkeiten und Haustechnik.«

Die Tür, die in Villanis Blickfeld lag, ging auf. Ein Mann trat ein, gefolgt von einer Frau, gleiche Größe, Anzüge, weiße Hemden.

»Wir platzen hier einfach mal rein«, sagte der Mann laut. »Machen Sie uns bitte miteinander bekannt, Alex.«

Manton stand auf. »Inspector Villani, das ist Guy Ulyatt von der Marscay Corporation.«

Ulyatt war dick und rosa, gelbseidige Haare, Knollennase. »Ist mir ein Vergnügen, Inspector«, sagte er. Er bot ihm nicht die Hand, setzte sich. Die Frau nahm neben ihm Platz.

Villani sagte zu Manton: »Hat diese Person uns etwas mitzuteilen?«

»Verzeihung, Verzeihung«, sagte Ulyatt. »Ich bin Leiter der Abteilung Firmenangelegenheiten von Marscay.«

»Haben Sie uns etwas mitzuteilen?«, fragte Villani.

»Ich sorge dafür, dass Sie die größtmögliche Unterstützung erhalten. Was natürlich keine Kritik an Alex beinhaltet.«

»Mr. Manton hilft uns«, sagte Villani. »Falls Sie nichts beizutragen haben – danke sehr und adieu.«

»Wie bitte?«, sagte Ulyatt. »Ich vertrete die Eigentümer dieses Gebäudes.«

In dem großen Raum wurde es still. Villani sah Dove an. Er wollte, dass der etwas daraus lernte. Dove hielt dem Blick stand, doch was er lernte, blieb unklar.

»Uns. Gehört. Das. Gebäude«, sagte Ulyatt, jedes Wort einzeln betont.

»Was hab ich damit zu tun?«, fragte Villani.

»Wir möchten mit Ihnen zusammenarbeiten. Die Auswirkungen auf Prosilio und seine Bewohner minimieren.«

»Morddezernat, Mr. Elliot«, sagte Villani. »Wir sind vom Morddezernat.«

»Ich heiße Ulyatt.« Er buchstabierte.

»Ja«, sagte Villani. »Vielleicht unterhalten Sie sich mit einer anderen Sektion meiner Behörde. Der Abteilung zur Minimierung von Auswirkungen. Wenn es eine gäbe, würde ich es bestimmt als Letzter erfahren.«

Ulyatt lächelte, ein leutseliger Fisch, ein Zackenbarsch. »Warum beruhigen wir uns nicht und klären das? Julie?«

Die Frau lächelte. Sie hatte rabenschwarze Haare, hatte unter dem Messer gelegen, kannte die Nadel, die Hautabschleifung durch Dermabrasion, war gründlich poliert bis runter zu den Reifen wie ein Mercedes aus zweiter Hand.

»Julie Sorenson, die Leiterin unserer Medienabteilung«, sagte Ulyatt.

»Hi«, sagte sie, zeigte vanilleweiße Zähne, Augen wie die eines toten Hirschs. »Stephen, nicht wahr?«

»Hi und bye-bye«, sagte Villani. »Das gilt auch für Sie, Mr. Elliot. War mir ein Vergnügen, aber wir sind hier sehr beschäftigt. Es geht um eine Tote.«

Ulyatt schaute nicht mehr wie ein Fisch. »Es heißt Ulyatt. Ich versuche hier zu helfen, Inspector, und stoße auf Feindseligkeit. Wie kommt das?«

»Wir brauchen Folgendes, Mr. Manton«, sagte Villani. »Fertig?«

»Sylvia?«, sagte Manton.

Sie hielt ihren Stift bereit.

»Alle Bänder der Videoüberwachung seit gestern fünfzehn Uhr, sämtliche Aufzüge, Parkdecks«, sagte Villani. »Dazu die Dienstpläne, außerdem Informationen über das gesamte Kommen und Gehen, Autos, Menschen, Lieferanten, Händler, einfach alles.«

Ulyatt pfiff. »Ziemlich starker Tobak«, sagte er. »Da brauchen wir viel mehr Zeit.«

»Haben Sie das notiert?«, sagte Villani zu Sylvia Allegro.

»Ja.«

»Außerdem die Lebensläufe und Dienstpläne sämtlicher Mitarbeiter, die Zugang zum sechsunddreißigsten Stock haben oder anderen Personen Zugang gewähren können. Und eine Liste der Eigentümer auf dieser Etage sowie der anderen Etagen mit Zugang zu dieser Etage. Dazu die Gästeliste der Kasinoeröffnung.«

»Die haben wir nicht«, sagte Ulyatt. »Das ist Orions Angelegenheit.«

»Die Kasinoeröffnung fand in Ihrem Gebäude statt«, sagte Villani. »Ich schlage vor, Sie besorgen sich die Liste. Wenn Orion nicht kooperieren will, lassen Sie es Inspector Dove wissen.«

Ulyatt schüttelte den Kopf.

»Wir zeigen das Opfer heute Abend im Fernsehen und bitten um Informationen«, sagte Villani.

»Ich verstehe nicht, warum das zu diesem Zeitpunkt nötig sein sollte«, sagte Ulyatt.

Villani sah ihn zunächst nicht an, sondern schaute Dove, Weber, Manton und Allegro in die Augen, ließ nur Condy aus, der wegsah. Dann fixierte er Ulyatt. »All diese Reichen zahlen für das Sicherheits-Komplettpaket, den Alarmknopf, die Kameras«, sagte er. »In Ihrem Gebäude wird eine Frau ermordet, und Sie legen mir Steine in den Weg?«

»Die Frau wurde tot aufgefunden«, sagte Ulyatt. »Für mich steht nicht fest, dass sie ermordet wurde. Und ich sehe keinen Grund, warum Sie das Fernsehen involvieren sollten, ehe Sie die Informationen überprüft haben, die Sie anfordern. Und die wir schnellstmöglich beschaffen werden, das kann ich Ihnen versichern.«

»Ich brauche mir nicht sagen zu lassen, wie ich Ermittlungen durchführe«, sagte Villani. »Und ich will es mir auch nicht sagen lassen.«

»Ich bemühe mich zu helfen. Ich kann es auch weiter oben in der Nahrungskette versuchen«, sagte Ulyatt.

»Was?«

»Mit Regierungspolitikern sprechen.«

Villani war seit halb fünf wach und spürte den langen Tag in den Knochen, war wie erloschen. »Sie wollen mit Regierungspolitikern sprechen«, sagte er.

Ulyatt bleckte die Zähne. »Natürlich nur als letztes Mittel.«

»Dann greifen Sie zu Ihrem Mittel, Mann«, sagte Villani, dessen Brenner dank der Zündflamme seines Zorns wieder auf Touren kam. »Sie haben es hier mit dem untersten Ende der Nahrungskette zu tun, jetzt geht's nur noch aufwärts.«

»Ich werde auf jeden Fall unsere Ansicht vorbringen«, sagte Ulyatt, sah ihn lange und missmutig an, stand auf, die

Frau stand auch auf. Er machte auf seinen schwarzen Schuhen kehrt, die Frau auch, beide trugen schmale schwarze Schuhe, beide hatten schlaffe Hintern, einer breit, der andere schmal, die Schönheitsoperationen hatten sich nicht auf ihren Arsch erstreckt. Im Gehen zog Ulyatt sein Handy hervor.

»Kein Müll verlässt das Grundstück, Mr. Manton«, sagte Villani. »Diese Anweisung wollte ich schon immer mal erteilen.«

»Er ist schon weg«, sagte Manton. »Wird jeden Morgen vor sieben Uhr abgeholt, täglich außer sonntags.«

»Verstehe. Tja. Wie kommt man da hoch?«

»Private Aufzüge«, sagte Manton. »Aus den Kellergeschossen und dem Erdgeschoss. Werden durch Chipkarte aktiviert, Zugang nur zu der eigenen Etage.«

»Und wer hat solche Karten?«

Manton wandte sich an Condy. »David?«

»Müsste ich überprüfen«, sagte Condy.

Villani sagte: »Sie wissen es nicht?«

»Für die Chipkartenausgabe gibt es ein Verfahren. Ich kriege das raus.«

Villani bewegte die Schultern. »Und wie kommt man in das Apartment hinein?«

»Mit derselben Karte, außerdem gibt es einen PIN-Code, optional Fingerabdruck und Irisscan«, sagte Condy. »Abdruck und Scan befinden sich momentan noch in der Schwebe.«

»In der was?«

»Äh, sie werden noch kalibriert.«

»Funktionieren nicht?«

»Momentan nicht.«

»Also genügt die Karte?«

»Ja.«

»Dieselbe Karte, von der Sie nicht wissen, wie viele Leute sie besitzen.«

Villani wandte sich an Dove. »Ich verschwinde«, sagte er. »Wenn man hier nicht voll und ganz kooperiert, gebe ich im Fernsehen bekannt, dass dieses Gebäude katastrophal verwaltet wird, es gefährlich ist, hier zu wohnen, und die Bewohner Grund zur Besorgnis haben.«

»Inspector, wir bemühen uns …«

»Bitte, tun Sie's einfach«, sagte Villani und erhob sich.

Im Eingangsbereich des Erdgeschosses sagte er zu Dove und Weber: »Erstens, Tracy soll Nachforschungen über die Firma anstellen, der das Apartment gehört. Zweitens, Identifizierung hat hier Priorität. Schicken Sie ihre Fingerabdrücke durch den Computer. Finden Sie raus, was die Überwachungskameras zeigen, schicken Sie jemanden in die Tiefgarage, der jedes Kennzeichen notiert. Und besorgen Sie die Gästeliste des Kasinos.«

Dove nickte.

Weber kratzte sich auf der Kopfhaut und sagte: »Is 'n schicker Laden hier. Wie 'n Palast.«

»Na und?«, sagte Villani.

Weber zuckte mit den Schultern, linkisch.

»Nur eine Tote mehr«, sagte Villani. »Heruntergekommene Sozialwohnung, dieser Palast hier – alles eins. Man verfährt einfach nach Vorschrift. Spielt den Ball zu Snake.«

»Wie bitte, Chef?«

»Kennen Sie den Begriff nicht, Mr. Dove? Noch nie von Snake gehört? Der Footballlegende? Hilft Ihnen Ihr Studienabschluss da nicht weiter?«

»Ich schätze, es handelt sich um einen Fachbegriff aus der Arbeit des Morddezernats«, sagte Dove. Er putzte seine randlose Brille, das braune Gesicht verletzlich.

Villani betrachtete ihn eine Weile. »Sich strikt an die Ausbildung halten. An die Vorschriften. Das machen, was man gelernt hat. Die Checkliste Punkt für Punkt abhaken. Dann muss man auch nicht um Hilfe bitten.«

»Ich habe nicht um Hilfe gebeten«, sagte Dove. »Ich habe Inspector Kiely ein paar Fragen gestellt.«

»Das hat er anders gesehen«, sagte Villani. Sein Handy pochte an seinen Brustkorb.

»Mr. Colby für Sie«, sagte Angela Lowell, die Sekretärin.

Der Assistant Commissioner sagte: »Steve, zu dieser Frau im Prosilio-Gebäude, ich hatte eben Mr. Barry am Telefon. Genickbruch, stimmt's?«

»So heißt es.«

»Woraus er den Schluss zieht, es könnte auch ein Unfall gewesen sein. Ein Sturz.«

»Blödsinn, Chef«, sagte Villani.

»Tja, jedenfalls will er, dass der Begriff ›Mord‹ nicht gebraucht wird.«

»Was soll das?«

»So lautet Mr. Barrys entschiedene Bitte an Sie. Ich spiele nur den Scheißboten. Können Sie mir folgen, Inspector?«

»Ja, Chef.«

»Bis später, okay?«

»Ja, Chef.«

Ulyatt hatte nicht gelogen. Er hatte es weiter oben in der Nahrungskette versucht. Vielleicht war er sogar ganz nach oben gegangen, zum Polizeichef, Chief Commissioner Gillam, vielleicht hatte er sogar Zugang zum Premier.

Dove und Weber sahen ihn an.

»Sind die Medien da draußen?«, fragte Villani.

»Nein«, sagte Dove.

»Nein? Was ist bloß aus undichten Stellen geworden? Egal, falls noch Journalisten auftauchen, sagen Sie ihnen, eine Frau wurde tot aufgefunden, Todesursache bislang unbekannt, man könne nichts ausschließen. Sagen Sie nicht Mord, sagen Sie nicht verdächtige Umstände, sagen Sie nicht, wo in diesem Gebäude. Nur, dass eine Frau tot ist und wir auf die Ergebnisse der Obduktion warten.«

Dove blinzelte, ruckte ganz leicht mit dem Kopf, Villani sah, wie unruhig er war. Instinktiv hätte er ihn gern leiden lassen, doch er besann sich eines Besseren.

»Ich hab's mir anders überlegt, übernehmen Sie das, Web«, sagte er. »Mal sehen, wie Sie sich im Scheinwerferlicht machen.«

Weber sah ihn mit großen Augen an und sagte: »Klar, Chef, klar. Hab schon ein wenig Medienerfahrung.«

Villani trat durch die Schiebetür, der heiße Spätnachmittag nahm ihm die Luft, er hatte nicht weit zu gehen, keine Presseleute, die Treppe runter, über den Vorplatz, ein klimatisierter Wagen wartete.

Alan Machin, der Topschnellschwätzer des Senders 3AR, sagte im Radio:

… morgen über fünfunddreißig Grad, noch zwei Tage, und wir haben einen neuen Rekord aufgestellt. Warum habe ich das gesagt? Die Leute reden, als wollten wir solche Rekorde brechen. Niedrigste Regenmenge seit einem Jahrhundert. Heißester Tag. Können wir dieses Rekordgerede beenden? Gerry aus Greenvale am Telefon, was beschäftigt Sie, Gerry?

»Soll das Radio anbleiben, Chef?«

»Klar.«

… wenn man vor Jahren die Cops gerufen hat, den Krankenwagen, dann kamen die auch. Nach fünf Minuten. Samstag war hier gegenüber die Kacke am Dampfen, ich ruf die Cops an, warte zwanzig Minuten, ich ruf wieder an, da draußen ist die Hölle los, Mann, kreischende Frauen, diese Tiere schlagen Autos kurz und klein, schmeißen mir 'n Briefkasten durchs Wohnzimmerfenster, werden immer mehr, aber keine Cops. Ich ruf wieder an, dann werden zwei Kids abgestochen, einer kriegt den Schädel eingeschlagen, jemand ruft den Krankenwagen.

Wie weit ist denn die nächste Polizeiwache entfernt, Gerry? Craigieburn Road, oder? Jedenfalls zu weit, das steht fest.

Vierundzwanzig Minuten haben die Krankenwagen bis hier-
her gebraucht, der eine Bursche is schon tot, heißt es dann.
Und die Sanitäter haben sie schon eingeladen und sind wieder
weg, ehe die Scheißcops endlich kommen.

Es vergeht also, wie viel, über eine Stunde, ehe die Polizei
reagiert, ist das nicht…

Absolut. Ist Ihnen schon mal aufgefallen, dass sie hunderte
Cops losschicken, wenn sich irgendein Dödel im Busch verirrt?
Bei solchen Sachen?

Danke für den Beitrag, Gerry. Alice wartet bereits, Sie sind
dran, Alice.

Ich heiße Alysha, mit y. Eigentlich wollte ich über die Züge
reden, aber der Anrufer eben hat die Sache auf den Punkt ge-
bracht. Wir haben hier in der Gegend Krawalle, kein Witz,
Krawall ist das Einzige…

Wo ist das, Alisha, wo ist »hier in der Gegend…«

Braybrook. Genau. Die Polizei juckt das überhaupt nicht,
sollen die sich doch gegenseitig umbringen, die Gangs,
hier sieht man praktisch keine Australier, lauter Ausländer,
Schwarze, Asiaten. Genau…

»Die mögen Cops nicht besonders, oder, Chef?«, sagte der
Fahrer.

»Sie können Cops gar nicht mögen«, sagte Villani. »Cops
sind ihr besseres Alter Ego.«

In seinem Büro – Gavan Kiely war nach Auckland geflogen – schaltete Villani den großen Bildschirm an, drückte die Stummtaste, wartete auf die Nachrichten um 18 Uhr 30, machte den Ton an.

Eine brennende Welt – leuchtend rote Hügel, grauweiße Trauerfahnen aus Rauch, explodierende Bäume, geschwärzte Fahrzeughüllen, Pferdekoppeln aus Holzkohle, einen sanften, mit braunem Gras bewachsenen Hang hinunterwandernde Flammen, die in der Luft hängenden Wassertanks der Hubschrauber.

… übermüdete Feuerwehrleute stellen sich auf den Ansturm einer Flammenwand ein, die das hoch gelegene Dorf Morpath bedroht. Die meisten Bewohner haben sich entschieden, zu bleiben und ihre Häuser zu verteidigen, trotz der Warnungen, die schrecklichen Lehren aus dem Jahr 2009 zu beachten …

Wenn es stockdunkel war, würden sein Vater und Gordie das ockergelbe Leuchten im Himmel sehen; Morpeth lag zwar dreißig Straßenkilometer von Selborne entfernt, war aber nur vier Täler weiter.

Ein Flugzeugabsturz in Indonesien, eine Fabrikexplosion in Geelong, ein Autobahnauffahrunfall von sechs Wagen, die Schließung einer Elektronikfirma.

Die Nachrichtensprecherin mit ihren großen Augen sagte:

… vierhundert Promis, viele von ihnen reiche Glücksspieler aus Asien, den Vereinigten Staaten und Europa, durften ges-

*tern Abend vorab das Orion besuchen, Australiens neuestes
und exklusivstes Kasino…*

Männer im Abendanzug und Frauen im kleinen Schwarzen entstiegen Limousinen, gingen über einen roten Teppich. Villani erkannte einen millionenschweren Bauunternehmer, einen Schauspieler, dessen Karriere beendet war,
einen berühmten Fußballspieler, den man stundenweise mie-
ten konnte, zwei kokainsüchtige Fernsehgrößen, einen tei-
gigen Mann, dem Rennpferde und zahlreiche Jockeys gehörten.

Eine Aufnahme des Prosilio-Gebäudes aus dem Hubschrauber, dann sagte ein junger Mann mit hochgegelten Haaren auf dem Platz vor dem Hochhaus:

*Das Luxus-Glücksspielkasino ist in diesem Gebäude unter-
gebracht, dem neu errichteten Prosilio Tower, einem der teu-
ersten Wohnkomplexe Australiens. Es ist eine Welt des totalen
Luxus für Millionäre, die hier hoch über der Stadt wohnen,
geschützt durch modernste elektronische und andere Sicher-
heitsmaßnahmen…*

Sein Handy.

»Papst Barry ist zufrieden«, sagte Colby.

Villani sagte: »Weswegen?«

»Prosilio. Die junge Frau.«

»Hat nichts mit mir zu tun. Die Abwesenheit der Medien,
wer hat das veranlasst?«

»Da müsste ich raten.«

»Ja, klar. Dieses Prosilio-Arschloch, Elliot, Ulyatt – seiner Firma gehört das Gebäude. Der hat sich aufgeführt, als
kämen wir vom Ordnungsamt, weil Äste über den Zaun
wachsen.«

»Und was haben Sie gesagt?«

»Na, du kannst mich mal, hab ich gesagt.«

»Jedenfalls steht fest, dass er sich an irgendwen gewandt
hat. Das steht fest.«

»Mir gefällt das nicht, Chef.«

»Sie wollen keine schlechten Nachrichten.«

»Das Kasino?«, fragte Villani.

»Um das Kasino geht's hier nicht, mein Junge«, sagte Colby. »Da oben in der Luft steht so was wie eine ganze Vorstadt nicht verkaufter und Millionen Dollar teurer Wohnungen. Die alle mit der Behauptung angepriesen werden, da drin wohne man so sicher wie 1952 neben der Polizeiwache von Benalla. Da verdienst du eine Menge Geld, kannst dir alles kaufen, und dann dringt irgendein durchgeknallter Psycho in deine Bude ein und bringt dich um. Fickt dich, foltert dich und bringt dich um.«

»Ich verstehe, was daran unerfreulich ist.«

»Dann versuchen Sie auch zu erfassen, welchen Charme ein Mord in diesem Gebäude hat.«

Auf dem Bildschirm sah man Anna Markham, kühl, Nadelstreifensakko. Er hatte das Grübchen in ihrem Kinn aus nächster Nähe betrachtet, überlegt, ob er seine Zunge in die winzige Vertiefung legen sollte.

»Ich arbeite dran, Chef«, sagte er.

»Und zwar hinten, vorne und in der Mitte. Jetzt geht's um die großen Kaliber. Nicht mehr um Raubüberfälle. Weder für Sie noch für mich.«

… der Schock der heutigem Umfrageergebnisse, der drohende Streik der Krankenschwestern, die mit dem Calder-Village-Projekt verbundenen Fragen und die nächste Woche bevorstehenden Demonstrationen im Goulburn Valley. Da es nur noch wenige Wochen bis zur Wahl sind, muss Premierminister Yeats sich über einige Dinge Sorgen machen…

Sie hatte die Stimme einer Privatschulabsolventin aus gutem Haus.

Die Moderatorin sagte:

… unsere politische Redakteurin Anna Markham. Nun zu den Nachrichten aus dem Finanzsektor. In einer überra-

schenden Entwicklung in der Medienbranche wurde heute ein
neues…

Das Telefon. Auf stumm geschaltet.

»Presseabteilung in der Leitung, Chef. Mr. Searle.«

»Stevo, wie geht's denn so?« Heisere Raucherstimme.

»Gut. Was gibt's?«

»Ohne Umschweife. Das gefällt mir bei einem Mann. Hören Sie, die Frau im Prosilio, haben Sie da was?«

»Nein.«

»Okay, dann lassen wir die Finger davon, bis Sie etwas haben, es bringt ja nichts, wenn…«

»Falls wir die Frau nicht vorher identifizieren«, sagte Villani, »will ich sie morgen in sämtlichen Nachrichtensendungen haben.«

»Versprochen«, sagte Searle. »Und dabei muss man nicht betonen, dass es im Prosilio passiert ist, die Frau muss identifiziert werden, das ist im Grunde…«

»Wir unterhalten uns morgen«, unterbrach ihn Villani. »Habe Anrufer in der Leitung.«

»Inspector.«

Villani saß lange einfach nur da, Kopf im Nacken, Augen geschlossen, und dachte an die Kindfrau, die genau wie Lizzie aussah und in einer gläsernen Badewanne in einem gläsernen Badezimmer lag, hoch über der befleckten Welt.

Drei Sicherheitsebenen, Alarmknöpfe, so viele Hindernisse, so abgeschirmt. Und doch herrschte die Angst. Er sah die Haut der jungen Frau, grau wie die früheste Morgendämmerung, er sah die sanfte Vertiefung zwischen ihren Hüftknochen und ihrem Schamhaar, in dem sich Tröpfchen sammelten wie in einer Wüstenpflanze.

Das Wasser war von Substanzen durchsetzt, geschäumt und beschmutzt gewesen, die ihr Körper von sich gegeben hatte. Villani war froh, das nicht gesehen zu haben.

Es war Zeit aufzubrechen, den Tag zu beenden.

Er hatte keinen, mit dem er noch etwas trinken konnte. Das ging jetzt nicht mehr, er war der Chef.

Nach Hause fahren. Wo niemand war.

Er rief Bob Villanis Nummer an, sah den Flur im Haus seines Vaters vor sich, das Telefon auf dem wackligen Tisch, hörte das beharrliche Klingeln, sah den Hund horchen, mit schräg gelegtem Kopf. Er wartete nicht, bis es aufhörte zu klingeln.

Inspector. Leiter des Morddezernats.

Er wusste, er würde es machen, wartete aber, zögerte es hinaus, ging zum Schrank und fand die Karte mit ihrer spitzen Handschrift. Er setzte sich, drückte die Tasten, eine Handynummer.

»Hallo.«

»Stephen Villani. Falls ich die richtige Nummer habe, erforsche ich gerade die Möglichkeit, jemanden wiederzusehen.«

»Es ist die richtige Nummer, Forscher. Wann schwebt dir denn vor?«

»Nun, egal, wann.«

»Heute Abend beispielsweise?«

Er konnte sein Glück nicht fassen. »Heute Abend beispielsweise, das würde mir vorschweben, ja.«

»Ich kann meine Pläne ändern«, sagte sie mit ihrer arroganten Stimme. »In… oh, etwa einer Stunde kann ich in meiner Wohnung sein.«

»Möchtest du deine Pläne ändern?«

»Da muss ich überlegen. Ja, ich möchte meine Pläne ändern.«

»Tja, ich kann da sein.«

»Iss nichts. Sei hungrig.«

»So funktioniert Hunger also«, sagte Villani. »Gib mir die Adresse.«

»South Melbourne. Minter Street achtzehn. Exeter Place. Apartment zwölf.«

Er fühlte das Blut in seinen Adern, die leichte Anspannung in seinem Brustkorb, wie im Boxring, ehe die Glocke ertönte, ehe der Kampf begann.

Zufriedenstellend«, sagte Anna Markam.

»Bekomme ich eine präzisere Note?«, fragte Villani.

Er lag auf der Seite, küsste ihren Wangenknochen. Anna drehte den Kopf, fand seinen Mund. Es war ein guter Kuss.

»In dieser Phase ist es eine binäre Angelegenheit«, sagte sie. »Zufriedenstellend – nicht zufriedenstellend.«

»Vor meinem Anruf«, sagte er. »Wohin warst du unterwegs?«

»Ins Theater.«

»Mit?«

»Begleitung.«

»Einem Mann?«

»Schon möglich.«

»Das ließe sich herausfinden.«

»Ich mag Ungewissheit«, sagte Anna. »Willst du nicht wissen, welches Stück?«

Ein Test. Villani spürte die große Kluft zwischen ihnen. Sie hatte studiert, die Wohnung war voller Bücher, Gemälde, auf einem Sideboard CDs mit klassischer Musik. Seine Bildung beschränkte sich auf die Schule, wo er wenig gelernt hatte, an das er sich noch erinnerte, auf der Highschool hatte er in einem Theaterstück mitgespielt, zwangsverpflichtet von einer resoluten Lehrerin, deren Gesicht er jetzt vor sich sah. Ms. Davis, sie bestand auf dem Ms. Was er über Kunst und Musik wusste, hatte er Laurie zu verdanken, die ihn mitschleppte, bis sie es leid war. Er las Zeitung, das hatte er von

Bob übernommen, und wenn er nachts nicht schlafen konnte, sah er sich Filme an.

Und Bäume, er wusste eine ganze Menge über Bäume. Zum Beispiel kannte er die botanischen Bezeichnungen von etwa fünfzig Eichenarten.

»Welches Stück?«, sagte er.

»*Der Sturm*. Shakespeare.«

»Nie davon gehört.«

Er legte den Kopf in den Nacken und sagte nach einer Weile: »*Wie dieses Scheines lockrer Bau, so werden die wolkenhohen Türme, die Paläste, die hehren Tempel, selbst der große Ball, ja, was daran nur teil hat, untergehn.*«

Fingerspitzen gruben sich in seinen Oberarm.

»*Und, wie dies leere Schaugepräng' erblasst, spurlos verschwinden*«, schloss Villani.

»Wer bist du?«

»Das ist die neue Polizei«, sagte er. »Wir finden Shakespeare relevant. Und natürlich inspirierend.«

Sie rückte näher, Seide, ihre Haare fielen auf ihn. »Ich hatte das Gefühl, du könntest der Erforscher der intellektuellen Frau sein. Und gut im Bett. Wenn auch ein wenig überhastet.«

»Überhastet? Ich werd dir ›überhastet‹ geben.«

Sie war schlank, aber muskulös, gab vor, sich zu ergeben, dann wehrte sie sich, er wollte sie nach unten drücken, erregt.

Er sah die junge Frau auf dem Autorücksitz, der Lippenstift verschmiert. Angst überkam ihn.

»Was ist?«, sagte sie, »was hast du?«

»Ich dachte, du … wehrst dich gegen mich.«

»Ich wehre mich gern gegen dich. Was ist los?«

»Gar nichts.«

»Hat dich was abgetörnt?«

Er drehte sich um, sah die verschwitzten Haare auf seinem Bauch, die Speckfalte.

»Bin nur müde«, sagte er. »Musste früh raus.«

31

Sie schwieg eine Zeit lang, griff nach ihrem Bademantel, erhob sich wie eine Gottesanbeterin, mühelos. »Geh duschen, dann essen wir.«

Villani frottierte sich gerade die Haare, als sein Handy klingelte.

»Dad.«

Corin.

»Ja, Liebling. Was ist?«

»Ich hab ein etwas unheimliches Gefühl. Hier kurvt so ein Auto rum.«

Die Angst. In seinem Magen, seinem Hals, sofort sammelte sich Galle in seinem Mund. »Kurvt wie rum?«, fragte er beiläufig.

»Fuhr vorbei, als ich nach Hause kam, zwei Typen. Als ich später den Müll rausbrachte, parkte es weiter unten auf der Straße. Gerade bin ich noch mal raus, und da war es weg, und dann kamen sie um den Block und parkten weiter oben.«

»Was für ein Wagen?«

»Die sehen alle gleich aus. Neu. Hell.«

»Wird schon nichts sein, aber schließ für alle Fälle ab. Ich schicke jemanden vorbei, ich bin unterwegs. Höchstens zwanzig Minuten. Ruf mich an, falls irgendwas passiert. Ist das klar?«

»Jawoll, Sir. Danke, Dad.«

Sein kostbares Mädchen. Dankte ihm, als täte er ihr einen Gefallen. Er drückte die Kurzwahltaste, sprach mit der diensthabenden Person, wartete, hörte den Funkverkehr mit.

»Ein Wagen ist vier Minuten entfernt, Chef«, sagte die Frau.

»Sagen Sie ihnen, ich bin in zwanzig da, so lange sollen sie bleiben.«

Anna war in der Küche am Ende des großen Zimmers, die Haare hochgesteckt, barfuß, hauchdünner Morgenmantel. Sie wandte ihm den Kopf zu.

Villani durchquerte das Zimmer, stellte sich hinter sie.

»Streifen besten Rumpsteaks«, sagte Anna. »Das gibt Kraft.«

Die Lockerheit war dahin. Villani wollte sie am liebsten an sich drücken. »Bestes Rumpsteak hat mir die Kraft geraubt«, sagte er. »Ich muss los. Lässt sich nicht aufschieben.«

Sie rührte in dem Wok. »Rein – raus.«

Er wollte sie aufs Ohr küssen, sie bewegte sich, er küsste Haare. »Tut mir leid«, sagte er. »Wahrscheinlich ist das alles ein Irrtum.«

»Lass uns das nicht als Tragödie spielen«, sagte sie. »Nur ein Fick.«

»Du hättest ins Theater gehen sollen.«

»In das Stück kann ich noch den ganzen Monat gehen. Du hingegen könntest jeden Augenblick schließen.«

»Vielleicht solltest du mich als geschlossen betrachten«, sagte er, auf einmal erleichtert, ging, nahm im Gehen seine Jacke vom Sofa, hielt nicht an. An der Wohnungstür blieb er unwillkürlich stehen und sah sich um. Sie wandte ihm ihren Nacken zu.

Auf der ganzen Fahrt durch die heiße, lärmende Stadt dachte er an Corin, wie viel Freude sie bereitet hatte, das köstliche atmende Gewicht des auf ihm schlafenden, winzigen Kindes an einem drückend heißen Nachmittag im Ferienhaus, er exerzierte den egoistischen Schmerz durch, den er empfände, falls ihr etwas zustoßen würde, die Verantwortung, die auf ihm lasten würde, weil er eine Arbeit hatte, wegen der einen vertierte Menschen hassten, von Rache träumten, die Familie umbrachten.

In Carlton, an der Kreuzung Elgin Street, sprach er mit ihr.

»Da draußen geht irgendwas vor«, sagte sie. »Autos.«

»Die Polizei ist bei dir. Bleib im Haus. Ich bin in ein paar Minuten da.«

Als er in die Straße einbog, sah er die Autos, hielt hinter ihnen. Eine Uniformierte trat an sein Fenster.

»Zwei Hirnis, Chef«, sagte sie. »Der eine lebt von seiner Alten getrennt, die da unten die Nummer hundertsechsundsiebzig gemietet hat, und er glaubt, sie rammelt seinen Bruder. Und darum sitzen und er sein Kumpel in dem Holden, trinken Jim Beam, sind jetzt beide knülle und warten darauf, dass der arme Kerl eintrifft.«

»Dann war's also reine Zeitverschwendung«, stellte Villani fest.

»Auf keinen Fall, Chef«, sagte die Frau. »Da treiben sich so viele Spinner rum. Wir haben den beiden Idioten einen ordentlichen Schrecken eingejagt. Den Wagen lassen sie bis morgen stehen und nehmen ein Taxi nach Hause.«

Villani parkte in der Auffahrt, nahm die Hintertür. Corin wartete, mit besorgter Miene. Er klärte sie auf.

»Verzeih mir, Dad.«

Er küsste sie auf die Stirn, sie streckte die Hand aus, rieb seinen Hinterkopf.

»Ich verzeihe es dir nicht, wenn du mich mal nicht anrufst«, sagte er. »Meine Güte, ist das heiß.«

Corin sagte: »Irgendwie glaubst du, kugelsicher zu sein, weil dein Dad ein Cop ist.«

»Das bist du. War nur irgendein Auto auf der Straße.«

»Stimmt. Blöde. Schon gegessen?«

»In letzter Zeit nicht, nein.«

»Bist du mit TKT einverstanden?«

»TKT und Z. Ringe von Z.«

»Falls eine Z da ist. Du raspelst den Käse.«

Wie in alten Zeiten, Mädchen und Dad in der Küche, Seite an Seite, Villani bestrich Brot mit Butter, raspelte Käse, Corin schnitt eine Tomate in Scheiben, eine Zwiebel. Ohne ihn anzusehen, sagte sie: »Feuchte Haare.«

Villani befühlte seine Haare. »Hab geduscht«, sagte er. »War ein langer Tag. Ein schweißtreibender Tag.«

»Du duschst auf der Arbeit?«

»Häufig. Der Leiter des Morddezernats muss sauber aussehen.«

Corin sagte rasch: »Sam in meinem Seminar, der arbeitet im Schichtdienst in so 'nem Restaurant, und der sagt, du warst mit einer Frau da.«

»Er kennt mich?«

»Hat dich im Fernsehen gesehen.«

»Eine kanadische Kriminologin«, sagte Villani. »Sie hat ein Stipendium bekommen, um über verschiedene Polizeibehörden des Commonwealth zu recherchieren. Ist besser, als sich im Büro interviewen zu lassen.«

Eine komplizierte Lüge. Zu detailliert. Solche Flunkereien brachte man meist schon zu Fall, wenn man den Erzähler zehn Sekunden lang ansah.

Corin ging zur Spüle.

»Sam sagt, es war Anna Markham, die Frau aus dem Fernsehen. Es war nach Mitternacht.«

»Eine Ähnlichkeit besteht«, sagte er. »Jetzt wo du's erwähnst.«

»Dad. Tu's nicht.«

»Was soll ich nicht tun?«

»Mich anlügen. Ich bin kein Kind mehr.«

»Hör zu, Kind«, sagte Villani. »Es war gar nichts.«

»Was ist mit dir und Mum?«

»Tja, ist schwierig, eine schwierige Phase.«

»Liebst du sie nicht mehr?«

Corin war einundzwanzig, da konnte man so eine Frage noch stellen.

»Liebe bleibt nicht immer gleich«, sagte er. »Es gibt diese Liebe, und es gibt jene Liebe. Sie verändert sich.«

In ihren Augen sah er, dass sie keinen blassen Schimmer hatte, was er meinte. »Egal«, sagte er. »Wo ist Lizzie?«

»Sie wollte am Wochenende bei einer Freundin übernachten.«

»Hast du sie heute schon gesehen?«

»Gehört. Als ich ging, war sie im Bad. Wann hast du sie zuletzt gesehen?«

Villani wusste es nicht mehr genau. Schuldgefühle, immer diese Schuldgefühle. »Vor ein paar Tagen. Wo ist deine Mum zurzeit? Hab's vergessen.«

»In Cairns. Dreharbeiten.«

»Hab nie begriffen, weshalb diese Leute ihren eigenen Caterer mitnehmen müssen. Wird in Cairns nicht gekocht? Essen die da oben nur frisches Obst?«

»Ihr solltet mehr Zeit miteinander verbringen«, sagte Corin.

Villani boxte spielerisch gegen ihren Arm. »Erst beendest du dein Jurastudium«, sagte er. »Dann machst du dein Diplom in Eheberatung.«

Er aß seine Sandwichtoasts vor dem Fernseher und las *The Age*. Corin lag auf dem Sofa, Akten auf dem Boden, und machte sich Notizen. Er schlief ein, den Teller noch auf seinem Schoß, und schreckte hoch, als sie ihm den Teller wegnahm.

»Geh ins Bett, Dad«, sagte sie. »Du musst mehr Schlaf kriegen. Schlaf, ordentliches Essen und Bewegung.«

»Die heilige Dreieinigkeit«, sagte Villani. »Gute Nacht, mein Engel.«

Birkerts gesellte sich im Fahrstuhl zu ihm. »Kürzlich habe ich den Laienprediger der Kirche Jesu des Karrieristen ein paar Worte mit Mr. Kiely wechseln sehen«, sagte er. »Möglicherweise planen sie die Gründung einer mittäglichen Bibelgruppe.«

»Weber bringt mir wenigstens ein wenig Respekt entgegen«, sagte Villani.

»Wahrscheinlich betet er für dich«, sagte Birkerts. »Er könnte dir die Hand auflegen, was auch immer das heißen mag.«

»Ich rate zu Gebeten«, sagte Villani. »Die Leute sollen beten, dass sie nicht für die Koordinierung der Nachbarschaftswache eingeteilt werden.«

»Der eine oder andere hier kann sich durchaus vorstellen, vor dem richtigen Mann niederzuknien.«

»Hab nichts gegen Katholiken«, sagte Villani.

Im Büro hörte Villani seinen Anrufbeantworter ab, ließ Dove kommen.

»Was macht die Gesundheit?«, fragte Villani. Eigentlich war es ihm egal, aber man musste zeigen, dass man sich kümmerte. Dove war der erste Aborigine-Polizeibeamte, der im Dienst angeschossen worden war.

Dove drehte und reckte den rasierten Schädel, eine Hand am Hals. »Gut«, sagte er. »Chef.«

»Kopfschmerzen?«

»Kopfschmerzen?«

»Haben Sie Kopfschmerzen?«

»Manchmal. Ich hatte schon vorher Kopfschmerzen. Manchmal.«

»Es heißt«, sagte Villani, »Kopfschmerzen seien ein häufiges Symptom für posttraumatischen Stress.«

»Ich habe keinen posttraumatischen Stress, Chef.«

»Flashbacks?«

»Nein. Ich habe keine Flashbacks, ich erlebe nicht immer wieder, wie der Dreckskerl auf mich schießt. Ich erinnere mich, ich kann mich genau daran erinnern, wie ich angeschossen wurde, an alles, bis zu dem Augenblick, wo ich das Bewusstsein verlor.«

»Gut. Und Stress? Fühlen Sie sich gestresst?«

Dove sah kurz nach unten. »Darf ich Sie was fragen, Chef?«

»Klar.«

»Sind Sie schon mal angeschossen worden?«

»Nein. Beschossen, ja. Mehrmals.«

»Haben Sie Flashbacks?«

»Nein. Träume. Ich hatte Träume.«

Dove hielt Villanis Blick stand, er würde nicht wegsehen. »Darf ich Ihre Krankenakte sehen, Chef?«, sagte er. »Mit Ihnen darüber sprechen?«

Villani dachte über Doves immer schon impertinente Art nach, die sich nicht zum Besseren gewandelt hatte, seit er angeschossen worden war. Der Mann war ein hoffnungsloser Fall. Am besten verpasste man ihm Abmahnungen, gleich heute die erste, wegen Insubordination. Dann könnte man ihn versetzen. Zu gegebener Zeit könnte ein anderer ihn entlassen.

»Na schön«, sagte Villani. »Sie kommen mir normal vor. Wenn man die Messlatte niedrig ansetzt, aber was soll's.«

»Ist es wegen gestern, Chef? Weil ich Kiely gefragt habe? Einfache Fragen zum Vorgehen.«

Villani sah eine Chance. »Für Sie immer noch Inspector

Kiely. Ich habe den Eindruck, dass Sie hier unzufrieden sind. Eine Versetzung ohne Angabe von Gründen könnte genau das Richtige sein.«

Dove hielt seinem Blick stand. »Nein, Chef«, sagte er. »Ich bin zufrieden. Mache alles, was Sie mir auftragen.«

»So funktioniert das normalerweise im Polizeidienst.«

»Ja, Chef.«

Tracy stand an der Tür. »Chef, ein Typ, will seinen Namen nicht nennen. Ein alter Kumpel, sagt er.«

»Notieren Sie seine Nummer, ich rufe zurück.« Zu Dove sagte er: »Holen Sie Weber.«

Sekunden später waren sie beide wieder da.

»Schießen Sie los«, sagte Villani.

»Nichts Gutes«, sagte Dove. »Die Videos aus Tiefgaragen und Aufzügen haben sie nicht rausgerückt. Als Begründung geben sie technische Schwierigkeiten an. Laut Werbung ist die Technik top, neuester Stand, aber nichts hat funktioniert. Könnte ein Hochhaus aus den fünfziger Jahren sein.«

»Die neue Welt der totalen Sicherheit«, sagte Villani. »Die neue Welt des totalen Bockmists. Was ist mit den Chipkarten, den PINs?«

»Im Grunde haben sie keine Ahnung, wer in das Apartment gelangt sein könnte. So ziemlich jeder von der Security kann eine Chipkarte machen, die PIN programmieren. Später könnte man sie wieder zurück auf die alten umstellen.«

»Mist. Na schön, weiter im Text. Forensik.«

Dove wies mit dem Kopf in Richtung Weber.

»Keine Fingerabdrücke, DNA-Spuren eher unwahrscheinlich, sagen sie, das Apartment ist sauberer als ein Krankenhaus«, sagte Weber, guckte aufgeweckt.

»Krankenhäuser sind kein Maßstab mehr«, sagte Villani. »Was sagt die Metzgerei?«

Weber hatte einen Computerausdruck dabei. »Todeszeitpunkt am Donnerstag gegen Mitternacht. Fünfter Halswirbel gebrochen, Kopf wurde sehr wahrscheinlich nach hinten gerissen, keine Prellungen oder Hautabschürfungen. Kurz zuvor Geschlechtsverkehr. Rissverletzungen im Vaginal- und Analtrakt. Keine Samen. Sie hat Kokain genommen. Ist zwischen sechzehn und zwanzig. Über ein Jahr alte Narbe am linken Trizeps. Frische Rippenprellungen auf der linken Seite, wahrscheinlich durch Schläge. Leicht verschobene Nasenscheidewand, wahrscheinlich innerhalb der letzten sechs Monate.«

Stille.

»Und, was haben Sie anzubieten?«, fragte Villani.

Weber hüstelte, sah Dove an.

Der sagte: »Wahrscheinlich hat man ihre Hände gefesselt, sie wird mit etwas Weichem geknebelt, es kommt zu Vaginal- und Analverkehr, er ist hinter ihr, hat entweder einen Großen, sprich: Riesigen, oder er hat etwas übergestülpt, oder es ist ein Gegenstand, so was in der Art. Zu irgendeinem Zeitpunkt reißt er ihren Kopf heftig nach hinten, bricht ihr das Genick. Ihren Kopf hält er dabei in den Händen. Anschließend legt er sie in die Wanne, wäscht sie und zieht dann den Stöpsel.«

»Dann«, fuhr Weber fort, »packt er ihre Kleidung weg, die Schuhe, alles, und wischt sämtliche Oberflächen ab, die berührt wurden.«

»Nur ein gemütlicher Abend im Prosilio-Gebäude«, sagte Villani. »Vor dem Sex haben sie wahrscheinlich Pizza gegessen, sich eine DVD angesehen. Das haben Sie doch überprüft, Mr. Dove?«

Dove runzelte die Stirn. »Äh, nein. Nein.«

»Möglicherweise *Pretty Woman*«, sagte Villani. »Ein religiöser Text für Nutten. Das Neue-Nutten-Testament. Die Heilsbotschaft. Sind Sie damit vertraut, Mr. Weber?«

Weber lächelte, verzieh womöglich die leichtfertigen Worte, sie würden es nie erfahren. »Ist das Ihre Ansicht, Chef? Eine Nutte?«

»Nein«, sagte Villani. »Ich neige nur zu dieser Annahme. Fehlt nicht viel, und ich kippe um. Haben Sie den Wäscheschlucker überprüft, den Müll?«

»Im Wäscheschlucker ist nichts«, sagte Dove. »Der Müll wurde Freitagmorgen abgeholt. Er liegt auf der Müllkippe.«

»Das ist überaus vielversprechend«, sagte Villani. »Hat der Geschäftsführer die anderen Sachen geliefert?«

»Ich glaube, Manton ist da uns gegenüber nicht ganz offen«, sagte Dove und strich sich über den Kopf. »Er hat uns an Ulyatt, an Marscay verwiesen. An die Eigentümer.«

Ulyatt. Der Mann, der mit jemandem sprach, der dem Polizeichef Anweisungen erteilen konnte.

»Was ist mit den Kasinogästen?«

Dove sah Weber an. Weber sagte: »Äh, das habe ich Tracy überlassen, Chef. Die Kasino-Security fällt in die Zuständigkeit einer Firma namens Stilicho. Anscheinend gehört sie Blackwatch Associates.«

»Übernehmen Sie das wieder«, sagte Villani. »Das ist nicht Tracys Aufgabe. Seit wann macht Blackwatch solche Sachen?«

»Ich weiß nicht viel über Blackwatch, Chef«, sagte Weber.

»Sagt Ihnen der Name Matt Cameron etwas?«

»Der Cop?«

Villani hatte unter dem legendären Matt Cameron gedient, war am Ort des Mordes an dessen Sohn und der Freundin des Sohnes gewesen, hatte an der aufwendigen, ergebnislosen Großfahndung teilgenommen.

»Der ehemalige Cop. Er leitet Blackwatch. Ihm gehört ein Teil des Ladens.«

»Das hier ist eine neue Firma«, sagte Dove. »Ich glaube, es handelt sich um Blackwatch im Verbund mit einer anderen Gesellschaft.«

»Also gut«, sagte Villani. »Eine Tote, unbekleidet, kein Ausweis, keine Ahnung, wie sie dorthin kam, nichts Konkretes, folglich haben wir einen Haufen Hundekacke.«

»Sie haben es auf den Punkt gebracht, Chef«, sagte Dove, kleines spöttisches Lächeln.

Villani erhob sich, reckte die Arme hoch, zur Seite, rollte den Kopf, ein paar Knochen knacksten; er trat ans Fenster, konnte die Hügel im Osten nicht sehen, die im Qualm verschwanden. Er dachte an seine Bäume. Wenn sie abbrannten, würde er nie wieder dorthin zurückkehren, diesen Anblick ertrüge er nicht. Rauchen, er musste unbedingt eine rauchen, er würde immer rauchen. Weber würde immer eine Nervensäge sein, seine Unschuld eine leibhaftige Rüge, doch er würde sich Sorgen machen und nicht schlafen können, gute Arbeit leisten. Dove war ein anderer Fall. Zu pfiffig, zu anmaßend, er hatte nicht genug Tote gesehen.

Villani dachte an die Toten, die er gesehen hatte. Er konnte sich an alle erinnern. Leichen in Sozialwohnungen, in flachen braunen Häusern mit Ziegelverblendung, in vollgekotzten Gassen, schmutzfleckigen Auffahrten, Kofferräumen, Tote, in Abflusskanäle gezwängt, in Gullys gestopft, in Dämme, Flüsse, Bäche, Kanäle versenkt, unter Häusern vergraben, in Minenschächte geworfen, eingemauert, in Zement einbalsamiert, erschossen, erstochen, erwürgt, erschlagen, zerschmettert, vergiftet, ertränkt, durch einen Stromschlag getötet, erstickt, verhungert, aufgespießt, zerstückelt, von Gebäuden gestoßen, von Brücken geschmissen. Das ließ sich nicht zurückdrehen, nicht rückgängig machen, der Anblick dieser Toten hatte ihn geprägt, so wie sein Vater davon geprägt worden war, getötet zu haben, das Töten gesehen zu haben.

Villani sagte: »Sagen Sie Mr. Searle, wir wollen sie heute Abend auf allen Kanälen sehen, Haare hochgesteckt, Haare offen, eine Frau, die in einem Apartment des Prosilio-Gebäudes in den Docklands tot aufgefunden wurde.«

»Ist das dasselbe wie ermordet?«, sagte Dove. »Darf das Wort ›ermordet‹ fallen?«

»Sie können gehen, Detective Weber. Detective Dove, einen Moment noch.«

Weber ging. Villani sah Dove an, blinzelte, musterte ihn, ohne den Kopf zu bewegen, die Hände im Schoß. Dove blinzelte, ruckte mit dem Kopf vor und zurück, ohne wegzusehen, blinzelte, fasste sich ans Ohr.

»Sie müssen wissen, dass ich Klugscheißer nicht mag«, sagte Villani. »Sie sind nur hier, weil ich Sie genommen habe, als Sie herumgereicht wurden wie sauer Bier, als man Sie loswerden wollte. Jetzt spricht nur noch für Sie, dass Sie angeschossen wurden. Der Mitleidsbonus.«

»Eigentlich hatte ich nie eine echte Chance«, sagte Dove.

»Das ist Ihre Chance«, sagte Villani. »Verbocken Sie sie nicht. Sagen Sie Manton, wenn wir nicht heute noch alles kriegen, Namen der Mitarbeiter, Lebensläufe, wer gekommen und gegangen ist, werden wir einige richtig üble Dinge über das Prosilio-Gebäude verbreiten. Und die Orion-Gästeliste wollen wir auch haben.«

Er erledigte Papierkram, las die Fallakten, schrieb Anweisungen, erteilte Anweisungen, sprach mit Einsatzleitern. Alles war im Griff, der Tag verging. Um zwanzig vor sechs brach er auf, kaufte unterwegs chinesisches Essen, traf rechtzeitig zu den Fernsehnachrichten im leeren Haus ein. Sie zeigten ihr Gesicht. Die Ähnlichkeit mit Lizzie war stark, das hatte er sich nicht vorgestellt. Sogar im Tod war sie schön, ernst, doch sie sah genauso wenig tot aus, als wäre das Bild ihr Passfoto.

Dass man sie mit gebrochenem Genick gefunden hatte, blieb unerwähnt. Der Prosilio-Tower blieb unerwähnt. Es war nur von einer bisher nicht identifizierten jungen Frau die Rede. Er schaltete um, sah den Beitrag auf Kanal Zehn. Das Gleiche.

Er wählte vier Telefonnummern, bekam weder Searle noch einen anderen dran, an dem er seinen Zorn auslassen konnte, hinterließ Dove eine kurze Nachricht.

Er sah gerade die Sieben-Uhr-Nachrichten auf ABC, als Dove zurückrief.

»Ehe Sie etwas sagen«, sagte Villani, »wer hat entschieden, weder den Genickbruch noch den Fundort der Leiche zu erwähnen?«

»Wir nicht, Chef. Ich habe Ihre Worte verwendet. Eine junge Frau wurde in einem Apartment des Prosilio-Gebäudes tot aufgefunden.«

Bild der Frau auf dem Schirm. Haare offen.

… die Polizei bittet um Informationen über die Identität dieser jungen Frau. Sie hat braune Haare, ist weiß, keine zwanzig Jahre alt und seit einigen Tagen nicht mehr gesehen worden …

Neues Foto. Mit hochgesteckten Haaren.

… bitte kontaktieren Sie Crime Stoppers unter der …

»Dafür nehme ich mir Searle zur Brust«, sagte Villani. »Wenn was reinkommt, lassen Sie's mich wissen.«

»Heißt das zu jeder Zeit, Tag und Nacht?«, fragte Dove.

»Falls der Anruf ungelegen kommt, sag ich's Ihnen. Es geht um alles oder nichts.«

Samstagabend. Früher mal der Höhepunkt der Woche. Er duschte, fand zerknitterte Shorts, machte ein Bier auf, ging mit bloßem Oberkörper in die heiße Nacht hinaus. Er pinkelte auf das ehemalige Gemüsebeet am Zaun, tote, knochentrockene Erde, hörte Stimmen, von zwei Seiten. Es planschte einmal, mehrmals. Wieso war ihm entgangen, dass die Leute nebenan einen Pool gebaut hatten?

Er saß in einem Liegestuhl auf der hinteren Terrasse, trank noch ein Bier, aß kaltes chinesisches Essen, gar nicht so übel, vermutlich kalt besser als heiß, heiß war es nicht gerade berauschend. Er bemerkte das grobe Backsteinpflaster unter den Füßen, das ein anderer Er selbst und ein anderer Joe Cashin in einer anderen Epoche verlegt hatten. Es hatte ein Wochenende lang gedauert.

Ein plötzliches Verlangen nach Rotwein. Er fand eine Flasche, die vorletzte in der Kiste.

In der Küche, er hatte gerade den Korkenzieher in der Hand, meldete sich sein Handy auf der Tischplatte.

»Ist das ein passender Zeitpunkt?«, fragte Dove.

»Reden Sie«, sagte Villani.

»Eine Frau aus Box Hill hat Crime Stoppers angerufen. Ich habe gerade mit ihr gesprochen.«

»Und?«

»Sie ist sich ziemlich sicher, dass sie unser Mädchen vor etwa zwei Monaten an einem Truckstop am Hume Highway gesehen hat, am sechzehnten Dezember gegen neun Uhr abends. Auf dieser Seite von Wangaratta.«

»Wie gesehen?«

»Im Toilettenbereich. Draußen wartete ein Mann auf sie, und sie unterhielten sich in einer Fremdsprache. Nicht Italienisch, Französisch oder Spanisch, sagt die Anruferin, da war sie schon. Die beiden gingen zu einem neuen Holden SV, schwarz oder dunkelgrün. Ein anderer Mann saß am Steuer. Sie sagt, eine vierte Person könnte auf dem Rücksitz gesessen haben.«

»Kennzeichen?«

»Nein.«

»Was haben Sie jetzt vor?«

»Nun, Holden SV, das ist ein Muskelauto, so was fahren nur Männer mit dicken Eiern«, sagte Dove. »Web fragt Verkehrscops hier und die in New South Wales, ob sie an dem Tag einen Verkehrssünder hatten.«

»Gar nicht dumm. Ich werd mich bald aufs Ohr legen, freue mich darauf wie auf den ersten Fick. Morgen fahre ich aufs Land. Wenn Sie mich beim ersten Mal nicht erwischen, probieren Sie's wieder. Da oben ist der Empfang schlecht.«

»Ich mache einfach weiter, spiele den Ball zu Snake«, sagte Dove.

»Sie lernen schnell«, sagte Villani. »Sie sind ein aufgeweckter junger Mann.«

Er saß draußen, trank Wein, anscheinend wurde es noch heißer. Er duschte erneut, ging wieder nach draußen und rief bei Bob Villani an. Niemand ging dran.

Villani erwachte in dem dunklen und stickigen Haus, duschte, zog sich an, nahm seine Reisetasche und ging. Die Welt war ausgepowert, nur die Verzweifelten waren auf den Straßen. Auf dem Zubringer vor der Abfahrt ging ein großer Schwarzer mit kahl rasiertem Schädel, hinter ihm eine kleinere, in graue Gewänder gehüllte Gestalt.

Im Rückspiegel sah Villani, dass sie die Welt nur durch einen Schlitz betrachten konnte.

Die Fahrt dauerte drei Stunden, das Land wurde immer trockener, das letzte Stück ging es die langen gelben Hügel hinauf, verdorrte Weiden, das Vieh mager, von Hand zugefüttert.

... heute herrscht ein absolutes Feuerverbot. Im Hochland um Paxton wüten noch vier Brände unkontrolliert, und der Ort Morpeth musste evakuiert werden. Feuerwehrleute befürchten, dass sich die Brände zu einer sechzig Kilometer breiten Feuerwand vereinigen könnten ...

In einem Café namens Terroir in dem letzten Ort vor Selborne kaufte Villani pochierte Hähnchenbrust, einen Laib Sauerteigbrot, Salat und ein Glas Mayonnaise. Er wollte sich das Brot in Scheiben schneiden lassen.

»Wie Sie wünschen«, sagte der Mann, zu alt für seine spitz nach oben gegelten Haare und den silbernen Nasenstecker. »Ihnen ist klar, dass es sich dann weniger lange hält.«

»Ich habe keine langfristigen Pläne damit«, sagte Villani. »Ich beabsichtige, es innerhalb weniger Wochen zu essen.«

Der Mann legte interessiert den Kopf schräg. »Sind Sie von hier?«

Auf der Fahrt durch Selborne hielt er nach Veränderungen Ausschau, das war seine Stadt, hier fiel ihm jeder Wandel und jede Neuerung auf. Und dann die letzte kurvenreiche Piste, das Tor. Villani stieg aus, hob das Ding zweimal an und wuchtete es jeweils ein Stück beiseite, fuhr dann die Auffahrt hinunter und parkte unter der Ulme. Er war hundertmal auf diesen Baum geklettert, jetzt sah er nicht gut aus.

Villani stieg aus, streckte sich, machte ein paar Kniebeugeübungen, sah zum Haus hinüber. Sein Vater kam um die Ecke, sein Gang, seine Körperhaltung waren irgendwie anders.

Sie nickten, blieben stumm, gaben einander die Hand, schlaff, der feste Händedruck war Vergangenheit. Nachdem sie sich wie Boxer berührt hatten, konnten sie fortfahren.

»Verdammt viel Gras«, sagte Villani. »Im Ernstfall ein ziemliches Brandrisiko.«

»Wenn das Feuer so weit kommt, ist man sowieso im Arsch«, sagte Bob.

»So steht's aber nicht im Handbuch der Brandschutzbehörde.«

»Einen Scheißdreck wissen die, die legen doch die Brände. Lukie kommt vorbei, bleibt über Nacht.«

»Aufregende Neuigkeit. Wann hast du ihn zuletzt gesehen?«

»Er hat viel um die Ohren.«

»Wann?«

»Hab ihn 'ne ganze Weile nicht gesehen. Ist Jahre her.«

»Kinder«, sagte Villani. »Du verstehst.«

»Nein, hab Kinder nie verstanden.«

»Tja, könnte an mangelnden Bemühungen liegen.«

Sein Vater fragte nie nach Laurie, und sie fragte nie nach ihm. Von Anfang an hatten sie und Bob sich aufgeführt wie zwei Hunde nach einer schlimmen Beißerei, keiner sah den anderen an, keine Küsse, sie hatten einander nichts zu sagen.

»Gefrühstückt?«

»Ja. Hab uns Mittagessen mitgebracht.«

»Tasse Tee?«

»Vielleicht mähe ich vorher ein bisschen. Das Gras kappen.«

»Man darf nicht mähen. Es könnten Zündfunken entstehen.«

»Wenn man's so lässt, ist das ein größeres Risiko als das Mähen.«

»Gordie macht das schon.«

»Ich weiß nicht recht, ob mir die vage Chance, dass eines Tages Gordie vorbeikommt, zur Sicherung meines Erbes ausreicht.«

»Wer hat dich zum Kronprinzen gemacht? Ich hinterlasse das alles hier Luke.«

Man durfte Bob nicht ernst nehmen, er konnte nehmen und geben, er konnte alles auflösen, was man für sicher und stabil gehalten hatte.

Villani holte den Victa aus der Garage, füllte Benzin nach, schob ihn vors Haus. Er öffnete die Drosselklappe und versuchte, an der Leine zu ziehen. Sie ließ sich nicht bewegen. Er drehte das Gerät um, wollte die Klinge bewegen, stieß mit den Knöcheln dagegen, blutete sofort. Er ging zu dem Holzstapel, nahm ein Scheit, kam zurück und schlug gegen die Klinge; beim dritten Versuch bewegte sie sich.

»Die erste Wahl«, sagte sein Vater. »Rohe Gewalt.«

»Genau«, sagte Villani. »Hab ich von dir gelernt.«

Er richtete den Mäher wieder auf, drückte ein paarmal auf den mit Fett und Dreck beschmierten Nippel. Er zog an der Leine. Der Motor knackte. Er probierte es noch mal. Noch mal. Und noch mal, dabei schoss ihm der Schmerz in den Arm, rauf bis zur Schulter.

»Er kriegt keinen Saft«, sagte sein Vater. »Mehr Power.«

»Das Gerät ist dreckig. Was ist eigentlich aus der Regel geworden, die du uns immer gepredigt hast: ein Werkzeug nie dreckig wegzupacken?«

»Staub«, sagte sein Vater. »Der ganze beschissene Bezirk Mallee weht hier rüber.«

Villani drückte so lange mit dem Daumen auf die Kolbenstange, bis er Benzin roch, stand auf und zog an dem Anlasserseil: ein Kolbenknaller, ein neuer Versuch, der Motor knallte zweimal, Villani zog erneut am Seil. Ein Aufheulen, Staub, Kiebitze stiegen aus dem Gras auf. Villani verringerte die Gaszufuhr, schob den Mäher zur nördlichen Ecke des Hauses und legte los.

Als er mit der zweiten Tankfüllung unterwegs war, sah er Bob Villani winken. Sie setzten sich auf die Veranda mit ihren Lücken zwischen den Bohlen und tranken Tee. Der Hund, gelbe Haare und Augen, lag da, die lange Schnauze auf dem Stiefel seines Herrchens.

Villani schob das Gerät noch eine halbe Stunde lang. Der von ihm aufgewirbelte Staub vermischte sich mit den Benzindünsten und klebte auf seiner Haut, er bekam Kopfweh. Es war über dreißig Grad, kein Lüftchen wehte, nichts rührte sich, eine heiße, tote, nach Rauch riechende Welt. Auf der langen Ost-West-Bahn, es juckte, Staub war in seinen Augen, klebte ihm im Gesicht, sah er den blaugrauen Berg, das baumlose Dunkel des oberen Hanges. Er schien nah zu sein, aber die Fahrt dauerte eine Stunde, in dieser Landschaft ging es ständig rauf und runter.

Gegen Mittag nahm er das Gas zurück, der Motor stotterte, wollte nicht ausgehen. Es vergingen Minuten, bis Villani die Stille hörte. Er ging zum Tank, schreckte ein Paar Spitzschopftauben auf. Sie stolzierten beleidigt davon. Er wusch sich die Hände, spritzte sich Wasser ins Gesicht. Als er die Augen wieder öffnete, verdüsterte sich die Welt. In der Stadt bemerkte man das nicht, man musste sich von dem Smog entfernen, damit Wolken die Farbe des Landes, die Farbe der eigenen Haut verändern konnten.

»Da unten hast du ein Stück ausgelassen«, sagte Bob und zeigte darauf.

»Eigentlich bin ich nicht hier, um deinen Rasen zu mähen«, sagte Villani. »Das Telefon klingelt ununterbrochen. Was ist aus dem Anrufbeantworter geworden?«

»Ist im Arsch«, sagte Bob.

»Na, besorg dir einen neuen.« Er trank aus dem Hahn. Das Regenwasser schmeckte uralt, als hätte er Zinknägel im Mund.

Villani reinigte den Mäher, sprühte ihn mit WD-40 ein, schob ihn in die Garage. Er ging ins Haus, wusch sich in der Küchenspüle Gesicht und Hände, machte dann Sandwiches mit Mayonnaise und Eisbergsalat.

Sie aßen in der Küche, der Hund lag unter dem Tisch.

»Zähes Brot«, sagte Bob.

»Ist teures Brot, von Hand gebacken.«

»Die haben dich übers Ohr gehauen, Kumpel.«

»War Mark mal hier?«

»Der Doktor braucht seinen alten Herrn nicht.«

»Vielleicht ruft er an, und niemand nimmt ab.«

»Mark ruft nicht an.«

»Ach ja? Das Telefon funktioniert nicht. Ich werd mit ihm reden. Der Komposthaufen ist tot. Tomaten wachsen auch keine.«

Sein Vater kaute, Blick in Richtung Zimmerdecke. »Wenn man nichts anbaut, braucht man auch keinen Kompost.«

»Es ist noch nicht vorbei, Dad. Du isst doch noch, nehme ich an?«

Bob Villani sagte: »Gordie baut genug Gemüse für 'ne ganze verdammte Armee an, weshalb sollte ich da noch Tomaten anbauen?«

»Verstehe. Wie geht's ihm so?«

»Gordie ist Gordie. Kaum ist Luke da, taucht er fünf Minuten später hier auf.«

»Bei mir macht er das nicht.«

»Vor dir hat er Angst.«

»Blödsinn.«

Bob schwieg, trug seinen Teller zur Spüle.

»Jedenfalls ist er ein Sülzkopp«, sagte Villani. »Immer gewesen. Wie seine Mutter. Warum humpelst du?«

»Hingefallen.«

»Wie?«

»Irgendwie halt.«

»Auf die Hüfte?«

Bob drehte sich um. »Du bist nicht der Arzt, Junge«, sagte er, »du bist der Scheißcop.«

Bob schaute nicht weg. Villani hob die Hände, sie gingen raus.

»Ibisse«, sagte Bob. »Hab noch nie so viele Ibisse gesehen. Ist ein ganz schlechtes Zeichen.«

»Was passiert, wenn das Feuer herkommt?«

Bob wandte ihm wieder den Kopf zu, der lange, taxierende, mitleidige Blick. »Das Feuer kommt nicht«, sagte er. »Das Feuer geht, wohin der Wind es schickt.«

»Beim letzten Mal hattest du einfach Glück.«

»Das bin ich. Mr. Glückgehabt.«

»Hoffentlich«, sagte Villani. »Ich hoffe es wirklich. Lass uns mal einen Blick auf die Bäume werfen.«

»Geh du«, sagte Bob. »Ich warte auf Lukie. Nimm den Hund mit.«

Villani sah den Hund an. Der betrachtete den Boden wie ein Ameisenbär, der auf sein Essen wartet.

»Gehen wir?«, sagte er.

Der Hund sah ihn an, wachsam, heiter, ein Wachposten, der endlich abgelöst wurde. Sie gingen über die untere Koppel, die dieses Jahr kein Pferdefutter geliefert hatte, durch das Tor zu dem großen, halbmondförmigen Damm, an dessen Rand sie stehen blieben. Der Hund bummelte in die trockene, von Rissen durchzogene Mulde hinunter bis zu einer ungesund aussehenden, gelbgrünen Pfütze, trat hinein und leckte. Das Loch war gegraben worden, ehe sie mit dem Pflanzen begonnen hatten, ein Mann kam mit einem Bulldozer auf einem Lastwagen, verschob tonnenweise Erde, leitete einen Winterbach um. Jahrelang wurde es nie leer, häufig floss das Wasser über, man musste den Rand erhöhen.

Unterhalb von ihnen lag ein Wald, breit, tief und dunkel, große, über dreißig Jahre alte Bäume. Von Hand gepflanzt, jeder einzelne, mehrere tausend Bäume – Alpiner Eukalyptus, Gebirgs-Sumpfeukalyptus, Red Stringybark, Weidenmyrten, Breitblättriger Eukalyptus, Gesprenkelter Eukalyptus, Schnee-Eukalyptus, Southern Mahogany, Sugar Gum, Silberkroneneukalyptus. Und die Eichen, etwa viertausend, aus Eicheln gezogen, die in zwei aufeinanderfolgenden Jahren im Herbst in jeder Ehrenallee für die Gefallenen der Weltkriege gesammelt wurden, durch die Bob Villani fuhr, in jedem botanischen Garten, an dem er vorbeikam. Er verwahrte die glänzenden, bernsteinfarbenen Kapselfrüchte in braunen Papiertüten in einem eigens dafür bestimmten Kühlschrank, schrieb Herkunftsort und Datum drauf, manchmal die Art, mit Bleistift und in der gedrungenen Handschrift eines Berichte schreibenden Soldaten.

Im Frühjahr half Villani ihm, hinter den Ställen ein großes Rechteck einzuzäunen, ein kaninchensicherer Zaun. Sie legten die Eicheln in Plastiktöpfe, in eine Mischung aus Sand und Erde, allein dafür ging ein Wochenende drauf. Damals war Villani dreizehn und schon die ganze Woche mit Mark allein, machte für sie beide Frühstück, kochte Tee, machte Sandwiches für die Schule, wusch Klamotten, bügelte. Er erinnerte sich an seine Begeisterung, als er eines Morgens sah, dass sich winzig kleine Eichenspitzen durch die Erde gebohrt hatten, Dutzende und Aberdutzende, wie auf ein gemeinsames Signal hin. Er konnte es kaum erwarten, dass Bob nach Hause kam, damit er sie ihm zeigen konnte.

»Was stimmt mit den anderen nicht?«, sagte Bob. »Hast du sie gegossen?«

Die anderen kamen in den nächsten Wochen zum Vorschein. Den ganzen Sommer lang wässerte er die Sämlinge per Hand, einen halben Becher für jeden aus einem Eimer, den er aus den Wassertanks füllte.

Eines Samstagmorgens im Spätsommer gingen sie hinab zum unteren Tor und überquerten die nach nirgendwohin führende Straße, blieben am Tor gegenüber stehen. Bob schwenkte die Hand. »Hab's gekauft«, sagte er. »Fünfundvierzig Hektar.«

Villani betrachtete die überweideten, kahlen, vernarbten Schafskoppeln. »Warum?«, fragte er.

»Ein Wald«, sagte Bob. »Wir kriegen unseren eigenen Wald.«

»Na klar«, sagte Villani. »Einen Wald.«

In diesem Winter gruben sie die ersten Löcher, wenigstens tausend, ließen Platz für Wege, für Lichtungen, offenbar hatte Bob einen Masterplan im Kopf, den er standhaft für sich behielt. Sie gruben bei eisigen Winden und kaltem Regen, mit gefühllosen schwarzen Händen, die kalte Haut riss ein, dass man geblutet hatte, merkte man erst, wenn man den Dreck abwusch. In diesem Jahr und in den beiden Jahren darauf, wenn es allmählich Frühling wurde, an Samstagen und Sonntagen, acht Stunden täglich, schufen sie den Wald. Sie pflanzten die Eichensetzlinge und die gekauften Eukalyptussetzlinge durch Quadrate aus altem Teppich, schützten sie mit Plastik zur Isolierung von Hauswänden, das sie von Fünfzig-Meter-Rollen schnitten. Bob bekam das Zeug von irgendwoher, vielleicht waren sie von der Ladefläche irgendeines anderen Lastwagens gefallen, so wie auch die Plastiktöpfe.

In dem kalten Frühling, als die Arbeit fertig war, als Bob sagte, nun sei sie fertig, wurde Villani sechzehn, war kaum noch kleiner als sein Vater.

Jetzt betrachtete er diese früher zerfurchte und bucklige, zuerst mit kleinen silbrigen Zelten, dann mit Puscheln wie nach einer Haartransplantation bedeckte Landschaft und sagte sich im Stillen: »Sieht toll aus.« Der Anblick erfüllte ihn mit Zufriedenheit, ja mit Freude.

Er ging um den Damm herum, der Hund kam mit schlammigen Pfoten nach oben, und sie betraten den Schatten auf einem Weg, früher so breit wie eine Straße, jetzt aber schmal wie ein Pfad. Seit der Zeit, als die Bäume Kopfhöhe erreichten, hörte Villani bei jedem Gang durch den Wald neue Vogelstimmen, sah, wie sich neues Unterholz ausbreitete, wie neue Pflanzen wuchsen, sah neue Exkremente unterschiedlicher Größe und Form, neue Grab-, Kratz- und Scharrspuren, neue Löcher, ausgefallene Federn, sowohl graubraune als auch Federn, die saphirfarben, scharlachrot, blau oder smaragdgrün leuchteten, und bald fand er Knöchelchen und Schädel mit spitzen Zähnen, Zeichen von Leben und Tod, vom Kampf unter den Säugetieren des Waldes.

»Da sind jetzt haufenweise kleine Viecher drin«, sagte Bob eines Tages. »Ameisenigel, Nasenbeutler. Weiß Gott, wo die hergekommen sind.«

Der Spaziergang dauerte fast eine Stunde. Als sie wieder am Haus waren, sagte Villani: »Wegen des Unterholzes hätten wir schon längst was machen sollen. Tja, ich muss los. Morgen ist ein langer Tag.«

Bob hob eine Hand. »Er wird jeden Moment hier sein, bleib noch.«

»Ich seh Luke ein andermal.«

»Gib ihm eine Chance. Euch beide hab ich nicht oft hier.« Er stand auf. »Komm. Ich hab zwei neue Pferde.«

Sie gingen am Zaun der Pferdekoppel entlang. Der zehnjährige Cromwell hatte gespürt, dass sie kamen, und stand neben dem Trog, den struppigen Kopf über den Zaun gereckt.

»Ruhst dich ein wenig aus, Crommie«, sagte Bob. Er fütterte das Pferd mit irgendetwas, streichelte seine Nase.

»Was war der letzte Zahltag?«, fragte Villani.

»Drittes Rennen in Benalla, das ist … eine Weile her. Aber er hat noch das eine oder andere Rennen in sich.«

»Schlag ihnen doch mal vor, ein Rennen für Zehnjährige zu veranstalten«, sagte Villani. »Nicht mehr als vier Siege außerhalb der Metropolen. Gleiche Chancen für alle.«

Sie betraten den Stall, ein langer Bau, die Türen an beiden Enden offen, rissiger und löchriger Betonfußboden, zwölf Boxen. Es roch nach Dung, Urin und Stroh. Aus den angrenzenden Boxen links musterten sie zwei Köpfe.

Sie blieben beim ersten stehen, ein großes, rostfarbenes Tier. »Das ist Sunny«, sagte Bob. »Eigentlich Red Sundown, sechs Jahre alt. Hab ihn Billy Clarke aus Trenneries abgekauft, dreihundert Dollar, er hat was am Bein. Hatte nur die sechs Rennen, aber er stammt von St. Marcus ab.«

»Wenn er gar nicht laufen kann, könnte er genauso gut von St. Peter abstammen«, sagte Villani.

»Ich krieg ihn wieder hin«, sagte sein Vater. »Mit dem Lawang.«

»Dem was?«

»Öl. Von einem indonesischen Baum. Kostet 'n halbes Vermögen.« Er fütterte das Pferd mit etwas aus seiner gewölbten Hand.

»Was ist aus den Magneten geworden? Beim letzten Mal waren es Wundermagneten.«

»Lawang ist besser als Magneten.« Bob ging weiter zum nächsten Pferd. »Mein Baby. Tripoli Girl.«

Das rabenschwarze Tier war scheu, ruckte mit dem Kopf, musterte sie aus aufgerissenen Augen, wich zurück, stampfte auf den Boden. Bob zeigte ihm seine Handfläche, schloss die

Hand, öffnete sie wieder, nahm sie weg, drehte dem Pferd den Rücken zu.

»Cairo Night aus Hathaway«, sagte er. »Cairo hat zwei Rennen gewonnen, beim ersten Sieg mit zehn Längen Vorsprung. Dann hat er geblutet, geplatzte Gefäße, und als er es wieder versuchte, lief er furchtbar, nach etwa einem Jahr gab man ihn auf. Er hat nur vier Nachkommen.«

»Alles Nieten?«

»Hatten schon früh Pech, wurden schlecht behandelt, so sehe ich das.«

»Wie viel?«

»Billig. Billig. 'n Appel und 'n Ei.«

Tripoli Girl stupste Bob an, bewegte den seidigen Kopf hin und her. Bob drehte sich um, wahrte Distanz, streckte eine leere Hand aus. Das Pferd schnupperte daran, sah ihn an. Er bot die andere Hand an, öffnete sie langsam, Tripoli schnupperte, fand etwas darin.

Sie gingen ins Haus zurück, ihre Schuhe wirbelten das trockene gemähte Gras auf. Bob holte zwei Bier, ein Victoria Bitter und ein Crown. Er gab Villani das Crown. Es war teurer als das VB.

»Hat gesagt, er wäre gegen halb vier hier«, sagte Bob.

Sie setzten sich auf die schattige Seite des Hauses. Nach einer Weile sagte Villani: »Warum hat Gordon Angst vor mir?«

Bob wischte sich Bier von der Oberlippe. »Tja, du weißt schon. Leute.«

»Wie bitte?«

Bob betrachtete die Landschaft, runzelte die Stirn. »Du hast so ein Auftreten.«

»Was heißt das?«

»Herrisch.«

»Seit wann?«

»Von Kindesbeinen an. Ist nur ausgeprägter geworden.«

Villani konnte nicht glauben, dass er schon immer Leute herumkommandiert hatte. »Hat mir noch keiner gesagt.«

»Das wär, als würde man einem Typ sagen, er hätte rote Haare.«

»Wo könnte ich mein herrisches Auftreten wohl herhaben?«, sagte Villani.

»Sieh mich nicht an.«

Sie saßen da und tranken, Bob sah alle paar Minuten auf seine Uhr. Als sie das Auto hörten, sprang Bob auf und war weg. Villani trank sein Bier und sah zu den Hügeln hinüber, eine sanft gewellte Reihe nach der anderen, die jetzt langsam grau wurden, im Vordergrund dunkler. Er stellte seine Flasche auf den Tisch und stand auf.

Luke stieg aus einem schwarzen Audi, umarmte seinen Vater, küsste ihn auf die Wange. Eine Frau stieg aus, groß, hinten zusammengebundene, dunkle Haare. Luke sah Villani.

»Steve. Lange nicht gesehen, Mann.« Er war braun gebrannt, hatte abgenommen, sein weißes Hemd nicht in die Hose gesteckt.

Villani kam von der Veranda herunter. Sie gaben sich die Hand.

»Das ist Charis, sie arbeitet bei mir«, sagte Luke. »Charis, das ist mein Dad, der beste Bursche auf dem Planeten, mein Bruder Steve, der ist ein Thema für sich.«

»Hi.« Charis lächelte unsicher, streckte die Hand aus.

Sie war jung, eigentlich noch ein Mädchen.

»Du hast nicht gesagt, dass Steve kommt«, sagte Luke zu seinem Vater.

»Ich wusste es nicht. Zeit für 'n Bier.«

Sie setzten sich auf die Veranda. Bob holte Bier, Gläser. Luke und die Frau tranken Crown aus der Flasche. Luke war Ansager beim Pferderennen, hatte nie etwas anderes werden wollen. Er redete die ganze Zeit, stellte Fragen, hörte die

Antworten nicht, gab selbst Antworten. Die Frau kicherte bei allem, was er sagte.

»Charis ist die Wetterfee bei T-WIN«, sagte er. »Nur ein Anfang, sie kommt noch mal groß raus.«

Charis lächelte, zeigte alle Vorderzähne, ein typisches Kameralächeln.

»Oh, Luke«, sagte sie.

»Wie geht's Kathy?«, fragte Villani. »Den Kindern?« Es gab zwei. Die Namen fielen ihm nicht ein.

»Gut, prima.« Luke sah Villani nicht in die Augen. »Und deinen?«

»Dito, klar.«

Ein Hüsteln. Gordon McArthur, der Nachbarssohn, ging auf die dreißig zu, das Gesicht eines dicken Zwölfjährigen, kariertes Hemd unter einem sauberen Overall.

»Gordie, mein Freund.« Luke ging zu ihm, klatschte ihm auf die Wangen, fest, beidhändig. »Wie geht's dir, Großer?«

»Gut, Luke, gut.« Gordies Augen glänzten.

»Charis, ich möchte dir Gordie vorstellen. Hast du Charis das Wetter ansagen hören, Gordie?«

»Hab sie gesehen«, sagte Gordie. Er sah Charis nicht direkt an, und sie sah ihn nicht direkt an.

Villanis Handy klingelte. Er ging zum anderen Ende der Veranda.

»Hab's schon ein paarmal probiert, Chef«, sagte Dove.

»Mal geht's, mal nicht«, sagte Villani. »Was ist?«

»Zweierlei. Erstens, wir haben einen Humber SV, der gegen einundzwanzig Uhr vierzig in der Nacht des sechzehnten Dezember auf dem Hume Highway hundertdreißig gefahren ist. Fahrer ist ein Loran Alibani, wohnhaft in Marrickville, Sydney, Fahrzeug ist auf seinen Namen zugelassen.«

»Das ist gut. Vorstrafen?«

»Wir warten drauf. Zweitens, Prosilio behauptet jetzt, von Donnerstag, sechzehn Uhr dreiundzwanzig, bis Freitag, acht

Uhr fünfundfünfzig, keinerlei Videoaufzeichnungen aus Aufzügen, Tiefgaragen und Kellergeschossen zu haben. Technische Fehlfunktion.«

»Das ist doch Blödsinn. Schon mal passiert?«

»Das ist unklar«, sagte Dove. »Die Firma, die das elektronische Sicherheitssystem für das Gebäude betreibt. Stilicho. Sie bieten Hightech der neusten Generation an, da rechnet man mit Macken. Sie haben das komplette Kasino-Securitysystem zum ersten Mal laufen lassen, und das hat irgendwie andere Teile zerdeppert. Der Firmenchef macht die Techniker verantwortlich, sie sind untröstlich.«

»Woher wissen Sie das?«

»Weber. Er hat mit Leuten geredet.«

Villani betrachtete den Berg. »Echt?«, sagte er. »Eine ausgesprochen altmodische Methode.«

»Er kommt vom Land«, sagte Dove. »Laut Manton ist Prosilio für Stilichos technische Versagen nicht verantwortlich. Er sagt, Sie sollten mit Hugh Hendry reden, dem Chef von Stilicho.«

»Ist das Max Hendrys Sohn?«

»Keine Ahnung, Chef.«

»Finden Sie's raus. Und was noch?«

»Die Namen durch den Computer schicken. Falls nicht irgendjemand auffällt, weil er Frauen umbringt, auch nur eine Frau, dauert das 'ne Weile.«

»Es dauert, so lange es dauert«, sagte Villani. »Machen Sie's richtig und schlafen Sie gut.«

O Gott, noch so ein Spruch von Singo. Er unterbrach die Verbindung, ehe Dove irgendeine freche Bemerkung raushauen konnte, und ging zu den anderen zurück.

»Ich hab das Fleisch«, sagte Bob Villani zu Luke. »Und Crownies.«

»Ich kann nicht, Dad«, sagte Luke. »Der Nachwuchsmann hat abgesagt, irgendeine miese Ausrede. Ich kann nicht ablehnen, steht in meinem Vertrag. Ich find's echt zum Kotzen, hab mich drauf gefreut, mal wieder über Ponys zu quatschen.«

Luke erhob sich, und alle standen auf. Luke legte einen Arm um die Schultern seines Vaters, ging mit ihm los. Villani fiel plötzlich auf, dass er Bob überhaupt nicht mehr ähnlich sah. Am Wagen, die junge Frau saß schon drin, holte Luke ein Portemonnaie hervor, zählte ein paar Fünfzig-Dollar-Scheine ab.

»Donnerstag«, sagte er. »Benalla. Stand in the Day im dritten. Die Kleine ist hart im Nehmen.«

Er steckte die Scheine in Bobs Hemdtasche.

»Vierhundert«, sagte er. »Ich klingele gegen zehn durch, falls es was wird, dann fährst du mit Gordie rasch zu Stanny rüber. Wahrscheinlich hundert auf Sieg und hundert auf Platz, den Rest setzen wir auf Einlauf nach Boxsystem. Dreißig Prozent Kommission, wie hört sich das an?«

»Vernünftig«, sagte Bob. »Stand in the Day. Guter Name.«

»Nur meine Knete, Dad, okay?«, sagte Luke. »Ohne Garantie, sie könnte dem Feld auch hinterherrennen.«

Er wandte sich an Villani. »Willst du auch einsteigen?«

»Nein, danke.«

»Ach ja, hatte vergessen, dass du es drangegeben hast.« Er hielt Villani die erhobene Hand hin. Villani klatschte nicht ab, hielt nichts von High-Five.

»Wir sehen uns, Alter, stimmt's?«, sagte Luke. »Ich ruf dich bald an.«

»Gut.«

Luke schlang die Arme um Bob. »Wenn dieses Feuer ernst wird, Mann, dann musst du hier raus, klar? Ich komme persönlich hoch und schleif dich raus.«

»Ich komme zurecht«, sagte Bob. »Gordie kümmert sich um mich.«

»Tu das, Gordie«, sagte Luke. »Ich mach dich für diesen Mistkerl verantwortlich.«

»Tu das, Lukie«, sagte Gordie.

Luke umarmte ihn.

Sie sahen zu, wie der Wagen wendete, anfuhr, wie die breiten Reifen Steine hochspritzen ließen. Luke raste die Auffahrt hinunter.

»Jetzt muss ich los«, sagte Villani.

Sein Vater sah zu Boden, rieb sich die Bartstoppeln. »Du könntest noch bleiben, mit uns grillen«, sagte er. »Ich weck dich bei Tagesanbruch.«

Es lag Villani auf den Lippen abzulehnen, er hatte Ausreden zur Hand. Doch als sein Vater ihn mit diesen steingrauen Augen ansah, brachte er es nicht über sich. »Warum nicht?«, sagte er. »Das Fleisch, das Bier.«

»Wirf den Scheißgrill an, Gordie.«

»Offenes Feuer ist streng verboten«, sagte Villani.

»Für Volldeppen«, sagte Bob.

Der Tag verabschiedete sich langsam, mit einem fiebrigen westlichen Himmel. Villani aß zu viel Steak, rauchte Gordies Zigaretten, schlief in seinem alten Zimmer. Irgendwann nach Mitternacht wurde er wach, merkte, dass das Unwetter im Anmarsch war, die Ruhe vor dem Sturm, dann die erste heftige Luftbewegung und der Donnerschlag, der Himmel und Erde erzittern ließ, ein Wind packte das Haus, ließ die Balken knarren, das Blechdach quietschen, Regentropfen prasselten wie Schrotkugeln, zwei oder drei Minuten lang schwerer Beschuss, dann war Ende, ein nachlassender Wasserstrom in dem Fallrohr der Dachrinne.

Sein Vater musste ihn nicht wecken. Als er in den zinngrauen Tag trat, war Bob schon da, Shorts, bloßer Oberkörper, nichts als Rippen und Knochen, Sehnen und Muskeln.

»Du hättest nicht aufstehen müssen«, sagte Villani.

»Hast du den Regen gehört?«

»Hat mich geweckt.«

»Ja. Hat nichts gebracht, wir brauchen einen Dauerregen.«

»Die Finanzen«, sagte Villani. »Kommst du klar?«

Bob Villani spannte die Arme an. »Wieso nicht?«

»Ich frag ja nur.«

»Das mit dem herrischen Auftreten«, sagte Bob.

»Deswegen mach ich mir keinen Kopf«, sagte Villani.

»Das lag an der Situation damals, dass du dich um die kleinen Scheißerchen kümmern musstest.«

»Das verdammte Haus kannst du abfackeln lassen«, sagte Villani, »aber wenn der Wald abbrennt, dann gnade dir Gott.«

Sie gaben sich die Hand, nur eine leichte Hautberührung. Er wollte seinen Vater umarmen, wie Luke es getan hatte, und ihm etwas geben, als Beleg, dass auch er ein würdiger Sohn war, doch das war unmöglich.

Vor den ersten Sonnenstrahlen, es war noch kühl draußen, fuhr er Selbornes kurze Hauptstraße entlang. Unter der einzigen Ulme vor dem Pub schlief ein Mann auf der Ladefläche seines Pick-ups, in eine graue Decke gehüllt, aus der ein nackter, marmorweißer Fuß ragte. Seinen Kopf umgab ein verwackelter Halbkreis aus leeren Bierflaschen.

Auf der Landstraße machte Villani das Radio an.

… heute treffen Feuerwehrleute aus Westaustralien ein, um die erschöpften Einsatzteams bei der Rettung dreier bedrohter Ortschaften im Hochland zu unterstützen…

Als das Handy klingelte, waren die Hochhäuser in Sicht, er steckte im frühmorgendlichen Pendlerverkehr, lauter glatt rasierte Männer mit schmalen Augen, die von dem weit entfernten Freitagnachmittag träumten.

»Villani«, sagte er.

Birkerts sagte: »Drei Tote, in einem Lagerhaus in Oakleigh.«

»Drei?«

»Ja. Ziemlich finstere Angelegenheit.«

Es roch wie in einem Schlachthaus, nach Exkrementen, Pisse, Blut und Angst.

Flach atmend trat Villani über das schwärzliche Rinnsal und stand nun im Inneren des riesigen Lagerhauses aus Blech. Durch die Türöffnung fiel Licht auf einen Mann, der gleich vorn auf dem Bauch am Boden lag, seine Körperflüssigkeiten hatten einen kleeblattförmigen Umriss gebildet, ehe sie unter der Tür hindurch ins Freie flossen.

Zehn Meter entfernt, an einer Seitenwand, hingen schlaff an stählernen Dachholmen zwei Männer, die Hände über ihren Köpfen mit Gewebeklebeband gefesselt. Sie waren nackt, mit getrocknetem Blut bedeckt, die Füße in schwarzen Pfützen.

»O Gott«, sagte Villani. »Unfassbar.«

Er nahm den langen Weg zu dem ersten der Männer, immer an der Wand entlang, blieb ein gutes Stück vor ihm stehen.

Der Mann war braun gebrannt, muskulös, stramme Waden, kleine Wampe, Spuren an den Armen. Anscheinend hatte man ihm die Haare abgefackelt, die Genitalien abgeschnitten, etwas Fleischiges lag auf dem Beton, der Schädel glich einem eingetretenen, in Blut getunkten Kohlkopf, Zähne glänzten. Die Blechwand hinter ihm wies Spuren eines zähflüssigen Materials auf, an dem Fleischbrocken klebten.

Villani ging zu dem zweiten Mann. Er war blasser, größerer Schmerbauch, Halbkreis aus Narbengewebe unter der linken Brustwarze. Gesicht und Genitalien auf gleiche Weise malträtiert.

64

Er sah sich um. Das Lagerhaus war ein Autoschrottplatz – überall lagen ausgeschlachtete Fahrzeuge, Türen, Motorhauben, Windschutzscheiben, Radfelgen, Kolben, Sitze, Armaturenbretter, Lenkräder und Motorteile herum, als wären sie vom Himmel gefallen.

Hinter ihm räusperte sich Birkerts. »Spurensicherung kommt in zwei Minuten. Dito Rechtsmedizin.«

»Dann hauen wir ab.«

An der Tür, es war totenstill, hörte Villani etwas, und als er hochschaute, sah er einen torkelnd flatternden Star, der gegen die silbrige Decke geprallt war.

Sie gingen durch die Tür, die Uniformierten machten ihnen Platz, und draußen stellten sie sich auf den betonierten Vorplatz und sogen die schmutzige, doch jetzt so saubere Stadtluft ein. Birkerts bot ihm eine Zigarette an, sie rauchten.

Gaffer säumten den Zaun seitlich des Geländes, Arbeiter von der Autowerkstatt nebenan.

»Scheiße«, sagte Birkerts. »Es geht immer noch schlimmer.«

»Wer hat sie gefunden?«

»Wachmann. Er ging am Zaun entlang, sah das Blut, kam zur Straßenseite des Gebäudes, Tür stand offen, niemand da, er ging rein und sah sich um. Er steht unter Schock.«

Jetzt wehte ein warmer nordöstlicher Wind. Villani sah in den Himmel, dünne Höhenwolken von der Farbe eines pelzigen Zungenbelags, hörte den Lärm einer Eisenbahn, das Rascheln und Flattern einer losen Plane im nächsten Hof.

»Tja, drei«, sagte er. »Drei sind auch nur dreimal eins.«

»So einfach ist das«, sagte Birkerts, der Villani über die Schulter sah. »Die Kriminaltechnik.«

Leute in blauen Overalls gingen an der Längsseite des Hauses vorbei, das Tatortteam, Blut, Ballistik, Fingerabdrücke, Fotoaufnahmen, sie trugen Koffer, hatten es nicht eilig. Sie schlenderten über den betonierten Hof, plauderten miteinander, wie Handwerker, die ihren Arbeitsplatz betraten.

Zwei aus Birkerts' Team bogen um die Ecke, schwarz gekleidet, sie kratzten sich, gähnten, Finucane vorneweg, könnte eine Rasur vertragen, genauso viele Haare im Gesicht wie auf der Kopfhaut, gefolgt von dem Pitbull Tomasic.

Dann kam der Rechtsmediziner Moxley, ein rotblonder Schotte mit Halbglatze. Villani hob eine Hand.

»Doktor Tod«, sagte er.

Moxley stellte seinen Koffer ab. »Der Leiter des Morddezernats. Ist es für einen so wichtigen Mann nicht zu früh?«

»Ich schlafe nie. Hier gibt's drei Verblichene, zwei unbekleidet. Darf ich um äußerste Eile ersuchen?«

»Größtmögliche Schnelligkeit ist immer unser Ziel«, sagte Moxley.

»Natürlich«, sagte Villani. »Nur nicht angenehm, sein Ziel immer wieder zu verfehlen.«

»Nun, um wissenschaftliche Verfahren und Abläufe zu verstehen, sind mehr als Ihre neun oder zehn Jahre auf drittklassigen Schulen erforderlich.«

»Stimmt, aber in Australien«, sagte Villani. »Gilt mehr als ein Doktortitel aus Glasgow.«

»Wahrscheinlich könnten Sie Glasgow nicht mal auf einer Landkarte finden«, sagte Moxley und ging.

Villani sah ihm nach. »Wenn ich ihn umgebracht habe, möchte ich drei Tage Vorsprung«, sagte er. »So wie Tony Mokbel. Fass die Situation für die zwei hier zusammen, Birk.«

Birkerts sagte: »Drei Tote. Einer erschossen, die anderen könnten weiß Gott zu Tode gefoltert worden sein, jedenfalls wird einem speiübel, das könnt ihr mir glauben. Ein Wachmann hat sie gefunden. Das war's. Chef?«

»Es dürfte nachts geschehen sein«, sagte Villani. »Kann noch nicht lange her sein.«

Es wurde rasch heißer, die Konstruktion des Blechgebäudes neben ihnen gab Knack- und Knirschgeräusche von sich. »Liegt nicht gerade in der Pampa«, sagte Villani. »Irgendwer in der Gegend muss etwas gesehen haben.«

»Drei Leute umbringen«, sagte Birkerts, »zwei foltern. Wie viele sind an so was beteiligt? Da muss man doch mit ausreichend Leuten anrücken, oder? Sagen wir in zwei Wagen, mindestens.«

»Oder sie kamen in einem Kleinbus«, sagte Villani. »Wie bei einem Ausflug.«

»Nichtlineares Denken, Chef.« Birkerts gestikulierte in Richtung Finucane und Tomasic. »Dann ziehen wir mal los und erkundigen uns nach dieser Bude, und zwar fangen wir bei den Dödeln am Zaun an.«

»Presse«, sagte Finucane.

Villani schaute auf. Fernsehteams trafen an dem seitlichen Zaun ein, rangelten um die besten Plätze.

Ein leises Rotorengeräusch im Westen, der Hubschrauber eines Fernsehsenders, ein zweiter, Ungeziefer auf der Oberfläche des großen bleichen Himmelsteichs. Villani sagte zu Birkerts: »Da du so flott aussiehst, sprichst du zu gegebener Zeit mit ihnen.«

»Die Leute sehen mich furchtbar gern im Fernsehen«, sagte Birkerts.

»Das tun wir alle. Sag nichts. Such die gesamte Straße nach Überwachungskameras ab, das hat höchste Priorität. Und überprüft alle Handys in der Umgebung, beginnend mit, sagen wir, Samstag achtzehn Uhr.«

»Genau das hatte ich vor«, sagte Birkerts.

»Weshalb dauert es dann so lange?«, sagte Villani. »Gehen wir von der Prämisse aus, dass die Mörder diese Burschen aus dem Haus in das Lagerhaus gebracht haben, um sie dort zu bearbeiten?«

»Tun wir«, sagte Birkerts. »Die Hintertür wurde eingeschlagen.«

Villani überquerte den betonierten Hof, inspizierte die Hintertür. Der Riegel lag auf dem Boden, alle vier Schrauben waren gewaltsam herausgebrochen worden, und zwar mit einem heftigen, geübten Schlag. Schon bevor er die Küche betrat, roch er ein Desinfektionsmittel, sie war klinisch sauber.

Das Riechen hatte er nicht während der Detective-Ausbildung gelernt, sondern von Singleton, der nach einem Mord am Tatort herumgelaufen war und geschnuppert hatte, als plagte ihn eine verschleppte Erkältung.

»Gerüche vergisst man nie«, sagte Singo. »Ein Leben lang nicht.«

Villani kannte keinen Fall, wo durch Schnuppern etwas entdeckt worden wäre, was man auf andere Weise nicht gefunden hätte. Doch je mehr er schnupperte, desto hundeähnlicher wurde er, desto mehr wurden ihm die Gerüche der Welt bewusst.

Es würde der Tag kommen, an dem Schnuppern sich auszahlte.

Neben einem Mülleimer gestapelte leere Pizzakartons, Plastikteller in einem Trockengestell, leere Spüle, zwei Topfkratzer. Er durchquerte den Raum. Ein düsterer Flur mit nacktem Parkettboden führte zur Vordertür, zwei Türen links, zwei Türen rechts.

Er warf einen Blick in den ersten Raum zu seiner Linken. Ein Schlafzimmer, Einzelbett. Pedantisch sauber wie die Küche, ungemachtes Bett, darunter zwei Paar Laufschuhe ordentlich nebeneinander, gefaltete Kleider auf einem Stuhl, in einer sauberen Haarbürste steckte ein Kamm, ein Stachelschwein mit Rückenflosse.

Der Raum vis-à-vis war ein Badezimmer, auf den Haltern hingen Handtücher. Es war so sauber wie in der Küche und roch nach Chlorbleiche.

Daneben noch ein Schlafzimmer, breites Doppelbett, nicht gemacht, billige chinesische Baumwollklamotten, von einem Körper gepellt, auf den Boden fallen gelassen, mehrere Schichten Kleidung. Er roch Zigaretten, Dope, alkoholisierten Atem, schweißgetränkte Laufschuhe.

Und noch etwas. Parfüm, billiges Parfüm. Er schnupperte über dem Bett. Hier hatte kürzlich eine Frau geschlafen. Oder ein parfümierter Mann.

Das nächste Zimmer zur Rechten. Ein Duplikat des vorigen Raumes, aber dreckiger und mit zwei Drogenpfeifen. Hier roch es nach einem anderen, billigen Parfüm.

Das Zimmer zur Linken war ein Wohnzimmer. Übergroße, billige Ledersessel, Schaumstoff quoll aus Rissen, ein quadratischer gläserner Couchtisch, drei Meter Durchmesser, mit einem Sprung von einer Ecke zur anderen, eine Landebahn für Hamburgerverpackungen, leere Bierdosen, leere Softdrinkdosen Marke Cougar, die Zeitschriften *Hot Rod*, *Stiff*, *HighLand*. Eine verchromte Radkappe diente als Aschenbecher für vielleicht vierzig oder fünfzig Kippen, andere waren neben dem Aschenbecher gelandet und auf dem Tisch verglüht, hatten Aschezylinder und dunkle Nikotinflecken hinterlassen. Auf einem Fernsehtisch stand ein Fünfzig-Zoll-Flachbildschirm, er lief ohne Ton, ein Mann und eine stark geschminkte Frau, Betonfrisur, sprachen in die Kamera – Frühstücksfernsehen. Am Ende eines Satzes runzelte der Mann die Stirn, die Augenbrauen standen schief, ein Hundegesicht, manchmal glücklich, manchmal verdutzt, manchmal traurig. Die hübsche Frau war aufgeregt und hilflos, sie wusste, dass sie Frischfleisch war, ein Blickfang, man hatte ihr gesagt, sie solle ganz sie selbst sein, was ihr nicht weiterhalf, da sie keine Ahnung hatte, wer oder was sie selbst war, von hübsch abgesehen.

Jemand hatte auf einem an der Wand stehenden Sofa geschlafen, auf dem ein Schlafsack mit geöffnetem Reißverschluss lag, ein schmieriges Kissen, auf dem Boden ein voller Aschenbecher, eine halb leere Packung Zigaretten, ein Plastikfeuerzeug.

Neben dem Kamin lag ein ordentlicher Stapel Zeitungen, auf einem Tischchen neben einem breiten, klobigen Sessel. Villani warf einen Blick darauf.

The Age.

Die Samstagszeitung. Wer las in diesem Haus so eine renommierte Zeitung, die Drogenopfer oder der ordentliche Mann, der Aufräumer und Desinfizierer?

In der Milchbar in Selborne hatten sie *The Age* immer für Bob Villani aufgehoben. Wenn er die ganze Woche am Steuer unterwegs war, sammelten sich die Zeitungen. Sonntags ordnete Bob sie chronologisch, und Vater und Sohn lasen sie in einem Rutsch, zuerst Bob, der jede Ausgabe weiterreichte, sobald er damit durch war.

Villani ging durch den Flur zurück, durch die antiseptische Küche, hinaus in den Tag. Moxley kam gerade aus dem Lagerhaus, einen grünen Mundschutz vor dem Gesicht, den er jetzt bis zur Stirn hochschob.

»Drei männliche Weiße, bei dem in der Nähe des Eingangs ausschließlich Schusswunden, Kopfschuss, die beiden hängenden haben zahlreiche Verletzungen, einschließlich Schusswunden«, sagte er. »Keine Hinweise auf ihre Identität. Außer …«

Er gab Villani eine Karte.

VOLIM TE IVAN, schräg und in Versalien.

»Was ist das?«, fragte Villani.

»Eingraviert auf einem Ohrring bei dem am nächsten hängenden Mann«, sagte Moxley. »Beide sind Ende dreißig, würde ich sagen. Vielleicht ein paar Jahre mehr oder weniger.«

Sie sahen ihm nach, als er in das Lagerhaus zurückging.

»Mit der Maske gefällt er mir besser«, sagte Villani. »Kussfreundlicher.«

Er hielt die Karte hoch. Das Team trat näher.

»Ich liebe dich, Ivan«, sagte Tomasic. Er war Einzelkind, seine Eltern hatten ihn weggegeben, als er sieben war, er wanderte von einer Pflegefamilie zur anderen, in Heime, konnte vier Sprachen. »Das steht hier.«

»Welche Sprache?«

»Kroatisch. Slowakisch.«

Villani spürte das leichte Prickeln, sah Birkerts an. »Geh rein und sag Moxley, ich möchte Einzelheiten über Tattoos wissen.«

»Wird uns das weiterhelfen?«

Birkerts war Singos Musterschüler gewesen, er wollte ihn haben, obwohl Birkerts studiert und sich mit jedem seiner Vorgesetzten angelegt hatte.

Villani spürte Magensäure aufsteigen, Bier, Nikotin, Tomatensauce mit Essiggeschmack. »Ihrer Ansicht nach nicht, Detective?«, sagte er. »Hätte ich Sie vorher fragen sollen?«

»Verzeihung, Chef.« Ein leichtes Neigen des Kopfes, dann ging Birkerts.

Villani und das Team standen in dem immer wärmer werdenden Tag, die Luft erfüllt von elektronischem Quietschen, Piepsen und Knacksen, und warteten darauf, dass er zurückkehrte, beobachteten, wie er um das Blut herumging, wiederkam.

»Beide haben ein kleines Wappenschild mit einem Schwert drüber«, sagte Birkerts. »Wie ein Schachbrett.«

Er klopfte sich auf den linken Oberarm. »Hier.«

»Matko Ribarics Jungs«, sagte Villani. »Wer behauptet, es gebe keinen Gott?«

Er ging zum Lagerhaus. Mittlerweile hatten sie den dritten Mann bestimmt auf den Rücken gedreht, jetzt konnte er Fotos machen.

Das Auto stand vor der Ampel an der Belgrave Road, als das Handy klingelte.

Kielys satte Vokale. »Offenbar bin ich der Letzte, der von der Sache in Oakleigh erfährt«, sagte er. »Das macht mich traurig.«

»Und was hat Ihr Traurigsein mit mir zu tun?«, fragte Villani.

»Nur so ein Kommentar. Und jetzt will ich mich auf den neuesten Stand bringen, also wie lautet die vorläufige Einschätzung?«

Villani hätte am liebsten lange die Augen geschlossen, doch die Ampel wurde grün.

»Drogen wären eine Möglichkeit«, sagte Villani.

»Ach ja?«, sagte Kiely, leicht spöttischer Tonfall. »Ich dachte, es könnte vielleicht mit, äh, Obst und Gemüse zu tun haben.«

Kiely hatte einen Studienabschluss in Kriminologie und Betriebswirtschaft, im Abendstudium erworben. Er war Leiter des Morddezernats in Auckland, als sie ihn holten; man dachte, Neuseeland sei sauber und grün. Grün war Kiely auf jeden Fall – hinter den Ohren.

»Obst und Gemüse hatten wir schon, Mann«, sagte Villani. »Zahlreiche Tote. Der Mafiakrieg. Aber woher sollen Sie das wissen?«

Beredtes Schweigen.

»Egal«, fuhr Villani fort, »Tomasic hat drei Namen eingegeben, wir kriegen sehr bald die Vorstrafenregister der Jungs. Für das Haus brauchen wir noch den ganzen Vormittag. Das hat Priorität.«

»Sollte sich nicht Crucible darum kümmern?«

»Unnatürliche Todesfälle. Das Morddezernat. Ist das in Auckland nicht der Fall?«

»Ich leiste nur einen bescheidenen Beitrag zu unserem Fachgespräch.«

»Was immer das für 'n Scheiß sein mag. Vergessen Sie Crucible.«

Hunger.

Villani fuhr einen Umweg nach South Melbourne, parkte auf einem Stellplatz für Behinderte, er fühlte sich behindert. Man kannte ihn in dem Imbiss, der Outlaws griechischer Abstammung gehörte, er stellte sich einen Hamburger mit allem Möglichen zusammen, ohne den Käse, den Plastikkäse konnte er nicht ausstehen, ohne den Schinken mit den rosa Fleischbröckchen in dem weißen Fett. Vier Bestellungen waren vor seiner dran, er ging wieder die Straße runter, kaufte eine Zeitung, ging zurück und beobachtete das Zwei-Mann-Fließband bei der Arbeit.

Jim, der dicke Koch, stellte einen anderen Radiosender ein, und man hörte Paul Keogh mit voller Lautstärke:

… zu diesen Morden gibt es noch keine offizielle Stellungnahme. Mit Millionen von Dollar, Millionen von Dollar, überschütten wir eine sogenannte Hightech-Einsatzgruppe, eine technisch hoch entwickelte Einsatzgruppe, deren Aufgabe es sein soll, das organisierte Verbrechen auszuradieren, und was springt bei all den Ausgaben für die Crucible-Taskforce heraus? Ein paar Trottel landen im Knast. Und jetzt passiert diese Sache in Oakleigh, bei der es sich …

»Wissen Sie was darüber?«, fragte Dimi, der schlankere Koch, der mit großen, haarigen Händen einen Fleischklops formte, ohne Handschuhe.

»Was ist aus den Handschuhen geworden?«, sagte Villani. »Der Lebensmittelhygiene?«

»Scheiß drauf«, sagte Dimi. »Man fängt mit scheißsauberen Händen an, das is doch wie Scheißhandschuhe, oder? Und die Scheißhitze bringt die Scheißbazillen eh um.«

»Das hoffe ich von Herzen«, sagte Villani.

Er aß im Wagen, las dabei Zeitung, hörte im Radio Keogh:

… das letzte furchtbare Symptom, es ist eine Seuche, Drogen und Toleranz und dieser ganze Quatsch, der um die Drogen herum entstanden ist, die Methadonprogramme, also wirklich, wir beliefern diese rückgratlosen Memmen mit einer Gratisdroge, die angeblich ihre Abhängigkeit verringern soll, jetzt fordern sie das Zeug, halten es für ihr gutes Recht, das ist so was wie eine Pensionszulage für Junkies…

Telefon. Die Sekretärin, Angela.

»Chef, als Erstes rief Mr. Colby an, er setzt für neun Uhr dreißig eine Besprechung an. Und der Stellvertretende Polizeichef Barry möchte Sie gleich danach sprechen.«

»Ich warte auf den Startschuss«, sagte Villani.

… der Polizeichef David Gillam, der sogenannte neue Besen, hat den Schmutz doch nur hin und her und unter den Teppich gekehrt. Einen feuchten Dreck hat er erreicht. Alles deutet darauf hin, dass einige Soldaten der Kavallerie sich den Indianern angeschlossen haben, und zwar bis in die höheren Dienstgrade. Ich spreche hier – auf meine gewohnt umständliche Art – von Korruption. Und dann ist da noch das gewaltige Problem der öffentlichen Ordnung. Öffentliche Sicherheit. Gesetzestreuen Bürgern steht das Recht zu, angstfrei ihren Geschäften nachzugehen. Diese Stadt hat ein sehr, sehr ernstes Problem mit der öffentlichen Ordnung, die Regierung, damit meine ich unseren Wunderknaben, Polizeiminister Martin Orong, hat rein gar nichts unternommen, um es zu lösen, weshalb es bei dieser Wahl völlig zu Recht ein großes Thema ist. Dann ist da noch das Chaos, das sich öffentlicher Personen-

verkehr schimpft, der Infarkt, der diese Stadt zweimal täglich
zum Stillstand bringt...

Villani betrachtete den Hamburger, das kalte graue Fleisch, die Klumpen geronnenen Fetts, den Saum aus Ei, die verkohlten Zwiebelfasern. Er biss hinein.

Sie warteten im Konferenzzimmer auf ihn, Colby, Dance, Ordonez.

»Ist ja wie ein Ehemaligentreffen des Raubdezernats«, sagte Colby. »Die alten Räuber. Sollten wir in 'ner Kneipe abhalten. Damit das klar ist: Es sind die verdammten Ribarics?«

»Die Ribarics, Chef«, sagte Villani. »Es wurde bestätigt, dass Ivan diesen Ohrring trägt und dass Andy von Ivan die Messernarbe verpasst bekommen hat, als sie noch Kinder waren. Außerdem hat Andy ein Loch im Arsch, von dem sie beim Raub wussten.«

Er machte eine Handbewegung in Richtung Ordonez, dem Leiter der Abteilung für Verbrechen mit Waffengewalt.

»Unterlagen von dem Überfall auf ein Lohnbüro in Somerton, 1997«, sagte Ordonez. »Wachmann hat ihm durch die rechte Arschbacke geschossen. Dafür musste Andrew sechs Jahre absitzen, kam 2002 raus.«

»Der Dritte«, sagte Villani. Er nahm die Kamera heraus, fand das Foto, hielt die Kamera Colby hin. »Vielleicht erinnern Sie sich noch an diesen Typen.«

Villani hatte unter Colby im Raubdezernat gearbeitet, als sie zu einem Bankraub gerufen wurden, der gerade in Glen Iris stattfand, er, Colby und Dance; sie trafen spät am Tatort ein, wo Colby schließlich auf die Motorhaube eines fahrenden gelben Commodore sprang, dessen Beifahrer seine Waffe, eine Magnum, aus dem Fenster hielt, mit der falschen Hand vier Schüsse abgab und Colby ein großes Stück vom rechten Brustmuskel und ein kleines Stück vom Ohr wegschoss. Colby kroch auf den Dachgepäckträger, griff nach unten, krallte die Finger in die Haare des Fahrers, zog dessen Kopf halb aus dem Fenster und knallte ihn wiederholt gegen das Fahrgestell.

Mit etwa achtzig Stundenkilometern raste der Commodore über Bahngleise, touchierte den Lieferwagen eines entgegenkommenden Handwerkers, streifte ein Buswartehäuschen aus Beton, prallte seitlich gegen einen Baum, wurde in einen kleinen Park geschleudert, überschlug sich zweimal und kam schließlich zum Stehen. Neben einer Sandgrube, in der fröhliche Kinder spielten.

Als Villani und Dance dort eintrafen, war der Fahrer tot, der Schütze lag im Sterben, der dritte Mann, Vernon Donald Hudson, war unverletzt und winselte. Colby – Schädelbruch, gebrochener Arm, ein Lungenflügel von einer Rippe durchbohrt – stand auf den Füßen, das Gesicht eine blutige Maske, der rechte Arm hing runter wie ein toter Fisch. Colby spuckte aus, Blut und einen Zahn, schaute an sich herunter und sagte: »Verdammt, das war ein nagelneuer Anzug.«

»Vern«, sagte Colby, Blick auf das Kameradisplay gerichtet. »Weniger Haare, aber es ist Huddo. Er ist ein Überlebenskünstler. War einer. Wo hat der Fotzkopp bloß gesteckt?«

»Wir haben lange nichts mehr von ihm gehört«, sagte Ordonez. »Es hieß, er sei in Queensland. Im Ruhestand.«

»Jetzt ist er im Ruhestand«, sagte Colby. »Also, worum geht's bei diesem Scheiß?«

»Ivan ist ein Tier«, sagte Ordonez. »Ein Junkie und ein Tier. Steht ganz oben auf unserer Liste. Wahrscheinlich hat er letzten Oktober den Wachmann von SecureGuard in Dandenong getötet, ihn hingerichtet. Außerdem hat er den Kunden in der Westpac-Bank in Garden City erschossen, völlig grundlos. Es gibt auch noch Prügelorgien, eine Frau hat seitdem einen Gehirnschaden, kann nicht sprechen. Wir gehen davon aus, dass in den letzten zwei Jahren sieben, acht Raubüberfälle auf das Konto dieser Jungs gehen. Vielleicht achthundert Riesen Beute. Dandenong hat zweihundert gebracht, aber das war reines Glück.«

»Wirklich schade, dass wir die Jungs nicht keulen konnten, als wir den alten Herrn eliminiert haben«, stellte Colby fest.

Der Rechtsmedizin zufolge gaben Dance und Vickery zwölf Schuss auf Matko Ribaric ab, ehe Vickery ihn ins linke Auge traf, nicht gezielt, ein Zufallstreffer, die Kugel war von einem Wagendach abgeprallt. Kein Fall für die Lehrbücher, aber schließlich hatte Matko sie auf dem Parkplatz eines Einkaufszentrums mit einem halbautomatischen Gewehr beschossen, einem Benelli M4 Super 90, die Geschosse prasselten auf die Autos wie stählerner Hagel.

»Also, das alles ist einerseits hilfreich, andererseits aber auch nicht hilfreich«, sagte Colby. »Wer würde die Ärsche umbringen wollen?«

»Keine Ahnung«, sagte Ordonez. »Diese Typen sind nichts weiter als Räuber.«

»Bei der Gelegenheit sollte ich erwähnen«, sagte Villani, »dass die beiden Brüder so übel zugerichtet wurden, wie ich es seit Rai Sarris nicht mehr gesehen habe. Nasen weg, Gehänge abgeschnitten, Haare abgebrannt. Das hat jemandem echt Spaß gemacht.«

»Wir glauben«, sagte Ordonez, »dass die Ribs gemeinsam mit einem gewissen Russell Jansen und einem Christopher Wales Dinger gedreht haben, beide echt schlimme Finger. Jansen ist grenzdebil, hat aber ein Händchen für Autos. Klauen, fahren. Wales ist ebenfalls Junkie. Was wir wissen, steht alles hier drin.«

Ordonez gab Villani einen Ordner.

»Ist die Adresse in Oakleigh da drin?«, fragte Colby.

Ordonez verzog das Gesicht, schmallippig. »Nein, Chef. Wir hatten von keinem von denen Adressen.«

»Sie haben da gewohnt?«, sagte Colby zu Villani.

»Mindestens vier Personen wohnten in dem Haus«, sagte Villani. »Das ist ein erster Eindruck. Überall parken Fahrzeuge, das wird noch ziemlich aufwendig.«

»Mr. Dance«, sagte Colby. »Da Sie die kostspieligste Operation in der Geschichte der Polizei leiten, werden Sie uns eine Menge über diese Arschlöcher zu erzählen haben.«

Mr. Xavier Benedict Dance lächelte, ein langes Gesicht wie aus dem Mittelalter, eisblaue Hütehundaugen. Er hatte seinen Stuhl ein gutes Stück vom Tisch abgerückt, ein Bein übergeschlagen, Knöchel auf dem anderen Knie, polierter italienischer Schuh, Baumwollsocke. Villani wusste, dass Colby Dance immer für schussscheu gehalten hatte. Einmal, nach einem chaotischen, fehlgeschlagenen Raub und einer Verfolgungsjagd zu Fuß, sah Colby Dance an und sagte: »Was soll das werden, üben Sie, auf der Stelle zu laufen?«

»Unsere nachrichtendienstlichen Ermittlungen konzentrieren sich auf die großen Fische«, sagte Dance.

»Als wäre ein Blick ins Telefonbuch schon eine Ermittlung«, sagte Colby.

»Crucible konzentriert sich auf das organisierte Verbrechen«, sagte Dance.

»Schon klar, Mann. Also Drogen. Wie sieht diese Sache aus?«

»Nun, Ivan Ribaric taucht nur auf unserem Radarschirm auf, weil er vor einigen Jahren für Gabby Simon die Dreckarbeit erledigt hat. Aber als er im Lord Carnarvon in South Melbourne fast einen Typ umgebracht hätte, war das für Gabby zu extrem. Jedenfalls in der Öffentlichkeit.«

»Wie lautet nun Ihre Einschätzung ohne nachrichtendienstliche Erkenntnisse?«

Dance hob die Hände. »Vielleicht die alternative Beendigung eines Streits um zehn Millionen Dollar. Auslöser könnte auch ein Streit um eine Parklücke gewesen sein. Die Wichser bringen sich gegenseitig wegen allem um. Wegen nichts.«

»Und die Folter?«

»Für Arschlöcher, die seit drei Tagen auf Crystal Meth und wach sind, ist Folter wie ein Spiel auf der Playstation. Ich würde sagen, Rache. Von Typen, die Vern Hudson nicht ganz so hassen wie die Ribbos.«

»Wenigstens haben Sie nicht Gangkrieg gesagt«, stellte Colby fest. »Na schön, meine Herren, dann wollen wir mal wieder in unsere Silos gehen, wie man sie hier offenbar nennt. Inspector Villani, auf ein Wort.«

ch erwarte, es als Erster zu hören, mein Junge«, sagte Colby. »Von Ihnen oder sonst wem. Nicht von Gott. Gillam rief mich an, ist richtig hysterisch geworden. Dann ist Mr. Garry O'Barry dran, der irische Perversling.«

»Tut mir leid, Chef.«

»Klar, tja, hören Sie, bei der Sache deutet alles auf Scheiße in der Lampenschale hin. Ich sehe keine Freude, rundherum nur Leid.«

»Wir sind noch ganz am Anfang.«

»Ich denke, wir sollten das loswerden, den Ball an Dancer weitergeben. Crucible.«

»Es ist ein Mordfall.«

»Manchmal machen Sie mir Sorgen«, sagte Colby. »Sie sehen das große Ganze nicht.«

»Nicht?«

»Nein. Singletons Gerechtigkeit-für-die-Toten-Quatsch. Das Morddezernat, ein Inselchen voller Scheißpfadfinder. Lassen Sie das hinter sich. Singo ist Vergangenheit, er ist da oben nur schwebender, unsichtbarer Feinstaub, er ist Luftverschmutzung. Bei solchen Sachen, wenn einen die Presseleute wie Schmeißfliegen umschwirren, wenn einem die verdammten Politiker zusetzen, geht die normale Arbeit zum Teufel. Und wenn man dann nicht nach einer Stunde ein Ergebnis kriegt, ist man der Arsch.«

»Vielleicht haben wir Glück.«

Colby nieste, eine Explosion, noch eine, noch eine. »Der

verdammte Qualm bringt mich um«, sagte er. »Egal, eins sag ich Ihnen. Entweder Sie haben Glück, oder Sie haben die Pläne B bis D parat.«

»Wird gemacht, Chef.«

»Bleiben Sie mit mir in Verbindung. In enger Verbindung. Ich will wissen, was los ist.«

»Chef.«

Als Villani an der Tür war, sagte Colby: »Könnte eine entscheidende Karrierephase sein. Die gibt es nämlich.«

»Ich behalt's im Hinterkopf, Chef.«

Villani saß im Vorzimmer, Handy aus, Augen geschlossen. Barry führe gerade ein wichtiges Telefonat, hatte die Sekretärin gesagt. Villani hatte nichts dagegen, genoss den Frieden.

»Commissioner Barry ist so weit, Inspector«, sagte die Sekretärin auf irgendein Zeichen hin.

Barrys Schreibtisch stand seitlich versetzt zum Fenster, die Jalousien waren halb geschlossen, die vertikalen Gebäudeteile der Hochhäuser in schmale Streifen zerlegt.

»Stephen«, sagte er. »Setzen Sie sich. Hatte gerade den Chief am Apparat.« Er hielt inne. »Schießen Sie los.«

Villani merkte jetzt erst, wie sehr seine Unterarme schmerzten, seine Schultern. Das Rasenmähen, der ganze Körper angespannt, der feste Griff am Gashebel. »Ivan Ribaric und sein Halbbruder«, sagte er. »Kroaten.«

Barry fand ein serviettengroßes Papiertaschentuch. Er schnäuzte sich die Nase, seine Augen quollen vor. »Im scheißkalten Irland war ich nie erkältet«, sagte er. Er betrachtete das Taschentuch, zerknüllte es. »Heißt das Australier kroatischer Abstammung oder kroatische Bürger?«

»Ersteres.«

»Bei solchen Dingen gibt es offenbar gewisse Empfindlichkeiten.«

»Es ist eine Familie mit einem Kanakennamen. Wie meiner.«

»Was ist mit mir?«, sagte Barry. »Ist ein Ire ein Kanake?«

»Ein Mick ist eine Art früher Kanake, so wie ich das sehe.«

Barry lachte, ein dröhnendes Kneipenlachen, er hatte kalte Vogelaugen. »Weiter im Text. Die Toten zu kennen, ist ein Schritt, die Totmacher zu fassen, darauf kommt's an.«

»Da muss ich noch 'ne Schaufel drauflegen.«

Er konnte die Klappe nicht halten, damit ritt er sich immer rein. Villani sah aus dem Fenster. Barry war ihm lieber als sein Vorgänger, dachte er, ein unbrauchbarer Tommy aus Liverpool, der plötzlich eine Stellung in Kanada angenommen hatte.

»War ein Scherz, Stephen«, sagte Barry.

Villani nickte, ergeben, wie er hoffte. Er bemerkte eine weiße Substanz seitlich an seinem linken Schuh. Vogelscheiße? Gott, bitte nichts aus Oakleigh.

»Diese Wahl. Ich bin zwar kein Fachmann für hiesige Politik, doch wie ich höre, könnte es Veränderungen geben, diverse Wechsel in der Führungsetage. Klingt wahrscheinlich.« Er musterte Villani. »Wir könnten gut zusammenarbeiten, wir beide. Als Team. Wie sehen Sie das?«

»Ich glaube, das könnten wir, Chef.« Villani hatte keine Ahnung, was der Mann meinte.

»Darf ich Ihnen einige Hinweise zu Ihrem künftigen Auftreten geben? Das ist wichtig. Ein paar neue Anzüge. Dunkelgrau. Hemden. Hellblau, Baumwolle, kaufen Sie ein halbes Dutzend. Und Krawatten. Rot, Seide, Seide mit Jacquardmuster. Schwarze Schuhe, Zehenkappe. Schuhe sind gut für die Moral, Frauen wissen das.«

Villani hielt es für das Beste, zu schweigen.

»Habe ich Sie etwa beleidigt?«, sagte Barry.

»Nein, Chef.«

»Ich kümmere mich um Sie, Stephen.«

»Dafür bin ich Ihnen dankbar.«

»Gut. Noch mal zu Oakleigh, wir brauchen ein Ergebnis,

darauf kommt es an. Ihre Aufklärungsquote muss generell gesteigert werden.«

»Chef.«

Die Aufklärungsquote war reine Glückssache. Eine gepflegte Häufung von Fällen häuslicher Gewalt, Schlägereien im Suff, Messerstechereien mit ungebetenen Gästen, Prügeleien im Gangmilieu, tödliche Zusammenstöße zwischen Obdachlosen und Hoffnungslosen – kein Problem, das alles ließ sich binnen einer Woche, zwei Wochen komplett aufklären, was ziemlich gut aussah, effizient.

»Und die Frau im Prosilio-Tower? Wie weit sind Sie da?«

»Wir machen Fortschritte bei der Identifizierung. Wir kommen gut voran. Ja.«

»Gut, gut. Sie halten mich über alles auf dem Laufenden, was ich wissen sollte, nicht wahr?«, sagte Barry, hob die Hände, formte sie zu Pistolen, hielt die Mündungen aneinander. »Direkt.«

»Wird gemacht, Chef.«

»Und Prosilio müssen wir wohl nicht extra erwähnen. Auch in dieser Hinsicht gibt es gewisse Empfindlichkeiten. Verstehen wir uns?«

»Chef.«

Während Villani in den Gedärmen des Gebäudes aufstieg, die Luft wie Flüssigkeit in einer chemischen Reinigung, dachte er daran, sich in einem kühlen, halbdunklen Zimmer auf ein hartes Bett zu legen, die Knie anzuwinkeln und einzuschlafen. Sein Handy klingelte.

»Vorläufige Ergebnisse«, sagte Moxley. »Der Mann beim Eingang wurde aus nächster Nähe von hinten in den Kopf geschossen. Die beiden anderen weisen multiple Stichwunden auf, Genitalien abgetrennt, weitere Verletzungen. Außerdem wurden Kopf- und Schamhaare angezündet, beide wurden erschossen, Mündung im Mund. Drei Kugeln gesichert, Kaliber fünfundvierzig.«

»Sie können also einen Unfall nicht ausschließen?«, sagte Villani.

»Noch andere Fragen?«

»Zeit. Ist im Fernsehen kein Problem, die Cops kriegen ihre Antworten sofort«, sagte Villani. »Sind Sie auf dem neuesten Stand der modernen Forensik, Professor?«

»Höchstens zwölf Stunden.«

»Immerhin etwas, nehme ich an.«

»Darf ich anmerken, wie sehr mir Inspector Singletons Professionalität fehlt?«, sagte Moxley. »Adieu.«

Villani saß an seinem Schreibtisch, und das Telefon klingelte.
»Mr. Searle, Chef.«

»Okay.«

»Steve, Mensch«, sagte Searle. »O Mann, ich wär wirklich gern der Erste, den ihr bei so etwas wie Oakleigh anruft. Irgendwer soll sich einfach bei mir melden. Sie wissen doch, wir schlafen nie.«

»Für den ersten Anruf stehen die Leute Schlange«, sagte Villani. »Warum beschweren Sie sich nicht bei meinen Vorgesetzten? So wie ich mich über die seltsame Behandlung des Prosilio-Mordes bei der Telefon-Hotline von Crime Stoppers beschweren werde.«

Searle pfiff. »Hübsch ruhig bleiben, das klingt ja ziemlich feindselig.«

»Was beabsichtigt war«, sagte Villani.

»Verstehe. Ich werde es ignorieren.«

»Kriege ich nun eine Erklärung, oder was?«

»Irgendein Missverständnis, mehr kann ich dazu nicht sagen«, sagte Searle. »Ich schätze, Oakleigh geht an Crucible?«

»Erkennen Sie einen Mord nicht, wenn Sie ihn sehen?«

»Also gut, also gut. Ich schlage vor, dass ich wegen so einer Riesengeschichte Cathy Wynn bei euch einbette. Natürlich läuft alles über Sie, die absolute Kontrolle liegt bei Ihnen.«

Singo hatte Searle gehasst. »Bastarde, die ganzen beschissenen Searles«, hatte er gesagt, als er von Geoff Searles Ernennung erfuhr. »Und der Arsch ist der größte Kümmerling der ganzen Bagage.«

»Einbetten?«, sagte Villani. »Sind Sie noch bei Trost?«

»Ich verspreche Ihnen, Sie werden mit dem Ergebnis zufrieden sein. Und mit dem Verfahren. Gibt keine Nachteile. Überhaupt keine.«

»Nur über meine Leiche.«

»Alles klar. Geht in Ordnung. Ich respektiere Ihre Ansicht. Wen sollen wir kontaktieren?«

»Inspector Kiely.«

Searle hüstelte. »Steve, Mensch«, sagte er, »Singleton hatte mich auf dem Kieker, keine Ahnung, warum. Aber können wir das nicht abhaken? Schließlich haben wir beide unsere Arbeit zu machen, stimmt's?«

»Ich habe Polizeiarbeit zu machen, stimmt«, sagte Villani.

»Nun, es kann doch nichts schaden, Ihr Profil zu schärfen, oder?«

»Ich weiß weder, was das heißt«, sagte Villani, »noch möchte ich es wissen. Anrufer in der Leitung. Morddezernatangelegenheiten, Morde, solche Sachen. Ich melde mich bei Ihnen.«

»Das freut mich«, sagte Searle. »Cathy Wynn ist Ihre Ansprechpartnerin.«

Villani stellte sich vor, wie sein Profil geschärft wurde. Das Telefon klingelte.

»Mr. Dance, Chef«, sagte die Frau von der Zentrale.

»Alles klar. Dancer?«

»Genosse«, sagte Dance. »Jedes Mal, wenn ich den verdammten Colby sehe, wird er arschiger. Man könnte meinen, ich hätte mir dieses Crucible selbst ausgedacht. Egal, habe soeben von Simon Chong, unserem jugendlichen Genie, gehört, dass er irgendein Programm hat laufen lassen, das die Computer-Nerds erfunden haben.«

»Und?«

»Es zieht Namen aus der Kommunikation, die wir aufsaugen. Aus der Suppe. Unser Freund Ivan wird erwähnt. Und zwar letzte Woche, vor sechs Tagen.«

»Wie erwähnt?«

»Ein Arsch sagt, Ivan habe etwas zu verkaufen. Er hustet. Das bedeutet Grundstoffe für Drogen. Dann sagt er, er meldet sich wieder, aber das haben wir nicht. Er hat nicht noch mal auf derselben Leitung gesprochen.«

Das andere Telefon klingelte. Tracy Holmes, die Analytikerin.

»Oakleigh«, sagte sie. »Der Name lautet Metallic.«

»Noch ein Geniestreich. Danke.«

»Mit wie vielen Leuten sprichst du da?«, fragte Dance.

»Gerade so vielen wie unbedingt nötig«, sagte Villani. »Wie der Stierkämpfer sagte, diese Jungs sind Räuber. Und wenn sie Hustenmittel verkaufen?«

»Der Stierkämpfer ist echt 'ne Lusche, Alter. Nicht mehr so wie früher. Als wir noch jung waren. Jünger. Es gibt keine Arbeitsteilung mehr. Drogen, Nutten, Räuber, alles eine verdammte Soße.«

Villani überlegte kurz, sagte dann: »Es war also wohl irgendein Drogendeal, der in die Hose ging?«

»Das würde ich sagen.«

»Habt ihr irgendwas unternommen?«

»Alter, so 'n Scheiß kriegen wir andauernd zu hören. Wir sind hier so was wie die Luftraumüberwachung für die ganze Welt. Wir haben es an unsere Drogenkollegen weitergegeben, wie auch immer man die gerade nennt. Vielleicht Genussgruppe Betäubungsmittel.«

»Wen habt ihr da gehört?«

»Den einen kennen wir nicht«, sagte Dance. »Der Zweite ist Mick Archer, ein ehemaliger Hellhound, ein Vertrauter von Gabby Simon, Ganove aus dem Clubmilieu, vielleicht weiß er deshalb, wer Ivan ist. Ich habe ihn und die Sache im

Lord Carnarvon ja erwähnt. Aber Mick steht auch etlichen anderen gefährlichen Ärschen nahe. Uns interessiert er nur am Rande.«

»Wusste gar nicht, dass es so etwas gibt wie einen ehemaligen Hellhound. Ich dachte: immer Hellhound oder tot.«

»Mick hat sich abgesetzt und lebt noch. Das könnte eine Erklärung sein.«

»Würde er so was machen, wenn die Ribbos ihn gefickt hätten?«

»Dem traue ich alles zu. Aber Mick war nicht da. Und seine rechte Hand auch nicht. Die sind ganz sicher in Malaysia.«

»Wo hast du das her?«

»Aus dem Äther.«

»Tja, danke, Äther. Scheiße, was soll ich jetzt damit anfangen?«

»Wir geben nachrichtendienstliche Erkenntnisse weiter.«

»Das Telefonbuch.«

»Das schmerzt«, sagte Dance. »Du solltest dich nicht auf die Seite der Colby-Gang schlagen. Das wäre, als würde man sich den Kellys anschließen. Sie sind wenige. Wir sind viele.«

»Das heißt?«

Schweigen.

»Steve, wach auf. Collo ist der letzte der großen Landsaurier.«

»Ich werd drüber grübeln. Es gibt so viel, worüber ich grübeln muss. Wenn du mal einen Moment nicht im Fernsehen auftrittst, kannst du mir ein Bier ausgeben.«

»Du kannst mich auch mal«, sagte Dancer. »Unser Genie hat dir die Tonaufnahme geschickt.«

Gavan Kiely in der Tür, Gesicht wie ein Brocken Knetmasse.

»Willkommen«, sagte Villani. »Wollen wir da drüben gemeinsam einen Haka aufführen?«

»Zweierlei«, sagte Kiely und zeigte seine Rattenzähne. »Cathy Wynn von der Medienabteilung hat sich bei mir gemeldet. Sie wollen unbedingt in die Vorausplanung in Sachen Metallic einsteigen.«

Villani sagte: »Sagen Sie ihr, dass wir immer noch in der Rückwärtsplanung sind. Wir lassen sie wissen, wie es sich entwickelt.«

Kiely entschied sich, eine Stelle über Villanis Kopf zu fixieren. »Außerdem bin ich der Meinung, ich sollte eine exponiertere Rolle spielen«, sagte er. »Als Nummer zwei.«

»Zwei ist nie eine gute Nummer. Wie exponiert?«

»Nun, als Repräsentant der Abteilung.«

»Sie möchten der Sprecher sein?«

»Eher als Rangniedrigere, jawohl.«

»Auf jeden Topf den richtigen Deckel.«

»Wie bitte?«

»Das Prinzip war immer, dass jeder Teamleiter Stellungnahmen abgibt. Birk wird Sie auf dem Laufenden halten.«

»Eigentlich erwarte ich nicht, von Untergebenen informiert zu werden«, sagte Kiely.

Villani sah ihn unverwandt an, ließ Zeit vergehen. Kiely ertrug es nicht.

»Ich hab ein Angebot«, sagte Villani. »Sie machen keine Szene, und ich verspreche, Sie mehr einzubinden. Sagt man das so?«

Kielys rosa Gesichtsfarbe wurde noch kräftiger.

Die Uhr über der Tür zeigte 11.40 an. »Da das nun geklärt ist, sollten wir mal Wales und Jansen suchen gehen, die Kumpels der Ribs.«

Ein Hubschrauber, gläserne Hochhäuser, lautlose Explosionen, vor unsichtbaren Schrecken flüchtende Menschen, eine schwarzhaarige Frau mit katzenhafter Ausstrahlung sagte:

... Beamte des Morddezernats wurden heute zum Tatort eines Dreifachmordes gerufen, nachdem man drei tote Männer in einem Lagerhaus hinter einem Wohngebäude in Oakleigh im Südosten der Stadt gefunden hatte...

Ansichten aus dem Hubschrauber, die roten Dachziegel, die nicht zu den riesigen blechernen Fabrikhallen, Werkstätten und Lagerhäusern in der Umgebung passten, die Straße voller Fahrzeuge, Arbeiter und Presseleute am Seitenzaun. Villani sah den Pulk von Kripoleuten, glaubte, sich selbst zu sehen. Dann, aus ebenerdiger Perspektive, der Hof und das Lagerhaus. Er ging in Richtung Tür.

... kurz vor sechs Uhr heute Morgen entdeckte ein Wachmann die grauenvolle Szenerie. Beamte des Morddezernats und Fachleute der Spurensicherung sind immer noch auf dem Gelände. Die Bewohner des Hauses bekam man nur flüchtig zu Gesicht, sagen Arbeiter der Elektrogerätefabrik nebenan...

Dann sah man Birkerts, das lange, blasse, skandinavische Gesicht.

... wir haben die Opfer zurzeit noch nicht identifiziert, hoffen aber, ihre Identität in Kürze ermitteln zu können.

Können Sie uns sagen, wie sie gestorben sind?

Alle wurden erschossen.

Können Sie bestätigen, dass sie gefoltert wurden?

Die Fachleute werden uns über Verletzungen und Todes-
ursachen informieren. Zu gegebener Zeit.

Handelt es sich um ein Verbrechen im Drogenmilieu?

Gegenwärtig können wir nichts ausschließen…

Dann: Galgenfrist für Morpeth und Stanton dank einer
Änderung der Windrichtung, Proteste wegen Zugverspätun-
gen, Labor-Partei laut neuer Umfrage in Schwierigkeiten, vier
Verletzte bei einem Kranunfall in der Innenstadt, Hund aus
einem Gully gerettet, ein Jack Russell. Offenbar wollte das
Tier wieder zurück.

Villani drückte die Stummtaste, ließ das Kinn sinken. Warum sollte jemand diesen Job haben wollen? Gefangen in
einem Traum, der von einer hässlichen Szene zur nächsten
wechselte, in dem man alles durch einen Schleier aus Müdigkeit betrachtete. Von der ganzen Torheit seines Lebens übermannt, schloss er die Augen.

Als er sie wieder aufschlug, sah er auf den Karton in der
Ecke, Singletons Auszeichnungen und Fotos, die darauf warteten, irgendwohin gebracht zu werden. Der silberne Boxer
ragte heraus, geduckt, mit der Linken zuschlagend.

Er hatte ihn an seinem ersten Tag im Morddezernat gesehen, als er frisch aus dem Raubdezernat kam, einen üblen Kater von der Abschiedsparty im Gepäck, erpicht darauf, einen
Neuanfang zu wagen, seine Ehe zu retten.

»Ich hätte das Dance-Urteil kassieren sollen«, sagte Singleton.

»Er hat mir ein paar gute Treffer verpasst«, sagte Villani.
»Chef.«

»Sie haben ihm ein paar mehr verpasst. Jedenfalls hat das
neue Leben jetzt begonnen. Keine Partys, keine Abstürze
mehr. Was sagt Ihre Frau dazu?«

»Sie kommt damit klar, Chef.«

Laurie hatte es mittlerweile weitgehend aufgegeben, damit klarzukommen. Laurie führte ihr eigenes Leben, war Teilhaberin einer Firma.

»Sie hat mein Beileid«, sagte Singleton. »Kinder, wie ich sehe.«

»Ja, Chef.«

»Sie haben soeben ihren Dad verloren.«

Das Morddezernat fraß einen auf, die Familie kriegte den Knochen mit Beißspuren. Singo sagte ihnen, sie sollten es nicht übertreiben, beurteilte sie aber danach, wie sehr sie es übertrieben, wie wenig Zeit sie zu Hause verbrachten. Keiner konnte sich halten, der den MAES-Test nicht bestand: Morddezernat An Erster Stelle.

Villani dachte: Ich bin ein zweiter Singleton, muss über alles und jede Bescheid wissen, traue keinem zu, die Arbeit ordentlich zu machen, mische mich ein, will alles selbst erledigen.

Befrei dich von Singo. Der Mann hätte im Knast und nicht in einem Pflegeheim sterben müssen.

Doch die Wahrheit lautete, hatte man sich erst einmal daran gewöhnt, dann war es beruhigend, für Singo zu arbeiten. Er setzte den Leuten zu, verteilte kalte, bösartige Tadel, Blut auf dem Fußboden. Doch er sorgte für einen, beanspruchte nie die anderen zustehende Anerkennung, stellte sich vor einen, deckte sogar unverzeihliche, furchtbare Fehler wie die Sache mit Shane Diab, der starb, weil er Joe Cashin für den wiedergekehrten Christus hielt, ihm in eine Schlangenhöhle gefolgt wäre.

Villani sah ins Leere. Singo und sein Vater. Die gleiche Härte, der Nimbus, schlimme Dinge erlebt zu haben, das Recht zu haben, über unbedeutendere, schwächere Menschen zu richten.

Telefon. Birkerts. Villani sagte: »Hatte keine Zeit, euch zu vermissen.«

»Sind auf dem Rückweg«, sagte Birkerts. »Waren bei drei alten Adressen von Jansen, zwei von Wales, eine ist so alt, dass das Haus nicht mehr existiert, auf dem Grundstück stehen jetzt vier Gebäude. Laut Tomasic haben sie in Oakleigh die erste Runde geschafft. Er hat einen Arzt und das Röntgengerät angefordert.«

Villani sah Dove an dessen Schreibtisch, wie er sich streckte. Dove nahm die Brille ab und rieb sich die Augen, sah sich um, blinzelte. Müde, dachte Villani, er ist müde. Was gibt ihm das Recht, müde zu sein?

»Kaffee«, sagte Villani zu Birkerts. »Hol mich ab. Ich funktioniere nicht mehr richtig.«

Er steckte sich den Stöpsel ins Ohr, fand die Stelle auf dem Abspielgerät.

… hör zu, ich hatte einen Typen, der bietet an…

Husten.

Verstehst du?

Und? Quelle.

Soweit ich verstanden habe, war es so 'ne Art Zufallsfund.

Menge?

Fahrt mit dem Laster vor, hat er gesagt.

Ach ja? Was für 'n Typ is das denn?

Du kennst ihn. Ivan Ribaric. Übel. Ganz übel.

Nein, Alter, ›übel‹ ist das falsche Wort, das richtige Wort heißt ›total durchgedreht‹, ich will da nicht hin. Nein.

Das streite ich nicht ab, der Wichser ist irre, aber das hier, das sieht okay aus, das kann man halt, du weißt schon, schnell wieder abstoßen, Knete machen. Genau.

Hat er was vor? Will Jack tauschen?

Nein, nein, nein. Was soll Jack denn mit den Ribarics tauschen? Also echt.

Tja, also, ich würd's nicht ausschließen, im Grunde wären wir… du musst verdammt sicher sein. Ich würde sagen, wenn du dir sicher bist, dass die, äh, Qualität stimmt, reden wir wie-

der. Es gibt Schweine, na ja, wenn man mit denen Geschäfte macht, muss man sie umbringen.

Okay. Du hörst von mir.

Und zwar bald. Ich, äh, verreise bald. Ferien.

Wie schön. Bald, Mann, bald...

Sie parkten den Wagen so nah wie möglich und gingen unter einem offenen Himmel zu Fuß weiter, heißer, rauchiger nachmittäglicher Wind, sie schwitzten, sahen den Schweiß auf den Gesichtern der Entgegenkommenden, traten an die Bordsteinkante, um einer amorphen Gruppe Touristen auszuweichen, grelle Kleidung, alle Körper bewegten sich in Richtung Süden. Amerikaner. Ein dicker Mann, der sich mit einem Strohhut Luft zufächelte, sagte: »Dart Paintings? Wie zum Teufel soll das gehen?«

Sie bestellten, setzten sich an einen Tisch in der hinteren Ecke. Villani sagte: »Wir brauchen bei diesem Mist etwas Glück, sonst haben wir als Nächstes den verfluchten Orong am Hals.«

Birkerts sagte: »Ziemlich kurzes Briefing vom Raubdezernat. Geben nicht viel preis. Wie erpicht sind sie?«

»Nicht besonders, würde ich sagen.«

»Und Crucible?«

Villani nahm das winzige Abspielgerät samt Ohrstöpsel aus seiner obersten Tasche, gab es Birkerts. »Hör dir das an«, sagte er.

Birkerts steckte den Stöpsel ins Ohr, hielt das Gerät unterhalb der Tischkante, behielt es im Auge.

Villani ließ den Blick schweifen, blieb an einer Frau hängen, die ihn über die Schulter eines Mannes hinweg ansah. Glatte schwarze Haare, graue Augen, kluge Augen. Er mochte klug, er mochte grau, Lauries Augen. Als Laurie ihn das erste Mal mit ihren grauen Augen ansah, wusste er, dass sie klug war. Klug war für ihn immer ausnehmend sexy gewesen. Das Aussehen hatte ihn nie besonders interessiert. Gutes Aussehen war eine Zugabe.

Birkerts nahm den Stöpsel heraus, gab den Player zurück. »Damit ist die Sache geritzt«, sagte er. »Was sind das für Leute?«

Villani berichtete ihm, sie wüssten die halbe Geschichte. »Archer hat ein ziemlich gutes Alibi. Ist mit seiner rechten Hand in Malaysia.«

Der Kaffee kam. Villani streute Zucker auf den Schaum, beobachtete, wie er sank, die Farbe änderte. »Was gibt's da draußen Neues?«

»Möglicherweise drei Kameras in der Nachbarschaft. Tommo überprüft das gerade, aber freu dich nicht zu früh, keine geht in die richtige Richtung. Wir haben die Ausweise gefunden, Führerscheine, Medicare, Kreditkarten, alles da. In 'ner Plastiktüte im Gefrierfach, wer würde da nachsehen? Bisher keine Waffen. Eine halbe Million Fingerabdrücke im Haus. Es gibt Spuren einer Frau.«

»Was für Spuren?«

»Lippenstift auf Zigarettenkippen im Wohnzimmer.«

»Zwei Frauen«, sagte Villani. »Unterschiedliche Düfte in den Schlafzimmern.«

Birkerts zog die Brauen hoch. »Echt?«

»Echt. Mobiltelefone?«

»Kein einziges, hätte ich sagen sollen.«

Birkerts fasste sich an die Brust, tastete nach seinem Handy, ging ins Freie.

Villani probierte seinen Kaffee, passabel, leicht aschige Süße. Das Café war wenig verlässlich, die Leute hinter der Theke kamen und gingen, wurden gefeuert, abgeworben, manche zogen aufs Land in der kindischen Hoffnung, eine Ortsveränderung, die saubere Luft, würde ihnen helfen, wieder clean zu werden. Als er aufschaute, sah er aufs Neue in die Augen der Frau, ganz kurz, schaute wieder weg. Früher hatte er schon einmal Blicke mit einer hübschen Frau mit scharfen Gesichtszügen getauscht, das war zur Zeit der gepolsterten Schultern. Wie sich herausstellte hieß sie Clem, eine Innenarchitektin, der Mann an der Kasse gab ihm ihre Visitenkarte, als er bezahlte.

»Sie hat gesagt, die solle ich Ihnen geben«, sagte er.

Birkerts kam zurück, sprach hinter gespreizten Fingern. »Drei Fahrzeuge in der Straße sind auf getürkte Namen der Ribbos zugelassen. Und zwei sind gestohlen, wie kann man so bescheuert sein und einen gestohlenen Wagen in seiner Wohnstraße parken.«

»Wir haben es hier nicht mit kriminellen Genies zu tun«, sagte Villani, »sondern mit Blödmännern. Vermutlich lesen wir morgen die ganze Geschichte aus der Feder von Tony Arschloch Ruskin in *The Age*, wo er uns sämtliche Einzelheiten berichtet und uns wieder mal wie die Volltrottel aussehen lässt.«

Sein Handy vibrierte. Er ging nicht ins Freie, da draußen war es zu heiß.

»Störe ich bei irgendwas?« Cashin.

»Bist du erkältet?«, fragte Villani. »Klingt, als hättest du Tampons in der Nase.«

»Ist wie Räuspern, sind meine ersten Worte des Tages«, sagte Cashin.

»Na klar. Da unten an der Blaue-Eier-Küste kommuniziert man ja hauptsächlich mittels Zeichensprache. Die zwei Finger, der Tritt, die Faust. Wie ist das Wetter?«

»Heute haben wir Wind«, sagte Cashin. »Wir haben eine Menge Wind.«

»Und dennoch hält sich dort Leben. Lebensformen. Erstaunlich.«

»Ich hab Birk im Fernsehen gesehen. Was ist da los mit der Folter?«

»Zwei Typen an Pfeiler gefesselt. Nasen weg, Zähne eingeschlagen, Gehänge abgeschnitten, Haare verbrannt. Außerdem erstochen und erschossen.«

Stille. »Sarris«, sagte Cashin.

»Es ist Sarris' Stil, stimmt.«

»Er ist es.«

»Da draußen laufen jede Menge Folterer rum, Mann. Aber ich schick dir, was wir haben. Vielleicht funkt ja dann was bei einem Zwangsneurotiker wie dir. Einem halb pensionierten Zwangsneurotiker.«

»Fax es mir nach Hause, falls es später als sechs ist.«

»Inzwischen wird's da unten dunkel sein. Ziehst du dich warm an? Stimmt es, dass man seine langen wollenen Unterhosen nie waschen sollte? Weil man sonst die Körperfette verliert?«

»Hier ist Sommer«, sagte Cashin. »Wir tragen kurze Unterhosen.«

»Ich dachte, bei euch ginge der Frühling nahtlos in den Herbst über. Tja, verpass den Hunden ein paar Tritte von mir. Leichte Tritte. Liebevolle Tritte.«

»Ich musste gerade an Bob denken. Die Hitze kommt näher.«

»Er sagt, ihm ist nichts Ungewöhnliches aufgefallen«, sagte Villani.

»Typisch Bob. Wie macht sich Dove?«

Die Frau mit den grauen Augen sah ihn immer noch an. Villani blinzelte ihr dezent zu, er konnte nicht anders, immer noch der Jugendliche, der hechelnd auf den ersten Fick aus war. Beschämt sah er weg.

»Ist komplett genesen«, sagte er. »Gibt Küsschen. Will meine medizinischen Unterlagen sehen. Um rauszufinden, ob ich diensttauglich bin. Du bist jetzt also der einzige Krüppel im Team.«

»Ich bin nicht im Team, Steve.«

»Mein Junge«, sagte Villani, »du gehörst so lange zum Team, bis ich das Gegenteil sage. Momentan zur Überwachung der Schafficker ausgeliehen. Bis bald.«

Birkerts sagte: »Cashin?«

Villani nickte.

»Tragisch«, sagte Birkerts. »Sarris ist tot, oder er sitzt auf seinen Arschbacken in der Bekaa-Ebene und schnupft Cloud Nine. Rai hat die Folter nicht erfunden. Ein Typ in Brissie, ein Niemand, ein kleiner Dealer, den haben sie mit Stacheldraht verprügelt und anschließend auf einen riesigen Gasgrill gelegt. Den Supreme Ozzie Partymaster, mit sechs Turbo-Wok-Flammen.«

»Weniger Informationen über Queensland, wenn ich bitten darf«, sagte Villani. »Bring Kiely auf den neuesten Stand, ja? Er ist unglücklich. Fühlt sich vernachlässigt.«

Beim Gehen vermied er es, die Frau anzusehen. Warum auch?

Er war fast beim Auto, als sein Handy klingelte. Barry.

»Hören Sie, Mann, ich hätte das bei unserem Plausch vorhin erwähnen sollen, heute Abend findet ein kleiner Empfang statt. Ich möchte, dass Sie eine Pause machen, etwa eine Stunde, und sich in der Öffentlichkeit zeigen. Tut Ihnen gut.«

»Passt gerade nicht so gut, Chef«, sagte Villani. »Viel um die Ohren.«

Stille. »Nun, Sie sind Ihres Glückes Schmied, stimmt's, Inspector?«, sagte Barry. »Und ein guter Vorgesetzter weiß, wann er delegieren muss. Mehr sage ich dazu nicht.«

Villani wich zwei Jugendlichen aus, einem dürren rotblonden und einem dicken mit Sonnenbrille, beide gingen nicht mehr gerade, der Dürre wedelte mit den Händen, als wickelte er etwas auf, Wolle beispielsweise.

»Ich werde da sein, Chef«, sagte er. »Danke. Wo findet das statt?«

»Persius. In der Hawksmoor Gallery. Gegen halb sieben. Sie stehen dann auf der Gästeliste.«

»Klar.«

»Gut. Bei Henry Bucks finden Sie wahrscheinlich einen passenden Anzug. Vernünftigen Schlips etcetera.«

»Ich fahr da vorbei«, sagte Villani.

Dove und Weber in der Tür. Villani nickte, sie traten ein. Dove setzte sich auf ein Aktenschränkchen, Weber stand wie ein Soldat.

»Los«, sagte Villani.

»Erstens«, sagte Dove, »dieser Alibani auf dem Hume Highway, der ist vor zwei Jahren nach Griechenland geflogen, nicht wieder eingereist. Also Sackgasse.«

»Keine Überraschung«, sagte Villani. »Geklauter Ausweis. Oder es könnten Ausweise von Verwandten sein, die Blödmänner bleiben gern in der Familie. Kriegen Sie alles über die Alibanis raus, bis hin zum letzten Vetter dreizehnten Grades, die ganze Schweinebande, jeden einzelnen Namen.«

Dove betrachtete seinen linken Handrücken, kratzte sich an der Haut, sagte: »Haben wir gemacht, nach Namen gefragt.«

»Lassen Sie mich nicht warten, bis Sie irgendwann mit dem rausrücken, was Sie gemacht haben, Detective«, sagte Villani. »Ganz egal, wie das bei den Feds gehandhabt wurde.«

Ein Husten, Weber hatte sein Notizbuch aufgeschlagen. »Chef, die Firma, der das Apartment im Prosilio-Tower gehört? Shollonel, eingetragen in Beirut?«

»Ja.«

»Laut Marscay ist sie nicht verpflichtet, die Einzelheiten offenzulegen.«

»Mir reicht's mit Marscay«, sagte Villani. »Na schön, wir fassen zusammen. Eine Frau betritt diesen Palast, aber wir wissen nicht, wie. Wenn sie keine Chipkarte hat, kann sie weder die Etage noch das Apartment betreten. Doch genau das tut sie und stirbt dort, was ein Unfall sein mag, nach rabiatem Sex. Doch die Wohnung wurde gesäubert, inklusive ihrer Klamotten und allem, was sie hatte. Der oder die Mörder verschwinden. Es gibt keine Videoaufzeichnungen, niemand in dem Gebäude sieht einen Scheißdreck. Was die Identifizierung angeht, so haben wir nach drei Tagen noch keinen blassen Schimmer, von einer möglichen Sichtung auf dem Hume Highway abgesehen, die wahrscheinlich falsch ist.«

»Das bringt es auf den Punkt«, sagte Dove, »Chef.«

»Herrgott noch mal, wir sehen wie Vollidioten aus«, sagte Villani.

»Und wer tut das schon gern?«, sagte Dove mit verzerrtem Grinsen.

Villani dachte, wie ungeeignet Dove war, er hätte einen Schreibtischjob haben, am Bildschirm mit Aktien handeln müssen, das würde zu ihm passen, über den Bildschirm konnte man sich nicht ärgern, dem war man scheißegal, Vorgeschichte, Hautfarbe, Komplexe, Pimmelgröße.

»Mr. Dove«, sagte er, »in Steno: Ich sage, ich will Fortschritt sehen. Kennen Sie Steno?«

»Ist das was zum Essen oder zum Einreiben?«, sagte Dove, »Chef.«

Ein im Einsatz erschossener Polizeibeamter. Auf den kalten Fliesen liegend, ein Löchlein vorn, ein faustgroßes Loch im Rücken, schwere Verletzungen im Inneren, das Blut floss, bildete eine Lache. Und dann, kurz bevor der Vorhang fiel, hörte es auf zu fließen, gerann.

Kurzum, so schwer verletzte Cops sah man nie wieder, wenn man sie nicht im Ruhestand besuchte, aufgedunsen, halb besoffen, auf Antidepressiva, Schlaftabletten, Aufwachpillen, oft fingen sie an zu kiffen, hatten diesen benommenen Blick, die Frau war ständig sauer, schrie sie an, schrie irgendwen am Telefon an, das dicke Hündchen saß auf dem Sessel und furzte.

Nach elf Wochen trat Dove seinen Dienst wieder an.

»Ich will, dass Sie Manton und Ulyatt in die Mangel nehmen, diese beschissene Marscay-Bande«, sagte Villani. »Sämtliche Details, sonst garantieren wir Medienberichte über nicht vorhandene Sicherheit im Millionärshochhaus, vor Angst schlotternde Bewohner. All so was.«

»Darf ich diese Drohung aussprechen?«, fragte Dove.

»Welche Drohung?« Villani fiel der Anruf ein, der ihn bei Bob erreicht hatte. »Wie heißt die Securityfirma?«

»Stilicho.«

»Die von Max Hendrys Sohn geleitet wird?«

»Ja, Hugh«, sagte Dove. »Hatte ich zu erwähnen vergessen. Blackwatch gehört die Hälfte.«

»Was will Blackwatch mit noch einer Securityfirma?«

»Stilicho hat israelische Technik gekauft und bringt jetzt alles zusammen – sicherer Zugang, die Identitätsüberprüfung, Irisscanner, Fingerabdrücke, Gesichtserkennung, verdächtiges Verhalten, Körpersprache, sämtliche Kameras im Kasino. Wir reden hier von Hunderten von Einspeisungen. Kameras, Identitätschecks, Türkontakte, Chipkartenlesegeräte, diverse elektronische Geräte. Es heißt, das sei eine Premiere. Stilicho versucht sogar, Zugriff auf die Verbrecherdatenbank zu bekommen, Fotos und Phantombilder, Fingerabdrücke, Strafregister, einfach alles.«

»Warum?«

»Nun, Präventivschlag. Dein Gesicht ist in der Datenbank, du tauchst irgendwo auf, wo Stilicho für die Sicherheit zuständig ist, dann brauchst du nur durch eine Tür zu kommen, einen Lift zu betreten, einen Flur entlangzugehen, schon erfasst dich eine Kamera. Die Technik erkennt dich, irgendwo leuchtet ein rotes Lämpchen auf, du wirst angehalten, verfolgt, blockiert, was auch immer. Erschossen.«

»Woher wissen Sie das?«

»Hab mit Leuten geredet, Chef.«

Villani nickte, er hatte die Anspielung bemerkt, gab sich aber nicht amüsiert. »Interessant. Die Polizei überflüssig machen. Ich kann verstehen, warum das System nicht funktioniert, aber dieses Geschwätz von wegen Ausfall sämtlicher Kameras, nein, das akzeptiere ich nicht. Sorgen Sie dafür, dass diese Nachricht auch den sauberen Mr. Hugh Hendry erreicht.«

»Hab's versucht, Chef. Wiederholt.«

Angela an der Tür. »Ihr Kumpel. Von früher. Er sagt, es sei dringend.«

Dove ging, Villani nahm den Anruf entgegen. Anschließend dachte er über Colbys Rat nach. Mit Oakleigh konnte man nicht punkten. Man watete einfach nur in einen Sumpf hinein. Was war schon dabei, wenn irgendeine andere Abteilung die Morde übernahm, sie hatten auch so genug Tote. Er ließ Birkerts kommen.

»Ich neige zu der Auffassung, dass Oakleigh an Crucible gehen sollte«, sagte Villani. »Wir sollten bei Frauen bleiben, die ihre Babys ertränken, bei Männern, die ihre Frauen erstechen, das ist unser Wohlfühlbereich.«

»Verzeihung, aber wir haben…«

»Drogen«, sagte Villani. »Hier geht's um Drogen, das ist wie Spucke, natürliche Reproduktion ohne Ende. Nie nagelt man irgendwen fest, der wichtig ist, nie gibt es einen ordentlichen Gerichtsprozess.«

Birkerts' Kopf neigte sich in Richtung Fenster. »Na ja, den Fall einfach abgeben, ehe wir Gelegenheit hatten, also…«

»Ich führe hier keine Demokratie«, sagte Villani.

»Eine Demokratie kann man nicht führen, das ist ja das Besondere an Demokratien, sie…«

»Sag Angela, sie soll Mr. Kiely bitten, bei mir vorbeizuschauen, ja?«

Villani sah weg, bis Birkerts gegangen war, hielt zwei Fingerspitzen in die Vertiefung an seinem Hals, fühlte den Puls, was eine Methode war, sich vor einer Auseinandersetzung zu beruhigen, die Atmung zu stabilisieren.

»Inspector«, sagte Kiely mit starrer Miene.

»Nehmen Sie heute Nachmittag den Medientermin wahr?«

»Nun ja, gewiss. Ja.«

»Labern Sie irgendwas. Die Ribarics dürfen nicht erwähnt werden. Das mit der Folter kursiert bereits, Sie bestätigen also, wie schrecklich das ist, und so weiter. Wir sind schockiert. Zu dem anderen Schmutz kommt noch die Unmenschlichkeit dieser Mistkerle. Können Sie mir folgen?«

»Die Menschen auffordern, sich zu melden?«

»Unbedingt, Mann. In großen Mengen.«

Kiely lächelte, unsicher.

»Jedenfalls wird die Kommunikationsexpertin Sie anleiten«, sagte Villani. »Ms. Cathy Wynn. Aber betten Sie sie bloß nicht ein.«

»Wie bitte?«

»Gar nichts. Ein Scherz.«

»Ihre Scherze«, sagte Kiely, »sind entweder besonders derb oder besonders abstrus.«

»Lassen Sie mich darüber nachdenken, ja?«

»Wahrscheinlich brauchen Sie dafür eine Weile.«

»Ziemlich frech für einen Untergebenen«, sagte Villani.

Die alten Zeiten«, sagte Vickery. »Scheiße, ey, es waren auch gute alte Zeiten, stimmt's?«

Sie tranken, stellten die Gläser auf den Tresenläufer. Die Kneipe lag im Keller eines Bürogebäudes, es roch nach bepissten Kampferkugeln, ausgasendem Nylonteppich, den Ängsten gescheiterter Handelsvertreter.

»Denkst du gerade daran?«, fragte Vickery.

»Na klar. An die guten Zeiten.«

Villani dachte oft an die Hetze, daran, wie es war, jung zu sein, unzerstörbar, dumm. Für ihn waren es nie die guten Zeiten.

»Du hast uns gefehlt«, sagte Vickery. »Ein solider Typ fehlt einem immer. Ein verlässlicher Typ. Ein Typ, der einen Witz mag.«

Vickery und ein Cop namens Gary Plaice hatten einen unfähigen kleinen Räuber namens Ivanovich fast getötet, sie sagten, er habe sich losgerissen, sei gestolpert und eine Treppe runtergefallen.

»Dieser Abschaum kann daraus die Lehre ziehen«, sagte der Chef, Matt Cameron, »dass man so wenig zwischen Vick und Plaice geraten sollte wie zwischen Hammer und Amboss.«

Villani wusste, was Vickery meinte. »Heute sind die Witze anders«, sagte er.

»Oakleigh, wenn das kein Witz ist. Ein Glück, dass wir das los sind. Hör zu, ich will dich nicht aufhalten. Ich bin hier, weil wir 'ne Geschichte gehört haben.«

»Ach ja?«

»Hm-m.« Vickerys Zunge schob seine Oberlippe vor, wischte ein paarmal unter dem Gaumen hin und her. »Lovett hat den Löffel abgegeben, schon gehört? Lungenkrebs.«

»Hab's gehört«, sagte Villani. Er hatte das nicht als Verlust empfunden, ohne Alan Arthur Lovett war jedes Morgengrauen lichter.

»Ich bin auch nicht vor Trauer aus den Latschen gekippt«, sagte Vickery. »Aber er ist auf 'nem Video, hustend und spuckend, und das Arschloch sagt, wir hätten den kleinen Quirk, diesen Mistkerl, plattgemacht.«

»Wieso sollte er das sagen?«, fragte Villani.

Vickery betrachte ihn lange. »Tja, also, die Drogen machen einem das Hirn kaputt, mein Schwager, auch so ein Wichser, der hat allen möglichen Mist behauptet, Inzest, was einem so einfällt. Das Super K ist schuld.«

»Wann wurde es gemacht?«

»Was?«

»Das Video?«

»Keine Ahnung. Was spielt das für eine Rolle?«

»Könnte eine große Rolle spielen.«

Vickery drehte dem Tresen den Rücken zu, Glas in der Hand, sah sich in dem Kellerloch um. »Wie auch immer, das Problem dabei ist die Gattin, diese verfluchte Grace hat zu Gott gefunden, Scheißtraumwelt, und sie hat das Video der Staatsanwaltschaft geschickt.«

Ein Mann mit schmalem Gesicht am anderen Ende der Bar hustete und hustete, hörte gar nicht wieder auf, es war ein Elend, er senkte den Kopf und spie etwas in seine hohle Hand.

»Erledigt«, sagte Vickery. »Noch ein Wichser auf Lovetts Spuren. Mein Informant sagt, es gebe eine zweite gerichtliche Untersuchung. Und manche Leute seien ganz versessen darauf, dass wir untergehen. Wir müssen uns also gewisse Schritte überlegen.«

Er schaute in sein Glas. »Ein kommender Mann wie du, du könntest das an den richtigen Stellen zur Sprache bringen.«

»Da bin ich mir nicht sicher«, sagte Villani.

Vickery drehte sich so, dass er im rechten Winkel zu Villani saß; er war genauso groß, schwerer, sein Oberkörper steckte in frostig blauem Polyester wie in einer Wurstpelle.

»Mann, Mann«, sagte er. »Damit das klar ist: Dank dieses irren Arschlochs könnten wir als Mörder, Meineidige und ewige Schande für die ganze Polizei in die Geschichte eingehen.«

In Träumen sah Villani immer die Feuertreppe, die grauen Plastikfliesen in der Küche, verdreckt, abblätternd, das Blut, an der Zimmerdecke, an den Wänden, auf den Fensterscheiben, wie Tropfen grellroten Sirups auf dem Teppich. Nie sah er Greg Quirks Gesicht, nie die weggeschossene Kehle, nie sah er das Gesicht des Sterbenden.

»Mal sehen, was ich machen kann«, sagte er und trank sein Bier aus.

Vickery stieß einen gepressten nasalen Laut aus. »Stevo«, sagte er, »wenn wir hier nichts auf die Reihe kriegen, werden wir erfahren, wie es sich anfühlt, von 'ner ganzen Fußballmannschaft in den Arsch gefickt zu werden. Jedenfalls die, die es nicht schon wissen.«

»Tja, du hast eine Geschichte gehört«, sagte Villani. »Könnte ein Irrtum sein.«

»Mein ganzes Leben ist ein beschissener Irrtum«, sagte Vickery. »Von ein oder zwei Ausnahmen abgesehen, die ich vergessen habe. Das hier ist kein Irrtum.«

Auf der Treppe, seine Einkaufspakete unter dem Arm, kam Villani an zwei jungen, sich streitenden Frauen vorbei, fleckige Gesichtshaut, Drogensüchtige, Nutten. Die Tür zur Straße wollte erst nicht aufgehen, dann traf ihn die Außenluft, heiße, nach Holzrauch und Petrochemikalien stinkende Luft, uralte und neue Brennstoffe.

Ich sag ja gar nicht, dass Greg ein guter Junge war«, sagte sie an jenem Tag.

»Das ist auch besser so«, sagte Villani, »weil es eine Riesenlüge wäre.«

Er hatte auf dem Boden gekniet und an dem letzten Büschel Quecken gezogen, die Wurzeln gaben nach, ohne Vorwarnung, und seine Hände schlugen ihm ins Gesicht. Er spuckte aus, ein elastischer Speichelfaden, der nicht wegflog, die blutige Spucke fiel ihm vom Kinn und landete auf seinem T-Shirt.

Er steckte einen Finger in den Mund, tastete die Innenseite seiner Lippe ab.

»Finger im Mund, mein Junge«, sagte Rose. »Das darf man gar nicht. Man füttert sich mit Bazillen.«

Sie war auf der Veranda, eine Filterzigarette in einer Zigarettenspitze aus rosa Plastik.

»Schade, dass ich dich nicht früher kennengelernt habe«, sagte Villani. »Du hättest mir so viel ersparen können.«

»Mick wiederum«, sagte sie. »Ich dachte immer, aus Mick würde mal was werden.«

»Das lag nur an der schlechten Gesellschaft, ich weiß.«

Rose schloss die Augen, legte den Kopf in den Nacken, atmete Rauch aus. »Verdammt richtig. Kaputte Familien, bei jedem Einzelnen von denen.«

Villani ging mit der Gießkanne zu der Regenwassertonne hinter dem Haus. Gießen mit Leitungswasser war tabu. Es hatte schon lange kaum mehr geregnet, aber Rose' Tonne war immer voll. Er stellte keine Fragen. Es war ihr durchaus zuzutrauen, dass sie mitten in der Nacht durch den kaputten Zaun zu den Nachbarn hinüberschlich, ihren Schlauch mit deren Hahn verband und sich die Tonne füllte.

Im Laufe der Zeit sah er im Haus Gegenstände, die Mittel und Bedürfnisse einer alten Rentnerin bei Weitem überstiegen: französisches Parfüm, ein ledernes Portemonnaie, Handtaschen, Pralinen, Schmuck, CDs, DVDs.

Einmal nahm er eine kleine Kamera in die Hand. »Wo hast du die her?«

»Gefunden«, sagte sie. »An der Bushaltestelle.«

»Genau wie das Chanel No. 5?«

»Nicht frech werden, Bulle.«

»Ich würd dich nur ungern vor Gericht sehen.«

»Was, willste mich verpfeifen? Geschieht mir verdammt recht, was lass ich dich auch in mein Haus. Und was quatschst eigentlich ausgerechnet du? Ihr seid doch alle korrupt, jeder Einzelne von euch Pennern. Glaub mir, Jungchen, ich weiß es.«

Villani kam zurück, mit der randvollen Gießkanne. »Du hast hier großes Glück mit dem Regen«, sagte er. »Mikroklima. Winzige Zone mit hohem Niederschlag.«

Nach einer Weile sagte Rose: »Kinder. Man will sich ja nicht selbst Vorwürfe machen, oder? Weiß Gott, man hat sein Bestes gegeben.«

»Was, wenn man nicht sein Bestes gegeben hat?«

»Ich?«

»Nein, ich.«

»Nun, du bist keine Mutter.«

»Nein«, sagte Villani. »Tja, dann bin ich ja fein raus.«

Er verteilte das Gießwasser, seine besondere Aufmerksamkeit galt den Möhren und Kartoffeln in dem Fass. Er mochte Wurzelgemüse. Als er sieben war, ließ Bob Villani ihn und

Mark bei ihrer Großmutter Stella. Nur für ein paar Wochen, mein Junge, sagte er. Über drei Jahre vergingen, und Villani konnte sich nur an zwei Besuche seines Vaters erinnern.

Doch mit sieben wusste er schon, wusste es von seiner Mutter, dass das, was einem Erwachsene erzählten, nur stimmte, wenn es ihnen in den Kram passte. Er war zum Experten darin geworden, die Stimmungen Erwachsener zu erkennen, immer auf der Hut, ob er Anzeichen für Unruhe, falsche Heiterkeit und überflüssige Lügen, für scheinbare Aufrichtigkeit bemerkte. Er kannte alle Gefahrenzeichen – besondere Aufmerksamkeit und weggeschubst werden, geflüsterte Gespräche, unerwartete und beängstigende Ausbrüche, gefolgt von Umarmungen und Küssen.

In dem ersten Frühling zeigte Stella ihm, wie man Möhrensamen aussäte. Sie legte sie in ein Glas mit Sand, zog mit dem Finger eine Furche in die schwarze Erde des Gartens hinter ihrem Haus, ließ eine Samenreihe hineinrieseln. Sobald sich die Spitzen zeigten, ging er nach dem Abendessen hinaus, legte sich auf den Weg neben seinem kleinen Möhrenbeet, warme Backsteine unter dem Körper, und versuchte zu hören, wie die Möhrchen sich dehnten, sich nach unten schoben.

»Wird Zeit, die Radieschen auszusäen«, sagte Rose. »Ich mag so 'n kleines Radieschen.«

»April«, sagte Villani, »dann kommen die Radieschen in die Erde.«

»April«, wiederholte Rose. »Bezweifle, dass ich den April noch erlebe. Spüre eine furchtbare Müdigkeit. Körperlich und seelisch.«

»Das sagst du jetzt seit zehn Jahren«, sagte Villani. »Das wirst du auch in zehn Jahren noch sagen.«

Rose sagte: »In zehn Jahren? Dann wär ich ja achtzig. Hab nicht vor, achtzig zu werden. Ich seh doch, wie man mit achtzig aussieht, verdammt. Man sieht wie der letzte Husten aus.«

Seit ihrer ersten Begegnung war Rose Quirk kaum älter

geworden. Bei seinem zweiten Besuch, in der Abenddämmerung dieses lange zurückliegenden Oktobertags, auf dem Rückweg von einer ergebnislosen Observierung, stand er an ihrer Haustür und bereute seinen Impuls. »Da ich in der Gegend war, dachte ich, ich schaue mal, ob Sie ...«

»Nein«, sagte sie.

»Gar nichts?«

»Nein.«

»Nun, falls Ihnen etwas einfällt, kann ich ...«

»Nein«, sagte sie.

Als Villani den rissigen betonierten Weg hinunterging, fiel sein Blick auf verkrustete Erde, verblichene Samentütchen. Am Tor sagte er: »Die Sommergemüse müssen bald rein.«

»Greg hat sich ums Gemüse gekümmert.«

Sie hatten Greg erschossen, er würde sich nicht mehr ums Gemüse kümmern.

Am nächsten Samstag wurde Villani früh wach, hörte Lauries Wagen auf dem Kies in der Auffahrt knirschen, es war ihr stressigster Arbeitstag der Woche. Er lag im Bett, dachte an das Gemüse der alten Frau, seufzte. Nachdem er den Kindern Frühstück gemacht hatte, fuhr er in eine Gärtnerei und kaufte Blutmehl und Hornspäne, Mulch, Samen, Setzlinge. Rose Quirk reagierte nicht auf sein Klopfen. Er ging hinters Haus, fand im Schuppen eine Grabgabel, grub die Beete um, hob Blutmehl und Hornspäne unter. Er säte und pflanzte Möhren, Bohnen, zwei Sorten Tomaten, Erbsen, Gurken, Rote Bete, verteilte Mulch auf den Beeten, wässerte gründlich.

Er schwitzte, betrachtete sein Werk, die bunten Samentütchen auf Stöcken, da hörte er das Tor.

»Was soll das?«, fragte Rose mit rauer Zigarettenstimme.

»Hab Gemüse gesät und gepflanzt.«

»Wieso?«

»Ich dachte, wir könnten sie uns teilen.«

»Warum bauen Sie nicht Ihr eigenes Grünzeug an?«

»Kein Platz.« Eine Lüge.

»Kann kaum gehen, geschweige denn mich um Gemüse kümmern. Kauf alles im Supermarkt, ist einfacher.«

»Es braucht nicht viel. Ich sorge dafür.«

Schwarze Augen, Rose sah ihn an, als wäre er ein Zeuge Jehovas, der sich nicht abwimmeln ließ. Er dachte, er war dumm gewesen, er ließ sich abwimmeln. Am Tor sagte er: »Sie haben meine Nummer, Mrs. Quirk, Sie können mich anrufen.«

»Was für ein Cop sind Sie?«

»Ich bin nicht nur ein Cop«, sagte er, »sondern auch ein Mensch.«

»Ach ja?«

»Ja.«

»Da wären Sie der Erste«, sagte sie. »Durst. Wie wär's mit 'm Bier?«

»Ich könnt ein Bier vertragen.«

Sie saßen in lädierten, wackligen Korbstühlen auf der vorderen Veranda und tranken Vic Bitter aus Gläsern mit grünen und roten Streifen am Rand.

»Zigarette?«, fragte Rose.

»Hab aufgehört«, sagte Villani. Er nahm eine. Rose drückte auf ein rosa Plastikfeuerzeug, er beugte sich rüber.

»Kinder?«

»Zwei Mädchen und ein Junge.«

»Frau?«

»Frau. Ihre Mutter.«

»Wo sind Sie her? Aus Melbourne?«

»Nein. Oft umgezogen.«

»Wieso das denn?«

»Mein Dad war Soldat.«

Lautes Geklapper.

Villani schreckte auf, beunruhigt, Köpfe auf der Straße, Wollmützen.

Skateboardfahrer.

Die Straße war abschüssig, voller Löcher, die Jungs kamen aus der ganzen Gegend, um hier zu fahren. Villani legte den Kopf zurück, spürte, wie verkrampft sein Nacken war.

»Mein Dad war Hafenarbeiter«, sagte Rose. »Hat Mum verdroschen, hat mich verdroschen, hat uns alle verdroschen. Mein Bruder Danny ist weggelaufen, mit zwölf, hab ihn nie wiedergesehen. Der größte Scheißkerl aller Zeiten, mein Dad.«

Dazu gab es nichts zu sagen.

»Hat meinem Hündchen mit 'm Backstein den Kopf eingeschlagen«, sagte sie. »Ein größeres Schwein hat nie gelebt.«

Villani befand sich auf der Feuertreppe an der Hintertür der Wohnung im dritten Stock, als er die Schüsse hörte. Er ging mit gezogener Waffe hinein, verdreckte Küche, Pizzakartons, Bierdosen, öffnete die Tür, ein Flur, wandte sich nach links, den Flur entlang, spähte um die Ecke und sah Gregory Quirk, Rose Quirks Zweitgeborenen.

Sie sagen also, dass Sie von der Feuertreppe aus Detective Dance rufen hörten?

Ja, Sir.

Was hörten Sie genau?

Er rief: Lass sie fallen, Greg.

Das haben Sie deutlich gehört?

Ja, Sir.

Und dann hörten Sie die Schüsse?

Ja, Sir.

Hier steht, Sie sagen hier, er hat es zwei- oder dreimal gerufen?

Ja, Sir.

Und dann hörten Sie die Schüsse?

Ja, Sir.

Sie waren draußen vor der Hintertür?

Ja, Sir.

*Wie weit war die Hintertür von der Vordertür entfernt,
Sergeant?*

Das weiß ich nicht genau, Sir.

Ich sag's Ihnen, Sergeant. Über zehn Meter.

Das könnte stimmen, ja.

*Es stimmt auf jeden Fall. Sie wollen mir also erzählen, dass
Sie auf diese Entfernung, durch Wände von doppelter Back-
steinstärke, Detective Dance rufen hörten?*

Ja, Sir.

Lass sie fallen, Greg. Diese Wörter hat er gebellt?

Nein, Sir.

Nein?

Er hat sie nicht gebellt. Er hat sie gerufen.

*Natürlich. Guter Einwand, verzeihen Sie. Er ist also kein
Hund. Es gibt nichts Schlimmeres als einen Hund, oder, Mr.
Villani?*

Detective, Sir.

*Ja. Weiter im Text, Sie sagen also, Sie hörten Detective
Dance rufen, und dann hörten Sie Schüsse?*

Ja, Sir.

*Wie lang war die Zeitspanne zwischen den Rufen und den
Schüssen?*

Kurz.

Wie lang, eine Sekunde oder zwei? Mehr?

Das kann ich nicht abschätzen, Sir. Er rief, es fielen Schüsse.

Vier Schüsse, wie Sie hier sagen.

Ja, Sir.

Sie konnten sie zählen?

Ja, Sir.

Mit langen Pausen?

Nein, Sir.

In dem Flur sah er in Greg Quirks schwarze müde Augen.
Gregs linke Hand lag auf seinem Brustkorb, Blut lief ihm
über die Finger. Er hustete, aus seinem Hals spritzte Blut, das

Kinn sackte herab, lange schwarze Haarsträhnen verdeckten sein Gesicht, er ging in die Knie.

Sagen Sie uns, wann Sie Greg Quirk zuerst sahen.

Aus seinem Hals kam Blut. Er ließ eine Schusswaffe fallen, eine Handfeuerwaffe, machte einen Schritt und kniete sich irgendwie hin.

Und?

Detective Dance stand in der Tür. Detective Vickery. Hinter ihm.

Und Detective Lovett?

Den habe ich nicht gesehen. Nicht zu dem Zeitpunkt.

Darauf war man überhaupt nicht vorbereitet – auf die Unmenge Blut, auf die schwachen Geräusche, wenn das Leben davonsickerte.

Colby sagte: »Sie haben also den Schafficker ins Fernsehen geschickt, wo er sagen sollte, Sie hätten keine Ahnung, wer diese toten Ärsche sind.«

»Nein. So war es nicht.«

»Das ist der Eindruck, den das Weichei Gillam gewann, als es von dem Strippenzieher Orong zur Sau gemacht wurde, der Mr. Larry O'Barry anrief, um sich zu beschweren.«

»Ich habe Kiely angewiesen, keine Namen zu nennen«, sagte Villani. »Ich sagte nicht, wir wüssten nicht, wer sie sind. Jedenfalls war er in den Händen von Searles Medienexpertin. Der von Searle persönlich ausgewählten Cathy Wynn.«

Im Fernsehen hob Anna Markham gerade das Kinn und neigte den Kopf ein paar Grad gen Osten. Gut aussehende Frauen machten so was, es lag in ihren Genen, sie konnten nicht anders.

»Ist frisch an Bord gekommen«, sagte Villani, mit kaltem Herzen. »Vom *Herald Sun*, möglicherweise aus dem Moderessort. Es heißt, in letzter Zeit sei sie gesehen worden, wie sie mit jemandem die Lake Towers in Middle Park aufgesucht hat. Um vierzehn Uhr dreißig.«

»Was für ein Jemand?«

»Er glich einem Pressesprecher.«

»Das sagt wer?«

Das sagte ein dienstfreier Uniformierter, übermittelt von einem Mitarbeiter aus Birkerts' Abteilung.

»Hab's vergessen«, sagte Villani. »Eine durchaus verlässliche Quelle.«

»Die Verteidigung lautet also, das Morddezernat wurde von besagter Schlampe schlecht beraten?«

»Wir sind nicht die Angeklagten, Chef.«

»Weiter im Text. Sie haben sich's anders überlegt und wollen die Oakleigh-Scheiße an Crucible abgeben?«

Der Impuls war verflogen. »Nein, Sir.«

Colby legte den Hörer auf. Villani machte den Fernsehton an. Anna Markham sprach gerade:

... in Wangaratta nannte heute Karen Mellish, die neue Vorsitzende der Liberalen, Wasser, Gesundheit, öffentliche Verkehrsmittel, Misswirtschaft, öffentliche Sicherheit und Korruption bei der Polizei die zentralen Themen für die Wähler bei den bevorstehenden...

Die Oppositionsführerin stand auf der Ladefläche eines Pick-ups, Haare nach hinten gebunden, kariertes Hemd und Jeans, vor ihr ein Meer von Hüten.

... die Labor-Partei hat diesen großartigen Bundesstaat auf die Knie gezwungen. Sie behauptet, die Partei der arbeitenden Menschen zu sein. Blödsinn. Die Partei der Banker und Anlageexperten, der Investmentberater und Strippenzieher, das sind sie. Es wird Zeit, ihnen einen Tritt zu verpassen und...

Schwenk auf die Nachrichtensprecherin, die sagte:

... Melbourne wird heute Abend Einzelheiten über ein Projekt hören, das seine Fürsprecher »eine Revolution des öffentlichen Nahverkehrs« nennen, wenn ein Konsortium unter der Leitung des Geschäftsmanns Max Hendry auf einem Empfang für Stadträte seine Pläne vorstellt. Zu den Gästen werden der Premierminister, die Oppositionsführerin sowie...

Villani stellte auf stumm und sah sich an, was der Computer zu den aktuellen Fällen anbot. Er bot nichts bis auf Banales und Naheliegendes. Villani loggte sich aus und widmete sich wieder den Akten, arbeitete sich durch die Unterlagen, den nie kleiner werdenden, sich von selbst erneuernden Aktenberg und hoffte auf einen Anruf Barrys, mit dem er die Einladung zurücknahm. Vielleicht sollte er kündigen, sich eine Abfindung und die Rente zahlen lassen, lange genug war er ja dabei. Er konnte sich zu Bob gesellen, mit mysteriösen indonesischen Ölen Pferde aufpäppeln, sich Rennen ansehen, sich um die Bäume kümmern.

Sie mussten in Erwägung ziehen, einige zu fällen, sonst könnte man in Teilen des Waldes nicht mehr gehen. Und einen zweiten Damm zu bauen, früher oder später würde es wieder regnen.

Um sechs Uhr abends nahm Stephen Villani die Nadeln aus dem neuen blauen Hemd, zog sich den neuen Anzug an, dunkelgrau, band den roten Schlips um und schlüpfte in die neuen Schuhe, schwarz, mit Zehenkappen. Er blieb einen Augenblick sitzen, den Kopf zurückgelegt, Augen geschlossen, und spürte die Last des Tages, der weit weg im Hochland begonnen hatte, noch vor dem Morgengrauen.

Villani nahm ein Glas Weißwein von dem Tablett eines Pinguinknaben, musterte die Menge, Männer in Anzügen, Frauen in Kostümen, schlenderte am Rand des überfüllten Raumes entlang. Der Raum lag im Himmel, rundherum Fenster, er bot Aussichten auf die Stadt, die Bucht, das Hinterland, die sanften Hügel, sämtlich von Rauchschleiern verhangen.

»Ein beeindruckender Blick, nicht wahr, Stephen«, sagte Commissioner Barry.

»Ich komme nicht oft so hoch hinaus, Sir«, sagte Villani.

Barry trank Champagner. Er sah anders aus, kleiner, seine dunklen Haare glänzten, die Wangenknochen leuchteten, er hatte zur Feuchtigkeitscreme gegriffen. »Schicker Anzug«, sagte er. »Das gilt auch für Krawatte und Hemd.«

Sein Blick ging nach unten. »Dito Schuhe. So ist es richtig, Stephen.«

Villani spürte sein Erröten, zwang es wieder weg. Er kam sich vor wie ein Mädchen.

»Ich habe meinen Vorgesetzten versichert, Ihr Umgang mit den Medien sei einwandfrei«, sagte Barry. »Auf der politischen Ebene herrscht eine leichte Paranoia. Das Problem ist, dass man immer den Eindruck erwecken will, die Bösen im Griff zu haben. Bedeutet das nicht, die Welt komplett misszuverstehen?«

»Ja«, sagte Villani. »Danke für die Einladung. Ein fröhliches Völkchen.«

»Tja, kein Wunder, die Austern, der Schampus«, sagte Barry.

Wahrscheinlich Lauries Firma, dachte Villani, Catering für die oberen Zehntausend, Minimum hundertfünfzig Dollar pro Kopf; die Schickeria beim Melbourne Cup zu verpflegen, dem wichtigsten Pferderennen des Landes, kostete dreihundert.

»Schön, dass Sie mal Ihr Silo verlassen haben«, sagte Barry. »Sie dürfen sich nicht selbst begraben wie Singleton. Verschaffen Sie sich eine andere Perspektive. Wenn Sie nach oben wollen, brauchen Sie einen umfassenden Überblick.«

Er blinzelte. »Damit wir uns verstehen, das sag ich zu allen Mädels.«

Villani rang sich ein Lächeln ab, sah weg, direkt in die Augen einer jungen Frau.

»Der Minister und der Chief Commissioner sind da, meine Herren«, sagte sie. »Würden Sie mir bitte folgen?«

»Natürlich«, sagte Barry. »Gehen Sie voran, Liebes.«

Sie nahm ihre Gläser, gab sie einem Kellner. Dann lotste sie sie durch das Gedränge, einem Safari-Guide gleich.

Als sie um einige Grüppchen herumgingen, sah Villani Gesichter, die er aus dem Fernsehen, den Zeitungen kannte. Er erkannte den Premier Kelvin Yeats, gegelte braune Haare, gelbe Augen, Yeats lachte, die Zähne blitzten, und er sah einen Mittsechziger an, braun gebrannt, kurz geschnittene graue Haare: Max Hendry. Die füllige, blinzelnde Frau des Premiers unterhielt sich mit Vicky Hendry, Max' zweiter, dritter oder vierter Frau, ein Hingucker, kurze, blonde Haare. Als sie an ihr vorbeigingen, bemerkte sie Villani, erwiderte seinen Blick.

Dann kam Infrastrukturminister Stuart Koenig, im Gespräch mit Tony Ruskin und Paul Keogh, Radiomoderatoren am Ende eines Arbeitstags, mancher Menschen Arbeitstag, zwei selbst ernannte Meinungsmacher. Sich vor einer Wahl bei ihnen einzuschleimen, dürfte für beide Parteien Priorität haben.

Sie näherten sich einem aufgebrezelten Paar, Oppositionsführerin Karen Mellish, Mund wie ein Schlitz, Raubvogelgesicht, und ihrem Mann Keith, den man gewöhnlich einen Farmer nannte, was seine weichen Hände widerlegten.

Aus fünf Metern Entfernung sah Villani ihre Zielpersonen, zwei Champagner trinkende Männer: den Polizeiminister Martin Orong, ein wolfsgesichtiger Dreißigjähriger, schwarze Haare, fettige Haut, das neueste Modell eines politischen Strippenziehers aus der Vorstadt, und David Gillam, den Polizeichef.

Als sie näher kamen, rückte Gillam seine Uniformjacke zurecht. Die einzelnen Gesichtsteile waren für das zugehörige Gesicht eine oder zwei Nummern zu groß, als wären sie zu schnell gewachsen, ähnlich wie die Füße eines Jugendlichen.

Barry kam zuerst an, schüttelte Hände. »Ich möchte Ihnen gern Inspector Stephen Villani vorstellen, den Leiter des Morddezernats«, sagte er.

Orong begrüßte ihn mit einem betont festen Händedruck, den Villani nicht erwiderte.

»Was macht diese Oakleigh-Scheiße?«, fragte Orong mit piepsiger Stimme.

»Wir kommen voran, Herr Minister«, sagte Villani.

»Drogen. Geben Sie's an Crucible ab.«

Villani sah Barry an, dann den Chief Commissioner, konnte ihren Mienen nichts entnehmen.

»Das Morddezernat ermittelt in suspekten Todesfällen«, sagte er. »Ich bin Traditionalist, Herr Minister.«

Gillam lutschte an seinen Zähnen. »Tradition, unbedingt. Steve, der Minister hat gerade von einem Balanceakt gesprochen. Die Öffentlichkeit informieren, das versteht sich von selbst. Ohne sie übermäßig zu beunruhigen. Stimmt's, Herr Minister?«

Orong sah Barry und Villani an. »Unbedingt«, sagte er. »Habe mich gerade heute mit dem Premier darüber unterhalten. Ein Balanceakt, darauf läuft es hinaus.«

Orong winkte sie näher. Gillam und Barry neigten sich zu ihm hin.

»Ein Beispiel ist Prosilio«, sagte er und sah dabei Villani an, »man will nicht, dass irgendeine Nuttengeschichte ein Multimillionen-Dollar-Projekt beschädigt, ein Vorzeigeprojekt, ein Kronjuwel dieses Bezirks.«

Villani sah weg, auf die Leute, die sich über die teuren Häppchen, den französischen Champagner hermachten. Früher hatte Laurie Pröbchen und Reste mit nach Hause gebracht, die sie am Küchentisch aßen, dazu Wein tranken. Was häufig in Sex mündete.

»Man findet jeden Tag tote Schlampen, stimmt's, Inspector?«, sagte Orong.

Villani hörte wieder zu.

»Hundescheiße an den Schuhen der Gesellschaft. In miesen Gassen.«

Das schöne Mädchen in dem Badezimmer im Himmel, die offenen Handflächen, das gebrochene Genick, immer und immer wieder nach hinten gerissen, bis der Mann hinter ihr die Befriedigung fand, die er suchte.

Lizzie. Sie sah aus wie Lizzie.

Wer kümmerte sich um Lizzie? Ihre Mutter nicht, ihre Mutter versorgte irgendwo ein Filmteam mit Essen. Wo? Was hatte Corin gesagt? Er hörte bei Familiendingen nicht richtig zu.

»Gewiss finden wir tote Frauen in Gassen, Herr Minister«, sagte Villani.

»O ja«, sagte Barry.

»Drogensüchtige Schlampen«, sagte Orong. »Fort mit Schaden.«

»Kann ich Sie verleiten, meine Herren?«, sagte ein Pinguinmädchen und hielt ihnen ein silbernes Tablett mit winzigen Pastetenhäppchen auf Zahnstochern hin. »Blaue Schwimmkrabbe mit *foie gras en croûte*«, sagte sie. »Aber falls Sie nicht auf Meeresfrüchte stehen, hole ich...«

Der Minister nahm zwei. Gillam und Barry folgten seinem Beispiel. Villani nahm eins. Das waren dann wohl vier Dollar pro Happen.

Orong kippte sich zu dem Happen Champagner in den Mund, kaute, sah sich um. Das Pinguinmädchen war in der Nähe.

»Mehr, Sir?«, fragte sie.

»Klar«, sagte Orong.

Er stellte sein Glas auf ihr Tablett und schmiss sich Häppchen in den Mund – eins, zwei, drei, vier, fünf, er sammelte Zahnstocher. Mit vollem Mund sagte er: »Jedenfalls haben Sie sich in der Prosilio-Angelegenheit verantwortungsvoll verhalten. Der Premier ist zufrieden, das kann ich Ihnen verraten.«

Ohne das Pinguinmädchen anzusehen, hielt Orong seine Zahnstocher hoch, ein filigraner Zaun zwischen Daumen und Zeigefinger. Sie nahm sie teilnahmslos, präzise, legte sie auf ihr Servierbrett.

»Französisch«, sagte er, den Blick auf Villani gerichtet. »Nicht das einheimische Gesöff. In einem sauberen Glas. Und bringen Sie diese Steakdinger, die vom Wagyu-Kobe-Rind.«

»Sir«, sagte sie.

»Können Sie mir folgen, Inspector?«, sagte Orong.

Villani wusste, warum er hier war, was für ihn auf dem Spiel stand, wie er sich in Gegenwart dieses schäbigen kleinen Arschlochs verhalten sollte, ein Nichts, keinerlei Begabungen, nur eine Politikerkreatur, die wusste, wie man sich einschleimte, wie man an die wichtigen Nummern kam, wie man denen in den Hintern kroch, die einem nützen, und die fertigmachte, die einem nicht nützen konnten, wie man sich etwas als Verdienst anrechnen und Verantwortung abwälzen konnte.

»Auf dem Fuß, Herr Minister«, sagte er. »Ein Balanceakt.«

»Balance ist der Schlüssel«, sagte Gillam.

»Auf jeden Fall«, sagte Barry. »Ein Balanceakt.«

»Das stimmt«, sagte Orong und wischte sich die Lippen ab. »Der Chef hat einen Spruch. Man kann nur führen, wenn man auch folgen kann. Man kann nur befehlen, wenn man auch Befehle befolgen kann.«

Villani dachte an die Menschen, von denen er Befehle bekommen hatte. Als Bob Villani Soldat war, hatte er da Befehle von Vollidioten und Arschkriechern wie diesem Mann befolgt? Gab's die damals dort? War das Militär anders? Gab es einen anderen, einen unterwürfigen Bob Villani?

»Herr Minister, meine Herren, kümmert man sich um Sie?« Ein massiger Mann, dichtes, nach hinten gekämmtes silbriges Haar, zupfte an seinen Doppelmanschetten, ließ kleine Manschettenköpfe mit Rubinen sehen.

Orong strahlte. »Clinton, na klar, sehr schön, toll. Hören Sie, Sie kennen Dave Gillam, Mike Barry ...«

»Gewiss doch«, sagte der Mann. »Aber ich glaube nicht, dass ich ...«

»Stephen Villani, Leiter des Morddezernats«, sagte Barry. »Ich darf Ihnen Clinton Hulme vorstellen.«

»Steve, wie schön, Sie kennenzulernen«, sagte Hulme, sanfter Händedruck. »Ich fühle mich hier sehr sicher. So viele Polizisten.«

»Clinton ist CEO von Concordat Holdings«, sagte Barry. »Max Hendrys Firma. Unsere Gastgeber.«

»Nur einer von ihnen, bitte«, sagte Hulme. »Dieses Konsortium ist so riesig, dass nur Max alle kennt.«

Ein leiser Trommelwirbel, ein korpulenter Mann auf der kleinen Bühne, an ein Mikrofon angeschlossen, hinter ihm sein Bild auf einer riesigen Leinwand. Villani wusste, dass er

einmal ein Fernsehstar gewesen war, vielleicht ein Showmas-
ter. Die verstärkte Stimme sagte: »Meine Damen und Herren,
guten Abend und willkommen. Ich bin Kim Hogarth und
vertrete das AirLine-Konsortium.«

Durch die Menschenmenge hindurch sah Villani Fernsehteams, Fotografen.

»Es ist mir ein großes Vergnügen, heute so viele Menschen
begrüßen zu dürfen, die unserer großartigen Stadt und unserem großartigen Bundesstaat dienen«, sagte der Mann. »Und
an einem so herrlichen Veranstaltungsort, der Hawksmoor
Gallery im Persius.«

Beifall vom Band.

»Mein ganz besonderes Willkommen gilt dem Premierminister, seinen Ministern und deren Partnern und Partnerinnen, der Oppositionsführerin und ihren Kollegen und
Kolleginnen samt deren Partnern und Partnerinnen«, sagte
Hogarth. »Wir danken Ihnen für Ihr Kommen. Das AirLine-
Projekt ist nicht geheim. Seit Monaten wird in den Medien
darüber spekuliert. Heute Abend wollen wir dem ein Ende
bereiten. Wir werden unseren Traum der Öffentlichkeit prä-
sentieren.«

Eine lange Pause.

»Natürlich wissen wir alle, dass Träume nicht oft wahr
werden. Wir geben auf, weil es einfach zu schwierig ist, sie
zu verwirklichen, weil es zu viel Arbeit erfordert oder zu viel
Mut. Und mehr Kühnheit, als wir haben.«

Triumphale Orchestermusik. Auf der Riesenleinwand sah
man Bilder von primitiven Maschinen und aufsteigenden
Saturnraketen, den Gebrüdern Wright und startenden Dü-
senflugzeugen, Dreimastern und Supertankern, von staubigen Weiden und schließlich von glitzernden Wolkenkratzern.

Dann sah man die Stadt aus großer Höhe, die Kamera fuhr
näher heran, es folgte ein Schnitt auf schneller abgespieltes,
aus einem Hubschrauber aufgenommenes Filmmaterial von

verstopften Autobahnen, Brücken und Stadtstraßen, von überfüllten Bahnsteigen und Eisenbahnwagen. Stimmen im Hintergrund verkündeten Zugverspätungen und -ausfälle, warnten vor Straßensperrungen, Umleitungen, defekten Ampelanlagen, zäh fließendem Verkehr, Stillstand.

»AirLine hat einen kühnen Traum, eine kühne Vision«, sagte Hogarth. »Sie stammt von einem großen Bürger Melbournes, einem großen Bewohner des Staates Victoria, einem großen Australier.«

Anschwellende Musik.

Fotos und bewegte Bilder eines Mannes, eines schmalen Jugendlichen zunächst mit kurzen, langen, dann wieder kurzen Haaren, beim Laufen, Fußballspielen, Mauern, neben einem Leichtflugzeug, an einem Reißbrett, mit Schutzhelm auf Baustellen, mit einem Siegerpferd am Zügel in Flemington, nach einem Vom-Pier-zum-Pub-Schwimmen muskelbepackt durch das Flachwasser watend, mit Politikern redend und lachend, Whitlam, Fraser, Hawke, Keating, Howard, Rudd, mit Künstlern, Musikern, Sportlern, in der Umarmung von Nelson Mandela.

Es dauerte zu lange. Es endete still, als der Mann über eine Landstraße ging, zu beiden Seiten brandgeschwärzte Baumskelette und Weiden. Ein älteres Paar empfing ihn vor einem niedergebrannten Haus samt niedergebrannten Nebengebäuden. Er legte die Arme um die beiden, und da standen sie, die Köpfe dicht beieinander, ein Tableau voller Leid und Mitgefühl.

Stille.

Hogarth sagte: »Meine Damen und Herren, ich präsentiere Ihnen den Visionär des AirLine-Konsortiums, seinen Gründer und Vorsitzenden, ich präsentiere Ihnen Mr. Max Hendry.«

Max Hendry betrat das Podium, lockeren Schritts.

»Der Typ auf den Bildern«, sagte er. »Irgendwie hat er was

von Harrison Ford. Erinnert sich noch jemand an Harrison? Aber er ist größer. Und er sieht verdammt viel besser aus.«

Langer, lauter Beifall, die triste Stimmung verflog. Max Hendry streckte die Arme aus, Handflächen nach vorn.

»Gäste, Freunde, es ist schön, euch hier zu haben«, sagte er. »Und Feinde auch. Ihr seid alle willkommen. Mein Vater sagte immer, es ist schwer, einen Mann nicht zu mögen, der einem ein Glas guten Rotwein eingießt.«

Die Menschen lachten, sie mochten ihn.

Er wartete, sah sich in dem Raum um. »Ich möchte Ihnen eine Frage stellen«, sagte er.

»Hand aufs Herz: Kann irgendwer hier, und das schließt Sie, Mr. Premier, und Ihre Minister ein, kann irgendwer hier behaupten, das öffentliche Nahverkehrssystem dieser Stadt sei nicht erbärmlich und unzureichend?«

Gemurmel.

»Keiner?«, sagte Hendry. »Natürlich nicht. Erbärmlich und unzureichend ist noch geschmeichelt. Es ist eine Schande. Deshalb will unser Konsortium dieser Stadt zu einem superschnellen, sicheren und bequemen System verhelfen. Einem tollen System für eine tolle Stadt. Und so sieht es aus.«

Auf der Leinwand sah man einen Hochbahnzug, der oberhalb einer Stadtautobahn dahinschoss, ein anderer fuhr in die Gegenrichtung. Es folgte ein Stadtplan mit fetten Strichen entlang der Hauptverkehrsadern, die sich alle im Herzen der Stadt trafen.

»Das ist nicht noch irgendeine mautpflichtige Straße. Es ist nicht noch irgendein Zug. Dieses Verkehrsmittel bewegt sich in der Luft, im ungenutzten Raum oberhalb des Straßennetzes. Im Luftraum. Wir nennen es das Projekt AirLine.«

Beifall.

»Unser Ziel ist sehr anspruchsvoll«, sagte er. »Wir wollen das fortschrittlichste Transportsystem der Welt bauen. Passives magnetisches Schwebesystem, hängende Kabinen, leichte, fortschrittliche Metalle, hochmoderne Technik. Doch dabei muss uns die Regierung des Bundesstaats helfen. Alle Bezirke auf allen geplanten Strecken müssen auf den Zug aufspringen.«

Beifall.

»Die Monash-Strecke kann in etwa zwanzig Monaten betriebsfertig sein, von heute an gerechnet«, sagte Hendry. »Stellen Sie sich vor: in fünfzehn Minuten aus den abgelegensten Vororten bis ins Herz der Stadt. Dann folgt der westliche Zubringer. Melton, Caroline Springs, zehn Minuten. Und das ist erst der Anfang.«

Anhaltender Beifall, Max Hendry nickte, Blitzlichtgewitter.

»Noch zweierlei«, sagte Max Hendry. »Ich mag das Konzept eines angstfreien Massentransportmittels. Sehr sogar. Einige der Anwesenden wissen, dass der Neffe meiner Frau vor ein paar Jahren in der Nähe eines Bahnhofs totgeprügelt wurde. Wir haben ihn sehr geliebt.«

Die respektvolle Stille, das Warten.

»Bei solcher Gewalt kommt man ins Grübeln, nicht wahr?«, sagte er. »Sie ist eine Heimsuchung für unsere Stadt.«

Auf der großen Leinwand sah man einen Kameraschwenk auf den Premier, der keine Miene verzog, die zum Dach geformten Hände unter dem Kinn, und den stiernackigen Planungsminister Robbie Cowper. Dann ein Schwenk auf Orong, auf Gillam, auf Barry. Villani sah sich selbst. Schließlich verweilte die Kamera auf einem nickenden Paul Keogh.

»Das wird also das sicherste öffentliche Verkersmittel der Welt sein«, sagte Hendry. »Darauf gebe ich Ihnen mein Indianerehrenwort.«

Man sah ihn jetzt auf der Leinwand, fünf Meter groß, wie er seinen Schlips lockerte, ein Mann, der in den Pub kam, wo Freunde warteten. Er lächelte. Ein gutes Lächeln, das noch besser war, weil man so lange darauf gewartet hatte.

»Zweitens«, sagte er. »Ich verrate Ihnen ein Geschäftsgeheimnis.«

Das Warten.

»Wir sind habgierige Mistkerle. Wir hoffen, an dieser Sache Geld zu verdienen. Klar, habgierige Mistkerle haben einen Großteil der Welt gebaut. Manche Dinge, die dank der Habgier gebaut werden, überdauern die habgierigen Mistkerle, die sie gebaut haben.«

Mehr Beifall.

»Und so lautet unsere Botschaft an die Regierung des Staates Victoria und an die Bezirksräte: Vergesst den Bau weiterer Autobahnen. Sie lösen gar nichts und machen vieles noch schlimmer. Vergesst neue Tunnel. Die verlagern nur die Probleme eine Zeit lang in den Untergrund.«

Pause.

»Meine Damen und Herren, bei diesem Projekt geht es um das ernsthafte Bestreben, zu verhindern, dass diese Stadt am Straßenverkehr erstickt. Auf den Hauptverkehrsadern können wir mindestens zwanzig Prozent der Personenwagen von der Straße holen. Wir können den Ausstoß von Treibhausgasen dramatisch senken. Es ist der grünste Beschluss, den eine Verwaltung nur fällen kann. Es ist ein Geschenk an die Gegenwart und an die Zukunft.«

Beifall, Blitzlichter, Hendry atmetete durch.

»Was wird es kosten? Ehrlich gesagt, wir wissen es noch nicht genau. Einen Haufen Kohle. Unsere Leute sind gerade dabei, das alles auszurechnen. Streben wir eine Art Public Private Partnership an? Auf keinen Fall. Haben wir Gangster von irgendwelchen Handelsbanken an Bord geholt? Die können uns mal. Aber wollen wir finanzielle Beiträge der Regierung? Na klar wollen wir die. Beiträge von Regierungen auf allen Ebenen, bei der Bundesregierung angefangen.«

Lauter, langer Beifall.

»Sie werden nun vielleicht fragen, warum erfolgt diese Bekanntgabe ausgerechnet jetzt? Weil wir privat schon mehr als genug geredet haben. Wir haben uns die Münder fusselig geredet und nichts weiter bekommen als höfliche Interessenbekundungen. Jetzt wollen wir uns an die Menschen wenden.«

Donnernder Applaus.

»Dieses gewaltige Projekt verzweigt sich in alle Richtungen. Es ist ein auf jeder Ebene politisches Projekt. Da die Wahlen in diesem Bundesstaat bevorstehen und die Wahlen im Bund in weniger als einem Jahr stattfinden, möchten wir, dass die Bewohner dieser Stadt den gewählten Vertretern in Stadt, Land und Bund klarmachen, dass sie das sauberste, grünste, schnellste, sicherste Transportmittel der Welt haben wollen.«

Jemand reichte Hendry ein Glas Wasser. Er hielt es hoch.

»Was ist das für eine Flüssigkeit? Entsalztes Wasser? So was kommt mir nicht in den Hals.«

Gelächter.

»Mr. Premier, Frau Oppositionsführerin, Parlamentsabgeordnete, Bürgermeister, Stadträte, ich bitte Sie inständig, denken Sie über diese Chance nach, etwas Wichtiges für Ihre Stadt, Ihren Bundesstaat und, in kleinerem Umfang, für Ihr Land und Ihren Planeten zu tun.«

Eine Kamera war auf den ungerührten Premier gerichtet, eine andere auf Karen Mellish. Sie ließ sich ebenfalls nichts anmerken.

»Ich danke Ihnen«, sagte Hendry. »Dieses Projekt hat mich drei Jahre meines Lebens gekostet, drei Jahre habe ich mein eigenes Geld ausgegeben, was schmerzt, das können Sie mir glauben. Das habe ich gemacht, weil ich voller Leidenschaft daran glaube. Es ist das Beste, was ich in meinem Leben leisten werde.«

Langer und emotionaler Beifall. Hendry wartete erneut.

»Ich fordere Sie alle auf«, sagte er, »und ganz besonders diejenigen von Ihnen, die in wenigen Wochen zur Wahl stehen, sich öffentlich für oder gegen dieses Projekt zu erklären. Prinzipiell. Mehr verlangen wir gar nicht. Dann lassen wir die Bürger dieser Stadt und dieses Staates mit ihren Stimmzetteln entscheiden.«

Der Applaus hielt Minuten lang an. Gillam, Barry und Orong stimmten nicht mit ein. Clinton Hulme war umso lauter.

»Besser kann eine Rede nicht sein«, sagte er zu Villani. »Was sagen Sie dazu?«

»Hat er vorher schon mal in der Öffentlichkeit gesprochen?«, sagte Villani.

Hulme lächelte, tätschelte Villanis Arm. »Trockener Humor, so muss ein Mann sein. Kommen Sie, und lernen Sie Max kennen.«

»Ich glaube nicht, dass Max darauf wartet, mich kennenzulernen«, sagte Villani.

»Sie irren sich. Er will Sie kennenlernen. Vicky will Sie kennenlernen.«

Villani wurde durch die Menge gelotst, Hulmes Hand auf seinem Rücken. Eine langbeinige Frau in Schwarz ging voran.

Sie folgten Max Hendry auf einer Tour, eskortiert von dem Anreißer Kim Hogarth und zwei Frauen, sie lasen Namensschilder vor, übernahmen die Vorstellerei, Hendry schüttelte Hände, er sprach, die Gäste lachten, er lachte, er wurde ernst, sie wurden ernst, nickten, er verließ sie mit ein paar Worten, wandte sich den nächsten zu, berührte einen Arm, eine Frau küsste ihn auf die Wange.

Die Frau in Schwarz griff ein. Hendry drehte sich um.

»Max, Vicky«, sagte Clinton Hulme. »Ich möchte euch Stephen Villani vorstellen, Leiter des Morddezernats. Er glaubt, du wärst zu nobel, um ihn kennenlernen zu wollen, Max.«

Sie gaben sich die Hand. Sie waren gleich groß. Hendry hatte helle Augen, irritierend, die Farbe von seichtem Wasser über sauberem Sand.

»Das ist Vicky«, sagte Hendry.

Aus der Nähe wirkte Vicky nicht viel älter, zarte Fältchen, hohe Wangenknochen, hübsch.

»Stephen, ich muss Ihnen sagen, meine Familie glaubt, die vom Morddezernat könnten übers Wasser gehen«, sagte sie. »Nach der Ermordung meines Neffen hat täglich jemand angerufen, und immer hat man uns versichert, Sie würden die Mörder finden.«

Villanis Kopfhaut juckte. Lob, Schmeichelei – um damit umgehen zu können, musste man vielleicht als junger Mensch gelobt worden sein, er jedenfalls hatte kaum Erfahrungen mit

Lob. Wer etwas nicht richtig machte, war für Bob ein Faul-
pelz, ein Nichtsnutz, passte schlicht nicht auf.

*Stephen, halt die Leistungen deiner Kinder nicht für selbst-
verständlich.*

Das sagte Laurie eines Tages, als er Zeit fand, Tonys Schul-
zeugnis zu lesen, und nur genickt hatte.

»Sie wissen doch, was das für Menschen bedeutet, die jemanden verloren haben?«, sagte Vicky Hendry.

»Wir bemühen uns zu verstehen«, sagte Villani.

Das vierte von Singos fünf Geboten: *Du sollst so oft wie
möglich mit der Familie reden. Als Racheengel, nicht als
Scheißbestatter.*

»Und Sie haben sie erwischt«, sagte Vicky Hendry. »Denn
dass die da draußen frei herumliefen, lachend, war für uns wie
ein Messerstich ins Herz.«

In einer Lücke zwischen den Köpfen sah er schwarze
Haare schimmern, Anna, die lachte, nur wenige Meter entfernt. Ihre Blicke trafen sich, sie sah weg.

»Wir haben ferngesehen, und dann tauchten Sie auf dem
Bildschirm auf, und meine Schwester sagte: Das ist er, er hat
sie erwischt.«

»Nun, so etwas ist immer Teamwork«, sagte Villani.

»Nicht immer«, sagte jemand hinter ihm. »Manchmal ist es
nur ein Kerl mit Grips.«

Villani drehte sich um und sah Matt Cameron, zum ersten Mal seit Jahren. Er war über sechzig, immer noch falten-
los, immer noch gertenschlank, breite Schultern und kräftige
graue Locken.

»Wenn Sie es sagen, Chef«, sagte Villani.

Max Hendry klopfte Cameron auf die Schultern, auch Vicky
Hendry berührte ihn, liebevoll, sie kannten einander gut.

»Mehr Sicherheit als hier ist kaum denkbar«, sagte Hendry.
»Die gesamte Führungsspitze der Polizei und Mr. Security
persönlich. Sie kennen einander also?«

Cameron sagte mit seiner leisen Stimme: »Hab dem Jungen alles beigebracht, was er weiß. Auch Dinge, die er gar nicht wissen dürfte.«

Als Villani bei den Räubern anfing, war Cameron der Chef, Anfang vierzig, ein echt harter Brocken, der damals noch boxte, nur aus Muskeln und Sehnen bestand, eine unglaubliche Reichweite hatte. Sparring mit ihm war wie ein Kampf gegen Inspector Gadget. Cameron quittierte den Dienst, nachdem sein Sohn, ebenfalls Polizist, und dessen Freundin auf einer Farm bei Colac ermordet worden waren, ein bis heute ungelöster Fall. Seine Frau beging einen Monat danach Selbstmord. Jetzt war er reich, hatte zusammen mit Wayne Poland, einem anderen Cop, Blackwater Associates gegründet, die größte Securityfirma Australiens.

»Meine Herren, ich muss weiter«, sagte Hendry. Er legte je eine Hand auf Villani und Cameron. »Steve, Vicky wird etwas arrangieren. Geben Sie uns die Ehre?«

»Natürlich.«

Vicky Hendry hielt ihm die Hand hin, ergriff dann seine mit beiden Händen, sanft, drückte eine Sekunde länger zu, ohne zu flirten, das Paar zog weiter.

»Interessanter Typ, Max«, sagte Cameron. »Wie ich sehe, wählt Colby nicht mehr Ihre Anzüge aus. Auch die Schlipse nicht.«

»Hab einen neuen Modeberater.«

»Kluge Menschen nehmen immer einen Rat an. Aber nur von klügeren Menschen. Wie kommt die Oakleigh-Sache voran?«

»Nicht so schnell, wie man möchte«, sagte Villani. »Erinnern Sie sich an Matko Ribaric?«

»Ich bemühe mich, Matko zu vergessen.«

»Es sind seine Jungs. Und Vern Hudson.«

Cameron lächelte, sein seltenes Lächeln war Gold wert, erinnerte sich Villani. »Tja, was Besseres hab ich schon ewig nicht gehört«, sagte er. »Abschaum, von Abschaum gezeugt. Eine Drogensache. Alles hängt mit Drogen zusammen.«

»Nicht unwahrscheinlich.«

»Geben Sie's an Dancer und seine Hupfdohlen bei Crucible ab?«

»Nein.«

»Tapfer. Na ja, der Junge hat schon genug Probleme. Mit ihrer Maschinerie fürs Informationensammeln können die nicht mal 'ne Walnuss knacken.«

Cameron trank etwas Farbloses aus einem Whiskyglas. »Ich hab von Lovett gehört. Friede seiner Asche.«

»Früher als ich«, sagte Villani. »Ich hab's vor zehn Minuten gehört.«

»Sie sind nicht auf dem Laufenden. Dennoch, es gibt keine undichten Stellen, wenn die Presseleute keinen Ständer kriegen, kommt nichts raus. Sie arbeiten daran, stimmt's? Mit Searle?«

»So gut verstehen wir uns nicht.«

»Mein Junge, ein Tommy hat mal gesagt, England habe keine dauerhaften Bündnisse, nur dauerhafte Interessen. Kümmern Sie sich um Ihre dauerhaften Interessen. Kapiert?«

»Ich soll mich an den Arsch ranschleimen?«

Cameron sah ihn an, Villani erkannte in Camerons Blick den seines Vaters wieder, man wusste nie, was er bedeutete, bis es zu spät war, bis man ihn missverstanden hatte.

»Tja, die Welt ist unvollkommen«, sagte Cameron. »Seien Sie nicht der Depp, der ans Kreuz genagelt wird. Falls Sie Beistand brauchen, ein paar Leute kenne ich noch.«

Villani wusste, dass er den Kopf senken und etwas sagen sollte, voller Dankbarkeit. Er hatte nicht um einen Gefallen gebeten, er wollte keinen haben.

»Danke, Chef«, sagte er.

Ein Mann trat zu ihnen, groß, gut aussehend, strubbelige blonde Haare, füllig, Mitteldreißiger. Villani wusste, wer er war.

»Der alte Herr schmeißt eine nette Party«, sagte er. Er trug einen grauen Anzug, schneeweißes Hemd, keine Krawatte.

»Kennst du Steve Villani?«, sagte Cameron. »Steve, Hugh Hendry.«

Der Handschlag war perfekt, fest, sanft.

»Ihr Mitarbeiter Dove ist ein verdammter Terrier«, sagte Hendry.

»Dazu wurde er ausgebildet«, sagte Villani. »Dafür wird er bezahlt. Wir ermutigen ihn, so zu sein.«

Das dazugehörige perfekte Lächeln, die großen Zähne, weiß und gleichmäßig. Reiche Zähne. »Das respektiere ich. Jetzt muss man ihm noch klarmachen, dass wir uns zwar eines Softwareversagens schuldig bekennen, uns aber nicht andere Dinge haben zuschulden kommen lassen, an die er womöglich denkt.«

»Die Leute wollen uns für dumm verkaufen«, sagte Villani. »Das denken wir. Ein kompletter Videoausfall dieser Größenordnung ist neu für uns.«

Hendrys Augen verengten sich ein klein wenig.

»Für uns ist das auch recht neu«, sagte er. »Unsere Techniker arbeiten rund um die Uhr, um dieses Problem zu beheben.«

»Schreibt die Software kein Protokoll?«

»Ein Protokoll?«

»Existiert dort kein Code, der ein detailliertes Ereignisprotokoll über Pannen, Abstürze erstellt?«

Hendry begriff nicht.

»Zweifellos eine technische Herausforderung«, sagte er und sah dabei Cameron an wie jemand, der von einem Langweiler erlöst werden wollte.

»Totes Mädchen im Gebäude«, sagte Villani. »Das ist unsere technische Herausforderung. Eine Lowtech-Herausforderung. Das Mädchen wurde totgevögelt.«

Cameron fuhr sich mit einem Finger über die Oberlippe.

Ein Signal für Hendry. Das Gefühl, respektlos behandelt zu werden, ließ in Villani kalte Wut aufsteigen.

»Vielleicht sollten wir mit Ihnen reden, Chef«, sagte er zu Cameron. »Vielleicht reden wir bisher mit den Büroboten. Das ist schließlich ein Blackwatch-Schlamassel, oder etwa nicht? Blackwatchs Hightech-Gau. Keine Sicherungskopie, kein Protokoll.«

Cameron lächelte wieder, aber diesmal nicht das goldene Lächeln, keine Fältchen um die Augen. Villani kannte auch dieses Lächeln, und er hätte seine Worte am liebsten sämtlich zurückgenommen.

»Da ist jemand mit seinen Aufgaben gewachsen, Stevo«, sagte Cameron. »Hat sich von Colby, Dance und Singleton freigeschwommen. Was gut ist für einen Mann Ihres Alters. Einen reifen Mann, einen Familienvater.«

In dem überfüllten Raum, dem Trubel, schufen Camerons Worte ihre eigene Stille.

»Ich muss weiter«, sagte Cameron. Er sah über Villanis Schulter hinweg, hob die Hand, grüßte jemanden. »Bleiben Sie normal.«

Cameron ging, und Villani sah ihm nach.

Anna. Camerons Hand lag auf ihrem Arm. Sie berührte die Hand.

Er sah, wie Cameron sich bückte, Anna auf die eine Wange küsste, auf die andere.

Herrje, wann hatte der Mann mit dem Scheiß angefangen? Als er zuletzt sah, wie Cameron sich bückte, um jemanden zu küssen, hatte er Joey Colombaris einen Stirnkuss verpasst, woraufhin der Penner so lange blutete, dass sie das gesamte Klopapier aufbrauchten und die Sanitäter rufen mussten. Joey entpuppte sich als Bluter, brauchte eine Transfusion, wäre fast gestorben.

»Die letzten Tage waren nicht die besten«, sagte Hendry junior. »Das Kasino macht mich zur Schnecke, das Hotel, diese verdammten Marscay-Leute. Eigentlich sollte ich am Strand sein.«

»Ein schwerer Schlag«, sagte Villani. »Eins noch: Diese Sache bleibt Ihnen erhalten. Sie und Marscay und Orion können uns verarschen, aber wir bleiben am Ball.«

Hendry hob die Hände. »Nein, nein, wir wollen genau wie jeder andere wissen, was da oben passiert ist. Wir kennen unsere Pflichten. Aber die Technik hat uns im Stich gelassen. Die verdammten Israelis haben uns in diesem Spitzenlabor in Herzliya eine Vorführung gegeben. Alles klappte wunderbar. Unendlich skalierbar, hieß es. Sie wissen, was das ...«

»Ich weiß, was das heißt«, sagte Villani.

Ein Paar war hinter Hendrys Schulter aufgetaucht, eine große, schlanke Frau, helle Haare, Herrenschnitt, das lose fallende Hemd gab den Blick auf Kuhlen an ihren Schlüsselbeinen frei, die so tief waren, dass sie Wasser aufnehmen könnten. Auf ihren Schultern könnten Vögelchen sitzen, sich vorbeugen und trinken. Der Mann hatte einen rasierten Schädel, einen verschleierten Blick und war Kunsthändler, Daniel Bricknell, häufig in den Medien.

Sie legte eine Hand auf Hendrys Schulter. »Liebling, dieser Orong-Utan hat mich angebaggert«, sagte sie.

Sie lächelte Villani an. »O Mist, er ist doch wohl nicht Ihr bester Freund?«

»Wir sind wie Brüder«, sagte Villani.

»Caitlin Harris, Daniel Bricknell, Stephen Villani«, sagte Hendry. »Stephen ist Chef des Morddezernats.«

»Ich weiß, wer Stephen ist«, sagte sie. »Ich habe Stephen im Fernsehen gesehen. Das ernste Gesicht. Das macht mich echt an. Stephen, ist es wirklich so wie in dieser alten *City Homicide*-Serie?«

»Nur die Namen wurden geändert«, sagte Villani.

»Leibhaftig sind Sie gar nicht übel«, sagte sie. »Ohne Makeup, meine ich. Das ist selten.«

»Hat mich gefreut«, sagte Villani. »Ich muss los, mich um Leichen kümmern.«

»Ich lebe noch«, sagte Caitlin. »Um mich muss man sich ganz besonders kümmern.«

»Verzeihen Sie ihr«, sagte Hendry. »Das Schönheit-Hirn-Ungleichgewicht. Wissenschaftler arbeiten daran.«

»Das Schönheit-Hirn-Ungleichgewicht ist völlig in Ordnung«, sagte Bricknell. »Was ich nicht mag, ist das Hässlich-Hirn-Gleichgewicht.«

Villani ging dicht an Anna vorbei, Cameron war verschwunden, sein Blick traf den ihrer grauen Augen, er war ein Fremder, las nichts in ihnen.

Bei der Tür tauchte aus dem Nichts Barry auf. »Ein lohnender Ausflug, Jungchen. Mit den richtigen Leuten reden. Es schadet nichts, Leute kennenzulernen, stimmt's?«

»Danke für die Einladung«, sagte Villani.

»Gern geschehen. Sie kamen echt gut an. Vielleicht ein kleiner Vorschlag?«

»Ja?«

»Mehr lächeln. Sie können ein wenig abweisend, ein wenig grimmig sein. Dadurch fühlen sich die Leute unbehaglich, verstehen Sie? Als wollten Sie sie jeden Moment verhaften.«

Villani lächelte, spürte den Widerstand seiner Wangenmuskeln. »Verstanden, Chef«, sagte er.

»Ausgezeichnet«, sagte Barry. »Und jetzt heißt es: früh ins Bett. Das ist ein Befehl.«

Auf dem ganzen Heimweg ging ihm Anna nicht aus dem Kopf. So apart, so hübsch. Und so intelligent, so selbstsicher. Von all den schicken Leuten um sie herum konnte sie sich jemanden aussuchen. Warum hatte sie mit ihm geschlafen? Vielleicht war sie wie er, vielleicht verspürte sie eine Art Besitzdrang.

Im Haus war es dunkel, das Gemurmel des Fernsehers kam von hinten, aus dem Wohnzimmer, in dem nie die komplette Familie zusammenkam, ein Anbau im Wert von hundertfünfzigtausend Dollar, die Hälfte des Kaufpreises für das ganze Haus, Laurie hatte das Geld beschafft.

Corin schlief auf dem Sofa. Er machte den Fernseher aus, sagte ihren Namen, zweimal, ein drittes Mal, sie schreckte auf, missmutig, verquollene Augen, stand auf und ging ohne ein freundliches Wort.

Er ging den Flur entlang, setzte sich aufs Bett, zog Schuhe und Schlips aus, knöpfte sein Hemd auf, duschfertig, legte sich hin, nur für ein Minütchen, schloss die Augen.

Es war nicht wie im Fernsehen. Er hatte den Job seit zwei oder drei Monaten, als eines Nachts ein Mann zusammengetreten wurde, er war bewusstlos, man versetzte ihn in ein künstliches Koma, zwei Tage später schaltete man die Geräte ab. Der Premier sagte im Fernsehen, das sei ein Symptom für alles, was in der Gesellschaft im Argen liege, die ganze Polizei, einschließlich der Verkehrspolizei, arbeite Tag und Nacht an dem Fall, man rechne stündlich mit Ergebnissen. In Wahrheit hatten sie gar nichts. Sie sahen sich Überwachungsvideos von sämtlichen funktionierenden Kameras in der Gegend an. Das brachte nichts als einen kurzen Blick auf vier Gestalten, graue Schatten, einen Block entfernt, die Uhrzeit passte. Wenn sich kein Verräter fände, kämen sie nicht weiter, und deshalb gab die Presseabteilung einen Haufen Blödsinn über positive Identifizierung heraus, in der Hoffnung, dass einer der Schläger aus der Gruppe, der den Mann vielleicht nur fünf- oder sechsmal getreten hatte, die anderen, schlimmeren Treter verpfeifen würde.

Niemand meldete sich. Sie sprachen, sich abwechselnd, mit der Familie des Opfers, reiche Leute in Toorak, er wusste gar nichts über sie, nur dass es reiche Leute waren. Er sprach mit der Mutter und dem Vater, die ihm immer freundlich dankten, doch er wusste, dass er sie nur an ihren Verlust erinnerte.

Eines Abends im August, nach einem verregneten Spätnachmittag wehte ein eisiger Wind von der Bucht herüber, fuhren Villani und Burgess nach Footscray, ein trauriger Ehestreit, Frau erstochen, der blutbespritzte Ehemann saß in einer Zelle der dortigen Polizeiwache, man hatte ihn in der Milchbar festgenommen, als er Zigaretten kaufte. Villani versuchte, mit dem Mann zu reden, der zusammenhangloses Zeug brabbelte, betrunken war, auf Drogen, gut möglich, dass das sein normaler Zustand war. Nach einer Weile ging Villani zum Rauchen nach draußen, lehnte in der Kälte an der Mauer, ein schmutziger betonierter Hof, der Himmel inzwischen wolkenleer, er konnte das Kreuz des Südens sehen, der Wind fachte die glimmende Zigarette an, die weißlich verglühte.

Ein Polizeitransporter fuhr vor, aus dem man zwei Jugendliche holte, schwarze Jogginganzüge, Wollmützen, ungebrochen in ihrer Leck-mich-Haltung, ein Zeichen dafür, dass man sie mit dem Respekt behandelt hatte, der Bürgern zukam, selbst jenen, die gesetzloser Abschaum waren.

»Was war?«, fragte Villani den Kommissar.

Der Mann kannte ihn noch aus dem Raubdezernat, die meisten Cops in der Gegend kannten ihn, man hatte ihn in Begleitung von Legenden gesehen, so was übertrug sich auf einen.

»Sie haben einen schwarzen Jungen geschlagen, ihn getreten, Chef«, sagte der Mann. »Als wir um die Ecke biegen, laufen diese hochintelligenten Ärsche direkt in eine Sackgasse.«

Villani schnipste seine Kippe weg, blickte der Gruppe nach, die die Treppe hoch ins Revier ging, und da sah er, zwischen den Beinen des hinteren Cops hindurch, dass der zweite Jugendliche Blunnies-Stiefel trug.

Er folgte ihnen. Drinnen sagte er zu dem Kommissar: »Geben Sie uns ein Weilchen mit diesen Blödmännern. Für den Anfang.«

Der Mann sah ihn an, ein Augenblick des Zweifels, der Unsicherheit.

»Na klar, Chef. Aber erst der Papierkram, dass wir sie unversehrt übergeben haben und so, okay?«

Sie erledigten den Papierkram, sperrten die Jungs ein, es dauerte, es war spät, als Villani die Zelle des Kleineren betrat, Jude Luck hieß er. Der Leck-mich-Knabe war jetzt allein, hatte keine Mütze, keine Schuhe, keinen Jogginganzug, er hatte ein paar Gangtattoos, man sah viel Weiß in seinen Augen, aber kein gutes Milchweiß.

Villani fing ganz normal an, er sagte lächelnd: »Hallo, Jude, ich bin der Pastor von St. Barnabas«, dann trat er Lucks Füße weg, sodass er seitlich umkippte, und fing ihn auf, ehe Luck auf den Beton knallte, aber nicht liebevoll, bettete ihn zur Ruhe, stellte ihm einen Schuh auf den Brustkorb, belastete ihn ein bisschen, stellte seinen Schuh weiter oben auf die Luftröhre und drückte, klopfte, man wollte keine Spuren auf dem Wichser hinterlassen.

»Ich habe dich gesucht, mein Junge«, sagte er. »So lange habe dich gesucht. Dich und deine beschissenen Blunnies.«

Sie nahmen die Vernehmung von Jude Brendan Luck um null Uhr siebenundvierzig auf Band. Als sie etwas später Lucks Geschichte dem Größeren der beiden erzählten, Shayne Lethlean, gestand er alles. Sie holten die beiden anderen Jungs ab, die Brüder, zwei Jahre auseinander, rotblonde sommersprossige Engel, die im Tiefschlaf auf dem Boden der Garage neben dem Haus ihrer Schwester in Braybrook lagen, sie wachten nicht auf, als die Garagentür hochgeschoben wurde, man musste sie schütteln, ihnen Schläge verpassen, manchmal machte der Job Spaß.

Villani wachte auf, voll bekleidet, nicht erholt, als wäre er kurz ohnmächtig geworden, der neue Tag graute hinter dem Fenster im Osten, die Stadt stieß ihre disharmonischen Geburtsschreie aus.

Corin aß Cereal. Sie war fertig angekleidet, hatte die feuchten Haare nach hinten gekämmt, sah aus wie zwölf oder dreizehn, wären da nicht die Nase, der Hals, die kräftigen Schultern gewesen.

»Früh dran?«, sagte Villani, flüsterte fast.

»Vorstellungsgespräch«, sagte sie. »Halb sieben.«

Im dritten Jahr auf der Universität, so pfiffig, sie war immer klug gewesen. Er konnte es nicht fassen, dass seine Spermien bei ihrer Entstehung eine Rolle gespielt hatten.

»Wo?«

»Slam Juice. Lygon Street.«

»Vorstellungsgespräch im Morgengrauen?«

»Es ist ein Test. Wann kommt Mum wieder?«

Er warf einen Blick in den Kühlschrank. »Keine Ahnung. Meine Güte, hier muss man mal mit 'nem Hochdruckreiniger ran. Redest du nicht mit ihr?«

»Und du?«

»Ruft sie dich nicht an?«

»Sie arbeitet, Dad. Rufst du mich an?«

Toast. Vegemite-Hefepaste. Erdnussbutter. Das musste reichen.

»Was von Tony gehört?«

»Er ist in Schottland. Weißt du das nicht?«

»Schottland? Ich dachte, er wär in England.«

»Er ist auf einer Insel, arbeitet auf einem Fischerboot.«

»Das hat mir keiner erzählt.«

»Vielleicht hast du nicht zugehört, Dad. Warst beschäftigt.«

»Nun mach mal halblang«, sagte Villani. »Ich bin auch nur ein Mensch. Hat Lizzie mit ihrer Mum geredet?«

»Ich hab keine Ahnung.«

Corin ging zur Spüle, er sah die melancholische und zauberhafte Krümmung ihrer Nase, es war das Profil seiner Mutter auf einem der beiden Fotos, die er mit ihrem Brief aufbewahrte.

»Na, dann frag sie«, sagte Villani. »Vielleicht ist sie eingeweiht.«

Er schnitt Brot, es war gutes, inzwischen ein wenig altbackenes Brot, er schnitt drei Scheiben ab, ging zum Toaster. Schweigen.

Er schaute auf, Corin trocknete sich die Hände.

»Was ist?«, fragte er.

»Ich kann nicht mit ihr reden«, sagte Corin.

»Mit deiner Mum?«

»Nein. Mit Lizzie.«

»Seit wann?«

»Schon lange nicht mehr. Sie ist eine Fremde geworden.«

»Hast du das deiner Mum gesagt?«

»Dad, du hast zu dieser Familie überhaupt keinen Kontakt mehr.«

Er drückte den Hebel am Toaster runter.

Corin sagte: »Hab sie gestern Nachmittag in der Nähe des Markts gesehen. So gegen halb vier.«

»Und?«

»Mit Pennern. Zugedröhnt. Sie ist ausgestiegen, endgültig.«

Es hatte schon einmal eine Phase gegeben, in der sie die Schule schwänzte. Wie lange war das her? Monate? Ein Jahr?

»Ich dachte, dieser Mist wär vorbei«, sagte Villani. »Ich dachte, sie hätte sich wieder beruhigt.«

»Nein, Dad. Die Schule will sie rauswerfen.«

»Oje«, sagte Villani. »Das wusste ich nicht.«

Corin packte Teller und Löffel weg. Schweigen.

»Warum?«, sagte Villani. »Warum hat man mir nichts gesagt?«

»Dad, du schläfst hier nur, du schwebst über dieses Haus hinweg wie ein Wolkenschatten.«

Corin verließ den Raum. Er wartete, dann hörte er die Haustür ins Schloss fallen. Sie hatte ihm immer einen Abschiedskuss gegeben. Nie war sie ohne Kuss gegangen. Oder etwa doch? Vielleicht hatte sie schon vor langer Zeit damit aufgehört?

Der Toaster machte klick, der Toast schoss nach oben. Er nahm die verbrannten Scheiben heraus, falsche Einstellung. Er warf sie in den Müll.

Er ging den Flur hinunter und öffnete Lizzies Tür, das dunkle Zimmer lag auf der kühlen Seite des Hauses, schale Luft, Atemgeruch, sauer und leicht süßlich. In der Bettlandschaft zeichnete sich eine kleine, gebogene, zerklüftete Erhebung ab. Er sah einen dünnen, aus dem Bett gefallenen Arm, der Ellbogen weiß wie ein alter Knochen, die Fingernägel berührten fast den Teppich.

Das Zimmer war eine Müllhalde – Klamotten, Taschen, Schuhe, Handtücher, kein Fußboden zu sehen.

Er ging, um sie zu wecken, doch dann brachte er es nicht über sich. Lass sie schlafen, ich rede später mit ihr.

Er schloss die Tür und verließ das Haus. Er wusste um seine Schwäche. Er wusste, er hätte sie wecken, mit ihr sprechen, seine Besorgnis zeigen, ihr ins Gewissen reden sollen. Was zum Teufel trieb Laurie in Queensland, während ihre Tochter verwahrloste?

Am Tor beugte er sich aus dem Fenster und räumte den Briefkasten leer – Werbemüll, Rechnungen.

In der gespenstischen Stadt sah er, wie die Zeitungsballen abgeladen wurden, sah die verlorenen Menschen, die Obdachlosen, die aus der Bahn Geworfenen, einen Mann und eine Frau, die auf dem Bordstein saßen und eine Flasche kreisen ließen, eine Gestalt mit ausgebreiteten Armen, Gesicht nach unten, in einer Pisspfütze, Leute, die Obst und Gemüse entluden, Männer, die in hartes weißes Fett und glänzende Membrane gehüllte Tierteile wuchteten, einen Straßenköter in einer Gosse, der irgendwas fraß, seinen grauen Krokodilschädel schlenkerte. Als Villani die Brücke überquerte, lichtete sich der Dunst und gab ein bleistiftdünnes Skiff frei, mit dem zwei Männer auf dem kalten Fluss einen Strich zogen.

Er parkte, die Welt wartete auf ihn, keine freie Minute mehr, er saß mit gesenktem Kopf da. Etwa zur gleichen Zeit, als Laurie angefangen hatte, auf zwei oder drei Tage lange Werbedrehs zu verschwinden, war sie mit Lizzie schwanger geworden, aber ihm erzählte sie das erst, als sie schon mitten im vierten Monat war. Lizzie war etwa fünf, als Villani auffiel, dass sie weder ihm noch Laurie ähnlich sah.

Er war ihr kein besonders toller Vater gewesen.

Corin und Tony war er auch kein besonders toller Vater gewesen. Ans Vatersein hatte er nie einen Gedanken verschwendet. Er war nicht bereit gewesen zu heiraten, vom Kinderkriegen ganz abgesehen. Er ging arbeiten, zahlte die Rechnungen. Laurie übernahm das Hinbringen und Abholen, kümmerte sich um den Schulkram, machte sich Sorgen wegen Fieber,

Husten, Schmerzen, Halsweh, einem gebrochenen Handgelenk, ausgeschlagenen Zähnen, Elternabenden, Zeugnissen, Mobbing. Sie erzählte es ihm, er hörte mit halbem Ohr zu, grunzte irgendwas, ging zur Tür hinaus oder schlief dabei ein.

Er hatte sich um Kinder gekümmert. Er hatte seinen Beitrag geleistet. All die Jahre, die er Mark und Luke versorgt hatte, »sie versorgt« war die Formulierung seines Vaters gewesen, Pferde, Hunde, Hühner musste man versorgen – hilflose Wesen, die litten und starben, wenn man sie nicht versorgte.

Mark hatte die Gene seine Mutter abbekommen, die Gene einer Lehrerin, nicht die von Bob Villani, dem Sohn eines Wildpferdejägers, der mit vierzehn die Schule geschmissen hatte, in Heeresbaracken untergekommen war, seine Berufung darin gefunden hatte, in Vietnam Menschen umzubringen. Luke war etwas anderes. Dessen Mutter war eine Matratze namens Ellen gewesen, der Bob Villani in Darwin ein Brötchen in die Röhre geschoben hatte. Eines Tages im Juli traf sie kurz vor Dunkelwerden in einem Taxi auf der Farm ein, enge Hose, rot gefärbte Haare.

Sie waren allein, sie beide, Bob war unterwegs, damals fuhr er die Strecke Melbourne–Brisbane, blieb die ganze Woche weg, kam nach Hause, fünf, sechs Bier, eine Pfanne Rühreier, einen halben Laib Brot, dann schlief er durch bis samstags gegen neun Uhr, Gesicht nach unten. Von Sonnenaufgang an ging Mark alle zehn Minuten in sein Zimmer und suchte nach Zeichen dafür, dass er noch atmete, sah nach, ob er nicht vielleicht aufwachte.

Am Montagmorgen fuhr Bob Villani noch vor Sonnenaufgang los, betätigte am Tor einmal die Drucklufthupe, Geld lag auf dem Küchentisch.

»Er ist nicht da«, sagte Villani.

»Wann kommt er wieder?«, fragte sie.

»Weiß nicht genau«, sagte Villani.

Sie sah Mark an, der hinter ihm stand, dann wieder Villani. »Seit ihr seine Kids?«, sagte sie mit ihrer schrillen Stimme.

Sie nickten. Sie wedelte das Taxi weg.

»Hab euch euern Halbbruder mitgebracht«, sagte sie.

Luke kam hinter ihr hervor, ein dickes Scheißerchen, lange Haare. Die ersten drei Tage lang jammerte er, sie schlug ihn, er brüllte, sie küsste und umarmte ihn, er fing wieder an zu jammern.

Bob Villani kam Freitagabend kurz vor neun zurück. Mark, Ellen und Luke sahen fern, mit Schneegestöber auf dem Bildschirm. Villani bastelte am Küchentisch ein Modellflugzeug. Er hörte den Truck, als der noch fünf Kilometer weit weg war, hörte, wie Bob runterschaltete, als er den Camel Hill hochfuhr, das Rattern der Motorbremse, als der Truck auf dem steilen Hang vor dem Abzweig von der Hauptstraße langsamer wurde. Und dann die Hupe, ein langer und einsamer Ton in der beißend kalten Nacht.

Er ging, um das Tor zu öffnen, wartete zitternd im Dunkeln, die Zugmaschine bog um die Ecke, hoch wie ein Haus. Sie wurde langsamer, schob sich durch das Tor, hoch über ihm aufragend, er schloss das Tor, ging die Auffahrt runter.

Bob war aus der Kabine gestiegen, streckte sich.

»Wo ist Mark?«, fragte er.

»Da ist eine Frau«, sagte Villani. »Ellen. Mit einem Kind.«

Schweigen. Bob fuhr sich mit einer Hand durch die Haare.

In tiefster Nacht weckte ihn Lärm aus dem Zimmer seines Vaters. Er dachte, sein Vater brächte Ellen um. Es war das erste Mal, dass er Fickgeräusche hörte.

Mark wurde wach. »Was ist das?«, fragte er. »Stevie, was ist das?« Er war ein ängstlicher Junge.

»Gar nichts«, sagte Villani. »Sie hat einen schlimmen Traum. Leg den Kopf unters Kissen.«

Montagmorgen brachte Bob Villani ihn und Mark im Truck

zur Schule, sie fühlten sich wie Götter, schauten auf winzige Pkws und Pick-ups hinunter.

»Bleiben sie, Dad?«, fragte Mark.

»Wir werden sehen«, sagte Bob. »Behalt Tomboy im Auge, Steve. Er frisst zu viel.«

Als sie ausstiegen, streckte Bob den Daumen in die Höhe und sagte zu Villani seinen üblichen Spruch: »Weitermachen, Stabsfeldwebel.«

Am Freitag, als Luke schlief, ging Ellen zum Farmtor, ein Handwerker nahm sie mit nach Paxton. Man hörte nie wieder von ihr, jedenfalls die Jungs nicht – kein Brief, keine Postkarte. Als Villani und Mark von der Schule nach Hause kamen, wand sich der Junge auf seinem Bett, heulte Rotz und Wasser.

Bob Villani sah Luke an, Wochen nachdem dessen Mutter des Weite gesucht hatte, und sagte: »Und der verfluchte Taxifahrer glaubt, ich schulde ihm sechzig Piepen, weil er sie nach Stanny gebracht hat.«

Villani kam die Idee, dass er sich genau wie sein Vater verhalten hatte, als er nie einen Gedanken daran verschwendet hatte, Vater zu sein. Alles an ihm stammte von Bob: die großen Hände, die Haare, wie er Verantwortung delegierte, die Augen, mit denen er sämtliche Dinge durch ein Fadenkreuz sah. Alles außer dem Mut. Den hatte er nicht. Er hatte gelernt, so zu tun, als wäre er mutig, weil Bob Villani das von ihm erwartete, es für selbstverständlich hielt. Villani war Polizist geworden, weil es ihm an Mut mangelte, er hatte angefangen zu boxen, weil es ihm an Mut mangelte.

Mach nie einen Schritt zurück, mein Junge. Ist nicht gut für die Seele.

Sein Leben lang hatte Bob Villanis schrecklicher Satz auf ihm gelastet.

Villani hob den Kopf. Vor seinem Auto stand Winter, streckte den Kopf vor, spähte ins Wageninnere.

Er stieg aus.

»Hab mir schon Sorgen gemacht, Chef«, sagte Winter, ein spindeldürrer Mann mit Schnurrbart, den er sich wachsen ließ, um ein unberechenbares Zucken seiner Oberlippe zu verdecken, eine Art Kurzschluss zweier Nerven, die zu dicht beieinanderlagen, sodass ein Spannungsbogen entstand.

»Hab meditiert«, sagte Villani. »Bin in mich gegangen, sollten Sie auch mal probieren.«

Im Aufzug sagte er: »Kommen Sie nach Hause, ehe die Kids eingeschlafen sind?«

»Ich versuch's, Chef, klar.«

»Nun, immer dran denken, dass unsere Klienten die Toten sind«, sagte Villani. »Wir sind die Lebenden. Auch wenn es sich nicht immer so anfühlt.«

»Ich bemühe mich, immer am Ball zu bleiben, Chef.« Winter sah ihn nicht an.

»Ein Ziel, das hier zusehends aus dem Blickpunkt gerät«, sagte Villani.

Sie waren oben, Winter blieb zurück. Er war Singos letzter Rekrut, ein unerfahrener Detective der neuseeländischen Kripo. Singo hatte gegen die Vorschrift verstoßen, dass das Morddezernat nur erfahrene Detectives einstellen sollte. Erfahrene Detectives brachten schon eine gewisse Einstellung mit. Singo wollte Leute, in denen er eine Einstellung installieren konnte. Seine.

An seinem Schreibtisch das Getriller, die eingehenden Papiere. Bald hatte er zwei Anrufer in der Warteschleife, zwei Leute warteten vor der Tür. Der Vormittag verging, um elf Uhr dreißig stand er am Fenster und aß ein Salatbrötchen, rief dabei Laurie an. Wo auch immer sie sein mochte, Darwin, Cairns, Port Douglas, sie ging nicht an ihr Handy. Er schickte eine SMS: *Ruf mich an.*

Wie kam Birkerts in Oakleigh voran? Warum hatte sich Dove nicht gemeldet?

Telefon. Tomasic.

»Ich dachte, das sollten Sie wissen, Chef«, sagte er. »In Oakleigh gibt es um die Ecke einen Elektronikladen. Die Leute sind gerade von einer Art Messe zurückgekommen, haben sich ihre Securityaufzeichnungen angesehen.«

»Und?«

»Sie haben eine durch Sensoren aktivierte Kamera. Die neunzig Grad abdeckt. Sie haben Sicht auf die Straße, und zwar Sonntagnacht, früher Montagmorgen.«

»Und?«

»Da ist ein Fahrzeug um zwei Uhr dreiundzwanzig morgens. Dann dasselbe Fahrzeug in die Gegenrichtung, zwei Uhr einundfünfzig.«

»Bringen Sie's her«, sagte Villani. »Im Eiltempo.«

Das Fahrzeug auf dem Standbild war verschwommen, rötlich. In der oberen rechten Ecke des Bildes war die Uhrzeit eingeblendet: 2.23.07.

»Ein Prado, würde ich sagen«, sagte Tomasic. »Die sehen alle irgendwie gleich aus.«

2.51.17: Fahrzeug, in die Gegenrichtung.

»Wieder ein Prado«, sagte Tomasic.

»Autofreak?«, sagte Birkerts.

»Interessiert mich halt, Chef.«

»Sehen wir uns an, wie es kommt und wie es wegfährt«, sagte Villani.

Sie sahen es sich mit verschiedenen Abspielgeschwindigkeiten an.

»Was ist das im Hintergrund?«, fragte Villani.

»Kann ich nicht sagen, Chef.«

»Bitte die Straßensicht, Trace.«

Auf dem großen Monitor wechselte die Ansicht von Oakleigh aus der Luftperspektive von dem Haus über die Blechdächer zur Ecke, wurde dort zu einer Ansicht in Augenhöhe.

»Nach links«, sagte Villani. »Halt.«

Es war ein langes, flaches Gebäude mit Fenstern wie in einem Ausstellungsraum.

»Das Band abspielen«, sagte er.

Der Prado, wie er links abbog…

»Halt«, sagte Villani. »Langsam zurück… halt.«

Schweigen im Raum.

»In dem Fenster«, sagte Villani. »Da spiegelt sich die Beleuchtung des Nummernschilds wider.«

»Ist mir entgangen«, sagte Birkerts. »Mist.«

»Findet raus, was die Techniker damit anfangen können«, sagte Villani. Er sah Birkerts abschätzig an.

»Tommo, sag Fin, wir brauchen alle hellen Prados auf der Mautstraße zwischen, äh, zwei und drei Uhr morgens, beide Richtungen«, sagte Birkerts.

»Ja, Chef.«

»Und die Fingerabdrücke in dem Schuppen«, sagte Villani. »Was zur Hölle geht da draußen vor?«

Birkerts senkte den Kopf. »Ich klemm mich dahinter, Chef.«

Villani machte sich wieder an die Arbeit. Das Leben ging weiter. Leben und Tod.

In Colbys Worten:

… bei solchen Sachen hängen die Medienschmeißfliegen an einem dran, die Scheißpolitiker triezen einen, dabei geht die Alltagsarbeit zum Teufel. Und wenn man dann nicht rasch ein Ergebnis vorweisen kann, ist man der letzte Arsch.

Die Autopsie der nackten Frau, die tot in ihrem Swimmingpool in Keilor gefunden wurde, ergab, dass sie weit mehr Flüssigkeit in der Lunge hatte, als zum Ertrinken nötig gewesen wäre. Was bedeutete das?

Eine im fünften Stock in einer Sozialwohnung der Kensington Housing Commission wohnende Person wurde fünf Meter von der Grundmauer des Gebäudes entfernt auf dem Beton gefunden. Sie starb an Verletzungen, die zu einem Fall aus dieser Höhe passten. Die Person trug einen Schlüpfer, einen BH und eine Papst-Johannes-Paul-Maske aus Plastik. Die Person war ein Mann.

In Frankston, in einem Haus, ein nicht identifiziertes Mädchen, circa fünfzehn, erwürgt. Zwei angeblich dort wohnende nicht identifizierte Männer verschwunden.

In Reservoir wurde ein Jugendlicher aus Somalia erstochen. Mit einem Schraubenzieher in den Rücken, ins Herz. Kreuzschlitz. Bei der Ankunft im Krankenhaus bereits tot. Mehr als sechzig Menschen waren zu einem geselligen Treffen anwesend.

Im Radio:

... man hofft, dass die Winde drehen, während die Feuerwehrleute sich bemühen zu verhindern, dass die Feuersbrunst die Brandschneisen oberhalb der Orte Morpeth und Paxton überspringt...

Er fand sein Handy, ging ans Fenster, sah den flüssigen Himmel, den verwaschenen Horizont. Er brauchte drei Anläufe.

»Ich bin's.«

»Und?«

»Gehst du jetzt?« Er kannte die Antwort.

Ein Räuspern. »Nö. Hab die Pferde rüber zum alten Gill gebracht. Hab sie zu seinen gestellt. Er hat 'ne Sprinkleranlage für den Stall. Muss man den ganzen Tag lang machen.«

»Du stellst dich besser dazu. Mit Gordie.«

Bobs harsches Lachen. »Nein, Mann, nein. Gordie hat ein altes Feuerwehrauto. Voll Wasser. Wir sind unsere eigene Feuerwehr.«

»Das soll meine Bäume retten?«

»Wenn es kommt, mein Junge, kann nur der liebe Gott die Bäume retten.«

»Hab dich noch nie seinen Namen in den Mund nehmen hören.«

»Nur 'ne Redensart. Mach ›Weihnachtsmann‹ draus.«

»Ich ruf wieder an«, sagte Villani. »Geh an das verdammte Telefon, klar?«

»Jawohl, Chef.«

Sein Handy klingelte.

»Ich komm nach Hause«, sagte Corin, atemlos. »Und Lizzie kommt gerade mit so einem… Wesen raus, er ist alt, dreckig, Rastalocken, Tattoos im Gesicht, zwischen den Augen, und sie hat eine Tasche und… Dad, mein ganzes Geld ist weg, vierhundertfünfzig Dollar, und mein iPod und mein Perlenanhänger und meine silbernen Armbänder, sie hat auch Mums Sachen durchwühlt, keine Ahnung, was sie hat mitgehen lassen…«

»Halt«, sagte Villani. »Hör auf.«

Er hörte ihren raschen, stoßweisen Atem.

»Und jetzt atmen wir ein paarmal tief durch«, sagte er.

»Okay… ja.«

»Also. Langsam ein-, langsam ausatmen. Und noch mal. Ein…«

Das machten sie viermal, er hörte, wie sie ruhig wurde.

»In Ordnung«, sagte sie. »Ich bin jetzt drüber hinweg. Ich bring das kleine Miststück um.«

Sie war teils ihre Mutter, teils Villani. Bob wäre stolz auf sie, das mit dem Umbringen hätte ihm gefallen, er wusste, wann es Zeit war, etwas umzulegen, er brachte den alten Hund weg und erschoss ihn, vergrub ihn, sie fanden nie heraus, wo.

»Schatz, ich möchte, dass du da wartest«, sagte er. »Jemand wird bald klingeln. Beschreib ihnen Lizzie, ihre Kleidung, den Typ, alles, was helfen könnte, sie auf der Straße, in einer Menschenmenge zu finden. Die Tasche, die sie dabeihat, vergiss die Tasche nicht.«

»In Ordnung«, sagte Corin forsch, hatte die Fassung wiedergewonnen. »Gut. Soll ich Mum anrufen?«

»Zuerst fangen wir Lizzie wieder ein, hat keinen Sinn, deine Mum in Darwin kopfscheu zu machen. Wo immer sie ist.«

»In Cairns, Dad. Cairns.«

»Ich notier mir das. Du solltest nicht so viel Bargeld rumliegen lassen, das ist nicht klug.«

»Wow, danke, Dad. Ich notier mir das.«

»Hast du versucht, Lizzie anzurufen?« Ihm wurde klar, dass er Lizzies Handynummer nicht hatte.

»Ihr Handy ist nie an«, sagte Corin. »Außerdem will ich nicht mit ihr reden. Ruf du sie doch an.«

»Gib mir die Nummer.«

»Hast du die nicht?«

»Irgendwo. Gib sie mir.«

Villani schrieb sie auf eine Karte, steckte sie in sein Portemonnaie. »Warte auf den Anruf, Liebes«, sagte er. Er tippte Lizzies Nummer ein. Teilnehmer nicht erreichbar.

Eine Weile saß er nur so da. Man konnte das nicht wie ein Zivilist angehen, man brauchte die Brüder. Er überschlug den Preis, gab die Nummer ein, nannte seinen Namen.

Vickery meldete sich, die raue Raucherstimme. »Stevo. Was kannst du für mich tun, Jungchen?«

Villani erzählte die Geschichte.

»Diese Scheiße lässt keinen ungeschoren«, sagte Vickery. »Ich werd's weitergeben. Jemand wird deine Kleine bald anrufen. Nummer?«

»Ich schulde dir was«, sagte Villani, als er ihm Corins Handynummer gegeben hatte.

»Kumpel, wir alle schulden einander was«, sagte Vickery. »Brüder, in guten wie in schlechten Zeiten. Das weißt du doch, oder?«

Er sprach von ihrem Treffen, bei dem es um Greg Quirk gegangen war.

»Und ob. Rufst du mich direkt an?«

»Gib mir die Nummer.«

Villani gab sie ihm.

»Wir sollten uns mal auf ein kühles Blondes treffen, du und ich und die anderen alten Genossen«, sagte Vickery.

»Das machen wir«, sagte Villani.

Das Telefon, Tomasic, auch eine raue Stimme.

»Chef, zu der Fensterspiegelung, die Techniker haben zwei Ziffern vom Kennzeichen des Prado.«

»Ich schalte Sie rüber«, sagte Villani. »Nicht weggehen.« Er drückte Tasten. »Ange, nehmen Sie mir Tomasic ab, und geben Sie mir Tracy.«

Pause.

»Trace, Tommo hat zwei Ziffern des Kennzeichens für den Oakleigh-Prado. Eine kleine Chance für uns.«

»Bin schon dabei, Chef«, sagte sie mit leicht freudig erregter Stimme.

Als er sich zurücklehnte, den Adrenalinschub spürte, hatte er kurz das Gefühl, auf Singos Platz zu gehören: Stephen Villani, Chef des Morddezernats. Jemand, der es verdient hatte, Chef des Morddezernats zu sein.

Kurz.

Tracy in der Tür, strahlend.

»Chef, die Ziffern, ein Prado auf der Mautstraße, die Zeit stimmt. Zugelassen auf einen James Heath Kidd, Cloke Street 197, Essendon.«

Tracy war klug, überarbeitet, keine eingeschworene Polizistin. Sie könnte jederzeit woanders arbeiten. Er befürchtete, sie könnte es auch wollen. Sie hatte Cashin geliebt, jeder wusste das, Cashin wusste das, und es hatte Cashin Angst gemacht.

»Ein wahrscheinlicher Kandidat«, sagte Villani. »Werfen wir einen Blick auf sein Domizil.«

»Gewöhnliches Haus mit Garage, Schuppen, das Übliche.«

»Krieg ich vielleicht mal die Gelegenheit, etwas zu veranlassen?«, sagte Villani. »Um das Gefühl zu haben, ich wäre das Hirn dieser Abteilung?«

Sie lächelte ihr schiefes Lächeln, ging. Birkerts tauchte auf.

»Cloke Street von oben, Detective«, sagte Villani. »Hoch und in angemessener Entfernung, unterwegs nach anderswo. Wenn sie das Arschloch erschrecken, werden sie über dem Hume Highway Patrouille fliegen, bis sie in Rente gehen.«

Birkerts neigte den Kopf.

»Und die Heilsarmee soll sich da mal umschauen«, sagte Villani. »Ein paar Minuten, kein langes Rumdödeln.«

Er saß eine Zeit lang da und las die aktuellen Berichte. Es brachte nichts, mehr Hektik als nötig zu erzeugen. *Spar dir eine gewisse Aufgeregtheit für die Wiederkunft des Erlösers auf.* Singleton. Die Stimme seines Herrn.

Dann ging er zu Tracys Schreibtisch, stand hinter ihr. Sie schaute auf einen Monitor, Handgelenke erhoben, die Hände baumelten über der Tastatur. Sie hatte lange Finger. Ihre Finger waren ihm noch nie aufgefallen. Sie schaute ihn an, in dem Licht sah man den Flaum auf ihrer Oberlippe.

»Was ist?«, sagte sie.

»Schicken Sie ihn durch alle Datenbanken?«

»Natürlich, Inspector.«

Villani ging zurück, betrachtete den großen Raum – die aufgehängten Jacken, unter Akten begrabene Schreibtische, Kartons, gestapelte Eingangskörbe, auf Ordnerbergen abgestellte Becher, auf Monitore starrende Schädel unter Bürstenhaarschnitten. Wie aus einem Grab tauchte eine Hand auf und zog einen gepunkteten Becher nach unten.

Zehn Jahre, wie viele Stunden hatte er hier verbracht, Sechzehn-Stunden-Tage? Würde sich seine Tochter jetzt mit Abschaum auf der Straße herumtreiben, wenn er ein anderes Leben geführt hätte, das gewöhnliche Leben eines Zivilisten? Man ist gegen sechs zu Hause, kontrolliert die Hausaufgaben, guckt die Nachrichten, beteiligt sich beim Kochen, isst gemeinsam, redet über alles Mögliche, was in der Schule passiert, was man vorhat. Am nächsten Wochenende hievt ihr eure Hintern aus dem Bett, dann bring ich euch bei, wie man surft, ein Experte hat's mir beigebracht, jetzt wird euch ein Experte dieses Wissen weitergeben.

Er bemerkte, dass man ihn ansah, bemerkte die schale Luft, das Murmeln, irgendwo das Geräusch von laufendem Wasser – vielleicht war eine Klospülung defekt, eine Klimaanlage kaputt, durchweichten die Sprinkler einer Feuerlöschanlage die Büros über ihnen.

Er ging zurück und rief Kiely an.

»Inspector«, sagte er, »treffen Sie Vorbereitungen, um alle

verfügbaren Mächte des Überwachungsstaats gegen diesen Kidd einzusetzen – inklusive Familie, Freunde, Hunde etcetera.«

»Inspector.«

»Aber behutsam. Sollte der Wichser Lunte riechen…«

»Ich habe so etwas schon durchgeführt.«

»In Neuseeland«, sagte Villani. »Hier geht's nicht um geheimnisvolle Schafmorde.« Zu weit gegangen – viel zu weit, Bedauern. »Ein schlechter Scherz. Keine Schafwitze mehr. Versprochen.«

»Kein Problem«, sagte Kiely. »Das gleitet an einem ab. Man weiß, dass nur Blödmänner ständig welche reißen.«

»Wow«, sagte Villani. »Ein Schlag gegen den Hals. Mit so einem Schlag könnten Sie glatt einen großen wolligen Widder zu Boden strecken.«

Er rief Barry an.

Wir glauben, wir haben in Oakleigh ein Fahrzeug, Chef.«
Barry sagte: »Junge, erzählen Sie mir, dass es viel mehr
ist, als ihr glaubt.«

»Wir haben zwei Ziffern des Nummernschilds eines weißen Prado von einer Überwachungskamera. Wir haben einen
passenden weißen Prado auf der Mautstraße vierzig Minuten
später. Die Zeit stimmt.«

»Und Sie kennen den Namen des Fahrzeughalters?«

»Jawohl, Sir. Was nicht heißt, dass er der Fahrer ist.«

Barry sprach mit jemandem, der bei ihm im Zimmer war.
Villani hörte nicht, was er sagte.

»Wie heißt er?«, fragte Barry.

»Kidd. James Heath Kidd.«

»James Heath Kidd. Na, das ist vielversprechend«, sagte
Barry. »Mr. Colby schon informiert?«

»Als Nächstes, Chef.«

»Warum warten Sie nicht ein paar Minuten, Stephen? Zehn.
Das ist eine gute Wartezeit.«

»Wir brauchen eventuell in wenigen Minuten Paragraf siebenundzwanzig von ihm. Ausnahmegenehmigung.«

»Klar. Dann tun Sie das.« Barry gab eine Art Gurgeln von
sich. »Sie werden alle nötigen Vorsichtsmaßnahmen ergreifen,
Stephen? Damit man diese Sache nicht verbockt.«

»Mein Wort darauf, Chef.«

»Aber Sie lassen sich nicht zu viel Zeit?«

Licht blinkte, ein Anrufer klopfte an.

»Keine Sekunde länger als nötig, um zu verhindern, dass etwas verbockt wird«, sagte Villani, »Chef.«

»Guter Mann.«

Der Anruf in der Warteschleife.

Corin.

»Dad, eine Polizistin hat angerufen. Ich habe ihr alles erzählt. Ich glaube, ich sollte Mum anrufen. Sie verzeiht es uns nie, wenn...«

»Ruf sie an«, sagte Villani. »Sie ruft mich nicht zurück. Hast du's mit Lizzies Handy probiert?«

»Ja. Alle zehn Minuten. Aus. Und du?«

»Genauso. Bist du heute Abend zu Hause?«

»Ich treffe mich zum Essen mit Gareth und seinem Vater. Im Epigram.«

Gareth. Jemand, den er kennen sollte. Jemand, der einen Vater hatte, keinen Dad, einen Vater, der ernst genommen wurde, der einen zum Abendessen in teure Restaurants einlud.

»Gareth ist?«

»Das hab ich dir gesagt. Sein Vater ist Graham Campbell. Von Campbell Connaught Bryan.«

Seine Tochter speiste mit einem superreichen Firmenanwalt und dessen Sohn zu Abend.

»Ah, *der* Gareth«, sagte er. »Hör zu, soll das etwa heißen, dass Lizzie auf Drogen ist?«

»Meine Güte, Dad, bist du ein Cop, oder was?«

»Als ein Was wäre ich glücklicher. Sag's mir einfach.« Er wollte es nicht wahrhaben.

»Na ja, auf, was soll ›auf‹ denn heißen? Sie hängt mit diesem Arschgesicht rum, sei nicht naiv.«

So weit waren sie inzwischen.

Villani sagte: »Hör zu, wenn sie sie finden, rufe ich dich eventuell an und verderb dir den Abend, in Ordnung?«

Sie wartete eine Sekunde zu lange. »Eigentlich will ich nichts mit ihr zu tun haben, Dad.«

»Sie ist deine Schwester, Corin.«

»An erster Stelle ist sie dein Kind.«

»Na schön, vergiss es«, sagte er. »Amüsier dich gut.«

»Dad«, sagte Corin. »Ich komme. Ruf mich an, und ich komme vorbei.«

Seine Tochter. Jemand, der ihn liebte. Was zum Teufel hatte sich Laurie nur dabei gedacht? Lizzie war fünfzehn, die meiste Zeit war niemand zu Hause, was glaubte ihre Mutter denn, was aus ihr werden würde?

Dann, als schaute er in einen Spiegel, sah er seine eigene Torheit und wandte den Blick von sich ab, schämte sich.

Tracy.

»Chef, Kidd war früher Polizist. Drei Jahre bei der Special Operations Group, diesem Sondereinsatzkommando, fünf Jahre insgesamt. Schied vor drei Jahren aus.«

»Oje, was hat er für Vorstrafen?«

»Im Polizeidienst, zweites Jahr, wurde er von dem Vorwurf freigesprochen, mit unangebrachter Härte gegen einen Schwachsinnigen vorgegangen zu sein, der starb. Nach seinem Abschied – zwei Geschwindigkeitsübertretungen.«

»Holen Sie mir den SOG-Chef an den Apparat, egal, welcher Hirni das heute sein mag.«

Es dauerte sechs Minuten. Villani dachte an Matt Camerons besten Kumpel Deke Murray, den Mann vom Raubdezernat, der SOG-Chef wurde. Man nannte ihn »Der Erbarmungslose« – er vergaß und vergab nie etwas.

Der heutige SOG-Chef hieß Martin Loneregan.

»Hören Sie, ein James Kidd«, sagte Villani. »Ist vor drei Jahren abgesprungen.«

»Worum geht's?«

»Ernste Angelegenheit.«

»Echt?«

»Echt.«

»Tja, er hat gekündigt.«

»Warum?«

»Wenn Leute kündigen, kündigen sie halt.«

Villani sagte: »Ich wäre Ihnen für Ihre Hilfe dankbar, Martin. Es geht um Tote.«

»Kidd ist daran beteiligt?«

»Der Name weckte unsere Aufmerksamkeit.«

»Nun, da gibt es Vorschriften, Datenschutz, so was alles.«

»Martin, wenn Commissioner Barry Ihnen diese Fragen stellt, dauert das ein paar weitere Minuten, die ich uns gern ersparen würde. Ist es eine Sache im Kollegenkreis?«

Ein Spuckgeräusch.

»Probleme der Persönlichkeit«, sagte Loneregan. »Im Grunde haben die Auswahlverfahren versagt.«

»Um das zu merken, haben Sie drei Jahre gebraucht?«

»Geben die Leute Kommentare darüber ab, wie Sie das Morddezernat leiten?«

»Verzeihung, Kumpel.«

»Tja, also, ich sag dazu nur, drei Wochen nachdem ich das Ruder übernommen habe, hat das Aschloch den Abwärtsknopf gedrückt. Wir waren darüber ungemein traurig, ich musste für das ganze Kommando Kleenex holen lassen.«

»Also nicht gerade liebenswert. Würden Sie sagen, gewalttätig? Unter Drogen gewalttätig?«

»Jeder Dreck, der einem einfällt. Der Typ ist ein Psycho.«

»Kann ich Sie um die Adresse bitten?«, fragte Villani.

»Bleiben Sie dran.«

Er blieb, schloss die Augen, bewegte den Kopf.

»Sind Sie da?«, fragte Loneregan.

»Hier«, sagte Villani.

»Es ist ein Apartment, Nummer 21, Montville, Roma Street 212, South Melbourne.«

Villani tippte sie ein, das Bild von der Gegend erschien auf dem Schirm, mit Pfeil auf Hausnummer 212. »Herzlichen Dank.«

»Bob Villani. Mit ihm verwandt?«

»Mein Dad.«

»Vietnam?«

»Ja, da war er, ja.«

»Tickt er noch?«, fragte Loneregan.

»Bei meinem letzten Besuch schon, ja.«

»Mann, fragen Sie ihn nach Danny Loneregan. Daniel. Mein alter Herr. Ich hab nur das eine Foto, sind drei Burschen drauf, einer ist ein Bob Villani.«

Noch ein Mitglied von The Team. Als Erste rein, als Letzte raus. Zehn Jahre, vier Monate, sechzehn Tage, die am längsten dienende Einheit aller Kriege, insgesamt nur tausend Mann, die mit vier Victoriakreuzen und einhundertzehn anderen Auszeichnungen dekoriert wurden.

Mein Dad sagt, dein Dad hat Orden aus dem Krieg.

So erfuhr Villani von Bobs Krieg. Von Bob hätte er nie ein Sterbenswörtchen über Vietnam gehört.

»Ja, das werd ich bestimmt machen«, sagte Villani. »Danke für Ihre Hilfe.«

»Zu der ich genötigt wurde. Dieses Schwein wird uns ewig nachhängen. Nicht der Polizei, nein. Die hat ihn nur aufgenommen. Es wird heißen: Ein Mitglied der Eliteeinheit Special Operations Group ist auf die schiefe Bahn geraten, dieser ganze Scheiß.«

»Tja, den Preis zahlt man für den Ruhm.« Villani betrachtete die Nahaufnahme. Zwischen den Parkplätzen und der Straße dahinter war eine Gasse. »Kidd hat nicht noch irgendwelche Kumpels bei euch, oder?«

»Nicht eine verdammte Seele, das steht fest.«

»Sie haben ein kühles Blondes bei mir gut.«

»Meine Nummer haben Sie«, sagte Loneregan. »Hören Sie, mein alter Herr. Sie fragen Ihren Dad nach ihm, ja? Wenn Sie ihn sehen. Er hat vielleicht noch ein Foto…«

In der schnoddrigen Stimme hörte Villani den Jungen, der

nie einen Vater gehabt hatte, nur eine Fotografie, ein Gesicht, der in diesem Gesicht sich selbst suchte.

»Ist er nicht zurückgekommen?«, fragte Villani.

»Nein«, sagte Loneregan.

»Tja. Ehre den Toten.«

»Wurde vor einer Bar erschossen. Bar, Puff.«

»Ich frage Bob«, sagte Villani. »Melde mich bei Ihnen.«

Er rief Colby an.

»Wie aktuell ist das?«, fragte Colby.

»Frisch auf dem Radar. Wir hoffen auf Paragraf siebenundzwanzig. Mr. Kiely wird sich an Sie wenden.«

»Ich werd's weitersagen. Lassen Sie alle wichtigeren Sachen über mich laufen. Denken Sie an Cromarty, mein Junge. Das darf nie wieder passieren.«

Würden sie ihn Cromarty je vergessen lassen? Sein Verbrechen war, sich darauf zu verlassen, dass sich erfahrene Officer wie ausgebildete Polizisten verhielten.

»Jawohl, Chef«, sagte Villani.

»Eine Scheißfestnahme, darum geht's uns. Die beweist, dass wir weiterkommen. Verstanden?«

»Chef.«

Villani betrachtete die Sehne, die sich stolz aus seinem Unterarm erhob. Er lockerte seinen Griff um den Telefonhörer.

Birkerts war draußen. Villani winkte.

»Die Heilsarmee war da«, sagte Birkerts. »Das Haus in Essendon gehört Kidds Tante. Hocking heißt sie. Sie behauptet, er habe vor langer Zeit mal da gewohnt, kriegt da immer noch Post hin, kommt ab und zu vorbei. Hat ihr dieses Jahr ein verfrühtes Weihnachtsgeschenk gemacht – tausend Dollar, in bar. Sie durfte den Umschlag nicht öffnen, solange er noch da war.«

»So einen Jungen könnte man mögen«, sagte Villani.

Kiely stand in der Tür.

»Der Heli sagt, in der Cloke Street ist kein Fahrzeug zu sehen. Aus der Mieterdatenbank haben wir einen J.H. Kidd. Roma Street, South Melbourne.«

»Das ist er«, sagte Villani.

»Das ist ein Apartmentblock, Wohnung im dritten Stock. Der Heli überprüft es gerade.«

Villani winkte, die anderen brachen auf. Er saß da, Hände auf dem Schoß, Handflächen nach oben, die Narbe verlief von dem kleinen Finger bis zum Ballen des rechten Daumens, sein erstes Jahr als Cop, aufgeschlitzt von einem Koch, der Schnitt ging durch bis zum Knochen.

Rose Quirks Garten.

O Gott. Er war seit dem Cup Day nicht mehr da gewesen, dem Tag, als er die Tomaten gepflanzt hatte.

Er wählte. Es klingelte, klingelte, er wusste, es würde niemand rangehen, sie ging ran.

»Ma, Stephen.«

»Wo hast du gesteckt?«

»Beschäftigt. Ja. Ich war sehr beschäftigt. Hatte viel um die Ohren. Geht's dir gut?«

»Ich bin wohlauf. Nur ein bisschen schwach.«

»Nimmst du die Tabletten?«

Sie hustete ein wenig, er kannte das schon, es war ein taktisches Manöver. »Von denen wird mir schlecht«, sagte sie.

»Um Gottes willen, Ma, nimm sie.«

»Das Unkraut überwuchert hier alles.«

»Ich kümmer mich ums Unkraut. Nimm die Tabletten. Machen die Tomaten Fortschritte?«

»Sie mögen die Hitze. Ich geben ihnen jeden Abend ein Tröpfchen Wasser.«

»Gut. Sobald ich kann, komm ich vorbei.«

»Die Fliegengittertür ist im Eimer. Mit dem Pumpendings stimmt irgendwas nicht.«

»Ich schicke jemanden, der es repariert.«

172

»Ich will hier keinen Fremden.«

»Na schön, ich mach's selbst. Hör zu, ich muss los. Ich komm bald mal rum.«

Der Prado steht in der Roma Street«, sagte Birkerts. »Hinter dem Haus.«

»Gute Arbeit«, sagte Villani.

»Vielleicht besteht die Chance, von der anderen Straßenseite reinzusehen. Da wird ein Haus gebaut. Zugang von hinten.«

»Paragraf siebenundzwanzig von Colby«, sagte Villani. »Ein sechsundzwanzig und ein siebenundzwanzig, für alle Fälle. Er erwartet Sie.«

»Meiner Ansicht nach«, sagte Kiely, »meiner Ansicht nach sollten wir ihn rausholen, wenn er da drin ist.«

»Sprich mit den Einsatzkräften, Birk«, sagte Villani. »Mach ihnen die Notwendigkeit klar, mit ihrem Kram anzurücken, umgehend, noch schneller, eine höhere Priorität gibt es nicht. Sonst müssen sie sich vor dem Minister verantworten. Oder vor Gott.«

»Sir.«

Birkerts ging. Villani sah Kiely an. »Ihn festnehmen, finden Sie?«

»Das ist vernünftig, ja. Finde ich.«

»Und dann haben wir ihn, und er verpfeift die anderen Arschlöcher? Wow.«

»Wow?«, wiederholte Kiely.

»Ja, wow. Wow, wow. Dann kriegt er trotzdem noch zwanzig Jahre aufgebrummt, starrt dreiundzwanzig Stunden am Tag die Wände an, seine Mitknackis warten, wollen ihn töten, ficken, sie stehen total auf Verräter.«

Kiely kratzte sich am Schlüsselbein. »Nun, nicht zugreifen, ich würde sagen, das sollte vorher abgeklärt werden. Genehmigt werden.«

»Auf die neuseeländische Tour«, sagte Villani. »Interessant. Also, wir hier auf dem Festland sind anders. Wir besorgen uns hier keine Genehmigungen für Dinge, die wir nicht machen wollen. Themawechsel, lassen Sie mich betonen, sollte Kidd uns durch die Lappen gehen, und sei es, der Fotzkopp verschwindet in einem Ballon, mache ich Sie persönlich…«

Kiely hob die Hand. »Ja«, sagte er. »Sie haben sich absolut klar ausgedrückt.«

Er ging. Villanis Handy klingelte.

»Was ist los?«, fragte Laurie.

»Hat Corin es dir erzählt?«

»Ja.«

»Tja, das ist los.«

»Kannst du sie nicht finden?«

»Ich gebe mir die größte Mühe. Mehrere Leute suchen jetzt gerade nach ihr.«

»Leute? Was ist mit dir?«

»Die ganze verdammte Polizei sucht sie. Ist das genug? Reicht dir das?«

Sie seufzte.

»Ich komme gegen Mitternacht an«, sagte sie. »Ruf mich an, falls du sie findest.«

»Das mache ich auf jeden Fall. Versuch's weiter auf ihrem Handy.«

»Das muss man mir nicht sagen, danke.«

Verbindung tot.

Villani probierte es noch einmal mit Lizzies Nummer. Aus.

Das geteerte Flachdach eines Hauses, ein Aufzugsschacht. Die Kamera fuhr nach unten, verzerrte Aufnahmen durch Glas, ein Zimmer, ein großer Fernseher, gedrungene Möbel, auf einem Couchtisch Flaschen, Dosen, Tassen, Junkfoodverpackungen.

Jerry, der Techniker, hatte Kopfhörer auf, justierte, klopfte, sprach in sein Kehlkopfmikro. »Ja, gottserbärmlich, ja, okay, schon besser. Auf Sendung, Mann.«

Birkerts vor Ort, undeutlich: »Auf der anderen Straßenseite im sechsten Stock, hier sind sehr schwierige Bedingungen, nasser Beton, keine Fenster, nur Löcher.«

»Das Bild ist sehr schlecht«, sagte Kiely und fummelte an seinem Ohrhörer herum.

»Sehen Sie das?«, sagte Villani.

Birkerts sagte: »Prado steht hinter dem Haus, zwei Eingänge. Los geht's, man kann eine Küche sehen. Mehr oder weniger.«

Langsames Heranzoomen einer vermüllten Anrichte – Schachteln, Flaschen, ein glänzender Gegenstand.

»Der Bursche hat eine Profi-Kaffeemaschine«, sagte Birkerts. »Das Rote kommt vom hinteren Fenster, Sonnenuntergang im Westen.«

»Tja, der Westen«, sagte Villani. »Da kennt jemand seinen Kompass.«

»Wieder zurück, das da links ist eine Tür.«

Ein dunkler Umriss.

»Der Gang führt wahrscheinlich von der Wohnungstür zum Balkon. Küche und Wohnzimmer zur Linken. Rechts liegen Bad und Schlafzimmer.«

Villani fragte: »Können wir hinten rein?«

»Feuertreppe, und vom Parkbereich führt eine Tür in den Hausflur.«

Die Kamera schwenkte nach links zu einem nackten Fenster, nach rechts zu einem anderen, nach unten zu den tieferen Etagen, in den Außenbereich, auf die Straße, parkende Autos, zwei Männer mit Aktentaschen, ein Auto, ein Lieferwagen, eine Rauferei unter zugedröhnten Jugendlichen, vier, nichts.

Sie sahen eine Zeit lang zu. Die Kamera schwenkte wieder auf Kidds Fenster, hielt inne, schwenkte nach unten. Auf der Straße war es offenbar dunkler geworden. Straßenlaternen gingen an, kleine weiße Fackeln.

Wieder zurück. Kidds Fenster waren jetzt dunkel, die Sonne hinter dem Gebäude verschwunden, untergegangen.

»Hübsches Sträßchen«, sagte Villani. »Findet ihr's da gemütlich? Zahnbürste dabei?«

An der Tür machte Angela ein Zeichen. Er ging raus.

»Mr. Colby, Chef.«

Villani nahm den Anruf an seinem Schreibtisch entgegen.

»Habt ihr ihn?«, fragte Colby.

»Wir haben sein Apartment. Das Fahrzeug steht hinter dem Haus.«

»Wie ist der Plan?«

»Wir sehen uns gründlich um.«

»Steve, wenn der Arsch da ist, nehmt ihn fest. Fordert die SOG an.«

»Und die bisher eingeleiteten Schritte? Aufgeben?«

»Sie hören nicht zu, mein Junge. Sie hören immer noch nicht zu, verdammt.«

»Können Sie's noch mal wiederholen, Chef?«

Er hörte Finger pochen.

»Der Leiter des Morddezernats«, sagte Colby. »Sie sitzen an den Hebeln, es ist Ihre Entscheidung. Wir verlassen uns auf Ihr Urteil.«

Villani ging zurück in den Einsatzraum, setzte das Headset auf, betrachtete das dunkle Gebäude. Die Kamera fuhr zurück. In den Apartments zu beiden Seiten von Kidds Wohnung und in dem darunter brannte Licht.

»Kacke«, sagte der Techniker. »Da ist jemand.«

»Wie haben Sie das gehört?«

»Übers Festnetz. Das Telefon muss in der Nähe sein. Schlafzimmer oder Flur.«

Kiely hustete. »Mr. Colby Bescheid sagen?«

»Da gibt's nichts zu sagen«, sagte Villani. »Könnte jeder sein. Freundin. Mitbewohner. Stubenreiner Hund.«

Sie warteten. Fünf Minuten, zehn, es war wohltuend, nichts zu tun, zu beobachten, wie die Kamera herumschwenkte, der Kameramann langweilte sich, rauf, runter, seitwärts, die Straße entlang. Villani schloss die Augen.

Lizzie. Wenn er früher manchmal nach Hause gekommen war, hatte er die beiden schlafend vorgefunden, in dem großen Schlafzimmer oder auf Lizzies Bett. Oft saßen sie auf dem Sessel, Mutter und Kind als Einheit, Lauries Haare fielen wie eine dunkle Mähne über das Gesicht des Kleinkinds.

In Villanis Ohr sagte Birkerts' Stimme: »Er hat sich wieder schlafen gelegt.«

Villani schaute auf die Uhr. Vierzig Minuten, seit die Toilettenspülung betätigt worden war. »Ich komme zu euch«, sagte er. »Ortstermin.«

»Wir haben nichts zu verbergen. Bitte den Lieferanteneingang benutzen.«

Finucane fuhr, Winter kam mit. Ein paar Blocks von der Straße entfernt klingelte Villanis Handy.

»Inspector, Wachtmeister Willans, St. Kilda, Ihre Tochter Lizzie ist hier, meine Officer haben sie gefunden.«

»Wo gefunden?«

»Auf der Parade, Chef. Mit einer Gruppe.«

»Ist sie wohlauf?«

»Äh, darf ich offen sprechen, Chef?«

»Ja.«

»Total zugedröhnt, Chef.«

Fünfzehn Jahre alt. Das Kind in Lauries Armen im Sessel, jetzt marschierte es durch die harten Straßen von St. Kilda. Wie hatte ihre Mutter zulassen können, dass es dazu kam?

»Na schön. Behalten Sie sie da, ich komme so schnell wie möglich vorbei.«

»Chef, sie ist ganz schön anstrengend, wir wissen nicht, wohin mit ihr, haben nur die Zellen...«

Die Zellen.

Keine bekannte Flüssigkeit, weder Karbolsäure noch Zitronensäure noch alle Tränen des auferstandenen Christus, konnte das Aroma von Schweiß, Blut, Kotze, Rotz, Spucke, Sperma, Pisse, Fürzen und Schleim aus den Arrestzellen vertreiben.

Seine Tochter würde in die Arrestzellen gesteckt, auf Betreiben ihres Vaters. Er sollte Corin anrufen, sie überreden, dass sie Lizzie abholte. Nein, das konnte er Corin nicht antun – sie von ihrem Dinner im Epigram mit ihrem jungen Trinity-College-Klugscheißer und dessen Vater, dem millionenschweren Anwalt, weglotsen, damit sie ihre ausgeflippte fünfzehnjährige Schwester aus dem Polizeirevier von St. Kilda holte.

Winter warf ihm einen Blick zu. Sie waren fast da. O Gott, der ideale Zeitpunkt für so einen Mist.

Die Zelle würde Lizzie nicht schaden. Scheiß drauf, sie konnte ruhig einen Vorgeschmack davon bekommen, was geschah, wenn man sich mit Arschlöchern herumtrieb und Drogen nahm.

»Stecken Sie sie in eine Zelle«, sagte Villani. »Aber allein, wohlgemerkt.«

»Chef.«

Sie nahmen die längere Anfahrt. Ein Cop in Overall winkte sie durch das Tor eines Bauplatzes, sie parkten neben einem Kran. Eine Frau des Observationsteams führte ihn und Winter eine holprige Treppe nach oben, der feuchte, säuerliche Geruch frischen Betons stieg in den Kopf. Vor einer düsteren, türlosen Kammer stand Birkerts. Drinnen saßen zwei Personen an den verdeckten Fensterlöchern, eine hinter einer Kamera, die andere an einem Nachtsichtgerät, und schauten durch einen Schlitz.

Kidds Apartmenthaus sah man auf einem abgeschirmten Monitor. Die Frau gab ihm Kopfhörer mit einem Kehlkopfmikro. Er rückte sie gerade zurecht, als der Kilometer entfernte Techniker Jerry sagte: »Anruf. Handy.«

Während sie in dem dunklen Raum auf einem Monitor die Fenster betrachteten, hörten sie ein Telefon klingeln. Das hielt zehn, fünfzehn Sekunden, war gut zu hören, wurde leiser. Dann klingelte es wieder, laut...

Ja?

Weckruf, Kumpel.

Leck mich.

Hör zu, hör zu, es gibt Ärger. Ernsten.

Was?

Vom alten Mädchen, ich ruf dich in fünf drauf an, okay?

Ja, geht klar.

Klicken.

»Was sollte das jetzt?« Kielys Stimme.

»Habt ihr den Anrufer?«, sagte Villani.

»Handy«, sagte Jerry. »Bringt uns nicht weiter.«

Die Stimme in Villanis Kopf.

Vom alten Mädchen, ich ruf dich in fünf drauf an, okay?

Altes Mädchen? Altes Mädchen?

Kiely sagte: »Mit Laser...«

»Kidds Tante«, sagte Villani. »Mrs. Hocking. Überprüft sie auf Handys, die Hotline.«

»Klar.«

Sie warteten.

Im Wohnzimmer wurde es hell.

Ein großer nackter Mann war in dem Zimmer, kratzte sich beidhändig die Kopfhaut, dann den Brustkorb, griff sich mit der rechten Hand in den Schritt.

Birkerts sagte: »Das ist er. Die Zielperson.«

Der Mann ging zur Anrichte, sie sahen den keilförmigen Rücken eines Bodybuilders, die muskulöse Einkerbung seines Rückgrats, er drehte sich halb um, sie sahen ihn von der Seite.

»Herr in Himmel«, sagte Birkerts. »Wie ein tief hängender Ast. Er wählt... haben wir das?«

»Nein«, sagte Jerry.

Villani sagte: »Der Festnetzanschluss?«

»Zu weit weg.«

»Mir wurde gesagt, wir hätten mittlerweile den Laser«, sagte Birkerts. »Die fortschrittlichste der Menschheit bekannte Technik.«

»Mr. Kiely?«, sagte Villani.

»Ich frag nach«, sagte Kiely. »Soll ich Mr. Colby informieren?«

»Schaffen Sie bloß den Scheißlaser her. Ist der Prado markiert?«

»Elefant setzt sich in Bewegung«, sagte Birkerts.

Kidd verließ das Zimmer.

»Kleiner Arsch«, sagte Birkerts nachdenklich.

Drei Sekunden, Schlafzimmerbeleuchtung, die vertikalen Jalousien öffneten sich, sie sahen, wie Kidd ein Fenster kippte.

»Aber Eierbecher wie für 'n Vollbluthengst, wie für Phar Lap«, sagte Birkerts.

Die Sicht durch Jalousien in Scheiben geschnitten, beobachteten sie den Mann, wie er umherging, Klamotten überstreifte, sich aufs Bett setzte, Schuhe anzog.

»Duscht nicht«, sagte Birkerts. »So benimmt sich keiner vor einem Date. Ist der Prado verwanzt?«

»Inspector Kiely soll das bestätigen«, sagte Villani.

Ihm dämmerte, dass all das ein schwerer Fehler war. Colby und Kiely hatten recht gehabt. Er hätte die SOG-Leute reinschicken sollen. Wenn sie Kidd jetzt verlieren würden, wäre er schuld, ganz allein er.

Kidd stand auf, verließ das Schlafzimmer.

»Zähne putzen, pinkeln«, sagte Birkerts. »Ich würde… meine Güte, wer ist das denn?«

Eine Gestalt im Wohnzimmer, schlank, langhaarig.

Er ging in die Küche, duckte sich hinter der Anrichte, nur sein Schädeldach war zu sehen.

»Mitbewohner?«, sagte Villani. »Fester Freund?«

Der Mann stand auf, T-Shirt, bog um die Anrichte, Hände hinter dem Rücken, sein Oberkörper wand sich.

»Was macht er da?«, sagte Birkerts.

»Könnte 'ne Kanone sein«, sagte Villani. »Im Innenholster. Da ist Kidd.«

Kidd und der Mann unterhielten sich, Kidds rechte Hand in der Luft. Der zweite Mann hatte eine lange Nase.

Villani merkte, dass noch jemand bei ihnen in dem dunklen Raum war. Tomasic.

Kielys Stimme: »Problem mit der Markierung des Wagens. Ein Missverständnis.«

»Missverständnis?«, wiederholte Villani. »Was zum Teufel gibt's da misszuverstehen?«

»Die Dringlichkeit war nicht ganz deutlich geworden.«

»Herrgott noch mal.«

Es war zwar zu spät, aber jetzt musste es sein.

»Ich will die SOG jetzt«, sagte Villani. »Höchste Dinglichkeit.«

»Nun, das ist …«

»Machen Sie's einfach, Inspector. Sofort.«

»Die Typen könnten möglicherweise aufbrechen«, sagte Birkerts. »Sind wir darauf vorbereitet?«

»Inspector Kiely?«, sagte Villani.

»Sie sagen, sie wären gerade ziemlich überlastet und dachten, sie hätten mehr Zeit.«

Villani sagte: »Drei Tote, ist das nicht dringlich genug? Ich bringe auch das letzte dieser Arschlöcher eigenhändig um, wenn wir die beiden verlieren.«

Der zweite Mann hatte das Zimmer verlassen. Vor der Küchenbeleuchtung zeichnete sich Kidds Umriss ab. Er hatte den Kopf leicht abgewandt, sodass sie sein Profil sahen, den ausgeprägten Wulst über den Augen. Er sprach in ein Handy, steckte es weg, durchquerte das Zimmer, schob die Balkontür auf, trat ans Geländer, sah auf die Straße, legte die Hände hinter den Kopf, schwenkte den Oberkörper von einer Seite zur anderen.

»Nach unten«, sagte Villani.

Die Straße, nichts bewegte sich.

»Rauf.«

Kidd rieb sich mit beiden Händen Gesicht und Kopfhaut, schaute auf die Uhr, ging wieder rein, schloss die Tür, verließ das Wohnzimmer. War nicht mehr zu sehen.

»Er geht nicht aus, würd ich sagen«, sagte Birkerts.

Sie beobachteten die leeren Zimmer. Villani spürte die Anspannung, an der Kopfhaut, um den Mund. Irgendetwas stimmte hier nicht.

»Das gefällt mir nicht«, sagte er.

Sie warteten. Eine Minute. Zwei Minuten.

Villani wusste Bescheid. »Scheiße, sie sind weg«, sagte er.

Sie waren einfach aus der Haustür marschiert, und niemand war da.

Sie schafften es vielleicht gerade noch bis zu dem Prado, ehe der Wagen wegfuhr.

»Wir müssen unsere eigene SOG sein«, sagte er.

Er rannte zur Tür, die Treppe runter, hörte Winter und Tomasic hinter sich.

Sie gingen einen halben Block weiter unten auf die andere Seite.

Er schickte Tomasic einmal um den Block herum, die Straße zustöpseln. Mit Winter im Schlepptau ging er die Straße runter, lief die schmale Auffahrt zu Kidds Wohnhaus hoch, hielt vor der Ecke an, spähte umher, mit einem Auge.

Zwei Sicherheitsleuchten beschienen den kleinen Parkbereich, vielleicht ein Dutzend Autos, der Prado am Ende, dahinter eine hohe Mauer.

Noch nicht weg. Sie waren noch in dem Gebäude.

Villani zog seine Glock. Er hatte einen trockenen Mund. »Ich übernehme die Tür«, sagte er. »Sie nehmen die Feuertreppe.«

Winter sagte: »Chef.«

Als Villani sich in Bewegung setzte, ging die Hintertür auf, und eine Gestalt sprang die drei Stufen hinunter, ein großer Mann, großer Oberkörper.

Kidd.

Villani rief: »POLIZEI! KEINE BEWEGUNG!«

Kidd sah sich um, ging weiter. Villani nahm ihn ins Visier, beidhändig.

Greg Quirk kam ihm in den Sinn. Er schoss nicht.

Eine Waffe in Kidds Hand, er war Linkshänder, was keiner bemerkt hatte. Rotviolettes Mündungsfeuer, zwei, drei Kugeln prallten über ihnen von der Mauer ab, Villani verlor das Gleichgewicht.

Kidd lief über das offene Gelände, schnell für einen so großen Mann, Villani wollte ihn wieder ins Visier nehmen, der Mann lief auf die Fahrbahn zu, änderte die Richtung, sprang auf die Motorhaube eines Wagens, nahm Schwung wie auf einem Trampolin, brachte beide Hände auf die Mauerkrone. Er hievte sich hoch, schwang das rechte Bein rüber.

Weg war er.

Villani sagte zu Winter: »Sagen Sie ihnen, Zielperson ist über die hintere Mauer, wir folgen.«

Er rannte los, Waffe ins Holster, stieg auf die Motorhaube eines VW, Lauries Modell, das fiel ihm auf, kletterte auf das Fahrzeugdach.

Irrsinn. Kein Kinofilm, das war SOG-Arbeit.

Er sprang an der Mauer hoch, zog sich nach oben.

Kein Kidd.

Der schmale Hinterhof irgendeiner Firma, eine gläserne Mauer, das Haus unbeleuchtet, ein langes Trainingsschwimmbecken, grün schimmernd wie das Innere einer Welle im Hochsommer.

Über die Mauer und auf die andere Seite?

Er hatte Angst. Doch er hatte bei der Sache Scheiße gebaut, und jetzt blieb nur noch, keine Angst zu zeigen.

Mach nie einen Schritt zurück, mein Junge. Ist nicht gut für die Seele.

Kidd würde sich hier nicht aufhalten, Kidd würde laufen, möglichst weit wegwollen, einen Wagen nehmen, hier brauchte er vor nichts Angst zu haben.

Villani schwang sich hinüber. Er tat sich an den Eiern weh, blieb hängen, fiel einen guten Meter tief, landete hart, die Knie knickten ein, er verlor das Gleichgewicht, kippte nach hinten weg, rollte weiter, die Pistole drückte gegen seine unteren Rippen.

Er rappelte sich auf, löste den Clipverschluss, nahm die Waffe heraus, ging am Rand des Beckens entlang. Wie war

Kidd hier rausgekommen? Das Gebäude nahm den ganzen Block ein, von einer Mauer zur anderen, rechter Hand gab es ein Rolltor, durch das man von der Straße hereinkam, an beiden Enden eine Garage mit Toren.

Eine Stahltür rechts von der Garage stand einen Spalt breit offen. Da kam man raus.

Villani lief zum Ausgang, kniete an der Garagenwand und zog die Tür auf, wappnete sich gegen mögliche Kugeln.

Eine Passage, am anderen Ende eine Tür, offen. Zwanzig Schritte, und er stand draußen auf dem Pflaster.

Eine baumbestandene Straße, voller parkender Autos, Laternenschein in verwinkelten Pfützen. Links, rechts? Er ging nach rechts, überquerte die Straße, lief, hörte das Röhren und Quietschen eines um die Ecke biegenden Wagens, nicht weit weg.

Er kam hin. Rücklichter, Bremsleuchten, ein Fahrzeug schwenkte nach rechts, um es gut zu erkennen, war es zu dunkel, er hörte erneut quietschende Reifen, der Wagen war wieder abgebogen.

Jemand lief. Er kam um die Kurve, mit gezogener Waffe. Tomasic.

»Gesehen?«, sagte Villani.

»Ein Ford«, sagte Tomasic. »Zwei Männer.«

Hinter Villani kam Winter angelaufen, Waffe in einer, Funkgerät in der anderen Hand.

»Sagen Sie Inspector Kiely, wir brauchen einen Heli«, sagte Villani. »Höchste Priorität. Zwei Männer, bewaffnet.« Er gab Tomasic ein Zeichen.

»Ford Mark zwei«, sagte Tomasic. »XR6, Spoiler, dunkle Farbe. Fahrtrichtung Westen.«

Sie gingen zurück, Winter sprach mit der Einsatzzentrale.

Ein karrierezerstörender Augenblick, dachte Villani. Wenigstens war er bei Kidds Verfolgung über die Mauer geklettert. Keiner konnte behaupten, er habe gekniffen.

In dem Kommunikationsfahrzeug betrachteten sie die Monitore. Graue Ansicht der Straße vom Hubschrauber aus: die vierspurige Western Ring Road, sechs oder sieben Fahrzeuge zu sehen.

Zielfahrzeug hinter zwei Schwerlastern, er hat keine Eile. Skyeye Two lässt sich zurückfallen.

Der Ford und zwei frühe Trucker fuhren im Konvoi. Die Wagen wurden kleiner.

Der Hubschrauberpilot sagte: *Einsatzfahrzeuge fahren auf den Freeway.*

Zwei Autos auf der Zufahrt.

Rauschen. Funkgerät:

Zentrale an KF, Unterstützungsfahrzeuge an der Zufahrt Deer Park warten auf Anweisungen.

Sie sahen Villani an.

Er sagte: »Fahren Sie los, bleiben Sie vor dem Wagen, nichts unternehmen, wir begleiten Zielfahrzeug wenn nötig bis Darwin.«

Die Funkzentrale wiederholte seine Worte.

Verstanden, Zentrale.

Skyeye Two. Zielfahrzeug in Sicht. Es verlässt die Spur…

Der Ford wechselte die Spur, ohne Eile, wollte nur überholen.

Auf einer Höhe mit dem hinteren Lkw.

Ausfahrt Deer Park etwa ein Kilometer, KF, Zentrale.

Der Ford auf gleicher Höhe mit dem vorderen Lkw.

Er beschleunigt, linke Spur, will vielleicht abfahren... Oje, das ist Mist... Oje...

Der Ford schien nach links zu schleudern, nach rechts, der Fahrer verlor die Kontrolle, der Wagen überquerte zwei Spuren, schien sich zu fangen, kam wieder ins Schleudern, schien zu bremsen...

Er hat die Kontrolle verloren...

Der Ford prallte mit voller Wucht gegen die linke Leitplanke, die Motorhaube sprang auf.

Grauer Rauch, wie schmutzige Watte.

Die Lastwagen fuhren an der Stelle vorbei.

Scheiße.

Ein Feuerball.

Zielfahrzeug ist explodiert. Wie eine Bombe.

Zentrale an alle Einsatzwagen, das ist Alarmstufe rot, ich wiederhole: rot, verfolgende Fahrzeuge sperren den Unfallort auf dem Freeway ab, wir brauchen Notärzte...

Der Heli flog tief hinunter, schwebte über den Flammen. Das Auto war bis zur Unkenntlichkeit zerstört. Der Motorblock lag drei Meter von der Antriebswelle entfernt, der Highway war von qualmenden Teilen übersät, das Lenkrad ein brennender Ring, der Rücksitz brannte am Straßenrand. Daneben lag die obere Hälfte einer Leiche.

In dem Van, die Haare nass von Schweiß, hörte Villani den Funkverkehr mit und sah die verfolgenden Fahrzeuge eintreffen, den Highway abriegeln, die Notfallroutine abspulen.

Jetzt gab es fünf Tote.

Der Funkzentrale sagte er: »Sagen Sie ihnen, im Wagen waren Waffen, die haben jetzt Priorität.«

Villani stand in Kidds Küche, die Augen in Höhlen aus Schotter. Sein Handy klingelte.

»Stephen, was ist mit Lizzie?« Laurie.

»Ist okay, ja. Man hat sie gefunden.«

»Wo ist sie?«

Wie viele Stunden war das her? Seine Haut fühlte sich straff an, als dehnte er sich aus.

»Äh, man hat sie auf dem Umzug in Beaconsfield mit irgendwelchen Pennern aufgelesen, zugedröhnt. Sie ist auf dem Revier, ich war beschäftigt, wollte gerade ...«

»Welches Polizeirevier?«

»Wo bist du?«

»Unterwegs vom Flughafen. Wo ist sie?«

»St. Kilda. Sie behalten sie dort.«

»Wir haben Viertel vor zwei, wie lange ist sie schon dort?«

»Eine Weile, doch. Stunden. Kannst du sie abholen? Ich hatte 'ne schlimme Nacht, bin noch nicht ganz fertig.«

»Wir reden hier von deiner Tochter«, sagte Laurie. »Du jämmerlicher beschissener Dreckskerl.«

Anruf Ende.

Colby trat ein, Augen wie Schlitze, Haare angeklatscht, Hände in den Taschen seiner Windjacke, sah sich um, als hätte man ihn beauftragt, den ganzen Laden zu desinfizieren.

»Sie sind früh auf, Chef«, sagte Villani. »Oder spät.«

»Das hier ging total in die Hose«, sagte Colby.

»Lässt sich nicht bestreiten.«

»Nein. Wann hat Sie dieser verfluchte Todeswunsch über-kommen?«

»Ich würde sagen, würde sagen, auf dem Band gibt's Inte-ressantes zu sehen.«

Colby musterte ihn aus blutunterlaufenen Augen, tiefe Fal-ten führten zur Nase. »Muss mal pullern«, sagte er. »Soll ich Ihnen den Tatort vollpissen? Oder in eine Plastiktüte?«

»Den Gang runter, zweite Tür links«, sagte Villani.

Er wartete, dachte an nichts, sah der Spurensicherung zu, die Fingerabdrücke sicherte. Er spürte das Gewicht seines Körpers, seine schmerzenden Schultern, die Waden, spürte, wie viel Zeit seit dem Aufwachen vergangen war.

Finucane neben seiner Schulter. »Chef, sie sagen, die Iden-tifizierung dauert. Von den Typen ist nichts übrig geblieben. Aber sie hatten zwei Kanonen.«

Colby kam wieder. Finucane trat den Rückzug an.

»Zurückhaltend formuliert«, sagte Colby, »haben Sie rund um die Uhr mit Schadensbegrenzung zu tun. Vergessen Sie angeblich Interessantes auf irgendeinem Scheißband, das liegt im Giftschrank. Ein beschissenes Wespennest.«

»Wieso?«

Ein Bob-Villani-Blick, das typische *Herrgott noch mal, wie oft muss ich dir das noch zeigen?*

»Denken Sie mal drüber nach«, sagte Colby, »wie viele Leute hier mit drinstecken. Die Leute von der Mautstraße, die es Ihnen erzählt haben. Ihr eigene Saubande. Wie viele ha-ben den Namen gehört? Barrys Büro. Ich. Was ist mit mir? Vielleicht fall ich Ihnen in den Rücken.«

»Und?«

»Sagen Sie Ihren Leuten, wenn sie irgendjemandem auch nur ein Sterbenswörtchen über Interessantes auf dem Band erzählen, ist ihre Laufbahn beendet. Klar?«

Colbys Assistent kam rein, flüsterte ihm etwas zu.

»Die Hyänen sind da«, sagte Colby. »Searles Meerkatzen

sei Dank. Ich verschwinde durch den Hinterausgang. Brauchen Sie einen Rat, was Sie sagen sollen?«

»Nein, Sir.«

»Sagen Sie mir nicht, Sie hätten was gelernt. Schockieren Sie mich bloß nicht.«

Villani wartete eine Weile. Finucane wartete mit den Händen in den Taschen. Sie gingen runter, überquerten die schmale, gelb gefliese Fläche bis zu den Glastüren, eine Uniform öffnete eine Tür. Die Schlange war ein paar Meter entfernt, drei Cops, Beleuchtung, Kameras, mächtige Mikrofone, ungepflegte Techniker.

Die Reporter ließen ihre Zigaretten fallen, traten vor, drittklassige Reporter, die Haare steif von Chemikalien.

Villani ging zu der Meute hin, war ein paar Sekunden lang geblendet.

»Guten Morgen«, sagte er, wartete.

Der Junge von Kanal Neun hob die Hand, sagte: »Inspector, die Oakleigh-Morde, darum geht es, wie es hieß, können Sie bestätigen...«

»Nein«, sagte Villani.

»Es geht nicht um die Oakleigh-Morde?«

»Ich kann nur sagen, dass hier im Zuge von Ermittlungen ein Grundstück durchsucht wird.«

Schweigen. Das stand nicht im Drehbuch.

»Inspector, die Schüsse, die abgegeben wurden...«

»Es gab den Versuch, eine für uns interessante Person zu befragen, die sich entfernte, ehe dieses Gespräch stattfinden konnte«, sagte Villani. »Wenn Sie mich jetzt entschuldigen würden, ich habe vor Tagesanbruch noch etwas zu erledigen.«

Eine Frau sagte: »Inspector, finden Sie nicht, wir verdienen...«

Villani hätte am liebsten gesagt, Kanal Sieben verdiente genau das, was er bekam, stattdessen sagte er: »Ich kann nicht mehr sagen, weil es nicht mehr zu sagen gibt. Danke sehr.«

Finucane ging voraus, die Menge teilte sich, sie gingen die Straße hinunter zu ihrem Wagen, einen halben Block entfernt. Finucane wendete vorsichtig.

»Nach Hause, Chef?«, fragte er.

»Was genau ist das eigentlich?«, sagte Villani. »Und wo?«

Lauries VW stand in der Auffahrt, die Außenbeleuchtung am Haus brannte. Mit bleischweren Schritten ging Villani den Weg hinunter, stand vor der Tür, suchte seinen Schlüssel.

Die Tür ging auf.

Laurie.

»Na, hallo«, sagte Villani. Er versuchte, sie zu küssen, ein Reflex, doch sie trat zurück, ohne ein Wort.

»Hör mal, es tut mir leid«, sagte er. »Ganz schlechter Tag für eine Szene. Hast du sie?«

»Nein«, sagte sie.

»Was?«

»Ich hatte den Wagen unten in der Chapel Street geparkt. Wir gingen nebeneinander, ich hatte den Arm um sie gelegt. Am Wagen ging ich auf meine Seite und sie ums Auto herum auf die andere, und weg war sie.«

»Oje.«

»Sie sah mich an und sagte: ›Mum, ich kann nicht nach Hause‹, und dann lief sie weg, um die Ecke.«

»Bist du ihr gefolgt?«

»Ich bin in den Wagen gestiegen und um die Ecke gefahren. Sie war weg, hat sich vielleicht versteckt.«

»Hast du im Revier Bescheid gesagt?«

»Da hieß es, man würde sie wieder zur Suche ausschreiben.«

»Womit zum Teufel haben wir so was verdient?« Villani zog sein Handy hervor, ging durchs Haus nach hinten in den Garten, stand im Halbdunkel, führte zwei Telefonate.

Laurie war in der Küche. »Irgendwas Neues?«

»Alle suchen nach ihr. Wenn sie herumläuft, wird man sie finden.«

»Was ist?« Corin stand in der Tür, im Pyjama.

»Ich hab Lizzie im Polizeirevier von St. Kilda abgeholt«, sagte Laurie. »Dann ist sie weggelaufen.«

»Wann?«

»Oh, vor einer halben Stunde.«

»Wie lange war sie da?«

»Stunden«, sagte Villani. »Ich hatte 'ne Menge um die Ohren.«

»Meine Güte, Dad, warum hast du mich nicht angerufen? Ich hätte sie abgeholt.«

»Ich dachte, ein bisschen Realität könnte ihr nichts schaden«, sagte Villani.

»Du blödes Arschloch«, sagte Laurie. »Und du nennst dich Vater?«

Er fühlte keine Wut, nur unterschiedliche Varianten von Verachtung. »Würdest du dich nicht dein halbes Leben in Queensland rumtreiben und irgendwelche Scheißkameramänner vögeln, wär das nicht passiert.«

Laurie drehte sich zu Corin um: »Geh ins Bett, Schatz.«

Corin sah Villani an, hob die Hände. »Dad, ich hab gesagt, ich würde mich um sie kümmern.«

»Ich weiß«, sagte Villani. »Ich weiß.«

»Weck mich, wenn man sie findet«, sagte Laurie. Ihrem Mund sah man den Abscheu an. »Falls dir das nicht zu viel Mühe macht.«

Villani ging zu Tonys Zimmer hinten im Garten, musste die Tür aufstemmen. Der Raum roch wie der Kuss eines Rauchers. Er tastete sich zum Bett vor, knipste die Lampe an. Die Birne flackerte, beging durch einen Stromschlag Selbstmord. Er zog sich aus, lag nackt auf dem Bett, sein Brustkorb wie in einer Schraubzwinge.

Denk an was anderes. Der Rauch stammte noch von dem Abend, als es Vic Zable auf dem Parkplatz des Arts Centre erwischte, von dem Tag, als Cashins Bruder Selbstmord begehen wollte. Wie lange war das her? Sechs, sieben Monate? Es war Winter gewesen. Cashin hatte in diesem Zimmer geschlafen. Doch davor hatten sie zwei Flaschen Rotwein geleert, beide hatten Zigaretten ausgetauscht, hatten fast ein ganzes Päckchen geraucht, über die Arbeit und das Leben geredet, über Entscheidungen, wobei sie Scheiße gebaut hatten…

Er wachte auf, setzte sich senkrecht hin, wusste nicht, wo er war, stellte die Füße auf den Boden.

Wo war er?

Es fiel ihm wieder ein, und er senkte die Stirn auf die Hände, rieb sich mit den Daumenballen die Augen.

Es war Viertel nach sieben. Er ging in den schon heißen Tag hinaus. Lauries Auto war weg. Corin war weg, ihr Bett gemacht. Er duschte, rasierte sich, zog sich an, packte seine Tasche, nahm alles mit, was er noch anzog, schmiss den Rest in den großen Mülleimer. Dann fuhr er davon, hielt an der Milchbar, um Zigaretten zu kaufen.

»Sie rauchen wieder?«, sagte der Besitzer. »Setzt Ihnen die Arbeit zu?«

»Überhaupt nicht«, sagte Villani. »Ich hab dermaßen viel Scheißspaß, dass ich unbedingt rauchen will.«

Im Wagen, während er freudlos rauchte, rief er Kielys Handy an.

»Seid ihr bei der Identifizierung des zweiten Typs weitergekommen?«

»Noch nicht«, sagte Kiely. »Wir haben seine Fingerabdrücke aus Kidds Wohnung.«

»Scheiße«, sagte Villani. »Jedenfalls hat irgendwer Kidd fallen gelassen. Deshalb müssen wir zuerst den Kreis der Verdächtigen eingrenzen. Jede einzelne Person überprüfen, die es getan haben könnte. Sämtliche ausgehenden Telefonate von dem Zeitpunkt an, als Tracy ihn identifizierte. Also sein Zuhause, Frau, Kinder, die Freundin, den Freund, alle. Setzen Sie Burgess dran.«

Kiely hüstelte. »Äh, das dauert seine Zeit.«

»Natürlich dauert das seine Zeit. Alles dauert seine Zeit, verdammt.«

Er spürte, dass Kielys Hass wie warmes Olivenöl in sein Ohr sickerte.

… zwei noch nicht identifizierte Männer starben heute früh kurz nach Mitternacht, als ihr Wagen auf der Western Ring Road von der Fahrbahn abkam und explodierte …

Er machte sich auf nach Essendon.

In dem großen, halbdunklen Raum in der Wellblechhalle, wo das Licht aus schmutzigen Oberlichtfenstern fiel, wo Leute seilsprangen, auf Sandsäcke droschen, im Ring tänzelten, wärmte sich Villani vor dem Spiegel beim Schattenboxen auf; kein Seilspringen, er ertrug es nicht, wenn die Speckfalten schwabbelten. Er ging weiter zum Speedball, dem an zwei Enden aufgehängten Punchingball. Als er aufhörte, fühlten sich Beine und Arme wie Pudding an, seine Hände, Ellbogen und Schultern schmerzten.

Les wurde auf ihn aufmerksam, stand im Ring, große Sparringhandschuhe auf dem Seil, ein langer weißer, tätowierter Knabe verließ gerade den Ring, mit Flecken auf den Armen.

»Kommaher«, sagte Les und winkte mit dem Handschuh.

Villani ging über den rissigen Beton, in dem sich der Schweiß von sechzig Jahren gesammelt hatte.

»Wo haste gesteckt?«, sagte Les. »Siehst scheiße aus.«

»Arbeit«, sagte Villani. »Arbeiten und Schlafen.«

»'n Scheißschmalzfass«, sagte Les. »Guckma deine Beine an, Kack-Zellulitis.«

»Bloß zwei, drei Kilo«, sagte Villani. »Kann ich jederzeit loswerden.«

»Komm rein, werd sie mit mir los«, sagte Les. »Kleines Kämpfchen is genau das Richtige, ich werd nächsten Geburtstag sechsundsechzig, wie gefällt dir das? Bisschen jung für dich, Schweinebulle?«

Wenn er einen aufforderte, war mitmachen Pflicht. Sonst

war man im Club weniger willkommen, musste sich eine andere Halle suchen, aber es gab keine anderen Boxhallen wie Bombers, sah man von einem Schuppen in Richmond ab, der noch spezieller war, wo man für Flüchtlinge aus Bombers nichts übrig hatte.

Les' Bilanz als Amateur belief sich auf einundfünfzig Kämpfe, achtunddreißig Siege, im Leichtgewicht, elf technische K. o., nie hatte er einen einzigen Gegner k. o. geschlagen, dazu fehlte ihm der Punch, aber er war auch nie k. o. geschlagen worden. Er war ein sachlicher Boxer, tänzelte nicht herum, war auch kein Schläger. Seine Laufbahn bei den Profis war kurz gewesen: elf und vier, seine letzten drei hatte er verloren, zweimal in Folge ausgeknockt. Beim zweiten Mal wachte er im Krankenwagen auf. Und dann bewies er, dass er nicht dumm war. Er beendete seine Karriere als Boxer und begann ein neues Leben: als Pferdebursche, als Jockey, als stellvertretender Geschäftsführer eines Boxclubs, als Boxtrainer, um vier Uhr aufstehen, abends um neun ins Bett.

Villani legte einen Kopfschutz an, näherte sich dem Ring, scheiß auf den Mundschutz, er bekam schon keinen Schlag auf den Mund.

Les wies auf seinen Mund. »Haste jetzt die Falschen drin? Brauchst du keine Zähne?«

Villani ging zu seiner Tasche, fand den Mundschutz, Gott allein wusste, welche Bakterien daran klebten.

Einmal, als er hier anfing, hatte er Les beim Sparring mit einem Mann zugesehen, der dreißig Kilo schwerer war, einen ganzen Kopf samt Schultern größer, ein Footballstar aus North Melbourne, ein Mann, der sich für einen Boxer hielt, inzwischen eine lebende Legende, man hörte ihn im Radio von den guten alten Zeiten plaudern, wie hart es gewesen war, welche Typen er plattgemacht hatte. Les traf ihn nach Belieben, nicht fest, piesackte ihn. Der Mann verlor die Kontrolle, der rote Nebel, er vergaß zu boxen und ging auf Les los, wollte ihn packen. Les ging ein paar Schritte zurück, stand plattfüßig da. Er schlug den Mann zwei-, dreimal ins Gesicht, dann in die Rippen, beidhändig, vier oder fünf Schläge so schnell, dass man sie nicht auseinanderhalten konnte.

Der Mann ließ die Arme sinken, sackte in sich zusammen, wankte nach Luft schnappend beiseite, hing am Seil, um nicht zu fallen, würgte.

»Du darfst nicht so offen sein, Mann«, sagte Les, »sonst tut dir noch mal jemand weh.« Er winkte den nächsten Sparringspartner heran.

Als Villani jetzt im Ring stand, ging er direkt auf den kleinen, hageren Mann los. Für Tändeleien hatte Les nur Verachtung übrig, jemanden umkreisen und herumfuchteln war Zeitverschwendung. »Spar dir das für wenn du in der Scheiße sitzt«, sagte er.

Les stand in perfekter Grundhaltung da, dünne weiße Beine, weiße Söckchen, Hände bewegungslos, Mund immer in Bewegung, *sieh mich an, sieh meine Hände an, ach Gottchen, du siehst langsam aus, Bürschlein, scheißlangsam, sieh mich an…*

Sie tauschten Finten aus, Villani erwischte es im Gesicht, nicht fest, *lass die Hände oben, bist kein Ali, du Arsch,* nahm die Hände hoch und bekam eine Linke und eine Rechte in die unteren Rippen, das tat weh, Les attackierte ihn jetzt rechts, nicht seine gute Seite, er hatte nie eine gute Seite gehabt, er brachte seine Linke durch. Les runzelte die Stirn – *he, he, 'n alten Mann schlagen, typisch Scheißbulle.*

Er hatte Xavier Dance im Bombers kennengelernt, musste damals wohl neunzehn gewesen sein. Dance war ein, zwei Jahre älter, ein guter Boxer, elegant, aber ihm stieg das Blut in den Kopf, er verlor die Konzentration. Außerdem steckte er nicht gern ein. Damals gab es noch die Polizeiwettkämpfe, zweimal boxten sie um den Titel, einen verloren, einen gewonnen, Villani fand, er habe genug gezeigt, um auch den zweiten zu gewinnen. Matt Cameron, Chef der Räuber, war an diesem Abend in der Halle, er kam rum und sagte: »Schon mal dran gedacht, zu den Räubern zu wechseln? Das wär vielleicht was für Sie.«

»Komm schon«, sagte Les. »Die Rechte, Fettarsch, mehr hast du nie gehabt.«

»Du kannst mich mal.« Villani teilte ein paar Schläge aus, Les blockte sie ab, wich zurück, griff wieder an, kurze Schläge mit der Führhand, dann traf seine Rechte Villani im Gesicht.

Im Bombers angenommen zu werden, hieß, dass man es mit dem Training und dem Boxen ernst nahm und nichts dagegen hatte, sich von Les sagen zu lassen, was man falsch machte, warum es ihm so leichtfiel, einen zu treffen, dass man ein Arschgesicht sei. Er spazierte um einen herum, schlug ein bisschen zu, was nicht sehr wehtat, einen aber müde machte, und auch wenn man durchhielt, spielten nach einer Weile die Füße nicht mehr mit, man verlor die Balance, und dann verpasste er einem seinen linken Haken, traf den Kopf, den Körper, ein guter Schlag, der im Lauf der Jahre kaum schwächer wurde.

»Langsam wie 'ne Schnecke, du Schwabbel«, sagte er jetzt.

Sie tauschten Finten aus, Villani griff an, ließ die Ellbogen am Körper, versuchte, Les zurückzudrängen, Les schoss eine Linke ab, Villani setzte nach, deckte ihn mit einem Hagel von Schlägen ein, die alle abgeblockt wurden, Les narrte ihn, setzte nach, verpasste ihm eine kurze Rechte in den Solarplexus, traf ihn mit einer Linken in die Rippen, Schmerzen.

»Meine Güte«, sagte Villani. »Mach mal halblang. Ich bin müde.«

»Du Mädchen«, sagte Les. »Du Bullenmädchen.«

Es war nicht lustig. Nach nicht einmal einer Minute stakste er um Les herum, mit schweren Beinen, schwer atmend. Er bekam ihn nie zu fassen, machte ein paar harmlose Schwinger, verlor die Konzentration, wollte ihm den Kopf abschlagen.

»Herrje, sind wir jetzt ein Kämpfer?«, fragte Les. »Hast meine Zeit vergeudet. Technik, Jungchen, Technik, sonst biste bloß 'n beschissener Kneipenschläger.«

Villani hatte zu boxen begonnen, weil er nicht mutig war, weil sein Vater immer so tat, als wäre sein Ältester mutig, und sein Ältester wusste, dass das nicht stimmte. Was ihm keine Ruhe ließ. Er dachte, Boxen würde ihm vielleicht Mut geben. Dem war nicht so, doch es gefiel ihm von Anfang an – die Übungen, der Drill. Und am meisten das Sparring, die Kämpfe. Wenn man im Ring stand, im Adrenalinrausch, und über die Deckung seiner Fäuste hinweg in die versteinerten Augen des anderen Mannes sah, nahm eine große Ruhe von einem Besitz.

Es gab nichts anderes, eine Welt hielt an. Nur zwei Männer, der Geruch von Handschuhleder, von Harz, von Salbe, man nahm an einem Tanz teil, hypnotisierte sich gegenseitig. Im Ring wurde die Zeit elastisch, dehnte sich aus, zog sich zusammen, dehnte sich aus. Man fühlte sich auf eine Art lebendig wie nirgendwo sonst. Es gab ein Gefühl von Ordnung, es gab Regeln, es gab eine klare Absicht, Mittel und Wege, es gab Disziplin und Macht. Man empfand wenig Schmerz, die Konzentration galt einzig und allein dem Gegner. Er war das Universum. Er war man selbst, und man selbst war er.

Les wich ihm nicht mehr aus, sondern ging auf ihn los, auf sein Gesicht und seinen Körper, oben, unten, vier, fünf, sechs, sieben Schläge, eine Schlagfolge, die er zehntausendmal gemacht hatte, Villani hatte die Deckung oben, wich zurück, auf den Fußsohlen, die Hände einen Moment zu weit oben, nicht ganz ausbalanciert.

Die linke Hand bohrte sich in Villanis rechte Achselhöhle, ein stechender Schmerz fuhr durch seinen ganzen Körper, Les' Rechte knallte gegen seinen Kopf, er hatte Wasser in den Augen.

Villani schüttelte den Kopf, nahm die Hände runter,

keuchte, ihm war übel, spuckte den Mundschutz aus. »Zufrieden, Opi?«, sagte er. »Hab dir ein paar Treffer zugestanden. Machste jetzt 'n Nickerchen?«

Les tätschelte seinen Arm. »Gar nicht übel«, sagte er, »für 'n abgefuckten alten Cop. Hast noch 'ne gute Rechte, bist ziemlich flink auf den Füßen.«

Aus dem Ring rief Les ihm nach: »Wenn du hier trainieren willst, dann mindestens zweimal die Woche, sonst verpiss dich. Und erzähl mir keinen Scheiß von wegen Arbeit. Im Fernsehen seid ihr nix als Scheißschauspieler, das ist der Job von euch blöden Cops.«

Im Wagen musste er an die junge Frau aus dem Prosilio denken. Deren Körper schon vom Leben gezeichnet war. War sie am Anfang das Gleiche gewesen wie Lizzie, ein geliebtes Kind? Wer würde ihrem Vater sagen, dass sein Töchterchen tot war? In einem Palast zu Tode gefickt.

Lizzie.

Ein affektiertes kleines Mädchen mit Zöpfen, das auf dem Sofa in dem alten Wohnzimmer gesessen hatte, vor der Renovierung, nicht fernsah, sondern Bilder malte, in ein großes Buch. Ihm fiel ein, wie er sie zu Bett gebracht hatte, als sie noch klein war. Zuerst mussten die Puppen schlafen gelegt werden, eine nach der anderen, sie hatte ungefähr zwanzig. Wenn es so lange dauerte, dass er es nicht mehr aushielt, rief er Laurie, die ihn ablösen musste.

Ein mäkeliges Kind, sie aß kein Fleisch, sie aß keinen Fisch, sie mochte es nicht, wenn auf ihrem Teller die Speisen vermengt wurden, dann hob sie angewidert die Oberlippe, zeigte Zahnfleisch, winzige weiße Stummel, provisorische Zähne.

Das trieb ihn immer zur Weißglut. Corin und Tony hatten alles gegessen.

Meine Güte, Stephen, mach daraus keine Staatsaffäre. Das ist eine Phase, manche Kinder sind so.

Nicht zu meiner Zeit.

Nun, vielleicht sind ausgebildete Killer nicht die besten Vorbilder für künftige Eltern. Wir wohnen hier nicht in einer Kaserne.

Der Knock-out-Schlag. Er konnte seinen Vater, seine eigene Erziehung nicht verteidigen. Er hätte nicht gewusst, wo anfangen. Er hatte Bob nie als Vater gesehen, eher als dominierenden älteren Bruder, als einen viel, viel älteren Bruder, der einen mit einem einzigen Blick zum Schweigen bringen und so mit der Hand ausholen konnte, dass man glaubte, ein Rückhandschlag würde einen ins Koma befördern. Was er nie tat, nie schlug er einen der Jungs. Das brauchte er gar nicht.

Paul Keoghs Stimme aus dem Radio:

… ein Slapstick-Polizeieinsatz spät in der letzten Nacht endete mit zwei Toten auf der Western Ring Road. Wie ich aus verlässlichen Quellen erfahre, flohen die Hauptverdächtigen des Oakleigh-Massakers aus einem Wohnblock in der Roma Street, während sie unter polizeilicher Beobachtung standen. Ja, Leute, das Haus wurde mittels modernster Technik observiert. Genial, nicht wahr? In der Leitung haben wir den Sprecher des Polizeipräsidiums, Geoff Searle.

Morgen, Paul.

Diese Sache in South Melbourne, die gibt doch Anlass zu größter Besorgnis, oder?

Bei allem Respekt, Paul, bei Polizeieinsätzen geschehen Dinge, die niemand kontrollieren kann, das war ein…

Verdächtige entkamen, während Sie zusahen, das stimmt doch, oder?

Ich kann die Ereignisse nicht kommentieren, sondern nur betonen, dass unsere Beamten äußerst professionell vorgegangen sind und…

Also echt, Geoff, wie sehr hängt Ihnen dieser alte Spruch zum Hals raus? Äußerst professionell am Gesäß, um es mal frei heraus zu sagen. Zwei Mordverdächtige entkommen, während die Polizei sie beobachtet, und sterben später im Verlauf einer aberwitzigen Verfolgungsjagd…

Paul, es gab keine Hochgeschwindigkeitsverfolgungsjagd, das ist schlicht falsch…

Ich kann wohl nicht erwarten, dass Sie Farbe bekennen und das sagen, was wir beide wissen, stimmt's? Dass dieses Desaster in South Melbourne genau ins Bild passt? Was sagen Sie zu dem Gerücht, die Verdächtigen seien von jemandem innerhalb der Polizei vorgewarnt worden?

Dazu sage ich: einfach lächerlich, Paul. Einfach lächerlich. Es gibt absolut…

Mal sehen, was die Hörer denken, Geoff, wir wollen die Leitungen freigeben und…

Bei allem Respekt, Paul, ich bin nicht hier, um mich von Ihren Hörern befragen zu lassen, dazu bin ich nicht befugt.

Oh, tut mir leid. Mein Fehler. Ich dachte, Sie sprechen im Namen der Polizei? Haben Sie nicht gerade im Namen der Polizei gesprochen? Für wen genau sprechen Sie denn, Geoff?

Colby stand am Fenster, ging zu seinem Platz zurück, um den Schreibtisch herum. Er bewegte sich wie ein junger Mann, benahm sich auch wie einer, wohnte in einem Hochhaus in den Docklands mit seiner neuen Frau, einer Immobilienmaklerin, jung, blond und schwanger, wie es hieß.

»Die Kacke ist mächtig am Dampfen«, sagte er. »Haben Sie diesen Scheiß-Keogh gehört?«

»Ja.«

»So etwas möchte die Führung in Wahlzeiten nicht hören.«

»Welche Führung?«

»Die gesamte Führung. Ich dachte, ich hätte letzte Nacht die Richtung signalisiert. Und zwar jemandem, der mich ein wenig kennt. Hinsetzen.«

Villani sagte: »Ich höre mir Ratschläge an und vertraue meinem Urteilsvermögen.«

»Würden Sie sagen«, sagte Colby, »bei so einem Scheiß wäre es vernünftig, die SOGgies anzufordern, die entfernen die Rückwand und führen gleichzeitig ihren Seiltrick vor, wie heißt er noch?«

»Abseilen.«

»Ja, diesen Quatsch. Wenn die sie schnappen – hervorragend, die Täter des Oakleigh-Massakers im Gewahrsam. Wenn die sie töten, egal, ob's die Richtigen oder die Falschen waren, dann ist es deren Schuld, und Sie können es den schießwütigen Fitnessfreaks anlasten.«

»Im Lauf der Jahre«, sagte Villani, »habe ich den Eindruck

gewonnen, dass das Morddezernat den Auftrag hat, Leute zu erwischen, die andere Leute umgebracht haben. Und sie vor Gericht zu stellen.«

Colby legte die Hände hinter dem Nacken, rollte den Kopf auf dem dicken Rumpf, die Augen zur Decke gerichtet. »Stimmt, tja, das eine ist die heilige Aufgabe des Morddezernats, das andere ist Ihre Laufbahn«, sagte er. »Anruf Mr. Barry, heute Morgen, sechs Uhr fünfundvierzig, ich bin gerade von meinem Zwanzig-Kilometer-Lauf zurück, Sie verstehen. Fühle mich putzmunter. Er sagt, Gillam habe ihn angerufen und seiner Zufriedenheit mit der Arbeit des Morddezernats Ausdruck verliehen. Und raten Sie, wer den verdammten Gillam angerufen hat?«

»Wer?«

»Damit das klar ist«, sagte Colby, »Sie haben wirklich gedacht, wir sitzen einfach da und warten, dann öffnet sich die ganze Chose wie eine Blume?«

Villani sagte: »Sie wissen, was ich denke, Chef. Die sollten sich den Kopf darüber zerbrechen, wer Kidd und seinen Kumpel aufgegeben hat. Darüber sollten sie sich Sorgen machen.«

»Ich mache mir wegen Ihnen Sorgen«, sagte Colby. »Sie lassen sich von diesem Hightech-Müll blenden, diesem Crucible-Mist. Zehn Millionen Stunden abgehörte beschissene Telefonate, man kann dasitzen und sich aufregende Videoaufzeichnungen von Arschlöchern in Autos ansehen, die sich an den Eiern kratzen, das ist alles unwichtig, wenn dabei nichts weiter rumkommt als ein halber Liter warme Pisse.«

Villani fiel dazu nichts ein, weil Colby nicht ganz unrecht hatte. Die neue Welt der Observierung war verlockend, man sah die Stadt von hoch oben, zoomte sich in Gassen und Hinterhöfe, beobachtete Verfolgungsjagden, während sie gerade stattfanden.

»Und am Ende«, fuhr Colby fort, »sagen wir, scheiß auf den

Hightech-Kram, springen über Mauern und rennen hinter einem staatlich anerkannten Ex-SOG-Psycho her, der ganz gern auch mal auf Cops schießt. Doof wie Brot oder was?«

Sie starrten einander an.

Villani sagte: »Tut mir leid. Ich hab mich an ein paar echt miesen Vorbildern orientiert. Bescheuerte Volltrottel, die auf fahrende Autos springen.«

Colbys Telefon surrte. Er pflichtete dem Anrufer fünf- oder sechsmal bei, ehrerbietig, böser Blick, Augen immer auf Villani gerichtet, Glasmurmeln waren leichter zu lesen. Er verabschiedete sich, legte den Hörer auf.

»Man vertritt die Ansicht, Sie sollten sich wegen Oakleigh, Metallic, eine Weile im Hintergrund halten«, sagte er.

»Wessen Ansicht ist das?«

»Nehmen Sie es einfach hin.«

»Hab ich mir irgendwas zuschulden kommen lassen? Scheiß drauf.«

Colby zog an seinem Ohr, eine getrocknete Aprikose. »Nachdenken, mein Junge. Strategisch denken. Wir befinden uns in einer kritischen Phase. Die Leute, die das Sagen haben, sind sterbende Fische, Orongs Augen werden schon stumpf. Aber sie hoffen noch, sind immer noch paranoid, was schlechte Nachrichten betrifft. Andererseits hat Ms. Rottweiler Mellish ihre ganze Meute von der Leine gelassen, damit sie nach belastendem Mist schnüffeln.«

Er schaute Villani an. »Sie beispielsweise sind belastender Mist.«

»Belastet«, sagte Villani.

»Stimmt. Beides. Zweitens, Gillam wird zur Bundespolizei wechseln, Gott helfe den Dumpfbacken, damit sinkt deren IQ-Durchschnitt noch weiter. Mr. Barry steigt auf, amtierender Polizeichef. Wie man hört. Aber erst nach der Wahl. Also muss der Ire sich auf beiden Straßenseiten einschleimen.«

»Ich bin langsamer als gewöhnlich«, sagte Villani.

»Warum hält Barry Sie am Schwanz, schleppt Sie mit zu den Treffen der High Society?«

»Verraten Sie's mir, Chef.«

Colby hob die Hände, verschränkte die kurzen, robusten Finger zu einer Art Kaktus. Villani hatte mal gesehen, wie er in den Räumen des Dezernats einen bewaffneten Räuber hochhob und quer über einen Schreibtisch gegen die Wand warf. Ein alter Kalender fiel runter und drapierte sich über den Kopf des Mannes.

»Die Frau des Farmers will, dass O'Barry Papst wird«, sagte Colby. »Saubermann, von der hiesigen Kultur unbelastet. Doch der Knabe selbst weiß, das ist 'ne Mondlandung. Der Depp latscht in dicken Stiefeln durch die Landschaft, verdammtes Fischglas auf 'm Kopf. Weiß null plus gar nix über die Gegend, wo er sich befindet. In der. Egal.«

»Und?«, sagte Villani.

»Darum will er einen Kumpel haben«, sagte Colby. »Er braucht dringend einen Kumpel. Einen klugen Kerl, der die Scheiße von der Pieke auf gelernt hat, die ganze Arbeit gemacht hat, vom Abschaum beschossen wurde, einen tapferen und loyalen Gesetzeshüter, über den keiner ein schlechtes Wort sagt.«

»Schon das mit Quirk gehört?«, sagte Villani.

»Ich höre alles«, sagte Colby. »Jedenfalls ist Barry der dicke Junge, der sich an den harten Burschen ranschleimt. Der ihm den Mars-Riegel kauft.«

»Mir?«

»Unbedingt.«

»Er hat einen harten Burschen. Er hat Sie.«

»Nein, nein, Mann, mir kann er nicht trauen.«

Villani schüttelte den Kopf, er hatte keine Ahnung, was da vorging, es war ihm auch ziemlich egal, was teils am Schlafmangel lag, teils an seiner Dummheit, in die Boxhalle zu gehen. Er spürte jeden Treffer, den Les ihm verpasst hatte.

»Ich versteh's immer noch nicht«, sagte er.

»Also, falls es funktioniert, würden Sie direkt Kripochef werden«, sagte Colby.

»Ich?« Das konnte nicht stimmen.

»Sie.«

»Nein. Hat schon mal einer so einen Karrieresprung gemacht?«

»Sehen Sie sich um, mein Junge. Nichts als Deppen aus dem Verkehrsdezernat, ein bleibendes Vermächtnis unserer heiligen Fatima. Da fallen Sie auf wie ein Ständer in der Dusche des Nonnenklosters. Ein richtiger Cop.«

»Und Sie?«

»Tja, da können Sie würfeln«, sagte Colby. »Ich zieh mich gern mit 'ner Abfindung zurück. Übrigens will der Ire Sie eine Weile unter dem Schirm halten. Er hält sich bedeckt.«

»Und Kidd?«

»Ich hab das Band gehört. Da ist nichts Auffälliges.«

»Vor dem Anruf hat er sich nicht vom Fleck gerührt«, sagte Villani. »Dann nimmt er auf Tantchens Handy noch einen entgegen, und weg sind sie. Und zwar nicht im Prado.«

»Das sind alles nur Vermutungen. Und angenommen, er wurde fallen gelassen, so können wir unmöglich die Petzen finden. Klar?«

»Wir können es versuchen.«

Colby schnaubte wie ein Pferd. »Mann, Mann, greifen Sie bloß nicht in die Kacke, hier in diesem Job gibt's undichte Stellen vom Minister bis zur letzten Schreibkraft. Wem haben Sie den Namen als Erstes genannt? Mr. Barry?«

»Wenn ich mich recht entsinne, ja«, sagte Villani.

»In dem Fall lautet mein Rat: Vergessen Sie's. Wir sollten unbedingt rauskriegen, ob die Ballistik eine Verbindung zwischen den beiden Toten und Oakleigh herstellen kann. Dann können wir diesen Mist abschließen. Seien Sie dankbar, dass es Leute gibt, die sich um Sie kümmern.«

Villani empfand keine Dankbarkeit. »Ich bin dankbar«, sagte er.

»Na klar. Um Searle muss man sich Sorgen machen, der würde mich gern unter der Erde sehen. Seine ganze Familie würde gern Totenwache halten. Ich hatte das Vergnügen, in einem Kampf zwei Searles k. o. geschlagen zu haben, den Alten von diesem Arschloch und seinen Onkel, zwei schwächere Boxer hat man noch nie gesehen. Wissen Sie das?«

»Ja, Chef.«

Alle Polizisten wussten das, es war legendär. Früher hatte Colby diese Geschichte nie erwähnt, aber im letzten Jahr fünf- oder sechsmal. Kein gutes Zeichen.

»Collingwood, natürlich«, sagte Colby. »Da haben sie die Schlitzis ausgenommen, das war die Spezialität der Searles. Die Könige von Richmond, Herren der Saturn Bay, wo ihnen sogar die Kameltreiber gehorchen und die Handwerker ihre Häuser aus Material bauen, das sie von Baustellen geklaut haben.« Er hustete. »Wie ich höre, führen Sie Singletons Taktik fort, behandeln ihn wie Hundescheiße.«

»Er *ist* Hundescheiße.«

»Das lässt sich nicht bestreiten, Euer Ehren. Nun heißt es, die Frau des Landbesetzers habe den Schmeißfliegen erzählt, er sei ihre Wahl als Pressesprecher. Abhängig von seiner Leistung. Können Sie mir folgen?«

»Chef.«

Colby zeigte auf sein Gesicht. »Wieso die Rötung?«

»Alter Typ hat mich getroffen«, sagte Villani.

Colby sah ihn erstaunt an. »Den Mist machen Sie immer noch?«

Villani zuckte die Achseln.

»Warum gehen Sie nicht einfach auf der King Street spazieren? Da kriegt man umsonst eine in die Fresse.«

Er setzte sich an seinen leeren Schreibtisch und betrachtete den großen Raum vor seinem Büro. Seit er den Job übernommen hatte, am Tag von Singos Schlaganfall, waren über zwei Jahre vergangen. Selbst wenn man glaubte, den Chefposten nicht verdient zu haben, wuchs er einem doch ans Herz. Nach einer Weile meinte man, niemand könne ihn besser machen.

Kiely erschien, berührte seine pomadigen Haare, durchschritt den Raum, von niemandem beachtet, kam an Villanis Tür.

»Anweisungen?«, sagte er.

Villani fragte: »Schon rausgefunden, wer Kidd verraten hat?«

»Ich will sagen«, sagte Kiely, kurzes Lippenlecken, »ich möchte zu Protokoll geben, dass ich finde, diese Abteilung sollte professionell geführt werden. Nicht wie ein schlechtes Restaurant, wo der Geschäftsführer auch kochen will.«

Das war zu viel. Villani spürte den Druck in seinem Kopf, erwog aufzugeben, zu sagen: *Übernehmen Sie doch, ich kriege gerade eine Grippe*, und dann nach Hause zu fahren, auf die alte Couch im Hinterzimmer, schlafen, nichts als schlafen.

Die alte Couch war schon lange weg. Es war auch nicht mehr sein Zuhause.

»Wollen Sie damit Ihre Verantwortung für die Scheiße abwälzen, die Sie gebaut haben?«

Kiely riss die Augen auf. »Verzeihung, nichts gestern Nacht fiel in meine Verantwortung.«

»Ich erwähnte doch die immense Bedeutung der Überwachungsmaßnahmen, oder nicht? Kein Laser, keine Peilsender, wir haben den Arsch aus der Hintertür laufen lassen, auf mich und Winter schießen und dann verschwinden lassen. Wollen Sie mehr hören?«

»Ist für den Ausgang des Ganzen alles irrelevant. Und es wäre anders gekommen, wenn man sich über meinen Rat nicht lustig gemacht hätte. Das ist aktenkundig, mein Wort drauf.«

»Aktenkundig?«

»Memos an die Leitung.«

»Ah, die Kiwimethode«, sagte Villani. »Hier nennt man so einen Petze oder Verräter.«

Kiely probierte es mit dem Singo-Blick.

Villani sagte: »Sie starren mich an?«

»Zum nächsten Punkt, ich bin ferner der Ansicht, Weber sollte die Prosilio-Angelegenheit übernehmen.«

»Was stimmt nicht mit Dove?«

»Ist nicht so weit, Verantwortung zu übernehmen. Das hat er doch gezeigt, nicht wahr?«

»Haben Sie ihm das gesagt?«

»Noch nicht.«

Villani blickte in den großen Raum hinüber, wo Dove wartete, knochige Gestalt, saß mit hängenden Schultern auf einer Schreibtischkante, Kopf gesenkt, Licht spiegelte sich auf seiner Kopfhaut wider.

»Meine Güte, Mann«, sagte er. »Er wurde angeschossen. Wenn die heutzutage einen kleinen Schubser abkriegen, lassen sie sich krankschreiben, der Stress war zu viel, als Nächstes gibt's eine Arbeitsunfähigkeitsbescheinigung, so lange sie leben. Aber der Bursche kommt aus dem Krankenhaus und meldet sich sofort an seinem Arbeitsplatz. Lassen Sie ihn in Ruhe, okay?«

Kiely zuckte die Achseln, blinzelte. »Tja, ich hab mich klar ausgedrückt. Das ist meine Aufgabe.«

»Metallic. Sagen Sie den Ballistikheinis, wir wollen binnen Stunden ein Ja oder ein Nein haben, ob die Waffen aus dem Ford und die Oakleigh-Waffen identisch sind.«

Kiely ging, ungerührt.

Villani suchte Doves Blick, nickte. Dove durchquerte den Raum, Akte in den Händen, stand da.

»Keiner hat mir verraten, dass dieser Typ Kidd hieß«, sagte er. »Stehe ich auf irgendeiner schwarzen Liste?«

»Denkbar schlechter Zeitpunkt, um sich mit mir anzulegen, mein Junge«, sagte Villani mit unbewegtem Gesicht.

»Tut mir leid, Chef«, sagte Dove. »Alibani? Prosilio…«

»Ich erinnere mich«, sagte Villani. »Dafür werde ich bezahlt.«

»So ist es. Nun, als ich mir die Familie bis zum Cousin dreizehnten Grades genauer ansehe, finde ich heraus, dass ihm ein Haus in Melbourne gehört. In Preston.«

»Ist er das?«

»Also, die Adresse für die Grundsteuer ist die eines Steuerberaters in Sydney. Der behauptet, Alibani sei seit Jahren verschwunden, er habe nichts von ihm gehört, aber Alibani habe Geld dagelassen, um die Grundsteuern für drei Immobilien zu bezahlen. Grundsteuern und andere Rechnungen, die an den Erbsenzähler weitergeleitet werden.«

Villani dachte an sein Gelübde, sich nicht mehr einzumischen, nicht mehr aktiv zu werden. »Besorgen Sie einen Wagen«, sagte er.

Der Himmel hatte die Farbe von altem Flaschenglas, Rauch lag in der Luft. Villani ließ sich auf den Beifahrersitz fallen, noch eine Klimaanlage, die nicht funktionierte, in dem Auto roch es nach Rauch, billigen Aftershaves und Deodorants.

Sie fuhren das Rückgrat der verstopften Stadt hinauf, Dove zurückhaltend, bedrängt von rücksichtslosen asiatischen Taxifahrern, schwarzen BMWs, Audis, deren Fahrer wild hupten, die Vorfahrt erzwangen.

Als Villani aufschaute, waren sie in der Russell Street.

Vor langer Zeit einmal kam er aus dem alten Amtsgericht, wo er als Zeuge aussagen sollte, nun aber erst nach dem Mittagessen, ein halber Tag vergeudet, und die Frau war genetisch auf Stehlen programmiert, genauso gut könnte man Delphine einknasten, weil sie aus dem Meer sprangen. Am nächsten Tag war Karfreitag, er hatte frei, dachte daran, zu surfen, war hungrig, wartete darauf, die Straße zu überqueren und zum Bahnhof Russell Street zu gehen, stand an der Ecke La Trobe Street. In der Kantine bekam man ein ordentliches Schinken-Käse-Sandwich, eine Polizistin überquerte gerade die Straße.

Die Welt färbte sich orange, ein heftiger Schlag warf ihn um, sein Kopf prallte auf den Asphalt, etwas landete auf seinem Brustkorb, er packte es mit beiden Händen, ohne nachzudenken, registrierte weitere Explosionen, hörte Menschen schreien. Er stand auf, sah nur verschwommen, hatte keine Ahnung, was geschehen war, seine Nasengänge waren verstopft von verbranntem Gummi und heißem Staub. Er konzentrierte sich auf das, was er in der Hand hielt. Eine Radkappe, gefaltet wie eine Pizza Calzone.

Er setzte sich, Füße im Rinnstein, Kopf auf den Knien, fühlte sich müde, verunsichert, wollte sich ein wenig ausruhen. Dann kam ihm allmählich der Gedanke:

Du bist Polizist. Steh auf. Tu etwas.

Er stand auf, ziemlich wacklig auf den Beinen, klopfte den Dreck ab, er hatte dunkle Flecken auf dem Hemd, nickte ihnen zu, trat auf die Straße.

Die Polizistin, die er beim Überqueren der Straße beobachtet hatte, starb an ihren Verbrennungen. Sie war etwa in seinem Alter, er kannte sie vom Sehen. Viel später arbeitete er mit Cops zusammen, die die Männer kannten, die wegen des Mordes an ihr und wegen der vielen Verletzten lebenslänglich bekamen, es waren bewaffnete Raubgesellen, die Cops hassten und einen geklauten Holden mit Plastiksprengstoff in eine Bombe verwandelt hatten, eine wirklich lustige, outlawmäßige Tat.

Das wilde Leben, Alter, steck's ihnen in die Scheißärsche, park ihn vor ihrer Haustür, wie klingt das? Direkt vor der Scheißcopzentrale. Am helllichten Scheißtag, die ganzen fetten Wichser da drin quatschen an ihren Funkgeräten mit anderen Copwichsern, Ich höre Sie, Scheißwagen einundfünfzig, fertig und Ende, und dann ein scheißlautes KAWUMM!!!

Sie hätten weit mehr Menschen ermorden können, es war pures Glück, dass nicht gerade eine Gruppe Cops vorbeiging, die SOGs von der nächsten Ecke, Cops, die aus dem Bahnhof kamen. Er. An dem Tag, als ihm klar wurde, was es bedeutete, die Uniform zu tragen, wurde er erwachsen.

Lizzie.

Eine drogensüchtige Jugendliche, der ihre Familie scheißegal war.

Mit Lauries Familie konnte man keinen Blumentopf gewinnen. Ihr alter Herr, Graham, der dicknasige Graham, arbeitete sein Leben lang für die Telecom, weniger ein Job als eine Erklärung dafür, dass er tagsüber nicht zu Hause war. Ihre Mutter war hübsch, eine Autodidaktin und früher Buchhalterin bei einer Lederwarenfabrik in Fitzroy, die in den Neunzigern pleiteging. Sie machte viele Überstunden, wie Graham häufig mit falschem Lächeln sagte. Was wohl hieß, dass sie mit dem Chef vögelte, so verstand es Villani jedenfalls.

Wer hatte Schuld, dass Lizzie so geworden war?

Nach Rachel Bourke, der Mutter von Tonys Freund, wurde es richtig schlimm. Er lernte sie kennen, als er Tony beim Hockeyspielen zusah, sie war ein Fehler, doch sie hatte ihm nachgestellt, er war nicht initiativ geworden, hatte nicht mal die Straße überquert. Egal, es waren nur ein paar, höchstens sechs Wochen gewesen, vier- oder fünfmal gefickt, das war's. Laurie wusste Bescheid, sie hatte keine Beweise, doch sie wusste es. Frauen wissen so was, sie entnahm es seiner Körpersprache, seiner Stimme.

»Bin mir nicht ganz sicher, wo wir sind, Chef«, sagte Dove. »Das GPS funktioniert nicht.«

Villani sah sich um. Sie fuhren auf der Plenty Road. »Meine Güte, wie sind Sie denn hierhergekommen?«

»Kenn mich hier nicht aus in dieser Gegend.«

»Cops verfahren sich nicht«, sagte Villani. »Sie machen sich abends mit Melways vertraut, dem Straßenatlas, sie schlagen darin nach, bevor sie in den Wagen steigen. Man braucht kein abgeschlossenes Hochschulstudium, um sich im Melways auszukennen. Kein Wunder, dass die Feds das GPS benutzen, wenn sie ihren Pimmel suchen.«

Er beschrieb Dove den Weg. Nach einer Weile überquerten sie die Eisenbahnstrecke, fanden die Straße, die Nummer, parkten vis-à-vis. Das Haus stand hinter einem zwei Meter hohen Wellblechzaun, nur die Dachziegel waren zu sehen. Sie gingen hinüber. Eine Kette samt Vorhängeschloss sicherte die beiden Torflügel vor der Einfahrt. Villani spähte durch eine Lücke. Er sah nicht viel.

Sie riefen, hämmerten gegen das Tor.

»Wir brauchen hier einen Durchsuchungsbeschluss«, sagte Villani. »Genau nach Vorschrift.«

»Wessen Vorschrift ist das?«, sagte Dove.

Villani telefonierte. Sie setzten sich in den Wagen. Er bot Dove eine Zigarette an. Eine Weile verging, sein Blick wanderte in Richtung Nordosten, wo der Himmel stumpf gelbbraun war, eine gewaltige, durch Staub und Rauch geschaffene Blüte. Von den Hügeln aus sah man die Stadt in ihrer eigenen Hitze flirren.

Er rief Bob an. Niemand ging dran. Zweiter Versuch.

»Villani«, sagte Bob.

»Ich. Was ist los?«

»Gar nichts. Gestern Abend kam ich bis Flannerys Farm, ehe der Wind drehte. Ist immer noch im Nordwesten. Uns dürfte nichts passieren.«

»Und Flannery?«

»Ein paar Schafe sind angesengt. Jetzt mussten sie erschossen werden, was sauteuer ist. Die Feuerwehr hat ihn bedrängt, sie gestern wegzubringen, er wollte nichts davon hören. Der Mann ist gaga.«

»Was sagen sie von dir?«

»Mann, die Arschgeigen kennen mich. Sie halten den Mund.«

Husten, räuspern. »Hör zu, die Frau des Doktors hat angerufen. Gestern Abend.«

Karin. Marks Frau Nummer zwei. Nummer eins hieß Janice, eine Krankenschwester aus Cobram, die schwanger war, als sie heirateten, kurz nachdem er seine Facharztausbildung begonnen hatte, sie verlor das Kind früh. Kein Jahr später trennten sie sich.

Mark arbeitete sich die medizinische Leiter hinauf, dann

kam Karin, eine Forscherin, irgendwas mit Blut, auch ihr Vater kannte sich mit Blut aus, Mr. David Delisle, ein Allzweckchirurg, der alles aufschnitt, was ihm unters Skalpell kam. Villani lernte ihn bei der Hochzeitsfeier in Kew kennen, Backsteinvilla, schmiedeeisernes Tor. Mrs. Delisle machte ihm schöne Augen, hübsche Person, wenn man auf sehnige Fitnessfreaks stand, die etliche Botoxbehandlungen hinter sich hatten. Der Skalpellmann hatte porenlose Haut, seidiges Haar, fast wie ein Greyhound, aber ohne das Feinnervige.

Vom ersten Handschlag an kamen Bob Villani und David offenbar blendend miteinander klar. Vielleicht erkannten sie in dem jeweils anderen den geborenen Mörder. Auch Karin und Bob verstanden sich gut, sie hatte als Kind mit Ponyreiten angefangen, war in Pferde vernarrt, konnte die Finger nicht von ihnen lassen. Vor ihrer Schwangerschaft fuhr sie an freien Tagen zur Ranch, übernachtete dort. Villani kam der Gedanke, dass sie ihren Vater liebte und das auf Bob übertrug. Die Männer hatten die gleiche Ruhe, den gleichen taxierenden Blick. Sie vermittelten den Eindruck, nötigenfalls im Dunkeln allein mit Hilfe des Tastsinns und unter Verwendung eines halbwegs scharfen handelsüblichen Taschenmessers eine Blinddarmoperation durchführen zu können.

»Was hat sie gesagt?«, fragte Villani.

»Tja, zuerst sagt sie was zu den Bränden. Dann bricht sie in Tränen aus, Mark ignoriert sie komplett, kommt nicht mal zur Geburtstagsparty des Kindes nach Hause. Und so weiter.«

»Tragisch«, sagte Villani. Er wollte Bob nichts über Lizzie erzählen.

»Red mit ihm«, sagte Bob. »Sprich mal mit dem Doktor.«

»Sei vernünftig«, sagte Villani. »Über solche Sachen kann man mit Typen nicht reden.«

»Er ist kein Typ, sondern dein Bruder. Auf dich hört er.«

»Wieso, meine herrische Art?«

»So was in der Art. Gib ihm 'nen Arschtritt.«

»Der Junge braucht eventuell moralische Unterstützung«, sagte Villani.

»Genau. Gib ihm 'nen Arschtritt.«

»Kennst du einen Danny Loneregan? Aus Vietnam?«

Er glaubte, Vögel singen zu hören.

»Wer will das wissen?«

»Sein Sohn. Er ist Cop. Bat mich, dich zu fragen.«

»Was will er wissen?«

»Nur was über ihn. Er hat ihn nie kennengelernt.«

»Sag ihm, sein Dad war ein prima Kerl. Der Mumm hatte. Und jedem, der es sehen wollte, ein Foto von seinem Jungen gezeigt hat.«

»Das mach ich.«

Ein Huster. »Sprich mit Mark, ja?«

Es vergingen vierzig Minuten, ehe der Van die Straße runterkam. Zwei Männer in Overalls stiegen aus. Villani überquerte die Straße.

»Das Tor, Gus«, sagte er. »Dann eventuell die Haustür.«

»Ist das ein rechtmäßiges Eindringen?«

»Ich bin Gesetzeshüter, ja«, sagte Villani.

Der zweite Mann durchtrennte die Kette mit einem Bolzenschneider, ein hartes Klicken. Dove stieß einen Torflügel auf, und sie traten ein.

Das Haus war klein, stand mit seiner hässlich-gelben Ziegelverblendung in der Mitte des Blocks. Teilweise wurde es von Eukalypten verdeckt, schmächtigen zergliederten Dingern, das Resultat eines fehlgeleiteten arborealen Drangs. Zur Linken beschattete die hohe Mauer eines Herstellers von Blechplatten die Einfahrt. Auf der anderen Seite, jenseits des hohen Zauns, sah man die schmutzigen Fenster eines Backsteingebäudes undefinierbarer Funktion.

Sie gingen die betonierte Einfahrt hinunter, vorbei an einem durch ein metallenes Sicherheitsrollo geschützten Fenster. Über eine Treppe betrat Villani eine Backsteinveranda. Zwei neue Vorhängeschlösser sicherten die stählerne Haustür. Man hatte versucht, sie aufzustemmen.

»Haben Sie Ersatz?«, fragte Villani.

»Ist der Papst katholisch?«, sagte der zweite Mann. Es waren Zivilisten, sie kannten keinen Respekt.

Die beiden rollten ein Wägelchen mit einer Gasflasche herbei und durchtrennten die Schlösser binnen Minuten. »Baumarktscheiße«, sagte Gus. Er ging zum Van und kam mit drei neuen Schlössern und einem Stück Kette zurück. »Verdammte Verschwendung von Qualitätsprodukten«, sagte er.

Sie fuhren weg.

»Noch mal kurz herumschnüffeln, ehe wir reingehen«, sagte Villani.

Er schickte Dove nach links, verließ die Veranda und ging nach rechts, an dem anderen verrammelten Fenster vorbei. Am Haus entlang hatte es einmal ein Blumenbeet gegeben, ein diagonal von Backsteinen begrenzter Streifen Erde. Jetzt wuchsen darauf nur noch Plastiktüten, Zigarettenpackungen, Bierflaschen, Mixgetränkedosen, Hähnchenknochen, nicht identifizierbare Kleidungsfetzen, eine Strumpfhose aus Nylon, ein Jeansrock, ein Körbchen eines BHs, der Stoff abgerissen, sodass ein grauer Kegel aus Schaumgummi zum Vorschein kam.

In der Gasse zwischen Haus und Zaun sah es ähnlich aus, ergänzt durch bleiche Kondome und mit billardtuchgrünem Moos überzogene Scheißhaufen. Zwei Fenster waren mit nicht zu den anderen passenden Backsteinen zugemauert worden.

In dem kleinen Hinterhof gab es den gleichen Müll und noch viel mehr. Die Karosserien von drei ausgeschlachteten Autos bluteten Rost in den Beton. Ihre nicht benötigten Innereien lagen in Ölflecken.

»Recycling«, sagte Dove. »Feine Sache. Es gibt Strom, der Wasserzähler läuft.«

Die Hintertür war aus Stahl, nackt, innen durch Bolzen gesichert. Intensive Bemühungen, sie zu öffnen, waren gescheitert. Die Fenster waren hoch oben und klein, kaputt, aber nur von Katzen erreichbar.

Sie gingen zurück. Villani öffnete die stählerne Vordertür. Dahinter lag noch eine Tür, aus abblätterndem Sperrholz. Er öffnete sie, ging als Erster hindurch, wie es sein gutes Recht und seine Pflicht war.

Er stand in einem Flur: schale Luft und Ausdünstungen, wie sie billige Teppichböden und der Schaumstoff darunter abgaben. Und etwas roch süß- und säuerlich, wie der Schweiß in alter Intimwäsche.

Das Licht funktionierte nicht.

Ein halbdunkles Wohnzimmer. Dove kurbelte das Metallrollo hoch. Es ächzte, hatte lange Ruhe gehabt. Sechzigerjahre-Möbel, gläserner Couchtisch, nierenförmig.

»Koks«, sagte Dove und wies darauf.

Villani schaute hin, sah die Spuren, ging schnüffelnd umher, durch den Gang ins Bad. Nichts an den Handtuchstangen, nichts in dem Schränkchen über dem Waschbecken.

»Nehmen Sie sich diesen Raum vor«, sagte er zu Dove. »Nichts berühren.«

In dem ersten Schlafzimmer stand ein nicht bezogenes Einzelbett. Er öffnete einen Schrank, indem er an der unteren Türkante zog. Leer.

In der Küche lief der kleine Kühlschrank, das Gefrierfach war vereist. Leer.

Wer zahlte die Stromrechnungen?

»Chef.« Dove.

Villani ging in das hintere Schlafzimmer, blieb in der Tür stehen.

»Hier ist nichts«, sagte Dove, den Blick auf den Teppichboden neben dem abgezogenen Bett gerichtet. »Außer dem da.«

Villani trat näher. Auf dem billigen dunklen Teppichboden ein noch dunklerer Fleck, groß.

»Hier ist noch einer«, sagte Dove.

»Tja«, sagte Villani. »Wir sollten die Frage stellen. Her mit ihnen. Fingerabdrücke, DNA, das Übliche. Hausdurchsuchung. Unter dem Fußboden, im Dach, überall.«

Er ließ Dove allein warten, fuhr davon.

Sein Telefon klingelte, als er gerade auf dem Parkplatz eines kleinen Einkaufszentrums hielt, direkt gegenüber der Passage, die im Sprechzimmer seines Bruders endete. Es war Kiely.

»Die Waffen in Kidds Wagen, dem von der Ring Road, passen nicht zu Metallic. Das steht hundertprozentig fest.«

»Mist«, sagte Villani.

»Nun zum Fahrzeug. Echte Nummernschilder. Registriert ist es auf einen Mann, der seit zehn Jahren nicht mehr gesehen wurde und damals sechsundachtzig war.«

»Wieder Mist.«

Ein stämmiger Mann, die langen, öligen Haare zum Pferdeschwanz gebunden, kam aus der Passage und blieb am Bordstein stehen. Er entnahm seiner Jeansjacke eine große Wraparound-Sonnenbrille, setzte sie auf, sah sich um, zündete sich eine Zigarette an.

Villani kannte ihn. Er hieß Kenny Hanlon, sie hatten ihn wegen eines gewissen Gaudio vernommen, ein kleiner Fisch im Drogengeschäft. Gaudios größtes Vergehen an der Gesellschaft bestand darin, dass er ein Abflussrohr in Melton verstopft hatte. Jemand, möglicherweise Kenny Hanlon, hatte seine Hände und Füße mit einem Stück Zaundraht gefesselt und ihm einen Apfel in den Mund gesteckt. Dann war ein schweres Fahrzeug über seinen Kopf gefahren, mehrmals.

Villani beobachtete, wie Hanlon zu einem aufgemotzten schwarzen Holden ging, der dicht an ein paar mickrigen

Hecken in der hintersten Ecke parkte, auf dem Beifahrersitz Platz nahm, hinter dem dunklen Fenster verschwand.

Villani wartete, dass der Holden abfuhr. Wartete.

Mark kam aus der Passage, weißes, am Hals offenes Hemd, er blieb da stehen, wo Hanlon gestanden hatte, sah sich um, wandte sich nach links. Villani verlor ihn aus den Augen, bis er durch die struppige Hecke bei dem Holden kam, zu Hanlons Fenster ging, Villani die Sicht nahm.

Er verspürte den heftigen Drang, nicht hinzusehen, den Wagen anzulassen, wegzufahren. Sich weiter um sein Tagwerk zu, kümmern. Doch er sah hin, und es schnürte ihm die Kehle zu, und sein Mund war trocken. Die dunkle Fensterscheibe glitt nach unten. Mark Villani stützte die Unterarme auf den Türrahmen, hatte den Kopf fast im Wagen.

Nach einer knappen Minute richtete Mark sich wieder auf, klopfte auf das Dach des Holden und ging den Weg zurück, den er gekommen war. Der Motor erwachte, der Fahrer ließ ihn aufheulen, der Wagen fuhr rückwärts, nach vorn, wieder rückwärts, bis ein Rad den Bordstein erklomm. Dann entkam er seiner Parklücke, fuhr an Villani vorbei, langsam, das Soundsystem mit seinen acht Boxen drohte Fensterscheiben zu zerbrechen, Autos einzudellen und die Gebrechlichen samt ihren Einkaufswagen wieder zurück in den Supermarkt zu pusten. Drei kurze Spiralantennen ragten schräg nach hinten aus dem Dach.

Villani betrat die Arztpraxis seines Bruders. Ein alter Mann, zwei Frauen und ein Kleinkind, ein Mädchen, warteten, saßen auf weißen Plastikstühlen. »Sein Bruder würde gern mit Dr. Villani sprechen«, sagte er zu der Sprechstundenhilfe am Empfang, einer hageren Frau mit schwarz gefärbten Haaren und nachgezogenen Augenbrauen.

Sie nahm den Telefonhörer ab. »Ihr Bruder ist hier, Herr Doktor. In Ordnung. Verstehe.« Sie lächelte Villani an. »Der Doktor nimmt Sie als Nächsten dran.«

Villani setzte sich möglichst weit von den anderen entfernt, die Hände im Schoß. Er schloss die Augen, versuchte, an nichts zu denken, was misslang. Er öffnete die Augen. Die Kleine sah ihn an. Sie kam mit tapsigen, unsicheren Schritten auf ihn zu.

»Dadda«, sagte sie. »Dadda.«

»Shayna, lass den Mann in Ruhe«, sagte eine junge Frau in einer Herrenlederjacke. Unter dem Adamsapfel hatte sie eine Tätowierung rings um den Hals, ein blaues Stacheldrahtmuster. Die Kleine ignorierte sie, den Blick fest auf Villani gerichtet, machte noch einen Schritt, streckte die schwabbligen Ärmchen aus.

Villani sah weg. Wie war der angehende Neurochirurg in dieser tristen Bude gelandet?

»Dadda«, wiederholte das Kind.

Der alte Mann gab zwei knallende Laute von sich, wie bei einer doppelten Fehlzündung. Es könnte ein Lachen gewesen sein. Er zeigte auf Villani. »Erwischt, Kumpel«, sagte er. »Erwischt.«

»Halt deine Scheißklappe«, sagte die Frau. »Blöder alter Sack.«

»Leck mich doch«, sagte der Mann. »Bestimmt haste noch zwei im Auto. Drei Scheißdads, das steht fest.«

»Mr. Stewart, seien Sie freundlicherweise still, oder warten Sie draußen«, sagte die Sprechstundenhilfe. »Und da können Sie lange warten.«

Die Kleine machte noch einen Schritt auf Villani zu. »Dadda«, sagte sie.

Die Frau sprang von ihrem Stuhl auf, riss das Kind am Arm weg, setzte sich und hielt es fest. Die Kleine fing an zu wimmern, und Tränen kullerten ihre dicken Wangen hinunter. Sie wandte den Blick nicht von Villani.

Die Tür ging auf, und ein pickliger, vielleicht sechzehnjähriger Jugendlicher kam heraus, braune Haut, Elvisfrisur.

Er sah stur geradeaus, verschwand. Mark Villani streckte den Kopf heraus. »Steve«, sagte er.

Das Behandlungszimmer machte einen provisorischen Eindruck, Schreibtisch mit Spanholzplatte, billiger Computer, Untersuchungstisch mit einem nicht mehr blütenweißen Laken darauf. Der Kalender war von 2009.

Sie setzten sich.

»Ich wollte dich anrufen«, sagte Mark. Er hatte sich die Haare lang wachsen lassen, hatte jetzt ein Kinnbärtchen, einen Ring im Ohr.

»Hab dich draußen gesehen«, sagte Villani. »An dem schwarzen Holden.«

Mark hob das Kinn, blinzelte zweimal, sah nach unten, notierte etwas auf die Schreibunterlage. »Ein Patient hatte sein Rezept vergessen.«

»Mir fiel auf, dass du ihn kanntest.«

»Natürlich kenne ich ihn. Er ist ein Patient.«

»Du hättest die Sprechstundenhilfe schicken können.«

Mark schaute hoch. »Willst du mir erzählen, wie ich meine Praxis führen soll?«

»Dein Patient ist kein Musterbürger. Weißt du das?«

Mark schüttelte den Kopf. »Steve«, sagte er, »Kranke müssen mir kein Leumundszeugnis vorlegen. Es reicht, wenn sie sich unpässlich fühlen.«

»Was hat er denn?«

»Ich spreche nicht mit anderen über meine Patienten. Das nennt sich ärztliche Schweigepflicht. Nie davon gehört? Gehst du in die Kneipe und erzählst den Besoffenen, wer wen ermordet hat?«

Villani wartete, sah seinen Bruder an. Mark hielt dem Blick stand, pochte mit einem Finger auf den Tisch.

»Nett von dir, mal vorbeizuschauen«, sagte er, »aber ich habe Patienten, die warten. Ich ruf dich an, wir machen was aus.«

»Hellhounds«, sagte Villani. »Du verkehrst mit Hellhounds.«

Mark kräuselte die Oberlippe. »Steve, komm mir nicht mit deinen Polizeiallüren. Der Typ ist Patient, er fährt 'ne Harley, ich hab 'ne Harley, wir reden über Harleys.«

»Und du schaust mal im Clubhaus vorbei, stimmt's?«

Mark nahm seinen Kuli, klickte drauf, klickte immer weiter. »Soweit ich weiß, geht's da um Poolbillard, Kühlschränke voller Bier und eine Werkstatt.«

»Bist du eigentlich naiv, oder was?«

»Hör zu, erzähl mir nicht, mit wem ich reden darf. Das geht dich verdammt noch mal nichts an, klar?«

»Nein, nicht klar«, sagte Villani. »Du gehst mich etwas an. Das denke ich.«

»Können wir dieses Gespräch ein andermal führen? Ich bin beschäftigt, ich habe keine …«

Villani sagte: »Der Sonnyboy zeigt seiner Frau und den Kids den Arsch, hat sich ein Bärtchen, 'n kleinen Ohrring zugelegt und pflegt Umgang mit mörderischem Bikerabschaum?«

Mark legte seinen Kuli auf die Schreibunterlage, betrachtete seine Hände, öffnete sie und ballte sie wieder zu Fäusten. Er hatte große Hände, drahtige Haare auf den Handrücken. »Hat dir in letzter Zeit mal jemand eine in die Fresse gehauen?«, fragte er.

»Mach hier keinen auf harter Brocken, Jungchen«, sagte Villani. »Ich leg dich auf den Arsch. Ich bin dein Bruder. Ich sag dir, was du nicht hören willst.«

»Was macht deine glückliche Familie?«, sagte Mark. »Fickst du immer noch alles, was nicht bei drei auf den Bäumen ist? Glaubst du, Laurie weiß das nicht? Ich hab mir von dir genug scheinheiliges Gelaber angehört.«

»Du kannst mich mal.« Villani stand auf. Er war das schlecht angegangen, er ging alles schlecht an.

»Setz dich«, sagte Mark. »Setz dich, Steve.«

Villani setzte sich.

»O Mann, du kommandierst einen ganz schön rum«, sagte Mark.

»Das höre ich immer wieder«, sagte Villani. »Meine herrische Art, heißt es.«

»Mich und Luke hast du nach Strich und Faden rumkommandiert.«

Am liebsten hätte Villani gesagt: *Du bist nur Arzt geworden, weil ich dich rumkommandiert habe*, stattdessen sagte er: »Ihr zwei lägt immer noch im Tiefschlaf, wenn ich euch nicht aus dem Bett geworfen hätte.«

Marks Blick war auf den Schreibtisch gerichtet. »Du warst wie ein Gott, ist dir das klar? Hattest immer das Sagen, wusstest immer, was zu tun war, so verdammt cool und ruhig. Ich wollte sein wie du. Ich wollte, dass du mich mochtest. Du hast mich nicht gemocht, stimmt's? Du magst mich immer noch nicht.«

Villani fühlte sich unbehaglich, schaute sich um. »Also, tja, du bist mein Bruder, mögen spielt da keine Rolle. Ich will nicht erleben, wie du dir dein Leben versaust. Was ist los mit dir? Du hast Dreck am Stecken, stimmt's?«

Mark hielt seinem Blick stand, trotzig.

Villani wartete, faltete die Hände und wartete, blinzelte nicht, sah nicht weg.

Mark warf den Kopf in den Nacken, und dann bekam er feuchte Augen, blinzelte mehrmals, legte die Arme auf den Schreibtisch, senkte den Kopf und sagte etwas, das Villani nicht verstand.

»Was? Was?«

Mark schaute auf, blinzelte wieder. »Man ermittelt gegen mich.«

»Wer?«

»Die Ärztekammer.«

»Weswegen?«

»Rezeptbetrug und andere Sachen. Sie wollen, dass ich meine Approbation ruhen lasse.«

»Rezeptbetrug?« Zum ersten Mal fiel ihm auf, dass Mark sanfte braune Augen hatte, nicht Bob Villanis schwarze Oliven.

»Der Druck ist enorm, man muss an dem Spiel teilnehmen, um zu verstehen, man...«

»Dem Spiel? Ist das etwa ein Spiel? Wenn das heißen soll, dass du süchtig bist, dann raus mit der Sprache.«

»Ich hab's unter Kontrolle, Steve. Völlig unter Kontrolle. Ich hab eine schwere Zeit hinter mir, aber jetzt hab ich's unter...«

»Was sind die anderen Sachen bei ›Rezeptbetrug und andere Sachen‹?«

»Na ja, jemand hat, jemand hat ausgesagt, ich hätte jemanden wegen einer Wunde behandelt, ohne dies zu melden. Einer Schusswunde.«

»Und das stimmt, oder?«

»Sieh mich nicht so an, sieh mich bloß nicht so an, okay, ist schließlich kein Kapitalverbrechen, es war ein Unfall, irgendwelche Typen haben rumgealbert, ein Schuss hat sich gelöst, es wurde niemand von... von einem wie dir angeschossen. Nein.«

Villani erhob sich, kühl bis ins Herz. »Du bist also der zahme Hausarzt der Hellhounds«, sagte er. »Du bist der drogensüchtige Doc, der diese Schweine wieder zusammenflickt, ihnen verschreibt, was sie nicht selbst machen können.«

Mark stand auf. »Steve, es ist vorbei. Ich schwör's, ich schwöre, das es vorbei ist, ich hab's unter Kontrolle, ich nehme mein Leben wieder in die Hand, das ist...«

»Du bist eine Schande«, sagte Villani. »Bob, ich, was haben wir uns abgerackert und gedacht, wir hätten ein Vollblut im

Stall, einen Chirurgen. Du hast es verbockt, du Schwächling, du verdammte Platzverschwendung.«

Er stand auf, brachte das Spießrutenlaufen zwischen bitterbösen Blicke im Wartezimmer hinter sich, ging durch die schäbige Passage, überquerte den Parkplatz. Er blieb eine Weile im Wagen sitzen und sammelte sich.

Villani und Dove saßen im Wagen und aßen belegte Brötchen, die Villani auf der Rückfahrt nach Preston gekauft
hatte, er konnte sich nicht darauf verlassen, dass Dove nicht
verloren ging.

Ein Auto hielt hinter ihnen. Birkerts. Er stieg hinten ein.
»War in der Gegend«, sagte er. »Hab gehört, ihr wärt hier.
Mr. Kiely hat mich an Burgess verwiesen.«

Troy Burgess war Villanis erster direkter Vorgesetzter im
Morddezernat gewesen. Warum Singleton ihn in die Abteilung geholt hatte, blieb ein ewiges Rätsel. Burgess war ar-
beitsscheu, ein schwerer Trinker, verbrachte die meiste Zeit
des Tages mit Glücksspiel, seinen häuslichen Problemen,
zwei Exfrauen, vier Kindern – von denen eins wegen Drogen
im Knast saß und eins mit einem Gewaltverbrecher verheiratet war, den ein Kollege in den Rücken geschossen hatte –,
mit ständig wechselnden anspruchsvollen jungen Frauen,
die er in Stripclubs, Kneipen und bei Pferderennen kennen-
lernte.

»Burgo säuft nicht mehr«, sagte Birkerts. »Wetten hat er
auch drangegeben, heißt es. Ist inzwischen für Mr. Kiely so
'ne Art Berater geworden. Als weiser, erfahrener Cop. Erklärt
ihm die Geschichte der Polizei und ihre drolligen Sitten und
Gebräuche.«

»Gott steh uns bei«, sagte Villani. In Sachen Wetten fühlte
er sich nicht moralisch überlegen, er war selbst fast daran zugrunde gegangen.

»Warten«, sagte Dove. »Mir war nie klar, wie viel man warten muss.«

»Das liegt am Fernsehen«, sagte Villani kauend. »Heutzutage halten sich diese Kriminaltechniker für die Rockband. Wir sind bloß Fußvolk, die Roadies.«

»Darf man fragen, weshalb der Chefroadie nicht mehr die Metallic-Ermittlungen leitet?«, sagte Birkerts. »Oder ist das unverschämt?«

»Mr. Kiely hat eine Chance verdient.«

»Prima Timing. Wie lautet der Vorwurf?«

Villani wollte nicht in Doves Gegenwart reden. »Mittlerweile tote Männer entkamen, während sie observiert wurden«, sagte er. »Die glauben, das hätte man besser machen können.«

»Wie besser machen?«

»Wenn sie's mir sagen, verrat ich's dir.«

Ein heißer Wind war aufgekommen und schüttelte die struppigen vergessenen Bäume. Zwei Jugendliche in Overalls, ein großer und ein kleiner, kamen aus der Fabrik nebenan, standen da, rauchten, betrachteten sie, einer sagte etwas, beide lachten.

»Nur die wahrhaft Unwissenden sind wahrhaft glücklich«, sagte Birkerts. »O-Ton mein Dad.«

»Geistreich«, sagte Villani. »Eine alte schwedische Redensart?«

»Da kann einer schwedische nicht von verdammten ukrainischen Redensarten unterscheiden«, sagte Birkerts und rieb sich mit beiden Händen übers Gesicht. Sein Handy klingelte. Er führte ein kurzes Gespräch, steckte das Gerät weg.

»Also, was ist hier Sache?«, fragte er.

»Wir haben keine Ahnung«, sagte Villani kauend, betrachtete die Jugendlichen, das Haus, wartete auf irgendein Zeichen.

Birkerts seufzte. »Drei hoch qualifizierte Einsatzkräfte in einem Auto. Und sie haben keine Ahnung, wozu.«

Ein Mann in Latzhose vor der Vordertür des Hauses. Er hob eine behandschuhte Hand.

»Wie der Scheißpapst«, sagte Villani.

»Dann mach ich mich mal auf den Weg«, sagte Birkerts. »Bis später, Roadies.«

»Hab ich schon erzählt, dass die Knarren aus dem Ford nicht zu Oakleigh passen?«

»Mr. Kiely hat's gesagt.«

»Ich will die Oakleigh-Waffe«, sagte Villani. »Ich will die Genugtuung, dass wir die Oakleigh-Waffe haben.«

»Ich tue alles, um Ihnen Genugtuung zu verschaffen, Chef.«

Villani und Dove überquerten die Straße, gingen auf dem Weg weiter, hintereinander durch die Vordertür, standen in dem halbdunklen Haus. Eine Frau füllte gerade verschiedene Flüssigkeiten in eine Sprühpumpe, der ekelerregende Geruch von Peroxid.

»Der große Fleck«, sagte sie. »Es gibt noch andere. Wir sehen uns ein Stückchen des großen an. Um die DNA nicht zu versauen.«

Ein Mann schob sich um sie herum. »Auf Video aufnehmen?«, sagte er.

»Nein«, sagte der Leiter der Operation. »Rollos runter, Wayne.«

Wayne verdunkelte den Raum. Eine Taschenlampe ging an, beleuchtete das Zimmer.

Der Chef sagte: »Gut, dunkel genug. Gerry.«

Gerry sprühte den Teppichboden ein.

»Aus.«

Klick. Sie standen im Dunkel da, blind.

Ein kleines Stück Teppichboden begann zu leuchten, fluoreszierend blau.

»Ah ja«, sagte die Frau vergnügt. »Blut. Jede Menge Blut.«

Villani ging zum Wagen zurück, telefonierte wegen Lizzie. Sie stand auf allen Suchlisten. Er steckte das Handy weg und lehnte sich zurück, schlief zehn Minuten, bis sein Kopf runtersackte. Er setzte sich auf, hatte einen trockenen Mund, war durstig.

Ein Bild tauchte auf: Der lange zurückliegende Donnerstag im Winter, die lange Fahrt auf der verschneiten Straße, Singleton und Burgess vorne, Burgess' schauderhafte Witze. Er verstand nicht, warum Singo sich das antat, wusste noch, wie er sich damals wünschte, er hätte sich nie zum Morddezernat versetzen lassen, wie er sich ins Raubdezernat zurücksehnte, wo man nicht stundenlang durch die Gegend fuhr. Der Tag erstarb hinter den Bergen, es nieselte pausenlos, als sie den blöden Van neben der Landstraße stehen sahen. Der Cop winkte sie mit stoischer Miene auf den Pfad, sie gingen etwa zweihundert Meter weit.

Sie war nackt, sie war klein, erbärmlich dünn, die Rippen standen vor, langer Hals. Etwas hatte ihre Mundwinkel aufgeschnitten. Es dauerte Wochen oder Monate, sie zu identifizieren, er hatte sich mit anderen Dingen befasst, sie war nicht von dort, mehr wusste er nicht. Aus Darwin, irgendwo weit weg…

Sein Handy.

»Das dürfte Sie interessieren, der zweite Mann ist ein Raymond Judd Larter, achtunddreißig Jahre alt«, sagte Kiely. »Leider hat sich herausgestellt, dass er ebenfalls bei der Special Operations Group war. Er hörte vor sechs Jahren auf, um sich den Special Air Services anzuschließen, war eine Zeit lang in Afghanistan. Wurde vor zwei Jahren entlassen.«

»Warum?«

»Die Frage habe ich auch gestellt. Wir versuchen, ihn auf anderen Wegen zu finden.«

»Wir sind verpflichtet, Searle wegen dem Mist zu warnen«, sagte Villani. »Wir müssen die Waffe finden. Lassen Sie den Prado röntgen.«

Das Mädchen damals auf dem Pfad, Burgess würde wissen, was dabei herausgekommen war. Keine Verurteilung, das stand fest.

Wieder klingelte das Telefon.

»Lizzie«, sagte Laurie. »Sie sagt, ihr gehe es gut.«

Sofort stieg Wut hoch. »Wo zum Teufel steckt sie?«

»Es war laut, ein Telefon an der Straße, sie sagte: ›Hi, Mum, mir geht's gut, wir reden später.‹ Das war's.«

»Sollen sie weiter nach ihr suchen?«

»Natürlich. Klar.«

»In Ordnung, okay. Das macht mich echt wü…«

»Wie ich sehe, hast du deine Sachen mitgenommen.«

»Sollte ich das aus irgendeinem Grund nicht machen?«

»Nein, da gibt es keinen einzigen. Adieu.«

Man konnte ein Handy nicht auf die Gabel knallen. Er sah es an, drückte fest zu, als es klingelte.

»Ich muss mal quatschen, Kumpel.« Dance. »Wie passt dir der alte Ort? Halb sechs?«

»Wir sehen uns da.«

Villani stieg aus, streckte sich, versuchte, seine Zehen zu berühren, spürte einen Blick, sah, dass ein Arbeiter ihn musterte. Er ging hinüber zum Haus, weiter zu dessen Rückseite und setzte sich dort auf die Treppe. Er sah Dove im Hof herumlaufen. Sein Anzug war kein Morddezernatoutfit, das Sakko saß nicht wie ein Poncho. Er hatte Dove noch nie ge-

nau betrachtet. Ehe man Leute nicht aus der Entfernung beobachtete, hatte man sie nicht richtig gesehen. Man musste
erkennen, wie sie gingen, den Körper hielten, wie sie Arme,
Hände, den Kopf bewegten. Wenn man das machte, wenn
man beobachtete, konnte man alles Mögliche lernen; manche Mütter konnten ihre Kinder einen halben Straßenzug
entfernt durchschauen, erfahren, was in ihren Köpfen vorging.

Er wusste noch, wie er damals draußen vor Brunetti's in der
Faraday Street gesessen und Laurie aus großer Entfernung gesehen hatte, als sie an der Ampel wartete. Er sah sie kommen, in Jeans, einer schwarzen Lederjacke, wie sie sich zwischen den Wartenden hindurchschlängelte, er merkte, dass sie
abgenommen hatte, eine etwas andere Frisur, kürzer, sie trat
selbstbewusster auf. Als sie bis auf zehn Meter herangekom-
men war, trafen sich ihre Blicke. Er sah zuerst weg.

Sie berührte seine Schulter, mit der langen Hand, sie küsste
ihn auf die Stirn, ließ sich auf dem Stuhl nieder, Rücken gerade. »War schon ewig nicht mehr hier, hab in einer halben
Stunde eine Besprechung.«

Villani sagte: »Du hast eine Affäre.«

Das war nicht geplant, er hatte eine Andeutung machen, sie
zwingen wollen, es selbst zu sagen.

Sie wandte den Kopf, betrachtete ihn über ihre Nase hinweg. Jetzt hielt er ihrem Blick stand. Sie schaute weg, öffnete
den Mund, zeigte die rosa Zungenspitze.

»Das ist jetzt wohl nicht der richtige Ort zum Reden«,
sagte sie.

Ihm stieg das Blut in den Kopf, in die Augen, und er sagte:
»Tja, wir müssen überhaupt nicht reden, verpiss dich doch.
Ficktermin mit deinem Freund, stimmt's?«

Sie erhob sich und ging, ein paar rasche Schritte, machte
kehrt und kam zurück, stand über ihm, hoch über ihm, sodass
er aufschauen musste, sein Rückgrat knackte.

»Ich habe keine Affäre«, sagte sie. »Ich bin in jemanden verliebt. Ich ziehe heute noch aus.«

»Nein«, sagte er, die Wut erloschen. »Du bleibst, ich gehe.«

»Mach hier nicht das Opfer, Stephen«, sagte sie. »Nach allem, was ich ertragen habe – dein Rumhuren, dein Spielen.«

Doch weder er noch sie zog aus. Lange Zeit gingen sie in dem Haus aneinander vorbei wie Boxer vor einem Kampf.

Der Leiter der Spurensicherung kam um die Ecke, ein Klemmbrett in der Hand. »Wir sind fertig«, sagte er. »Jede Menge Material. Sie hören von mir.«

»Das Blut.«

»Es zieht sich eine Spur durch den Flur bis zur Küche. Vermutlich wurde die Leiche geschleift.«

»Die Frau aus dem Prosilio«, sagte Villani. »Vielleicht war sie hier. Das muss ich unbedingt wissen, es hat Vorrang. Dann sollten wir möglichst schnell sämtliche Fingerabdrücke durch den Computer schicken.«

Der Mann schrieb auf seinem Klemmbrett. »Wird erledigt.«

Als sie in der Flinders Street waren, klingelte Villanis Handy.

»Anna«, sagte sie, die kehlige Stimme.

»Ja«, sagte er.

»Reden wir miteinander? Wie in: Möchtest du mit mir reden?«

»Ich glaube schon, ja.«

»Gut. Hab dich bei Persius mit den Reichen und Berühmten gesehen. Du sahst durch mich hindurch.«

»Vom Glanz geblendet.«

»Nun, ich dachte, ich war neulich abends ein wenig teenagermäßig drauf. Vielleicht nicht ganz die reife Person, die ich sein sollte.«

»Reife wird heutzutage oft überbewertet.«

Nicht ihr volles Lachen, nicht das Lachen, bei dem er damals im Restaurant Court House quer durch den Raum geschaut hatte und ihre Blicke sich trafen und der Schalter umgelegt wurde, der Strom floss, der kristallene Augenblick. Er hatte den Blick gesenkt, und als er wieder hinsah, schaute sie ihn immer noch an.

»Du gaffst meine sexy Freundin an«, sagte Tony Ruskin. Er war der Polizeireporter von *The Age*, Villani kannte ihn, seit er als Reporter angefangen hatte, der kluge Sohn eines klugen Cops namens Eric Ruskin, der den Job an den Nagel hängte und sich ins Parlament wählen ließ, es schließlich bis zum Polizeiminister brachte. Sie trafen sich auf Matt Camerons Weihnachtsgrillfest für Cops aus dem Raubdezernat und Freunde, an einem Sonntag am Pool in Hawthorn, von mittags bis in-ein-Taxi-verfrachtet-nachdem-man-ins-Rosenbeet-gekotzt-hat.

»Ich gaffe nicht«, sagte Villani. »Manchmal glotze ich.«

Anna Markham verließ den Raum, kam zurück, machte einen Umweg und legte eine Hand auf Ruskins Schulter. »Ein bisschen zu öffentlich, oder?«, sagte sie. »Ich dachte, ihr hättet diese Treffen in Tiefgaragen.«

»Vor aller Augen im Verborgenen«, sagte Ruskin. »Anna Markham, Stephen Villani.«

»Ich kenne den Inspector vom Sehen«, sagte sie.

»Dito«, sagte Villani.

Später nach dem Essen gesellte sie sich zu ihnen, trank ein Glas Roten.

»Ich bin bettreif«, sagte Ruskin. »Anders als andere muss ich morgens klar denken.«

Als alle Anstalten machten aufzubrechen, sagte Anna: »Eigentlich hätte ich nichts gegen noch ein Glas einzuwenden. Wie steht's mit Ihnen, Inspector?«

Ruskin ging, er wusste Bescheid. Sie tranken noch ein Glas, lachten viel. Als sie draußen auf Taxis warteten, Dampf ausatmeten, sagte Anna: »Man bringt das Morddezernat nicht mit lachen in Verbindung.«

»Wir lachen viel. Wir kichern den ganzen Tag.«

Eigentlich wollte er den ersten Schritt machen, ließ es aber bleiben, er war gerade in einer Schuldphase. Sie schrieb ihre Nummer auf eine leere Karte. Er rief nie an. Wenn er sie im Fernsehen sah, dachte er jedes Mal daran, doch er war kein Mensch, der die Initiative ergriff. Das redete er sich selbst ein. Das war seine Ausrede.

Jetzt sagte Anna: »Können wir diese Unterhaltung woanders fortsetzen?«

»Nenn einen Treffpunkt.«

»Das Cité. In der Avoca Street. Kennst du das?«

»Na klar, sehr beliebt bei Cops. Kleines Bier und ein Parmigiani für zehn Dollar, halber Preis in der Happy Hour zwischen vier und neun. Das heißt zwischen vier und neun Uhr morgens.«

»Der Ort, der die Zeit vergaß. Ich bin um acht da. Ab acht.«

Vorher war der Dancer dran.

Architekten hatten sich die alte Schlachterei vorgenommen, Wände abgeschlagen, Backsteine freigelegt, jetzt war überall schwarzes Holz und dunkel getöntes Glas, eine Wand voller Weinflaschen. In dem großen, offenen Raum aßen und tranken ein Dutzend Leute. Auf einem Flachbildschirm hinter der Bar liefen Nachrichten.

Dance saß in einer Ecke, könnte einen Haarschnitt vertragen, dunkler Nadelstreifenanzug ohne Schlips, und tunkte Brot in Olivenöl. Ein Kellner hatte soeben Rotwein in zwei Gläser gegossen.

Villani setzte sich.

»Ihr seid so, du und dieser Schuppen hier«, sagte er, die über Kreuz gelegten Finger erhoben. »Für mich?«

»Ich trinke nicht zwei gleichzeitig. Feiner kleiner Shiraz aus der Heathcote-Gegend. Und ein feiner Anzug.«

Villani trank ein Schlückchen, ließ den Wein im Mund kreisen. »Eindeutig Wein. Wann hast du Crownies drangegeben?«

»Wenn man Bier trinkt, trinkt man Stella, Alter«, sagte Dance. »Nur ihr Leichenbeschauer trinkt noch Crown.«

Dance sah sich in dem Raum um, das lange Gesicht eines Kreuzritters, Gottes Soldat, gut aussehend, er wurde alt, liebte den Herrn, liebte sich selbst und liebte noch viel mehr.

»Weißt du, ich werde wach«, sagte er. »Um drei, vier Uhr morgens, als wär ich darauf programmiert. Wie gerädert liege ich da und denke an die alten Zeiten.«

»Jeder redet über die alten Zeiten«, sagte Villani. »Sollte mir da was fehlen?«

»Was mir fehlt, es war ganz einfach: Wir gegen bewaffnetes Gesindel. Outlaws. Die sich Sachen nahmen, die ihnen nicht gehörten. Die unschuldige Bürger terrorisierten. Wenn man diese Schweine aufmischt, ist das Dienst an der Gesellschaft. Der Zweck heiligte die Mittel, keiner scherte sich drum. Ungezieferbekämpfung. Die Menschen brachten einem einen gewissen Respekt entgegen.«

Zwei junge Frauen traten ein, flott, Taschen mit Laptops. Sie nahmen in der Nähe Platz und täuschten Erschöpfung vor, schlossen die Augen, ließen den Kopf kreisen, bewegten die Schultern.

»Jetzt«, sagte Dance, »soll ich etwas gegen organisierte Kriminalität unternehmen. Der verdammte Rotary Club ist organisierte Kriminalität, die Typen kungeln Deals aus, sie stellen Zeugs her, verkaufen es an Zwischenhändler, es gelangt in den Einzelhandel. Das nennt sich Handel. Warenaustausch zwischen am Verkauf Interessierten und Kaufinteressierten.«

»Hast du das im Fitnessstudio gelernt?«, sagte Villani. »Du hast doch nicht etwa Abendkurse an der Uni belegt, oder?«

»Ich werd erwachsen«, sagte Dance. Er hielt ihm die länglichen Brotstücke hin. »Man tunkt sie in das Öl.«

»Echt? Das ist ja abgefahren.«

»Ihr habt letzte Nacht so richtig Scheiße gebaut.«

»Wir sind ganz zufrieden damit.«

»Schade, dass ihr nicht das Einsatzkommando angefordert habt, um sie auszuräuchern. Das wär so 'ne Art Dritter Weltkrieg geworden.«

»Wieso?«

»Wieso? Na, SOG gegen SOG, das ist ein Käfigkampf mit Schusswaffen.«

»Wo hast du das mit der SOG gehört?«, fragte Villani.

»Im Äther, Mann.«

»Ah, im Äther. Kennst du sie?«

»Stehen bei uns nicht in den Akten. Konntet ihr sie mit Metallic in Verbindung bringen?«

»Nur das Fahrzeug«, sagte Villani. »Aus dem Wrack haben wir zwei Schusswaffen geholt, keine Übereinstimmung.«

»Das ist wirklich Pech. Du brauchst die Ballistik.«

Ein Kellner schob sich vorbei, dicklich, Mitte dreißig, gegelte Haare, er kannte die Frauen, er sagte: »Zeit zum Chillen, Ladys. Darf ich raten? Morettis vorab, Club-Sandwiches mit Ente, keine Kapern. Und wir trinken den Oyster Bay.«

»Gebongt«, sagte die Kurzhaarige, teigige Haut, ehemals mandeläugig. »Wieso sind wir so berechenbar, Lucy?«

Lucy fuhr sich mit den Fingern durch die Haare. »Ente war bei mir gestern, PJ. Für mich die Krabbenküchlein.« Sie wandte den Kopf und sah die beiden Cops an, taxierte sie.

»Also, zu unserer kleinen Unterhaltung«, sagte Dance. »Lovett.«

»Was soll ich machen?«, sagte Villani. »Ich hab keinerlei Einfluss.«

»Nun, wir müssen nachdenken«, sagte Dance. Er sah sich in dem Raum um, trank Wein, richtete die kalten blauen Augen auf Villani. »Ich hab heute das Band gesehen. Wenn das Schwein das beim ersten Mal gesagt hätte, würden wir heute noch in Barwon Blowjobs verabreichen.«

»Was sagt er?«

»Ich hätte Quirk kaltblütig erschossen. Ihn hingerichtet. Er behauptet, Vick habe Quirks Waffe gebracht.«

Villani spürte die Kälte der Klimaanlage im Gesicht. »Was sagt er über mich?«

»Er habe dich nach Strich und Faden belogen.«

Dance schloss die Augen, ließ seine langen, dunklen Wimpern sehen. Damals auf dem Parkplatz des Einkaufszentrums, als sie darauf warteten, dass Matko Ribaric zu seinem Wagen zurückkam, hatte er Villani erzählt, er habe einen viel älteren Cousin krankenhausreif geschlagen, weil der ihn einen Schönling genannt hatte.

»Vickery sagt, es waren die Drogen«, sagte Villani. »Wahnvorstellungen.«

»Drogen«, wiederholte Dance. »Die macht man für alles verantwortlich. Ich persönlich würde dafür nicht meine Hand ins Feuer legen.«

»Wie wirkt er auf dem Band?«

»Sieht scheiße aus, hat aber alle Tassen im Schrank. Hat sich jede Menge Einzelheiten ausgedacht.«

»Und Mrs. Lovett, was wird sie sagen?«

»Die göttliche Grace«, sagte Dance, trank Wein, Augenkontakt mit der einst mandeläugigen Asiatin. »Ich war noch ein Junge.«

»Ein dreißig Jahre alter Junge. Sensibler Copjunge von fünfzigjähriger Frau eines Kollegen missbraucht«, sagte Villani. »Du solltest sie anzeigen, das hilft vielleicht. Was hat Grace zu sagen?«

»Keine Aussage. So habe ich es verstanden. Sie strotzt nicht gerade vor Gesundheit.«

»Was, sie hat der Staatsanwaltschaft einfach nur das Tape geschickt?«

»Zu Lovetts Berufungsbegründung. Der Wichser hat jahrelang versucht, eine Entschädigungszahlung zu bekommen. Nichtraucher wurde gezwungen, in geschlossenen Räumen Rauch einzuatmen et cetera pp. Er hat ständig über Rauch und sein Asthma gequatscht.«

»Möchten die Herrschaften was essen?«, fragte der Kellner, der aus dem Nichts auftauchte.

»PJ«, sagte Villani. »Heißen Sie so?«

Er sah nicht den Mann an, sondern die langhaarige Frau, deren Lippen sich öffneten, rot wie die Rose neben Ma Quirks Gartentor.

»Aber gewiss doch«, sagte der Kellner.

Villani sah ihn durchdringend an. »Noch zwei, PJ. Aber nicht die Neun-Gläser-pro-Flasche-Variante.«

Lippen geleckt, Gläser eingesammelt. »Zwei Cold Hills sind unterwegs, Sir.«

Der Kellner ging, was die Frauen bemerkten, worauf er mit einem kleinen Hüftschwung reagierte.

»Ich find's toll, wenn du deinen ganzen Charme spielen lässt«, sagte Dance.

»Wo ist das Band?«

»Staatsanwaltschaft.«

»War sie die einzige Zeugin dieser Aufnahme?«

»Meines Wissens ja«, sagte Dance.

»Auf Video aufgenommene Behauptungen eines inzwischen toten Mannes über fünfzehn Jahre zurückliegende Vorkommnisse. Eines Mannes, der erklärt, er habe damals einen Meineid geleistet, und jetzt Gerechtigkeit für Quirk verlangt.«

Dance musterte seine Handfläche, lange Finger, tiefe Furchen. »Wenn es eine Wiederaufnahme gibt, geht es nicht um Gerechtigkeit, sondern um Politik.«

»Ach ja?«

»Ich hab mit einem Mann gesprochen, der mit einem Mann gesprochen hat, der den Justizminister vom Sehen kennt. Es heißt, DiPalma will keine Wiederaufnahme. Aber wenn die Liberalen an die Macht kommen, können sie einen ganzen Käfig Pelztiere auf einmal häuten. Cops allgemein, die alte Kultur, Korruption, Crucible. Und Vick. Sie hassen Vick. Du hingegen bist dann nur ein Kollateralschaden. Niemand hasst dich wirklich. Nur einige wenige. Searle zum Beispiel.«

»Und dieser Kellner hier«, sagte Villani.

»Der steht auf dich, ein wahrer Fan von dir. Du bist ein echter Macho. Wir müssen uns ernsthaft den Kopf zerbrechen.«

Der Kellner kam. Er brachte die Gläser. »Randvoll, meine Herren«, sagte er. Er stellte einen Teller mit sechs aufgeklappten, panierten, gegrillten Sardinen hin. »Viel Vergnügen.«

Sie sahen ihm nach.

»Gratisessen«, sagte Villani. »Wie in den guten alten Zeiten, das fehlt mir.«

»Och, ich weiß nicht«, sagte Dance. »Wie ich höre, hast du die kleinen Hamburger aus Wagyu-Kobe-Rindfleisch genossen, warst bei Persius Mr. Barrys Vorzeigecop. Hast mit Max Hendry geplaudert und mit unserem geliebten Mr. Cameron, dem reichsten Excop der Welt.«

»Barry ist einsam«, sagte Villani.

»Da hab ich was anderes gehört.«

»Nicht?«

»Ms. Cathy Wynn tröstet ihn.«

»Was? Barry und Searle?«, sagte Villani.

»Nein, Searle nicht. Searle ermöglicht Dinge. Der Junge erzählt mir, Ms. Mellish will Barry als El Supremo haben. Hatte ihn zu einem Schwätzchen drüben in ihrem Haus in Brighton, damit er die Blaublütigen kennenlernt.«

»Tauschst du dich neuerdings mit Searle beim Mittagessen aus?«

»Er erzählt mir Dinge. Weiß auch nicht, warum.«

»Damit er dein kleiner Freund bleibt.«

Dance verspeiste eine Sardine, gab Oliven dazu, kaute ein Weilchen. »Damit die Lage klar ist«, sagte er. »Wenn einer von uns ausschert, werden wir alle weggeweht. Lovett war ein gestörter Mensch, auf dem absteigenden Ast, der totalen Mist gequatscht hat.«

»Den Eindruck kann man gewinnen«, sagte Villani zögernd.

»Genauso ist es. Noch etwas. Du erinnerst dich doch, wie Lovett vor einem Jahr versucht hat, Vick und mich zu erpressen. Hundert Riesen, oder er lässt eine Bombe platzen.«

Villani konnte Dance nicht ansehen, trank seinen Wein aus, beäugte das letzte steife Fischlein. »Willst du das?«

»Nein.«

Villani aß die Sardine, knusprig, eine Spur Chili.

»Hab ich dir das damals nicht erzählt?«, sagte Dance. »Ich dachte, das hätte ich.«

»Kann mich nicht genau erinnern.«

»Tja, denk drüber nach«, sagte Dance. »Lass dir Zeit.«

Ihre Blicke trafen sich.

»Das Leben ist kurz genug, Stevo«, sagte Dance, »auch ohne dass zwei tote Ärsche in die Tonne treten, was uns davon noch bleibt. Wir tun, was wir tun müssen, stimmt's?«

»Das leuchtet mir ein«, sagte Villani.

Dance' Blicke huschten durch den Raum, er leerte sein Glas. »Sie will's wissen, diese japanoide Tussi«, sagte er. »Die Wohung in den Docklands, das Sumobett, der Whirlpool. Ein Jammer, dass ich so verdammt unter Termindruck stehe. Muss mal pissen. Und du?«

»Nein. Da drin sind Kameras.«

Villani sah Dance nach, die Frauen auch, eine groß gewachsene Gestalt, Körperhaltung wie Bob Villani, Besenstil im Arsch. Er erhaschte den Blick des Kellners, signalisierte: Zahlen. Der Mann sauste herbei.

»Seien Sie bitte unsere Gäste, Sir. Sie und Mr. Dance.«

Ein Wurm kroch unter Villanis Kopfhaut. »Danke, aber nein«, sagte er. Er fand zwei Zwanziger. »Der Rest ist für die Blindenhunde.«

Dance kehrte zurück. Sie gingen. An seinem Wagen bot Dance ihm eine Zigarette an. Sie standen da, der Verkehr rauschte wenige Meter entfernt vorbei. In Bodenhöhe war es jetzt dämmrig, das Licht war wie gelbe Buntglasscheiben zwischen den Häusern.

»Also, dieses Miststück Mellish«, sagte Dance. »Die muss eins begreifen. Man schickt keine drei hochrangigen Polizisten über die Planke und kehrt dann zurück in die Kapitäns-kajüte zu einem Gin Tonic.«

»Nein?«

»Nein. Besagte Polizisten nehmen sonst das Schiff namens Liberale Partei mit sich auf den Meeresgrund.«

»Und das mache ich ihr klar?«

»Nein, Mr. Barry. Er muss denen sagen, dass er Tabula rasa machen will. Bei null neu anfangen. Dass er keinen mit ollen Kamellen beladenen Rucksack mitschleppen will. Probleme von vorgestern, solche Sachen.«

Villanis Handy.

»Chef«, sagte Dove. »Ein Typ will mit Ihnen reden. Nur mit Ihnen, kommt nicht her. Er sagt, er hätte jetzt gerade Zeit.«

»Worüber?«

»Prosilio. Die junge Frau.«

Er sah Dance seine halb geraucht Zigarette in hohem Bogen in den Verkehr werfen, sie traf das Rad eines Taxis, sprühte Funken wie eine Schleifmaschine.

»Sagen Sie ihm, in einer halben Stunde im Somerset in der Smith Street«, sagte Villani. »Holen Sie mich gegenüber vom Grenville Hotel ab, das ist in South Yarra. Beide Adressen in Melbourne. Finden Sie die?«

»War die ganze Nacht auf und hab den Melways studiert. Chef.«

Dance sagte: »Ist dein alter Herr wohlauf?«

»Dem geht's gut, ja. Wartet da oben auf den Verbrennungs-tod.«

»Ein Supertyp, dein Bob«, sagte Dance. »Ich wünschte, ich hätte so einen Dad gehabt.«

Der Pub war nicht voll, vielleicht ein Dutzend Trinker an der langen Theke, ein paar traurige Fälle, ein Spiel Poolbillard war im Gang. Ein Mann in einem grauen Anzug kam von den Toiletten und sah sich im Raum um, unsicher, schwarz gerahmte Brille, kein typischer Kneipengänger. Er war Mitte dreißig, mittelgroß, beginnende Halbglatze.

Villani hob sein Bier, trat von der Theke zurück. Ihre Blicke trafen sich, der Mund des Mannes zuckte, er ging um den Billardtisch herum, fand seine Bierflasche auf dem Tresen, trat näher.

»Sind Sie…«

»Der Mann, der mich sprechen will«, sagte Villani. »Stellen wir uns ans Fenster.«

Sie gingen in die Nische, wo Villani dafür sorgte, dass der Mann nach draußen schaute, damit Dove ihn deutlich im Blick hatte.

»Ich dachte nicht, dass es dazu kommen würde«, sagte der Mann. Er hatte eine Stupsnase und aufgeworfene Lippen, manche ältere Frauen fänden ihn bestimmt attraktiv, manche Männer auch.

»Zu was?«

»Dass Sie tatsächlich kommen würden, um mich zu treffen.«

Villani trank von seinem Bier. »Wie nehmen Hinweise ernst«, sagte er. »Außerdem rächen wir uns unnachsichtig an Leuten, die uns verarschen.«

Der Mann lächelte, ein Lächeln, das selbstsicher wirken sollte. »Ich wollte nicht mit Untergebenen reden«, sagte er. »Die Bürokratie ist mir durchaus vertraut.«

»Worüber reden?«

»Sichern Sie mir Vertraulichkeit zu?«

»Sie sind ein Typ in 'ner Kneipe, ich hab Sie nie zuvor gesehen«, sagte Villani. »Wie heißen Sie?«

Der Mann berührte seine Oberlippe, daran hatte er nicht gedacht. »Sie brauchen meinen Namen?«

Villani schloss einen Moment lang die Augen.

»Na schön. Don Phipps, so heiße ich. Aber ich will nicht, dass mein Name damit in Zusammenhang gebracht wird.«

»Wenn Sie in nichts verwickelt sind, ist das kein Problem.«

»Bin ich nicht. Ich habe für die Regierung des Staates Victoria gearbeitet, als Berater von Stuart Koenig, dem Minister für Infrastruktur. Bis letzte Woche.«

»Ja?«

Phipps nahm einen Schluck aus seiner Flasche. »Vor etwa zwei Wochen ist etwas passiert.«

»Ja?«

»Ich blieb noch nach Dienstschluss, um ein schriftliches Briefing für Stuart zu Ende zu bringen, es eilte, am nächsten Tag würde man uns im Parlament Fragen stellen. Ich dachte, ich werfe die Akte bei ihm in Kew ein, er hat ein Stadthaus, wo er unter der Woche wohnt. Ich wollte sie in den Briefkasten werfen, der gesichert ist, und ihn am Morgen anrufen, damit er sie beim Frühstück lesen könnte.«

»Die Spannung wird langsam unerträglich«, sagte Villani.

»Verzeihung. Nun, ich musste auf der anderen Straßenseite parken und zu dem Haus hinübergehen, und als ich in der Nähe des Tors war, ging es auf, und eine Frau kam heraus.«

»Ja?«

»Ich konnte sie gut sehen. Die Frau von Crime Stoppers in der Sendung. Die als weiße Frau beschrieben wurde.«

»Wie gut ist dort die Beleuchtung?«

»Nun, Stuart hat umfangreiche Sicherheitsvorkehrungen getroffen«, sagte Phipps. »Ich würde so weit gehen, zu behaupten, er ist paranoid. Wenn auch nicht grundlos, wie ich hinzufügen könnte, er hatte ein...«

»Mr. Phipps, ich habe noch anderes zu tun.«

»Klar. Nun, er hat Kameras an beiden Torflügeln, in der Auffahrt, da fährt man in eine Art Wartebucht, wo man auf einen Knopf drückt, dann bekommt man die Anweisung, sämtliche Fensterscheiben runterzulassen, damit die Kameras auf beiden Seiten alle Insassen des Wagens erkennen.«

»Sie haben sie deutlich gesehen.«

»Die Sicherheitsbeleuchtung brannte. Das ist so wie Tageslicht. Sie stieg in einen schwarzen BMW. Mit getönten Scheiben.«

Villani spürte seinen Puls, doch man sollte die Leute nicht aufregen. Wenn sie glaubten, etwas gesehen zu haben, und man ermunterte sie, dann waren sie erst recht davon überzeugt.

»Mr. Phipps, es rufen ständig Leute mit solchen Geschichten an. Sie identifizieren ihre ehemals besten Freunde, ihre Schwiegereltern oder Leute, die ihnen im Supermarkt dumm kommen.«

»Nein, nein, ich habe die Crime-Stoppers-Sendung auf Band, eher ein Zufall, ich wollte die Sendung danach aufnehmen. Ich habe sie mir wieder und wieder angesehen.«

Villani sah sich im Raum um. Hinter einer Säule war Doves teigiges Gesicht halb zu sehen.

Er fand eine Karte, reichte sie Phipps. »Name, Adresse, Telefonnummern.«

Phipps blinzelte hektisch, holte einen Füllfederhalter heraus, nahm die Kappe ab und steckte sie hinten drauf.

Villani nahm das Stück Papier. »Warum haben Sie so lange gewartet?«

Phipps trank einen größeren Schluck. »Nun, man hat seine

Zweifel. Ich habe daran gedacht, mit Stuart zu sprechen…
hab's mir eigentlich nur kurz überlegt.«

»Sie waren nicht bei Koenig?«

»Nein.«

»Wie lange haben Sie für ihn gearbeitet?«

»Ein Jahr. Ich hatte einen Zeitvertrag.«

»Der nicht verlängert wurde?«

»Die Menschen wollen Veränderung, neue Ideen. Mein
Nachfolger war eine Nachfolgerin.«

»Das heißt?«

»Eigentlich gar nichts. Nun, ich schätze, Stuart wird mit
einer Frau besser klarkommen.«

»Wieso das denn?«

Unsicherer Blick. »Ich sollte nicht über ihn reden. Er mag
es nicht, wenn man sich ihm widersetzt. Im Grunde ein Tyrann. Und Frauen. Meiner Erfahrung nach lassen sie sich
etwas mehr gefallen.«

»Ist das eine Retourkutsche Ihrerseits?«, fragte Villani.

»Gott, nein, ich will nur meine Bürgerpflicht tun. Ein
Mensch wird vermisst.«

»Ist tot.«

Phipps zeigte sich überrascht, eckige Zähne. »Das habe ich
nicht gesagt.«

»Als Sie die junge Frau bei Koenigs Haus sahen, was hat sie
da Ihrer Meinung nach gemacht?«

»Keine Ahnung. Eine Besucherin.«

»Haben Sie den Fahrer des BMW gesehen?«

»Nein.«

»Wie weit waren Sie von ihr entfernt?«, fragte Villani.

Phipps wies auf die Theke. »Von hier bis da. Vielleicht drei
Meter? Sie hat mich angesehen, darum bin ich mir so sicher.«

»Die Kameras. Hat Koenig das beobachtet?«

»Darum geht's doch wohl, nicht wahr?«

»Datum und Uhrzeit?«

»Kurz nach zehn Uhr abends, vor zwei Wochen. Ein Donnerstag.«

»Koenig war da?«

»Sein Wagen war da, im Haus brannte Licht.«

»Kann jemand Ihr Kommen und Gehen bestätigen?«

»Den Zeitpunkt, zu dem ich das Büro verlassen habe, ja. Und wann ich nach Hause gekommen bin.«

»Die Akte, das Dokument. Haben Sie das in den Briefkasten gesteckt?«

»Aber ja. Drei Exemplare, alle gestempelt, mit Uhrzeit und Datum.«

»Sie hören von mir, Mr. Phipps«, sagte Villani. »Wir werden eine ordnungsgemäße Aussage aufnehmen. Inzwischen sagen Sie keinem, dass Sie mit mir geredet haben, das ist wichtig. Verstehen wir uns?«

Phipps nickte, neigte sich zu Villani hinüber. »Darf ich was fragen? Ist das Ihr Fotograf oder irgendein Student, der an einer Dokumentation über Pubs arbeitet?«

Villani sah sich nicht nach Dove um. »Ein Student. Die sind überall. Unerträglich. Danke für Ihren Bürgersinn.«

Im Auto sagte er zu Dove: »Wichtig ist, dass sie einen nicht sehen. Schauen Sie auf das Kamerabild, nicht auf die Zielperson.«

»Hat er mich gesehen?«

»Ein Blinder mit 'm Krückstock konnte Sie sehen.«

Er berichtete Dove von Phipps. »Hört sich für mich plausibel an.«

»Ich sollte also …«

»Den Minister morgen aufsuchen«, sagte Villani. »Lassen Sie sich einen Termin geben, es sei dringend.«

»Heißt das ich oder … ?«

»Wollen Sie das machen? Sie und Winter?«

Dove sah ihn nicht an. »Nicht unbedingt, Chef.«

»Na schön. Sie und ich. Und was Preston betrifft, Sie sollten überprüfen, ob es da irgendwelche Verbindungen zu Prosilio gibt.«

»Schon erledigt. Hab die Anweisung erteilt.«

Sie fuhren schweigend weiter.

»Allmählich verstehe ich, was den Job ausmacht«, sagte Dove, »Chef.«

»Diesen Job oder den Job generell?«

»Den Job generell. Das ganze Elend.«

»Aufkommende Weisheit«, sagte Villani. »Noch ist Zeit, das Weite zu suchen. Warum sind Sie Cop geworden?«

»Um meinen Vater zu ärgern«, sagte Dove. »Er hat Cops gehasst.«

»Damit ärgern Sie ihn bestimmt«, sagte Villani. »Darüber sollte er sich grün und blau ärgern. Ich will in die Avoca Street. Wissen Sie, wo das ist?«

»In Highett, Yarraville oder Brunswick?«

»Probieren wir es mit South Yarra, bitte. Fahren Sie die Punt Road runter.«

Als sie den Yarra River überquerten, sagte Villani: »Warum hat Ihr Dad Cops gehasst?«

»Die haben ihn verprügelt«, sagte Dove. »In Sydney. Mehr als einmal.«

»Wieso das denn?«

Dove sah ihn aus seinen dunklen Augen an. »Die gleiche Hautfarbe wie ich. Die falsche Farbe.«

»Hat er Ihnen verziehen?«, fragte Villani. »Ich würde Ihnen nicht verzeihen.«

»Er glaubt, dass ich angeschossen wurde, ist meine Strafe«, sagte Dove. »Er glaubt, wir alle würden für unsere Sünden bestraft. Zu gegebener Zeit.«

»Da könnte er durchaus recht haben«, sagte Villani. »Und meine Zeit ist da.«

Gegen Ende der Nacht weckte ihn ein Geräusch von der Straße, quietschende, durchdrehende Reifen, sie waren beide nackt, die Decke beiseitegeworfen, lagen im Licht, das durch das nicht abgedunkelte Fenster fiel. Sie schlief auf dem Rücken, drehte ihm das durch eine Haarsträhne verdeckte Gesicht zu, die Hände am Hals gefaltet, die Hüftknochen standen vor, er sah das dunkle Dreieck.

Der Schlaf war vorbei, ein neuer Tag, aber der alte war noch in seinem Mund – alter Tag, alte Woche, alter Monat, altes Jahr. Ein Mann mittleren Alters ohne Adresse, sein Hab und Gut war im Kofferraum seines Wagens.

Villani ließ sich vom Bett gleiten, stand auf, sammelte seine Klamotten ein.

Anna rührte sich, drehte sich auf die rechte Seite.

In dem schmutzig-schwachen Licht wartete er, bis sie zur Ruhe gekommen war, betrachtete ihren anmutigen Körper, verspürte eine Traurigkeit, ging leise ins Bad, duschte in der großen Schieferkabine, dachte nach über seine Gefühle für sie, wie dumm das alles war, wie sehr er es genoss, mit ihr zusammen zu sein, sich mit ihr zu unterhalten, wie sie ihn ansah. Seit seinen ersten Monaten mit Laurie hatte ihn keine mehr so angesehen.

Ich bin in sie verliebt.

In Worten. Ein dummer, kindischer Gedanke. Er schüttelte den Kopf und straffte sich mit einem kurzen Erbeben, als könnte er ihn damit vertreiben.

Irgendwann in dieser Nacht, als die Körper abkühlten, die Augen auf die Zimmerdecke gerichtet waren, die Vorhänge offen standen und Lichter von draußen an der Decke spielten, sagte er: »Die Männer in deinem Leben.«

Ein langes Schweigen.

Dann sagte sie: »Die Männer, die Männer, o Gott, wo soll ich anfangen? Mit meinem Dad?«

»Nur die guten Erinnerungen, bitte. Kein Missbrauch. So was kann zur Anzeige gebracht werden.«

Ihr rechter Arm über ihm, ihr Mund nah, er spürte ihren Atem. »Scheißkerl. Warum willst du das wissen?«

Er wusste, was sie meinte. Er wusste keine echte Antwort.

»Als Polizist«, sagte er, »muss ich das wissen.«

»Nun, ich gestehe, dass ich mit Männern nicht viel Glück hatte«, sagte sie.

»Wie sieht Glück aus?«

»Eine Kombination aus älterem Bruder und Vater. Aber nicht mit einem verwandt.« Sie berührte mit geöffneten Lippen seinen Hals.

»Schwierig«, sagte er. »Wir können Fotos vergleichen, dann die DNA, vielleicht findet sich was.«

Anna biss ihn in die Schulter, sanft, wie eine Katze.

»Wenn man davon absieht, deine Familie zu klonen«, sagte Villani.

Sie legte sich um, drehte sich, veränderte ihre Lage, Kopf auf seinem Brustkorb.

»Ein gemischtes Vergnügen«, sagte sie. »Am längsten mit einem Uniprofessor, von seiner wunderschönen Frau entfremdet, wie man mich glauben machte. Ich wollte es glauben, ich war einundzwanzig, mein moralisches Empfinden war damals hoch entwickelt. Sechs Jahre lang, mit Unterbrechungen, ich war so was von dämlich. Dann reiste er in die Staaten, seine neue Doktorandin im Gepäck.« Pause. »Du willst das doch nicht wirklich wissen, oder?«

»Ich habe gefragt.«

»Was passiert, wenn ich dich frage?«

»Frau, drei Kinder.«

»Nein, Mann«, sagte sie, »das ist keine Antwort, das ist das Alibi.«

Sie lagen stumm da.

»Bin kein Heiliger«, sagte Villani. Eigentlich wollte er ihr sagen, dass er zu Hause ausgezogen war, sein Koffer im Wagen lag, doch er konnte nicht. Das hieße, dass er ihr von Lizzie erzählen müsste, und dann würde sie Lauries Haltung verstehen und ihn so sehen, wie er war. Außerdem klänge es armselig, als würde er um Aufnahme bitten, um ein neues Zuhause.

»Du wusstest von der Sache mit Tony Ruskin, nicht wahr?«, sagte Anna.

»Was wusste ich?«

»Dass ich frei war. Dass du nur blinzeln musstest.«

»Äh, nein. Ich dachte, du mochtest mich als Freund.«

»Verlogener Mistkerl«, sagte sie.

»Zurück zum Thema«, sagte Villani. »Die Männer.«

»Ein Anwalt, ein Journalist, ein paar Journalisten. Zwei Anwälte, genau genommen. Und es ging immer derber zur Sache.«

Tony Ruskin. Das war wohl einer der Journalisten.

»Und jetzt bist du ganz unten angelangt«, sagte Villani. »Unterste Schublade. Ein Cop.«

Sie küsste sein Schlüsselbein. »Cop ist nicht unterste Schublade«, sagte sie. »Exfootballspieler von Collingwood ist unterste Schublade. Mich schaudert immer noch. Allerdings gebe ich gern zu, dass du gar nicht übel bist, was die untere Abteilung angeht. Zweite Schublade von unten.«

»Vorsicht«, sagte er. »Ich bin leicht erregbar.«

»Ist das gefährlich?« Ihre rechte Hand schob sich seinen Bauch hinunter.

»Weniger gefährlich«, sagte er, »als möglicherweise enttäuschend.«

»Ich laufe jede Minute des Tages Gefahr, enttäuscht zu werden«, sagte Anna. Sie ließ ihn in sich hineingleiten.

Es nahm kein Ende. Villani hatte vergessen, dass Sex so lange dauern und sich so anfühlen konnte.

Schließlich lagen sie verschwitzt und stumm da, bis Anna seufzend sagte: »Also, nach dem Abschlag gehen einige Spieler vom Platz. Ist das Halbzeit?«

»Abpfiff, schätze ich«, sagte er.

»Die Blutergüsse. Arbeit oder Vergnügen?«

Villani schaute hin. Die ersten schwachen Spuren von Les' Hieben. »Boxen«, sagte er. »Ich weiß auch nicht, warum. Frag nicht.«

Sie lachte, stand auf. Im Licht des Flurs sah er ihren sich wiegenden Körper, den Schweißfilm auf ihrer Flanke. Als er den Kopf auf dem Kissen drehte, roch er ihr Parfüm.

Sie kam mit zwei großen Gläsern Wasser wieder, in denen Limonenscheiben schwammen. Er setzte sich auf. Sie tranken. Sie legte sich hin.

»Dein alter Herr«, sagte Villani. »Was macht er beruflich?«

»Er war in den Finanzwirtschaft tätig.«

»Eine Art Hypothekenmakler?«

»Nein. Investmentbanker. Vor ein paar Jahren hat man ihn gefeuert. Während des Subprime-Börsenkrachs. Vom Genie zum Volldepp in zwei Monaten. In denen er um circa zwanzig Jahre alterte.«

»Und dein Bruder?«

»Werbung. Er ist immer noch ein Genie. Betonung auf noch.«

»Man kann also mit Fug und Recht behaupten, dass ich nicht wie er bin.«

»Nicht mal annähernd«, sagte Anna. »Eigentlich schade.

Ich habe gehört, wie übel Paul Keogh der Polizei zugesetzt hat.«

»Wir warten darauf, dass er den Notruf wählt, weil lesbische Biker sein Haus überfallen. Dann lassen wir ihn zwei Tage lang in der Warteschleife hängen.«

»Du kennst Matt Cameron.«

»Du auch, wie ich gesehen habe.«

»Beruflich. Attraktiver Mann.«

»Für mich weniger. Aber.«

»Er sagt, du hast eine Zukunft. Er spricht nicht sehr schmeichelhaft über die Führungsebene der Polizei.«

»Ihr sprecht also über mich? Weshalb?«

»Ich habe ein gewisses Interesse an dir. Ein perverses Interesse. Was dir wahrscheinlich entgangen ist.«

»Wie heißen Sie doch gleich?«

»Mein kleiner Freund Gary Moorcroft wollte wissen, ob wir was miteinander hätten.«

Moorcroft war der Polizeireporter des Senders, ein Mann mit einer spitzen Nase.

»Woher rührt Pinocchios Interesse?«

»Er ist schlicht unnatürlich neugierig.«

»Was hast du geantwortet?«

»Ich sagte, verheiratete Männer lägen hinter mir.«

»Aha. Ist das ›hinter‹ im Gegensatz zu unter mir?«

Sie stupste ihn mit ihrer dünnen Schulter an. »Schlauberger. Wenigstens hast du mir keine Lügen über deine Ehe erzählt. Das ist für einen Mann ungewöhnlich.«

Das war der Augenblick, sich für ein neues Leben zu entscheiden. Mit ihr ein anderes Leben anzufangen.

Der Nachtwind hatte den Rauch aus dem Hochland in die Straßen geweht, wo er sich mit dem Stadtgeruch mischte, mit den Ausdünstungen der Petrochemie, mit dem Geruch nach Kohlenstoff, Schwefel, Bratölen und verbranntem Gummi, nach Kanalisation, Abwässern, heißem Teer, Hundekacke und aromatischem Nachtschweiß, dem Geruch von einer Million geöffneten Bieren und einhundert Trillionen säuerlichen menschlichen Atemstößen.

Er dachte an die Spaziergänge in der Morgendämmerung mit Bob, als er noch ein Junge war, nachdem die Bäume gepflanzt waren, die Stille in der Welt, die kühle Luft, die man trinken konnte. Als Letztes an Samstagabenden, wenn Bob in seinem Sessel saß, mit seinem Buch, seinem Glas Whisky, sagte Villani immer: »Morgen die Bäume, Dad?«

Und Bob antwortete jedes Mal: »Ich bin dabei. Weck mich.«

Soweit er sich erinnerte, hatte Bob ihm nie einen Gutenachtkuss gegeben, keinen Gutenacht-, Abschieds- oder Sonstwaskuss und auch keinen, um ihn loszuwerden. Er küsste immer Mark und Luke, zog sie an sich, strich ihnen über den Kopf. Ehe sonntagmorgens der Wecker klingelte, kam Bob in sein Zimmer, berührte ihn an der Schulter, und Villani setzte sich auf, schwang schon die Beine vom Bett, roch den Alkohol im Atem seines Vaters, rieb sich die Augen, den Kopf, wusste zuerst nicht, welcher Tag war.

In dem grauen, stillen Morgen gingen Mann und Knabe über die sanft abfallenden Weiden, durch das uralte Tor, das man anheben und schleifen musste, wo Villani die Flinte zurückließ. Sie gingen durch den Wald, zogen die abgestorbenen und absterbenden Bäumchen heraus, um sie zu ersetzen. Sie verloren nicht sehr viele. In den ersten Jahren waren die Winter feucht, und im Sommer versorgte Villani an jedem Abend unter der Woche einen Teil des Waldes mit Stauseewasser, das er mehrere hundert Meter durch alte Bewässerungsschläuche von Sportplätzen laufen ließ, die Bob auf der Müllhalde gefunden hatte. Es war nicht leicht, sie zu bewegen, die Schläuche liefen in Schlangenlinien und verhedderten sich, weil die Bäume nicht in Reihen gepflanzt waren.

Als sie mit dem Pflanzen begannen, fragte er nach dem Grund. »Ist keine Pflanzung«, sagte Bob. »In Pflanzungen gibt es Kahlschlag. Wir pflanzen einen Wald. Den wird niemand umhauen.« Er sah Villani an, der lange, abwägende Blick. »Nicht, so lange ich lebe, und nicht so lange du lebst. Versprichst du das?«

»Ja.«

»Sag: Ich verspreche es.«

Er wiederholte die Worte.

Am Ende jedes Rundgangs sammelte Villani am Tor die Brno wieder ein, eine Repetierbüchse vom Kaliber 22, Wangenschaft, das kleine Fünf-Schuss-Magazin durfte erst eingeschoben werden, wenn es gebraucht wurde, Befehl seines Vaters. Er ging in die kleine Schlucht hinunter, die sich bis zur Straße zog, blieb ein Weilchen still sitzen und erlegte ein paar Kaninchen für Bobs Stew, den Höhepunkt der Woche, das an Sonntagen gekocht wurde, mit Möhren und Zwiebeln, Tomatensauce, Currypulver, Essig und braunem Zucker. Es schmorte stundenlang, sie aßen es mittags mit Reis. Bob mochte Reis, er konnte Reis mit Tomatensauce essen, und sie alle schlugen ihm nach.

Die Kaninchen waren gesund, auf dem Besitz war nie Myxomatose ausgebrochen.

»Gibt keine logische Erklärung«, sagte Bob. »Dadurch will uns die Natur etwas sagen.«

Die Kaninchen blieben auch ohne Gemetzel beherrschbar. Das übernahmen andere Tiere, die verwilderten Katzen und die Füchse. Die schossen sie, doch Bob ließ keine Fuchsjäger auf sein Grundstück. Eines Sonntags, sie aßen gerade ein Stew, hupte draußen ein Fahrzeug, ein langer, quäkender Hupton, zwei kurze Töne, noch einer.

»Das gehört sich nicht«, sagte Bob. »Sieh nach, wer es ist, Stevie.«

Villani ging durch den Flur, vor die Haustür. Ein Pick-up in der Auffahrt, auf dem Weg zum Haus zwei große Männer, Rotschöpfe, fett, schmutzige Klamotten.

»Hol dein' Dad«, sagte der Ältere, Halbglatze, Sommer-sprossen, eine Strähne über die kahle Stelle gekämmt.

Villani musste Bob nicht holen, er kam schon raus, drehte sich einhändig eine Zigarette, hinter ihm flog die Fliegengit-tertür zu, ein mattes Klatschen.

»Ich kann was bitte für Sie tun?«, sagte Bob Villani.

»Mir reicht's mit eurem beschissenen Ungeziefer«, sagte der ältere Mann. »Hab ich Ihnen schon an der Tankstelle gesagt, aber Sie hören ja nicht zu, verdammt. Letzte Nacht mussten sechs Lämmer dran glauben.«

»Fluchen Sie nicht vor meinem Jungen«, sagte Bob mit ruhiger Stimme.

Der Mann kratzte sich am Kopf, verschob die Strähnen. »Tja, ihr beide könnt mich mal am Arsch lecken, entweder bringt ihr die Viecher um, oder wir tun's, sechs von uns und die Hunde, jede Menge Hunde.«

Bob nahm das Zippo-Sturmfeuerzeug aus seiner Hemdta-sche, klappte den Deckel hoch, machte Feuer. Er zog an der Zigarette, klaubte einen Tabakfaden von seiner Unterlippe.

»Wie heißen Sie noch gleich?«, sagte er.

Der Mann verdrehte die Stiefelspitze. »Collings, hab Ihnen meinen Namen schon gesagt, verdammt noch mal.«

»Collings«, wiederholte Bob. »Collings. Nun, Mr. Col-lings, Sie spielen mit Ihrem Leben. Wenn Sie auf meinem Grund und Boden ein Tier schießen, schieße ich zehn auf Ih-rem. Das kann mit Ihnen beiden beginnen oder enden, mir ist das gleich.«

Villani erinnerte sich noch an die Stille, Mark und Luke hinter ihm, drängten, drückten die Hände an seinen Rücken. Sein Vater sah die Männer an, atmete Rauch ein und blies dann einen einzelnen perfekten Ring, der in der unbewegten Herbstluft wuchs, hing, rollte.

Und dann schnipste sein Vater die Zigarette an Collings' Gesicht vorbei, verfehlte ihn um Handbreite und sagte die

Worte: »Vielleicht möchten Sie es jetzt gleich regeln, Mr. Collings? Warum treten Sie nicht ein wenig zurück, dann können Sie's beide versuchen.«

Nach einem Weilchen sagte Collings: »Das hättest du wohl gern«, und die Männer gingen davon. Im Pick-up schrie der Ältere: »Leck mich am Arsch!«

Durchdrehende Räder, Staub wirbelte auf.

Das Herz schlug Villani bis zum Hals, als er Bob fragte: »Hättest du es getan?«

»Was?«

»Gegen beide gekämpft.«

Bob sah ihn an, das leichte Lächeln. »Mein Wort drauf«, sagte er.

Noch wochenlang, wenn Villani mit den Jungs allein war, erstarrte er jedes Mal, sobald er ein Fahrzeug hörte. Doch sie kamen nie, die Männer mit den Hunden, sie kamen nie.

Die Dunkelheit lagerte noch haushoch zwischen den Mauern der Stadt, blockierte die Fahrspuren, die Eingänge, hing in den Straßenbäumen, während Villani unter ihren Klippen dahinfuhr, nach Lizzie Ausschau hielt, in die Gassen spähte. Er verhielt sich wie ein Cop, Cops sahen die Welt nicht wie andere Menschen. Bis zum Beweis des Gegenteils hielten sie alles und jeden für verdächtig.

Zwei Jungs überquerten die Straße, schlabbrige Klamotten, der Kleinere humpelte, der andere hatte seine Kapuze auf. Wie alt? Zehn, zwölf, nicht viel älter. Im Morgengrauen im Geschäftsviertel. Wo hatten sie geschlafen? Sie glichen Füchsen, waren Jäger und Beute.

Er dachte daran, wie er mit zwölf gewesen war. Er wusste damals schon vieles, aber er wusste wenig über die intime Körperlichkeit der Erwachsenen, hatte nur einen Blick auf die Gewalt erhascht. Heute hatten manche Kinder dieses Alters schon jeden sexuellen Akt gesehen, jedes Stoßen, Lutschen, Schlagen, Würgen, sie hatten alle Formen der Gewalt gesehen. Nichts war mehr seltsam oder schockierend, Vertrauen, Ehrlichkeit, Tugend waren ihnen fremd.

Sie hatten nichts als ihre Existenz, in all ihrem achtlosen, freudlosen Schrecken.

Lizzie. Trat alles mit Füßen, ihr Zuhause, die Geborgenheit, die Liebe ihrer Mutter. Für was? Begriff sie nicht, wie kostbar die Liebe einer Mutter war?

Bob gab eines Sonntags Villani den Brief, nicht lange nach-

dem er ihn und Mark aus Stella Villanis Haus abgeholt und
auf die Farm gebracht hatte. Er war mit Kuli auf dünnem,
blassblau liniertem Papier geschrieben, das jemand aus einem
Übungsheft gerissen hatte.

> *Meine geliebten Jungs,*
> *ich schreibe dies, damit Ihr wisst, wie sehr ich Euch*
> *liebe und wie sehr Ihr mir fehlt. Ich bin lange krank ge-*
> *wesen, doch jetzt geht es mir viel besser. Ich hoffe, bald*
> *bei Euch zu Hause zu sein. Seid bitte brav und in der*
> *Schule fleißig. Mein Liebling Stephen, Du musst auf*
> *meinen Liebling Mark gut aufpassen. Sprich mit Dei-*
> *nem Dad, wenn es irgendetwas gibt, was er über die*
> *Schule wissen sollte. Vergesst nie, dass ich Euch immer und*
> *ewig liebe.*
> *Eure Mum*

Zum ersten Mal stellte Villani seinem Vater die Frage.

»Dad, was für eine Krankheit hat Mum?«

Bob schaute weg. »Irgendwas stimmt nicht im Gehirn«,
sagte er. »Man weiß nicht genau, was.«

Villani fragte nie wieder nach ihr. Den Brief faltete er zusammen und legte ihn in seine Bonbondose aus Blech, unter
die beiden Fotografien seiner Mutter. Er las ihn nie wieder,
und er vergaß nie ein einziges Wort darin.

Er fuhr auf der Victoria Parade Richtung Osten. Er dachte
zu viel über Dinge nach, die nicht zu ändern waren. Er sollte
bei Bob sein, auf das Feuer warten, sie beide, ohne viel zu reden, über das nachdenken, was unerledigt war, was immer unerledigt bleiben würde.

Man konnte die Pferde in einem Transporter wegbringen,
man konnte versuchen, das Haus, die Farmgebäude zu retten.
Aber ihr Wald. Falls die Flammen über den Hügel im Norden kamen, falls der Wind die überhitzte Luft das Tal hinun-

ter wehte, war der Wald verloren. Jedes einzelne Blatt würde schrumpfen, die Eukalypten würden explodieren. Früher hatte man geglaubt, sie würden geboren, um zu verbrennen und zu neuem Leben zu erwachen, Jesusbäume hatte Bob sie früher genannt. Doch das war vor dem Schwarzen Samstag gewesen. Auch sie würden sterben und alles mit sich nehmen. Die Eichen, das Unterholz, jedes einzelne lebende Wesen. Marysville, Kinglake – danach war nichts mehr wie zuvor, man konnte nie mehr in der gleichen Weise an Feuer denken wie vor dem Schwarzen Samstag.

Er bog in die Hoddle Street, leichter Verkehr, die Leute schlugen dem Stau ein Schnippchen, früh zur Arbeit fahren, früh wieder wegfahren, die Mautstraße schenkte den Autosklaven ein paar Minuten Vergnügen, sie rauschten mit hundert Stundenkilometern dahin, dann ging gar nichts mehr, sie krochen in das Hauptgeschäftsviertel. Die Innenstadt brauchte dringend Max Hendrys AirLine.

Ihm fiel der quadratische Umschlag ein, der Dienstag unten am Empfang abgegeben worden war. Ein dickes Blatt Papier.

Victoria Hendry,
Capernaum, Coppin Grove, Hawthorn

Lieber Stephen,

es war ein wirklich ein Vergnügen, Sie neulich abends kennenzulernen. Falls Sie die Zeit fänden, würden Max und ich Sie gern am Freitag zum Hendry'schen Grillabend begrüßen. (Das ist so eine Art sommerliche Tradition, nur ein paar Leute am Pool, gegen achtzehn Uhr geht's los.) Wir rechnen fest mit Ihnen. Kommen Sie unbedingt.

Herzlichst,
Vicky H.

Villani sah das öffentliche Schwimmbad, schaute hinüber zu der Stelle auf der anderen Straßenseite, wo an einem kalten Abend im Jahr 1987, hinter einer Werbetafel verborgen, ein junger Außenseiter, ein entlassener Heereskadett, ein Häufchen geballter unbegreiflicher Wut, auf den vorbeifahrenden Verkehr geschossen hatte. Er traf eine Windschutzscheibe, die Fahrerin hielt verdutzt an, stieg aus. Er erschoss sie. Autos hielten, zwei Männer liefen zu ihr hin. Villani erinnerte sich an das Verhör.

Der erste Mann fiel auf die Straße, und dann der zweite, keine Ahnung, woher der kam, aber den hab ich auch umgelegt.

Und schienen sie alle tot zu sein, als Sie...?

Die, die als Erste auf die Straße gefallen ist, die war nicht tot.

Was geschah dann?

Och, ich hab noch zweimal geschossen.

Zu welchem Zweck?

Um ihr den Rest zu geben.

Sie verließen gerade ein Haus in Footscray, er und Dance, als der Funkspruch kam.

... alle Einheiten, alle Einheiten, es wurden Schüsse abgegeben und Personen sind zu Boden gegangen, möglicherweise tödlich getroffen. Ich wiederhole, mehrere Schüsse wurden abgegeben, und der Täter ist noch auf freiem Fuß, jede Einheit, die sich in der Nähe des Bahnhofs Clifton Hill befindet...

Als sie dort eintrafen, war der Schütze verschwunden, Hoddle Street sah aus wie nach einem Bombenangriff, überall Autos, ein Motorrad lag auf der Seite, sieben Menschen waren tot oder lagen im Sterben, neunzehn Verletzte.

Eine Zeit lang glaubte niemand, dass es sich um das Werk eines einzelnen Schützen handelte, das Radio verbreitete Furcht und Schrecken, Hausbesitzer gerieten in Panik, der Hubschrauber kreiste über den gesetzestreuen Straßen von

North Fitzroy, sein Suchscheinwerfer verwandelte die Nacht in einen gelben Tag, die SOGler rannten im Kampfanzug durch Häuser, eine Frau behauptete später, dabei sei eine Vase zerdeppert worden.

Und dann war es vorbei, die niederträchtige Kreatur hatte sich ergeben, *Nicht schießen, nicht schießen*, gerufen, in Todesangst.

Villani nahm den Abzweig zu Rose' Vorort, hielt an einem Kiosk und kaufte die Zeitungen, las sie im Wagen.

Auf der Titelseite der *Herald Sun* prangten Bilder von Kidd und Larter, Verbrecherfotos, der hasenäugige Psycho-Kinderschänder-Serienmörder-Blick, den alle Männer haben, wenn ihre Führerscheinfotos sechshundertfach vergrößert werden.

EXCOPS BEGINGEN FOLTERMORDE

Die Verfasserin, Bianca Pearse, überführte die beiden Männer als Schuldige von Oakleigh. Eine klare Sache, wie ihre Polizeiquellen erklärten. Abtrünnige Ex-SOGler beklauten hochgefährliche bewaffnete Räuber, folterten und töteten sie aus Spaß an der Freude. Wahrscheinlich unter Drogen. Hinsichtlich der Verfolgungsjagd hatte Searle sie ins Gebet genommen. Es seien keine Polizeifahrzeuge in der Nähe gewesen, der Fahrer habe die Kontrolle verloren, deshalb seien sie ums Leben gekommen. Alles in allem eigentlich ein gutes Ende, die Welt sei nun besser dran als vorher.

Tony Ruskins Artikel in *The Age* stand auf der unteren Hälfte der Titelseite, mit denselben Fotos.

Elitepolizisten mit Foltermorden in Verbindung gebracht

Ruskin wusste weit mehr über Kidds und Larters Karrieren, als er eigentlich wissen dürfte. Er schrieb, Larter sei an einem vertuschten Zwischenfall in Afghanistan beteiligt gewesen, bei dem vier Zivilisten getötet wurden. Er war auch genau über die Ribarics und Vern Hudson informiert, ließ durchblicken, sie seien von anderem Gesindel verraten worden. Ohne Ordonez hätte er das nie erfahren. Aber was undichte Stellen betraf, so war Ruskin immer eine Klasse für sich gewesen, er bekam die besten Tipps. Im Parlament hieß es, sein Vater Eric sei nicht nur Polizeiminister, sondern auch Minister für die Polizei, der Polizei, über, unter, vor und hinter der Polizei gewesen.

Ohne es direkt auszusprechen, deutete Ruskin an, mit der Identifizierung der Oakleigh-Mörder habe das Morddezernat hervorragende Arbeit geleistet. Es folgten nicht näher bezeichnete persönliche Heldentaten von Beamten des Dezernats. Der tödliche Unfall bedeute, das Dezernat sei, ohne eigene Schuld, der Genugtuung beraubt worden, die Mörder vor Gericht zu sehen.

Barry, Gillam und Orong würden zufrieden sein. Jetzt brauchte man nur noch eine Waffe.

Rose Quirks Straße war vollkommen zugeparkt, er musste sein Auto einen Block entfernt abstellen, die Straße runtergehen, sah sich ein wenig um. Rose saß auf ihrer Veranda.

»Sauheiß«, sagte sie. Sie trank Tee aus einem Bierglas mit Henkel. »Wo haste gesteckt, verdammt?«

»Hatte einiges um die Ohren«, sagte Villani. Er öffnete das Tor, schloss es hinter sich, die Klinke musste mal repariert werden. »Alles in Ordnung?«

»In Ordnung ist Geschichte, Mann. Mein Rücken ist am Ende. Hab ihn mir massieren lassen, der Trampel hat irgendwas falsch angefasst, die hat Massage bestimmt bei Pferden gelernt. Ein Schmerz wie noch nie. Hoch in den Kopf geschossen, runter in die Beine.«

Anfangs hatten in Rose' Straße überwiegend Rentner gewohnt, die alles für Miete, Zigaretten, Spielautomaten ausgaben, sich von Gehacktem und Teilen von Hähnchen aus Legebatterien ernährten, die alleinerziehenden Mütter ließen sich Pizzas bringen, füllten ihre Kinder mit Zucker und Salz, Cola, Pommes mit Grillgeschmack und synthetischer Eiscreme ab. Eines Tages fiel Villani auf, dass die ganze Straße nur noch aus *beste Lage, Gelegenheit für Renovierer* bestand.

Die Autos wechselten. An die Stelle der verrosteten Commodores, Falcons, der verblichenen Renaults und der Japaner, alle mit abgefahrenen Reifen und gesprungenen Windschutzscheiben, Drahtkleiderbügeln als Antennen, Türen vom Schrottplatz in der falschen Farbe und auf den Parkstreifen Ölpfützen hinterlassend, die an Regentagen bunt schillerten, waren Subarus, VWs, Saabs und Volvos getreten.

Eines Tages zählte Villani in der schmalen Straße zwölf Handwerker-Pick-ups und sieben Müllcontainer, die Mülltonnen quollen über von herausgerissenen Teppichböden und Linoleum, Badewannen, Duschkabinen, Küchenanrichten mit Resopalablage, Lampenschirmen aus Plastik, hütehundbraunen Gasheizgeräten, lila Strukturtapeten, kaputten Glasfaserplatten, Schränken aus Spanplatten, metallenen Gardinenleisten, Wasserboilern, zerlegten Wäschespinnen, vermoderten Zäunen. Auf einem Container stand eine alte Hundehütte, sorgfältig gebaut, Blechdach, der Hund, der Hüttenbauer, die Werkzeuge, die Liebe, alles weg, aus und vorbei.

Jetzt sah er, dass die von ihm ausgesäten Bohnen kaputt waren, zerstört, als wäre ein Tier hindurchgestapft. »Herrje, was ist das?«

»Der Junge aus Nummer siebzehn«, sagte Rose. »Ziemlicher Rüpel.«

Die Tomaten. »Du isst 'ne Menge Kirschtomaten, nicht wahr?«, sagte er.

»Sophie und noch wer von gegenüber. Die kamen rüber

269

und haben sich vorgestellt. Mein Fehler, ich hab gesagt: Bedient euch.«

Fremde Hände hatten auch winzige Möhren herausgezupft, Kartoffeln aus der Tonne gezogen, seine Kannebecs und King Edwards. Das mussten immer noch bleiche Kügelchen gewesen sein, nicht größer als Murmeln. Auf der anderen Straßenseite hörte er ein Auto hupen, ein Mann mit poliertem Glatzkopf winkte, seine Brillengläser glänzten im Licht wie Blitzlichtbirnen.

»Das ist David«, sagte Rose.

»Warum holst du den Penner nicht rüber, damit er sich ein wenig um den Garten kümmert?«, sagte Villani.

»Ich seh's an deinem Blick«, sagte Rose. »Stimmt was nicht?«

»Ich bin nicht begeistert davon, Audi-Fahrer gratis mit Gemüse zu versorgen.«

Rose sah ihn schräg an. »Tja, wer hat denn gesagt, dass du das machen sollst? Hab eh nie begriffen, was für dich dabei rausspringt.«

»Gar nichts«, sagte Villani. »Nicht das Geringste.«

Er hatte mit keinem Menschen über seine Besuche in Rose' Haus gesprochen. Laurie würde das nie verstehen. Seine Kollegen würden ihn für verrückt halten. Er verstand es selbst nicht, nur dass er anfangs das Gefühl hatte, er sei ihr etwas schuldig, und später, als er sie kannte, kam es ihm vor, als besuchte er seine Großmutter, kehrte zurück in seine einzige echte Kindheit, die Zeit, ehe er das Gewicht von Mark, Luke und den Tieren schultern musste, als keine Stunde ohne Aufgabe oder Pflicht verging, bis Bob nach Hause kam. Und immer, jede Stunde, jeden Tag, immer war die Angst da, dass Bob eines Freitags nicht nach Hause kommen würde, dass er am Ende des Tages draußen stehen und auf das Motorgeräusch des großen Lasters am Hügel und auf die Druckluft-hupe warten und die Welt dunkel werden würde, und Bob käme nicht nach Hause, weder in dieser Nacht noch überhaupt jemals.

»Siehst ein bisschen verhärmt aus, Junge«, sagte Rose jetzt. »Wie wär's mit einem kleinen Frühstück? Hab Eier von weiter unten an der Straße.«

»Unten an der Straße?«

»Die Lesben haben Hühner. Ich hab ihnen Gemüse gegeben, hab ihnen irgendwas gegeben, hab's vergessen.«

Sie sah Villani nicht in die Augen.

»Kleines Frühstück wäre gut«, sagte er. »Was ist mit Schinkenspeck? Halten die Lesben auch Schweine?«

»Bist ein echter Klugscheißer.«

Sie berührte ihn im Vorbeigehen, fuhr ihm mit einer Hand den Arm hinauf bis zur Schulter, streichelte ihn, wie sie eine Katze streicheln würde.

Der Minister war ein massiger Mann von Anfang fünfzig, fleischige Wangen, wirkte streit- und kampflustig. Er saß hinter einem ordinären Öffentlicher-Dienst-Schreibtisch, Glasplatte, leer, sah man von seinem Handy ab.

»Wofür soll das hilfreich sein?«, fragte er. Er erinnerte kaum an den jovialen Mann, der sich bei der AirLine-Party mit Paul Keogh unterhalten hatte.

Villani sagte: »Wir sind vom Morddezernat, Mr. Koenig.«

»Soll das ein Witz sein? Ich weiß, wo Sie arbeiten.«

Sie saßen in einem Pressezimmer, weit weg vom Parlament, ein Raum mit Blick auf grau verputzte Mauern.

»Es geht um Donnerstag, den Elften, vor vierzehn Tagen. Um den Abend dieses Tages. Waren Sie damals zu Hause?«

»Wieso?«

»Wir wären für Ihre Mithilfe dankbar.«

»Mir ist scheißegal, wofür Sie dankbar wären. Was soll diese Frage?«

»Eine Morduntersuchung. Ihr Name tauchte auf.«

»Blödsinn.«

»Ganz am Rande«, sagte Villani. »Aber wir brauchen Ihre Hilfe.«

Koenig musterte Villani eine ganze Weile. Villani erwiderte den Blick. Koenig nahm sein Handy, benutzte den Daumen, hielt das Telefon in Kopfhöhe.

»Terminkalender, Einträge für den elften Februar. Abends. Wo war ich?«

Er wartete, sah von Villani zu Dove und wieder zurück, fester Blick, er war es gewöhnt, Leute einzuschüchtern.

»Okay«, sagte er zu dem Handy, legte es hin. »Ich war zu Hause in Kew.«

»Besucher?«, sagte Villani.

Koenig wusste, dass dies kommen würde, er hatte es immer gewusst, er musste nicht in seinem Terminkalender nachsehen lassen.

»Ich verstehe die Frage nicht«, sagte er.

Villani sagte: »Erzählen Sie uns von der Frau, Mr. Koenig.«

»Welcher Frau?«

»Die Sie besucht hat.«

Koenigs Augen verrieten es, er wusste, dass er dran war.

»Eine Nutte«, sagte er. »Nur eine Nutte.«

»Teuer?«

Bei manchen Menschen genoss man es, nach den demütigenden Einzelheiten zu fragen.

Koenig sagte: »Was nennen Sie teuer? Wenn man Ihr Einkommen zugrunde legt? Fünfzig Dollar?«

»Wie viel haben Sie bezahlt, Mr. Koenig?«

»Fünfhundert, wenn ich mich recht erinnere.«

»Sind da die Extras inbegriffen?«, fragte Dove, hielt den Kopf gesenkt, die runden Brillengläser glitzerten, er schrieb in sein Notizbuch, er war für die Notizen zuständig.

Koenig lief rosa an. »Wer zum Teufel sind Sie denn, Jungchen?«

»Wer hat sie gebracht?«, fragte Villani. »Sie wurde doch gebracht?«

»Ich habe nicht die geringste Ahnung«, sagte Koenig. »Sie kam, sie ging wieder. Woher haben Sie das? Wer hat Ihnen das erzählt?«

»Wie haben Sie den Besuch arrangiert?«, fragte Dove.

Koenig sagte: »Ich hatte eine Nummer, hab vergessen, woher ich sie hatte.«

»Wir müssen Sie um diese Nummer bitten«, sagte Villani. »Sind Sie nicht neugierig darauf, wer tot ist?«

»Nun, vermutlich ist sie es. Was sollte man sonst vermuten? Irre ich mich?«

»Wo waren Sie letzten Donnerstagabend, Mr. Koenig?«

»Was soll die Scheiße? Ich war im Strandhaus in Portsea.« Schweigen, die gedämpften Laute von Menschen, die den Flur entlanggingen.

»Sind wir fertig?«, sagte Koenig. »Ich bin ein beschäftigter Mann.«

»Wir sind nicht fertig, nein, keineswegs«, sagte Villani. »Aber wir können dieses Gespräch auch unter anderen Umständen durchführen.«

»Heißt das, wir können das hier machen oder auf dem Revier? Herrgott noch mal, was für ein Klischee.«

»Das ist unser tägliches Brot«, sagte Villani.

»Ich bin ein Staatsminister, haben Sie das begriffen, Detective?«

»Ich bin ein Inspector. Vom Morddezernat. Habe ich das nicht erwähnt?«

Koenig sah zur Decke hoch. »Also?«

»Haben Sie letzten Samstag die Abendnachrichten gesehen?«

»Nein. Ich hatte Termine in Canberra. War seit Samstagmorgen da. Wollen Sie das überprüfen?«

Villani dachte, es wäre ein Vergnügen, Koenig zu verhaften, den Medien einen Tipp zu geben, sie warten zu lassen. »Fangen wir damit an, wie Sie die Frau bestellt haben«, sagte er. »Mit wem Sie dabei zu tun hatten.«

»Ich glaube, ich brauche meinen Anwalt«, sagte Koenig.

»Aber ja«, sagte Villani. »Wir befragen Sie in Gegenwart Ihres Anwalts. Würden Sie mir heute noch einen Termin geben? Im Präsidium in der St. Kilda Road. Sie nennen am Empfang Ihren Namen, dann kommt jemand runter.«

»Ich habe eine Nummer angerufen, die mir irgendwer gegeben hat. Ich sagte, ich wollte eine bestimmte Sorte Frau. Die Person nannte mir den Preis, bar, im Voraus. Ich war einverstanden, nannte die Adresse. Sie traf ein. Ich bezahlte sie, sie ging raus zu einem Wagen, dann kam sie zurück. Später ging sie.«

»Sie hatten das Geld da?«

»Nun, ich bin nicht rasch zu einem Geldautomaten gerannt, das kann ich Ihnen verraten.«

»Eine bestimmte Sorte Frau. Was für eine Sorte?«

»Das geht Sie nichts an.«

Villani schaute Dove an, blinzelte ihm zu: *Übernehmen Sie ihn.*

»Erzählen Sie uns von ihr, Herr Minister«, sagte Dove.

Koenigs Handy klingelte, ein schrilles Summen. Er hörte zu, sagte ein paarmal Ja, dann zweimal Nein. »Sagen Sie ihm, ich rufe ihn ASAP zurück.«

Er beendete das Telefonat. »Ich habe nicht den ganzen Tag Zeit«, sagte Koenig zu Villani. »Können wir das zu Ende bringen?«

»Die Frau.«

»Jung, lange Haare, zehn Wörter Englisch. Sehr blass. Weiß.«

»Europäisch blass?«, sagte Villani.

»O ja.«

Dove sagte: »Sie haben also ausdrücklich eine Nichtasiatin verlangt?«

Koenig sah ihn durchdringend an. »Wir sind hier nicht in einer Krimiserie auf dem Multikultisender SBS, Jungchen. Könnte sein, dass Sie sich bald bei Ihren besoffenen Brüdern in Fitzroy wiederfinden. Und sich mit denen ein Fass teilen.«

Villani blickte sich in dem Zimmer um, fand nichts zum Ansehen. »Ich betrachte das als rassistische Bemerkung, Mr. Koenig«, sagte er.

»Tatsächlich? Oje, oje, wie kommen Sie denn auf die Idee?«

»Die Nummer, die Sie angerufen haben«, sagte Villani. »Die würde uns ein wenig Zeit ersparen.«

»Das heißt?«

»Sie können sie uns geben, Mr. Koenig, oder wir können sie uns beschaffen, indem wir die Befugnisse ausschöpfen, die uns unter…«

Koenig hob die rechte Hand, stand auf und ging zum Fenster, wuchtete seinen Hintern auf den Sims, Hände in den Taschen. Sein Wanst hing ihm über den Gürtel. In einer Szenebar in Prahran hatte er einmal einen viel jüngeren Mann, der ihm dumm kam, geschubst, gestoßen und an den Ohren gezogen. Tags drauf hatte er sich widerwillig öffentlich entschuldigen müssen.

»Damit das klar ist«, sagte er. »Ich kann unmöglich Verdächtiger in einer Morduntersuchung sein. Ich kann nachweisen, wo ich zu welchem Zeitpunkt gewesen bin. Das ist ein Alibi im korrekten Sinne des Wortes, den Sie wahrscheinlich nicht kennen.«

Dove hob die rechte Hand. »Sir, Sir, ich kenne ihn, Sir!«

Koenig wandte den Blick nicht von Villani. »Klappe halten, Sonnenscheinchen«, sagte er. »Sie sind Schnee von gestern. Und obwohl ich in überhaupt nichts verwickelt bin, droht mir das Morddezernat mit einer richterlichen Anordnung zur Herausgabe meiner Telefonverbindungsdaten. Ist das richtig?«

Villani dachte, wie vernünftig es wäre, zu sagen, das Morddezernat beabsichtige keinesfalls, diesen Eindruck zu vermitteln, Verzeihung, Mr. Koenig.

»Das ist falsch«, sagte er. »Wir drohen nicht. Vielleicht möchten Sie sich Rat über die Rechte und Pflichten eines Menschen einholen, der für Ermittlungen relevante Informationen besitzt oder von dem angenommen wird, dass er solche Informationen besitzt.«

»Ich habe diese Nummer nicht mehr. Die Karte habe ich weggeworfen.«

»Wieso das denn?«

»Vielleicht, um nicht in Versuchung zu geraten.«

»Die Person, mit der Sie beim letzten Mal sprachen…«

»Eine Frau.«

»Akzent?«

»Australierin.«

»Von wem hatten Sie die Nummer?«

»Habe ich vergessen. Sagte ich bereits. Das sagte ich bereits.«

»Wie oft haben Sie dort angerufen?«, fragte Dove.

»Sie können mich ruhig mit ›Mr. Koenig‹ anreden. Zeigen Sie etwas mehr Respekt.«

»Wie oft, Mr. Koenig?«

»Das geht Sie einen Scheißdreck an.«

Villani sagte: »Ich wiederhole es gern. Von dem angenommen wird, dass er…«

»Zweimal«, sagte Koenig. »Beim ersten Mal war keine verfügbar.«

»Haben Sie mit derselben Frau gesprochen?«, sagte Dove, »Mr. Koenig.«

»Ich weiß es wirklich nicht.«

»Erzählen Sie uns von Malen auf dem Körper der Frau, Mr. Koenig«, sagte Dove.

In diesem Augenblick wurde Villani klar, dass Dove kein Fehlgriff war. Er war ein Klugscheißer, aber kein Fehlgriff.

»Male?«, sagte Koenig.

»Körpermerkmale.«

»Eine Blinddarmnarbe, mehr hab ich nicht gesehen.«

»Sind Sie sich da sicher?«

»Ich erkenne eine Blinddarmnarbe, wenn ich eine sehe. Ich hab selbst eine.«

O Gott.

Villani sah Koenig eine Weile an. »Sind Sie sicher, dass wir von derselben Frau sprechen, Herr Minister? Nicht von irgendeiner anderen Besucherin Ihres Hauses?«

»Sie können mich mal. So sicher, wie man nur sein kann.«

Phipps hatte einen Fehler gemacht, und zwar einen großen Fehler. Villani sah Dove nicht an – sie konnten jetzt keinen Rückzieher machen.

»Wir müssen wissen, wer Ihnen die Telefonnummer gab«, sagte er.

»Ein Typ auf einer Party gab mir die Nummer, er schrieb sie auf eine Visitenkarte.«

»Seine Karte?«, fragte Dove.

Kurzes Zögern. »Nein, meine«, sagte Koenig. »Ich gab ihm meine Karte. Er schrieb sie auf die Rückseite.«

»Ein Typ, den Sie kennen?«

»Nein. Große Party, wir hatten alle ein paar intus.«

»Wessen Party war es?«, sagte Dove. »Wir können auch diesen Weg beschreiten.«

Koenig leckte sich die Unterlippe, seine Zunge sah krank aus, gefleckt. »Wenn ich's jetzt recht bedenke«, sagte er, »war es im Orion. Oder im Persius, vielleicht im Persius. Könnte aber auch im Schnee gewesen sein. Ja, vielleicht war es letzten Winter im Schnee.«

Dove sagte: »Ich empfehle Ihnen, dass Sie wissen, wer Ihnen diese Telefonnummer gegeben hat, Herr Minister.«

»Ach ja?«, sagte Koenig. »Ich empfehle Ihnen, dass Sie Ihren Kackschädel einziehen, Sonnenscheinchen. Und Sie, Villani, Sie haben heute Ihrer Karriere einen Bärendienst erwiesen, Sie und Ihr Hanswurst hier.«

Villani sagte zu Dove: »Notieren Sie, dass Mr. Koenig zu diesem Zeitpunkt offenbar gegenüber Inspector Villani eine Drohung aussprach, mit den Worten, Zitat, Sie haben heute Ihrer Karriere einen Bärendienst erwiesen, Sie und Ihr Hanswurst hier. Zitatende.«

Dove schrieb, langsam. Villani schaute ihm dabei zu. Er sah Koenig erst an, als Dove fertig war. Dann sagte er: »Mr. Koenig, wahrscheinlich möchten wir von Ihnen eine offizielle Aussage haben. Womöglich möchten Sie Ihren Anwalt mitbringen. Inzwischen wären wir für das Überwachungsvideo dankbar.«

»Die Bänder habe ich gelöscht. Ich lösche sie einmal pro Woche. Das mache ich routinemäßig am Samstagabend.«

Villani erhob sich, Dove auch.

»Danke für Ihre Zeit, Mr. Koenig«, sagte Villani. »Wir melden uns wegen der Aussage.«

»Haben Sie sich das ganz allein ausgedacht?«, sagte Koenig.

»Ich habe keine Ahnung, was Sie meinen«, sagte Villani. »Einen guten Tag.«

Draußen, als sie die Treppe hinuntergingen, sagte Dove: »Ich glaube, da liegt ein Irrtum vor. Um es vorsichtig auszudrücken.«

Villani setzte seine Sonnenbrille auf. »Sie sind hier der designierte Denker«, sagte er. »Ich nehme an, Sie und Weber haben nicht nur vergessen, die Blinddarmnarbe zu erwähnen, die mir bei dem Prosilio-Mädchen nicht aufgefallen ist?«

»Nein, Sir. Es gibt keine Narbe.«

»Tja, dann würde ich, um es vorsichtig auszudrücken, sagen, dass unsere Karrieren am Arsch sind. Momentan.«

»Und was jetzt, Chef?«

»Jedes Telefonat, das der Blödmann in den letzten beiden Monaten geführt hat. Aber das nur unter uns.«

»Darf ich fragen, warum?«

Die Frage hing in der Luft, als sie zum Wagen kamen, Dove fuhr. Unterwegs sagte Villani: »Sie werden von mir nie den Begriff ›ins Blaue hinein ermitteln‹ hören. Wir verfahren hier streng nach Vorschrift.«

»Ich habe Respekt vor Vorschriften«, sagte Dove. »Vorschriften sind die Richtschnur und das Leben.«

»Schade, dass Weber verheiratet ist«, sagte Villani. »Sie beide haben viel gemeinsam.«

»Welche Begründung führe ich an?«

Im Radio:

... totales Verbot von offenem Feuer im gesamten Bundesstaat Victoria, am heutigen Tag ist es wieder brüllend heiß und kein Ende in Sicht. Die Feuerwehrleute richten ihre Hoffnungen auf eine Änderung der Windrichtung am frühen Nachmittag. Hausbesitzern im Bereich des Buschfeuers wurde geraten, die gefährdete Zone zu verlassen, doch manche...

Es bestand kein Zweifel an der Identität einer Person in der *Manche*-Kategorie. Nein, zweier Personen. Gordie würde nur mit einer Wasserpistole bewaffnet und mit einer feuersicheren Unterhose bekleidet direkt ins Feuer fahren, falls Bob das für eine erfolgversprechende Taktik hielt.

An der Kreuzung Swanston Street schlängelte sich ein bedröhnter Jugendlicher mit strähnigen Haaren zwischen den Fahrzeugen hindurch, stolperte über den Bordstein, fiel vornüber hin und blieb liegen. Sein Hemd war hochgerutscht, sodass man unter der bleichen Haut seinen vogelähnlichen Brustkorb sah. Die Leute gingen um ihn herum, ein Mann trat ihn versehentlich, sprang beiseite.

Der Junge bewegte den Kopf, kniete sich hin, auf dünne Arme gestützt, sah sich aus großen Augen um. Er stand unsicher auf, machte drei wankende Schritte zu einer Mauer, lehnte den Rücken dagegen und rutschte runter, weil die Beine nachgaben.

Auf der Bahnhofstreppe und auf dem Gehsteig standen und saßen andere Kids, wirkten fahrig oder hingen ab, ein paar waren völlig weggetreten. Zwei junge Cops redeten mit drei männlichen Jugendlichen. Einer gab Widerworte, hektisch, trat von einem Fuß auf den anderen, zog an seinem Unterhemd, warf den Kopf in den Nacken, schnupperte. Der neben ihm fuhr sich mit den Fingern durch die langen Haare, wieder und wieder.

Dove hustete. »Koenigs Telefonate, Chef.«

»Die benötigen Sie dringend«, sagte Villani. »Mit der Begründung, seine Person sei bei Mordermittlungen von Interesse.«

»Dann probier ich's damit«, sagte Dove. »Mit dieser Flunkerei.«

»Ist nur eine Flunkerei, wenn man jedes seiner Worte glaubt. Wenn man in der Absicht zu täuschen handelt. Was Sie nicht tun würden, oder?«

»Nicht wissentlich, Chef.«

»Gut. Außerdem sollten Sie heute ein Ergebnis haben.«

»Heute, natürlich, Chef.«

»Und dann unterhalten wir uns.«

»Chef.«

Das war schauderhafte Polizeiarbeit. Eine Arbeit, für die man sich schämen sollte.

Die Ampel wurde grün, sie bogen links ab, überquerten die Brücke und fuhren die Allee entlang. Dove setzte Villani in der Straße neben dem Polizeirevier ab. Er fuhr allein im Aufzug nach oben, bemüht, nicht die nach synthetischem Fichten- und Zitronenduft riechende Luft einzuatmen.

Lizzie. Wo zum Teufel steckte sie? Nicht auf den Straßen, die Cops suchten sie, jemand müsste sie oder den Mann mit Dreadlocks erkennen. Er hätte sie nach Hause bringen sollen, Corin anrufen, ihr sagen, sie solle dort warten. Vernachlässigung. Er kümmerte sich nicht um Lizzie. Es war seine Pflicht, sich um sie zu kümmern. Nachlässiger Vater. Schlechter Ehemann. Vorübergehend Leiter des Morddezernats.

Im Büro ging er in sein Zimmer, machte das Radio an, Paul Keoghs Sender, eine Frauenstimme:

»…Paul, sprechen Sie mit den Menschen auf dem Land, sie haben die Nase voll, das können Sie mir glauben. Sie füh-

*len sich verraten, entrechtet. Diese Stadt ist heute ein Stadt-
staat, so wie es Venedig einmal war, und, darf ich das sagen,
genauso… nein, ich sage es nicht.*

Das K-Wort? Korrupt?

*Das haben Sie gesagt, nicht ich. Aber der Verrat am Bür-
ger ist auch in den Vororten weiter außerhalb spürbar. Der
öffentliche Nahverkehr ist ein Witz, eine Stunde Wartezeit in
einer dieser Riesenpraxen, bis sich ein nicht Englisch sprechen-
der Arzt um einen kümmert, auf dreißigtausend Menschen
kommt ein Polizeibeamter, Kinderbetreuung ist eine Schande,
es ist sicherer, sein Kind bei den Junkies im Park abzugeben.
Dieser Niedergang hat gezeigt, was diese Leute sind – politische Opportunisten und Winkeladvokaten.*

*Tun Sie sich bitte keinen Zwang an, Ms. Mellish. Mein Gast
ist Karen Mellish, Oppositionsführerin. Gibt es noch andere
Dinge, die Sie an dieser Regierung bewundern?*

Birkerts war an der Tür, traurig, schräg stehende blasse Augenbrauen.

*Paul, schon bevor diese Regierung die während der Rezes-
sionspanik verteilten Bundesmittel zum Fenster hinauswarf,
traf sie enorm schlechte Entscheidungen. Milliarden Dollar
teure Pipelines, die leer sind, die teuerste Entsalzungsanlage
der Welt – da ist es billiger, Mineralwasser in Flaschen aus
Frankreich zu importieren. Wiederaufforstungsprojekte nach
Buschbränden wurden an Kumpane vergeben, sie finden sich
damit ab, dass der öffentliche Nahverkehr von Firmen betrieben wird, die nicht mal eine Modelleisenbahn bedienen könnten, auf den Mautstraßen hat es in zehn Monaten fünf Schlie-
ßungen wichtiger Tunnel gegeben.*

*Wir hatten vorhin den Polizeiminister hier im Programm,
der von Erfolgen bei der Polizeiarbeit berichtete…*

*Ich habe gehört, wie er diesen Unsinn erzählt hat. Hat er
heute Morgen keine Zeitungen gelesen? Zwei Expolizisten
sind in die Oakleigh-Morde verwickelt. Wir haben seinen Sitz*

genau im Visier, er hat seine letzten miesen kleinen Strippen gezogen. Mr. Orong muss den Wählern unbedingt erklären, warum die sogenannten Polizeieinsatzgruppen gegen das organisierte Verbrechen und gegen Drogen rein gar nichts erreicht haben, warum das Hauptgeschäftsviertel bald beängstigender ist als Johannesburg, überall junge Leute, die ihr Leben an Drogen vergeuden. Erinnern Sie sich noch an die überfallartigen Einsätze an Samstagabenden?

Die Humvee-Einsätze.

Genau. Und jetzt brauchen wir offenbar kugelsichere Kampffahrzeuge. Alles in allem gehört diese Stadt mittlerweile zu den gewalttätigsten Orten der Welt, was nicht die Schuld der normalen gestressten Polizeibeamten ist. Die Polizei steht dermaßen unter Druck, da ist es kein Wunder, dass viele sich krankgemeldet haben…«

Villani schaltete ab.

»Die normalen gestressten Polizeibeamten«, sagte Birkerts. »Find ich toll. NOGPO.«

»Es wird dir gefallen, deine restlichen Jahre unter Kiely Dienst tun.«

»Ich kann unter jedem Dienst tun.«

»Dienst tun – vielleicht. Mr. Kiely hält dein Benehmen für äußerst despektierlich. Das finde ich auch, aber mir macht es nicht so viel aus.«

»Kidds Haus wird in einer Stunde durchleuchtet. Willst du noch einen Blick reinwerfen?«

»Ich dachte, die Techniker hätten schon einen gründlichen Mädchenblick hineingeworfen. Was haben Sie sonst noch anzubieten?«

»Boxenstopp bei Vic's. Rosinenmuffin.«

»Plötzlich tut sich in meinem Tag ein Fenster auf. Ein schmutziges Fensterchen.«

Sie saßen im Wagen, Motor und Klimaanlage liefen, und betrachteten das träge Meer. Zwei angeleinte silbrige Katzen, die eine Frau hinter sich herzerrten, kamen am feuchten Rand des Kontinents ins Bild. Die Frau hatte Shorts an und ein Muskelshirt, das keine Spur von dem enthüllte, was es zeigen sollte. Die Katzen trippelten, von der Feuchtigkeit unter ihren Tatzen irritiert.

»Nichts als ein gewaltiger Sandkasten«, sagte Birkerts.

Villani trank seinen Kaffee aus. »Gut, der Typ«, sagte er. »Zuverlässig.«

»Seine Ex lebt auf Tassie«, sagte Birkerts. Er aß gerade einen Bananenmuffin. »Sie hatte die Kinder in den Ferien da, will sie nicht wieder zurückschicken. Er muss vielleicht umziehen, sagt er.«

»Sag den Eierköppen, sie sollen ihr Angst machen«, sagte Villani. »Wir können hier keinen ordentlichen Kneipier verlieren. Hast du Tony Ruskin das mit Kidd und Larter gesteckt? Er weiß mehr als ich.«

»Sieh mich nicht so an. Uns zeigt das Verteidigungsministerium die kalte Schulter, aber irgendwer hat Ruskin erzählt, damals seien vier afghanische Zivilisten getötet worden. Seit seinem Abschied war Larkin unsichtbar. Hat vielleicht auf 'nem Berg in Tassie gelebt und Possums gegessen. Lebendige. Ist bei diesen Killern beliebt, wenn sie nach Hause kommen.«

»Und die Waffen?«

»Fehlanzeige. Von Bikern importiert.«

Ein Gruppe Jogger durchquerte ihr Gesichtsfeld: alte Männer, faltig, bucklig, stumm. Mit gesenkten Köpfen schlurften sie vorbei.

»Im Gleichschritt«, sagte Birkerts. »Wie kommt das?«

»Sie haben dieselbe Musik auf ihren iPods«, sagte Villani. »Den Colonel-Bogey-Marsch. Seid ihr in Oakleigh fertig?«

»Ich fahre anschließend rüber. Willst du mitkommen?«

»Warum nicht? Hab den ganzen Tag Zeit, die ganze Nacht auch, seit ich nicht mehr weiß, wo ich wohnen soll.«

»Wohnen? Wieso?«

»Eheliches Zerwürfnis.«

Auch ohne zu lächeln, guckte Birkerts amüsiert drein. »Kommt das plötzlich?«

»Wenn es passiert«, sagte Villani, »ist alles plötzlich.«

»Du kannst in der Bude meiner Schwester absteigen, wenn du magst. Du bist Kirsten mal begegnet.«

»Stimmt. Auf dem Grillfest bei dir. Als die Grillkohle ausging. Verlosch. Wo ist sie hin?«

»Italien. Erfolgreiche Scheidung, hat dem Typ das Fell über die Ohren gezogen. Jetzt will sie Künstlerin sein.«

»Ihre Bude ist wo?«

»Wie? Auch noch wählerisch?«

»Es gibt Gegenden, wo ich nicht wohnen möchte, ja«, sagte Villani.

»Fitzroy. Eine für dich noch akzeptable Zone?«

»Mit Fitzroy kann ich leben. Mit Teilen von Fitzroy. Was gibt's sonst noch über Kidd?«

»Nach der SOG ging er achtzehn Monate ins Ausland. Offenbar zu einer privaten Sicherheitsfirma in den Irak. Dann war er ein paar Monate bei GuardSecure, wo man ihn rauswarf, weil er einen Typ krankenhausreif geschlagen hat, der Fall ist noch anhängig. Seitdem ist auch er unsichtbar. Ein Bankkonto mit etwa achttausend Riesen drauf, es gibt Bareinzahlungen von fünf-, sechshundert Dollar. Er hat zwei Kreditkarten, der gibt nicht viel aus, nichts Außergewöhnliches. Keine Teilzahlung.«

»Und der Prado?«

»Vor einem Jahr bei einem Gebrauchtwagenhändler gekauft. Car City. Hat einen Celica in Zahlung gegeben, die Differenz bar beglichen.«

»Tja, dann wollen wir mal sehen.«

Birkerts telefonierte. »Sie sind unterwegs.«

Kaum hatten sie hinter dem Haus an der Roma Street geparkt, als der Van vorfuhr. Zwei Männer in Overalls stiegen aus und holten zwei schwarze Gummikoffer aus dem Laderaum. Birkerts ging vor, die Treppe hoch.

In Kidds Apartment war es stickig, die Hitze verstärkte alte Kochgerüche: gebratene Zwiebeln, Fleisch. Als Villani am Bad vorbeiging, roch er Talkumpuder. Neulich nachts hatte er das nicht gerochen.

»Talkumpuder?«, sagte er. »Männer?«

»Sackjucken«, sagte Birkerts.

Sie betraten das große Zimmer. Ein Techniker nahm ein Gerät aus dem Koffer, das aussah wie ein großer Scheinwerfer für die Fuchsjagd, nur ohne Licht. Er fuhr mit der Hand darüber.

»Sie mögen das Teil?«, sagte Birkerts. »Wie ein Haustier?«

Der Mann schwieg, löste eine straffe gelbe Kabelspirale. Der andere Mann öffnete auf dem Küchentisch seinen Koffer, in dessen Deckel ein Computermonitor integriert war.

Villani ging, warf einen Blick in Kidds durchwühltes Zimmer, ging weiter, öffnete die Schiebetür zu dem hinteren Schlafzimmer. Nicht mehr als ein großer Schrank mit einem eigenen Einbauschrank.

Hier hatte Ray Larter geschlafen. In dem Einbauschrank hing auf einem Drahtbügel eine Jeans. Er fand das Etikett: Hüfte 34, Beine 44 Zoll. Ray Larter war groß und schlank gewesen. Seine Sporttasche stand auf dem Boden neben dem

Bett und verriet wenig – T-Shirts, Unterhosen, durchsichtiger Kulturbeutel mit Zahnpasta, Einwegrasierern, Shampoo. Im Gegensatz zu Kidd war Ray ordentlich gewesen.

Villani fiel das kahle Schlafzimmer seines Vaters an einem Montagmorgen ein, Bett abgezogen, Decken auf der Wäscheleine, Bettzeug und schmutzige Klamotten in der Maschine.

Er ging den Flur entlang und auf den Balkon, sah hinunter auf die Straße, die Bäume, eine Frau in einem engen roten Rock, die neben einem geparkten Auto stand und mit dem Fahrer sprach. Sie zog an einer Zigarette, wedelt damit herum. Eine Hand kam aus dem offenen Fenster, die Frau gab ihr die Zigarette, der Fahrer schnippte sie auf die Straße, sie schlug nach der Hand, verfehlte sie aber.

Anna.

In allen Nahtstellen des Tages musste er an sie denken, was ihm bei anderen Frauen nicht passiert war, nicht seit der Anfangszeit mit Laurie. Was sah sie in ihm? Manche Frauen standen auf Cops, das hörte man zu Beginn der Ausbildung, die Witze. Es war etwas Wahres dran. Sogar die hässlichen Polizisten bekamen die Gelegenheiten, die Blicke, die Angebote. Er hatte sich da nichts vorzuwerfen, ging nie mit in das Haus einer alleinerziehenden Mutter, um nachzusehen, ob alles in Ordnung war, zum Service gehörte ein Fick. Ein Trostfick.

Im Dienst sagte ihm immer irgendeine Stimme Nein. Wenn er nicht im Dienst war, sagte eine Stimme Ja.

Die Polizeireporterin der *Herald Sun* stand auf Cops. Bianca Pearse. Bianca war aber keine Starfickerin. Sie vögelte genausogern mit einem Constable wie mit einem Polizeichef. Nur eine Copfickerin. Birkerts hatte es hinter sich, da war er sich ziemlich sicher.

Er hatte nicht das Gefühl, als stünde Anna auf Cops. Sie erkundigte sich nicht nach seinem Job, was sie sonst immer machten. Sie schien an dem interessiert zu sein, was er dachte, glücklich zu sein, wenn sie mit ihm zusammen war.

Es war lächerlich. Er war zu alt, um so etwas an sich heranzulassen. Das war etwas für die Zwanzig- bis Dreißigjährigen, ein naiver Dödel vom Land mochte sich geschmeichelt fühlen, wenn sich Miss-Privatschule-mein-Vater-ist-Investmentbanker für ihn interessierte.

Er sah sich Kidds Grill in der Balkonecke an. Schmal, rostig, der Grillrost von verkohlten Fettresten und winzigen angeschweißten Fleischbröckchen überkrustet. Kein Ozzie Grillmaster Turbo. Hatten sie an jenem Abend vielleicht einen Grillabend? Ein paar Bier, zwei Steaks ankokeln, reinpieksen, die blutigen Einstichstellen, dann der wässrige rote Ausfluss. Hatten Sie darüber gesprochen, was sie mit den Ribaric-Jungs machen würden? Besprochen, wie sie die Haare der Ribarics abbrennen würden, zuerst die Schamhaare. Voller Öl, die würden brutzeln.

Dann ihre Kopfhaare. Aber vorher noch die Nasenlöcher aufschlitzen. Dann ihre Kopfhaare anzünden.

Haare voller Chemiemist. Produkte. Vor Ivans Gesicht das Feuerzeug anklicken. Ihm in die Augen sehen. Sich einen Moment Zeit lassen. Es genießen. Die Flamme über seine Stirn heben. Langsam.

Zisch.

Unter dem Gasbrenner stand eine Schale aus Alufolie, halb voll mit gehärtetem, festem Fett, grau, wie Marmor gemasert, von dem brennenden Altar getropft.

Birkerts kam nach draußen, Hände in den Taschen.

»Tja, Schlafzimmer sind sauber«, sagte er. »Da bleibt nicht mehr viel.«

Die Techniker kamen in die Küche, diskutierten. Der kleinere kniete sich achselzuckend hin und richtete sein Gerät auf die Seite der Küchenbank. Der andere betrachtete den Laptopschirm.

»Man sieht gleich, warum die beiden ein Team sind«, sagte Birkerts. »Adrenalinjunkies.«

»Kirstens Wohnung«, sagte Villani.

»Hab die Schlüssel in meinem Wagen.«

»Bringst du mich hin, wenn du Schluss machst?«

»Ich glaube, ich geb dir einfach die Schlüssel«, sagte Birkerts.

Sie rauchten Birkerts' Zigaretten, sahen zu, wie die Techniker um die Küchenbank herumgingen. Als sie fertig waren, kam der größere heraus.

»Nichts, Chef«, sagte er. »Noch irgendwo anders?«

»Schon das Bad überprüft?«

»Jawoll.«

»Kacke«, sagte Villani.

»Das war's«, sagte Birkerts. »Danke sehr.«

Die Männer packten zusammen, klappten ihre Koffer zu, winkten, gingen.

Sie waren unterwegs nach Oakleigh, kamen am Albert-Cricketplatz vorbei.

»Wie hoch ist die Miete?«, fragte Villani.

Es war ihm egal. Seit er zweiundzwanzig war, hatte er nicht mehr allein gelebt. Es war ein schlechter Zeitpunkt, um das zu ändern. Er und Laurie hatten immer im selben Bett geschlafen. Als alles aus und vorbei war, als sie einander nicht mehr berührten, teilten sie immer noch ein Bett. Wer als Letzter darin gelegen hatte, machte es, so war die Regel, von Anfang an.

Er träumte oft von Sex mit Laurie. Sie war immer gleich alt, das flinke Mädchen in dem Sandwichimbiss, das die Zutaten auf die weiße Scheibe schichtete, die Eisbergsalatstreifen, die blassen Tomatenscheiben, die blutende Rote Bete, das Quadrat Fabrikkäse, das freche Mädchen, das ihn ansah und sagte: »Darf es sonst noch etwas sein?«

Der erste Sex mit Laurie fand auf dem Futon ihrer Freundin Jan statt. Laurie holte ihn nach seiner Schicht ab, sie aßen im Waiters' Club, die kleinen Räume voller nächtlicher Esser, und fuhren ins Studentenwohnheim nach Clifton Hill. Es roch nach Marihuana, was ihn verunsicherte.

»Zahl die laufenden Rechnungen, das reicht«, sagte Birkerts. »Sie ist vor zwei Wochen abgereist. Ich sagte, ich würde den Kühlschrank leer räumen. Da sind lauter vergammelte Sachen drin. Das kannst du jetzt machen.«

»Wie lange bleibt sie weg?«

»Ein halbes Jahr, sagt sie. Da gibt's einen neuen Mann, irgendein geheimnisvolles Anwaltarschloch, das sie in Byron Bay kennengelernt hat. In einem Wohlfühl-Spa.«

»Wohlfühl-Spa«, wiederholte Villani. »Das kullert einem einfach von der Zunge, nicht wahr? Was zur Hölle bedeutet ›Wohlfühl‹?«

»Respektiere deinen Körper. Mach dir positive Gedanken. Lebe im Augenblick.«

»Und wenn der Augenblick totaler Müll ist?«, sagte Villani. »Was, wenn man keinen Respekt vor seinem schwabbligen abgefuckten Körper hat? Wie war das Dritte?«

»Positive Gedanken«, sagte Birkerts, Augen auf die Straße gerichtet. »Man denkt positive Gedanken. Ich glaube nicht, dass du gerade positive Gedanken denkst. In diesem Augenblick. Das spüre ich.«

»Wie kann man mit seinen erbärmlichen Instinkten nur so falschliegen?«, sagte Villani. »Ich denke positive Gedanken darüber, wie ich die Waffe finde. Ich denke, wenn wir das nicht schaffen, wird meine ganze…«

Da kam die Eingebung.

»Dreh um«, sagte er. »Zurück zu Kidds Apartment.«

Birkerts schwieg. Er bog rechts in die Roy Street ab, dann noch mal rechts in die Queens Road. Erst als sie wieder in Kidds Wohnstraße einbogen, redete er.

»Was vergessen?«, fragte er.

»Mir ist etwas eingefallen«, sagte Villani. »Park vor dem Haus.«

Birkerts hielt. »Brauchst du mich?«

»Aber ja«, sagte Villani. »Handschuhe?«

»So was also, ja?«

Villani ging als Erster rein, den Flur entlang, ins Wohnzimmer, wartete auf Birkerts.

»Zieh die Handschuhe an«, sagte er.

»Ich?«

»Solche Sachen mache ich nicht. Ich bin der Chef.«

Die Gummihandschuhe raschelten und quietschten beim Überstreifen, Birkerts hielt blassblaue Hände hoch. »Was jetzt?«, sagte er.

Villani betrat den Balkon, gefolgt von Birkerts. Villani deutete auf etwas.

Birkerts hielt die Schale aus Alufolie über den Rost, drehte sie um, schüttelte.

Nichts passierte. Er schüttelte heftiger.

Der feste Fettbrocken fiel auf den Grillrost, blieb intakt.

»Leck mich fett«, sagte Birkerts.

Wie lange?«, sagte Villani.

Er sah, wie Kiely aus seiner Tür kam, zu Doves Schreibtisch ging, sich darüberbeugte, Dove wegen irgendetwas einen Vortrag hielt.

»Der zweite Versuch ist gerade im Gange«, sagte der Ballistikmann.

»Was kam beim ersten raus?«

»Kann ich nicht sagen.«

»Ist sie in letzter Zeit abgefeuert worden?«

»Kann ich auch nicht sagen. Ich kann sagen, dass sie nicht gereinigt wurde.«

»Dreckig?«

»Nun, schlicht nicht gereinigt. Nicht dreckig, nein.«

»Die Ausrede des Ehemanns«, sagte Villani. »Rufen Sie Tracy an, sobald Sie belastbare Erkenntnisse haben, ja?«

Er beobachtete, wie Kiely in seine Richtung kam, die Anzugjacke zugeknöpft, für wen hielt der sich eigentlich?

»BUL M-5«, sagte Kiely. »Ungewöhnliche Waffe.«

»Israelisch. Jeder zweite Afghane hat eine. Handfeuerwaffe der Wahl.«

»Sie verkaufen Schusswaffen an Afghanen?«

»Der israelische Waffenhändler diskriminiert nicht. Er verkauft seine Waffen an jeden. Werden in Neuseeland Schusswaffen hergestellt?«

»Nein«, sagte Kiely.

»Ist wahrscheinlich besser so.«

»Die Unfallexperten sagen, in Kidds Ford hat es Explosionen gegeben.«

»Genial«, sagte Villani. »Ist in die Luft gegangen wie der Krakatau.«

»Nicht der Treibstoff«, sagte Kiely. »Sie sagen, davor habe es zwei Explosionen gegeben, die zweite, größere habe dem Fahrer die Beine abgerissen. Dann erst fing der Treibstoff Feuer.«

Villani spürte, wie seine Kopfhaut juckte, er wirbelte auf seinem Drehstuhl herum. »Also kein Unfall nach einer aberwitzigen Verfolgungsjagd, wobei der Fahrer die Kontrolle verlor?«

»Sie sollten mit denen reden.«

»Auf jeden Fall.«

»Der Mann heißt Tanner. Glen Tanner.«

Er ließ sich verbinden.

»Das stimmt, Inspector«, sagte Tanner. »Unserer Einschätzung nach zwei Sprengsätze, wahrscheinlich löst irgendein Mechanismus die erste Sprengung aus, dadurch wird die Lenkung beschädigt, der Fahrer verliert die Kontrolle. Dann erfolgt der Aufprall, und dann explodiert der Hauptsprengsatz, der große, und der Treibstoff entzündet sich.«

»Dass es nur der Treibstoff war, schließen Sie aus?«

Er hörte das verächtliche Schnauben.

»Außer es war ein Stunt für einen Film, explodierendes Auto oder so ein Müll. Ein Niederdruckfeuerball entsteht eventuell, wenn Treibstoff ausfließt und sich entzündet, ja. Aber nicht in diesem Fall.«

»Bin Ihnen sehr verbunden«, sagte Villani. »Und wäre es natürlich auch, wenn das intern bleibt, bis wir in der Sache weitergekommen sind.«

Er dachte daran, wie er Kidd beobachtete, den Anruf gehört hatte.

Hör zu, hör zu, es gibt Ärger. Ernsten.

Was?

Vom alten Mädchen, ruf ich dich in fünf drauf an, okay?

Wie ließ sich dieses Gespräch interpretieren? Wie ließ sich erklären, dass Kidd nicht den Prado nahm? Wo kam der Ford her, ein aufgemotzter Oldtimer mit echten Nummernschildern und einem verschwundenen achtundsiebzigjährigen Besitzer?

Tracy.

»Chef, die Ballistik hat angerufen«, sagte sie. »Das Ergebnis ist positiv. Eine Übereinstimmung mit Metallic.«

Mit der Waffe in der Fettpfanne hatte man die Ribarics hingerichtet. Die BUL M-5 war in der Hand von Kidd oder Larter gewesen.

Oakleigh in trockenen Tüchern. Etwas, womit man zufrieden sein konnte. Colby würde zufrieden sein, Barry würde zufrieden sein, Gillam würde zufrieden sein. Orong würde Gillam auf die Schulter klopfen. Orong würde es dem Premier erzählen.

Villani rief Colby an.

»Wir haben die Oakleigh-Waffe, Chef«, sagte er. »Die Ballistik stimmt überein.«

»Sicher?«

»So sicher, wie die Kriminaltechnik nur sein kann.«

»Wo?«

»Kidds Apartment. Vor unseren Nasen.«

»Hat die Spurensicherung sie gefunden?«

»Nein. Ich.«

»Sie?«

»In der Fettpfanne des Grills. Kidds Grill.«

Kurze Pause.

»Man muss schon irgendwie ein gestörtes Arschloch sein, um in der Fettpfanne des Grills nachzusehen«, sagte Colby. »Sie sind ein Vorbild für Ihre Männer. Frauen.«

»Haben keine Frauen.«

»Behalten Sie das für sich«, sagte Colby. »Sonst kriegt in null Komma nichts eine fette Lesbe Ihren Job. Beförderung aus dem multikulti-transsexuellen Verbindungskader.«

»Sir.«

»Jetzt Mr. Brendan O'Barry, betonen Sie ihm gegenüber,

dass er die Neuigkeit als Erster erfährt, er wird sprachlos sein. Längere Zeit schwer atmen. Dann erzählt er's dem Rotschopf, Gillam sagt's Orong. Irgendwann wird es mir jemand erzählen, ich werde wie vom Donner gerührt und sprachlos sein. Searle und seine neue Schlampe können dann allen und jedem vorlabern, wie fantastisch das Morddezernat ist.«

»Sir.«

»Wir wollen jetzt die Akte Metallic schließen. Fertig, vorbei. Können Sie mir folgen?«

»Ich folge Ihnen. Jawoll.«

»Womöglich wartet doch noch eine Karriere auf Sie«, sagte Colby. »Obwohl Sie sich dauernd selbst im Weg stehen.«

Villani rief Barry an, erzählte ihm die Neuigkeit.

»Ausgezeichnet«, sagte Barry. »Ich werde umgehend den Chief informieren. Wir können die Akte Metallic schließen. Vieles ist noch ungeklärt, aber die Mörder sind identifiziert und, durch eigene Hand, verstorben.«

»So ist es, Chef. Mehr oder weniger.«

»Wir müssen bald ein wenig plaudern.«

»Sobald es Ihnen passt, Chef«, sagte Villani.

Dove klappte den Ordner auf, reichte Villani ein paar Seiten. »Telefonate aus Koenigs Haus in Kew, Festnetzanschluss und das auf seinen Namen eingetragene Handy«, sagte er. »Rausgenommen sind Mitarbeiter, Politiker, Verwandte. Außerdem haben wir jetzt über inoffizielle Kanäle die Orion-Gästeliste bekommen. Das möchte ich für die Akten festhalten.«

»Geht nicht«, sagte Villani. »Inoffiziell wird nicht aktenkundig.«

»Die Logik leuchtet mir ein, Chef.«

»Könnte sein, dass Sie in diesem Job allmählich die Startgeschwindigkeit erreichen. Am Steuer einer Piper Cub, wohlgemerkt.«

»Es sind Telefonate aus den letzten beiden Monaten, nach Nummern geordnet, von unten nach oben.«

Mehr als zwanzig Namen, von denen Villani einige aus Zeitungen und Fernsehen kannte. Mervyn Brody, Brody Prestige, teure deutsche Autos aus zweiter Hand, außerdem Rennpferdebesitzer. Brian Curlew, krimineller Anwalt, Strafverteidiger des gehobenen Abschaums, es hieß, die erste Konsultation sei gratis, die zweite koste fünfzigtausend Dollar, ein Teil in bar, ein anderer nur pro forma, aus steuerlichen Gründen. Chris Jourdan, einer der Brüder Jourdan, dem Restaurants und Bars gehörten. Daniel Bricknell, Kunsthändler. Dennis Combanis, Bauunternehmer, Marscay Corporation. Mark Simons, Insolvenzexperte. Hugh Hendry.

»Mr. Hendry junior«, sagte Villani.

»Dieselbe Schule besucht«, sagte Dove. »Das St. Thomas College. Genau wie Curlew und dieser Robert Hunter. Alle derselbe Jahrgang.«

»Ist das wichtig?«

»Ich weiß nicht, was wichtig ist, Chef.«

»Ich mag einen wachen, unvoreingenommenen Verstand. Ein leeres Hirn macht mir Sorgen. Wer ist Hunter?«

»Direktor von St. Thomas.«

»Ja?«

»Brody, Bricknell, Curlew, Simons und Jourdan stehen alle auf der Gästeliste der Kasinoparty.«

»Zweifellos waren dort auch zahlreiche Personen, die der Polizeichef in der Kurzwahl hat«, sagte Villani. »A-Promis. Ich hab neulich abends etliche von ihnen im Persius gesehen. Welche Schlüsse ziehen Sie daraus?«

Dove berührte seinen Oberkörper, unter dem rechten Brustmuskel, mit einem Finger, ein leichtes, sanftes Reiben, das würde er zeitlebens machen.

»Kriegen wir ihre Telefonverbindungsnachweise?«

»Mit welcher Begründung?«

»Tja.«

»So geht die Bundespolizei vor«, sagte Villani. »Jedes Telefonat, von jedem, jederzeit, egal, wie sehr die Begründung an den Haaren herbeigeholt ist. Nein, mein Junge. Hier vertreten die Richter die Ansicht, eher sollten Mörder frei herumlaufen, als dass die Telefonverbindungsnachweise eines einzigen Unschuldigen überprüft werden.«

»Wie ist Ihre Einstellung dazu, Chef?«, fragte Dove.

»Ich habe keine Einstellung. Wenn jemand im Morddezernat so fehlgeleitet ist, dass er inoffizielle Kanäle benutzt, bekommt er den Marschbefehl. Birkerts stand im Verdacht, so was zu tun.«

Dove lächelte. »Tatsächlich?«

»Tatsächlich. Ich glaube, wir konnten nachweisen, dass Koenig Nutten mag«, sagte Villani. »Mr. Phipps hat eine gesehen, die zufällig unserem Opfer ähnelte. Daraufhin haben wir umfangreiche Ermittlungen angestellt, die in einigen Sackgassen mündeten. Wie das bei umfangreichen Ermittlungen nun mal zwangsläufig der Fall ist.«

»Ja?«, sagte Dove.

»Im Laufe von Ermittlungen treten Informationen zutage, die nicht weiterhelfen, aber für manche Leute peinlich sind.«

»Ja?«

»Diese Informationen kommen in den Giftschrank. Ist das klar?«

Dove schaute an die Decke, interessiert, wie jemand, der das Himmelszelt betrachtete, ein Sternenforscher. »Könnte nicht klarer sein, Chef«, sagte er.

Es klopfte, Weber trat ein, mit unschuldiger Miene, verlegen, trat von einem Fuß auf den anderen.

»Willkommen«, sagte Villani. »Sie habe ich schon eine ganze Weile nicht mehr gesehen, Detective. Sprechen Sie frei von der Leber weg.«

»Bin unterwegs gewesen, Chef. Hab mit allen bei Prosilio über die fragliche Zeit geredet. Nichts. Außerdem die Vorstrafen der Mitarbeiter überprüft. Sauber, nur Geschwindigkeitsübertretungen, ein paar Jugendstrafen, solche Sachen.«

»Das ist vielversprechend«, sagte Villani. »Das ist großartig.«

Schuldbewusst, zerknirscht betrachtete Weber den grauen, für den öffentlichen Dienst typischen Teppichboden.

»Was ist mit dem Eigentümer des Apartments?«

Weber sah Dove an.

»Dazu kommen wir gerade«, sagte Dove. »Shollonell, diese libanesische Firma, hat es vor einem halben Jahr gekauft. Direktoren sind Mr. und Mrs. Ho aus Hongkong. Endsiebziger, Mr. Ho sitzt im Rollstuhl. Dem Prosilio-Housekeeping ist inzwischen eingefallen, dass sie damals alles vorbereitet hatten, Betten, Champagner, für den Fall, dass die beiden unangekündigt eintreffen sollten. Aber sie trafen nie ein.«

Villani merkte, wie dumpf sich sein Hirn anfühlte, wie sehr seine Knöchel, seine Knie, seine Schultern, sein Nacken schmerzten. »Ich neige dazu, die Hos auszuschließen. Rein intuitiv.«

Das Telefon.

»Chief Commissioner Gillam für Sie, Inspector.«

»Ja.«

»Stephen?«

»Commissioner.«

»Gutes Resultat bei Metallic, durchaus. Wie sich herausgestellt hat. Möglicherweise ein besseres, als wenn die SOG in Kidds Apartment eingedrungen wäre.«

»Der mögliche Schusswechsel«, sagte Villani. »Der mögliche Verlust von Einsatzkräften. Der mögliche Kollateralschaden an Unschuldigen.«

Gillam hustete. »Solche Sachen, ja. Also, gut gemacht. Der Minister wird zufrieden sein.«

Villani legte auf, schaute auf seine Uhr. »Ich verlasse das Gebäude jetzt«, sagte er. »Mein Arbeitstag ist vorbei. Ich verlasse Sie mit dem Hinweis, dass wir, also wir drei und folglich die gesamte Scheißabteilung und die gesamte Scheißpolizei, dass wir das Prosilio-Mädchen im Stich gelassen haben.«

Beide Männer sahen zu Boden, Weber nickte.

Singleton wäre wirklich stolz.

»Und finden Sie raus, ob die Hos Kinder haben. Kleine Hos. Und Enkel. Konzentrieren Sie sich auf die männliche Linie.«

Das Apartment lag in einem Backsteinhaus ein paar Straßen von der Brunswick Street entfernt. Villani kannte das Haus aus der Zeit, als er achtzehn war, es stand leer, war verrammelt. Eines frühen Morgens waren sie dort gewesen, um Hausbesetzer zu vertreiben, er erinnerte sich an verschlafene, draufgängerische Frauen und Männer mit schmutzigen Haaren und mindestens zwei Gitarren.

Die Möbelpacker trugen erstaunlich viele Verstärker heraus. Fender, Vox, Marshall, die aussahen, als wären sie oft fallen gelassen und getreten worden.

Die Tiefgarage ging von einer vollgepissten und vollgekotzten Gasse ab, man betrat sie durch ein mit Graffiti beschmiertes Rolltor, das Birkerts mit einer Fernbedienung öffnete. Eine Betontreppe führte zu einer Stahltür, die sich mit einem Schlüssel öffnen ließ.

Villani folgte Birkerts noch mehr Betontreppen hinauf zu einem langen Treppenabsatz, wo sie links abbogen. Auch die Vordertür des Apartments war aus Stahl, genietet. Dahinter lag ein langes Zimmer mit hohen Wänden, alles in Jarrahholz, Granit und rostfreiem Stahl gehalten, ein Sitzbereich, ein Fernsehbereich, ein Koch- und Essbereich. Der Tisch aus zehn Zentimeter dicken Eukalyptusplatten mit Platz für zwölf Personen könnte auch als Schutz vor einem Raketenangriff dienen.

»Mehr, als ich erwartet hatte«, sagte Villani. Er ging zu dem Fenster, sah hinter den Baumwipfeln die Hochhäuser des Zentrums, die im rauchigen Dunst verschwammen.

»Sie wollte von dem Burschen in bar ausgezahlt werden«, sagte Birkerts. »Er bietet ihr eine Million. Nehmen Sie's, sagt ihr Winkeladvokat. Ich sagte: die gemeinsame Eigentumswohnung, ein neues Auto plus fünfhundert Riesen. Nach letzter Schätzung, Rezession und so weiter mit eingerechnet, ist der Vergleich heute eins Komma acht Millionen wert.«

»Erstaunlich«, sagte Villani. »Welch weise Voraussicht.«

»Vor langer Zeit sagte mein alter Herr: Innenstadt, da spielt der Preis keine Rolle. Mein Dad traf immer ins Schwarze.«

»Ich erinnere mich, dass er auch sagte, nur die wirklich Unwissenden sind wirklich glücklich«, sagte Villani. »Schließt das die wirklich Unwissenden in Sachen Immobilienschnäppchen mit ein?«

»Ich wünschte, ich hätte dir das nicht erzählt«, sagte Birkerts. »Du vergisst nie etwas, und dann wartest du ab. An beiden Enden befinden sich Schlafzimmer. Jeweils mit Bad.«

»Ich finde eins.«

»Okay. Ich will keinen Blick in den Kühlschrank werfen. Schmeiß den vergammelten Kram raus, ja? Im Schrank ist Alk.«

Sie gingen zur Tür. Birkerts gab ihm einen Schlüsselbund. »Summer, die Schlüssel. Müllanweisungen auf dem Kühlschrank.«

»Danke dir«, sagte Villani. »Erwarte aber keine Gefälligkeiten.«

»Mist«, sagte Birkerts, »hatte mir schon Hoffnungen gemacht.« Er sah sich um. »Hab selber gewisse häusliche Schwierigkeiten.«

Villani sah ihn nicht an, so etwas animierte zu Beichten.

»Der Job macht einen kaputt, das steht fest«, sagte Birkerts. »Fragst du dich manchmal, warum du ihn machst?«

Ein Augenblick der Stille.

»Es vergeht kein Tag«, sagte Villani. »Man darf sich nur nicht zusammenrollen und liegen bleiben.«

Dass du dich nicht zusammenrollst und liegen bleibst.
Bob Villanis Anweisung. Bob und Cameron, Colby, Singo und Les, alle Männer in seinem Leben hatten ihm jede Menge Anweisungen erteilt.

Ob Bob sich je zusammengerollt hatte? Als er in Vietnam auf sich allein gestellt war, ein Einzelkämpfer in der Fremde, unter Fremden, so weit weg von zu Hause, hatte er sich in seinem Schlafsack eingerollt und gewinselt? Wenigstens einmal? Ein winziger Schluchzer?

Eher unwahrscheinlich.

»Zusammenrollen?«, sagte Birkerts.

»Wenn man besonders starkes Selbstmitleid hat, legt man sich hin und rollt sich zusammen«, sagte Villani.

»Hast du das mal gemacht?«

»Es vergeht kein Tag. Wir sehen uns morgen früh.«

Als er allein war, suchte er sich ein Schlafzimmer aus. Es war so groß wie eine Doppelgarage, weiße Wände, kahl. Das Bett war gemacht. Er tat seine Klamotten in einen begehbaren Kleiderschrank, eher ein Zimmer, ging zurück und inspizierte den Kühlschrank: feste Milch, schlaffer Koriander, zwei schlappe Gurken, kein Fleisch.

Dutzende Flaschen mit Wein, Spirituosen, Getränken zum Mischen in dem Getränkeschrank. Whisky und Soda. Es gab Eis. Er setzte sich in einen Ledersessel, ließ das Eis klirren, trank, horchte auf das Haus, die Straße, weiter Entferntes. Leise Musik, Klavier.

Müde, er nickte ein, sollte etwas essen. Wann hatte er zuletzt gegessen? Frühstück mit Rose. Furchtbares Brot, aber alles andere war gut gewesen – die Rühreier, seine Kirschtomaten in der Pfanne geschmort, bis sie platzten, die Säfte.

Lizzie. Warum hatte er sie so früh aus seinem Leben verbannt? So wenig für sie empfunden? Selbst jetzt war sein intensivstes Gefühl Unmut, empfand er es als Verrat. Warum ging Tony ihm nicht häufiger durch den Kopf? Für Tony hatte er sich engagiert, so gut er konnte. Für Tony hatte er Zeit gehabt, er war ein anständiger Vater gewesen. Auf seine Art.

Er nahm Tony mit zu Carlton-Heimspielen, als er noch winzig war, packte ihn in einen Rucksack. Eigentlich war er für Fitzroy, doch das war nie ernst gewesen, und als er in Carlton stationiert war, wurde er allmählich Anhänger der Blues. Man brauchte ein Team. Man konnte nicht sagen, das interessiere einen nicht. Cashin begleitete sie zu den Footballspielen. Er war zwar Fan von Geelong, doch er ging mit. Manchmal kam auch Laurie mit, aber nur ihm zuliebe.

Bob Villani war Footy egal, nie sprachen sie über Football, als Villani klein war, sie hatten kein Lieblingsteam. Eines Tages hatte Villani ihn gefragt.

»Für wen sind wir, Dad?«

Bob las gerade sein Buch, eine Lyrikauswahl, *The Faber Book of 20th Century Verse*, Schutzumschlag aus braunem Papier mit großen Fettflecken, er nahm es auf seinen Touren im Laster mit.

»Wie, sind?«

»Footy. Die anderen fragen mich, für wen wir sind.«

»Fitzroy«, sagte sein Vater, ohne aufzuschauen.

»Warum, Dad?«

»Die brauchen jede Unterstützung, die sie kriegen können.«

Dass Bob Football gespielt hatte, erfuhr er erst, als er das Foto des Levetts Creek Football Club Premiership Team aus dem Jahr 1960 entdeckte, fünfzehn Männer und drei Jungs. Über zweiundzwanzig Jahre später fuhren sie wegen eines Mädchens dorthin, durchgeschnittene Kehle, es war ein finsteres Kaff, Vokuhilas, ramponierte Pick-ups, vermöbelte Frauen und Bierkartons, die platt gegen Zäune geweht waren. Er sah die Gesichter auf dem Foto, die Söhne und Enkelsöhne. Damals waren sie Holzfäller und Sägewerksarbeiter, dem Mann, der den Ball hielt, fehlten an der rechten Hand zwei Finger.

Auf der Rückseite hatte jemand mit lila Buntstift geschrieben: *Robert Villani (Mittelläufer)*.

Vielleicht sechzehn, kurze Haare, ein Kinn wie gemeißelt, lange Oberarme, Prellung am rechten Wangenknochen, so groß wie die Männer in seiner Reihe und halb so breit. Und die Augen, sie spiegelten das Licht.

Eines bitteren Samstags, Tony war sieben, legten sie dem Jungen den marineblauen Schal um den Hals und fuhren in den Princes Park, um Carlton gegen die Bombers spielen zu sehen, trafen dort Cashin.

In der Kassenschlange sagte Tony: »Die Bombers sind mein Team.«

Sie sahen ihn an.

»Die Blues sind dein Team«, sagte Villani.

»Nein«, widersprach Tony. »Die Bombers.«

Er nahm seinen Fanschal ab. »Den trägst du, Dad.«

Das hätte Villani Bob nie antun können. Auch jetzt konnte er das Bob nicht antun. Es hatte etwas mit Tapferkeit zu tun. Warum hatte er das Tony nie gesagt?

Sinnlos. Er würde es sich nie und nimmer merken. Es hätte für ihn keine Bedeutung.

Warum rief Tony ihn nie an? Schottland, er war in Schottland, auf einer schottischen Insel. Wie mochte Schottland sein? Das Heidekraut auf den Hügeln. Was war Heidekraut? Wie es wohl war, ein neunzehnjähriger Australier in Schottland zu sein?

Er war achtzehn gewesen, als er nach dem Kurs seinen ersten Rundgang in Uniform machte, ein Junge vom Land, mit offenem Mund, aufgeregt. Damals war die Stadt nicht gefährlich. Gras war die Straßendroge, ein wenig Heroin, Koks galt als ausgesprochen schickimicki. Gegen Mitternacht war Schluss mit Nachtleben. Man konnte betrunken nach Hause fahren und musste schon einen Streifenwagen rammen, damit die Polizisten einen Bluttest machten.

Die Cops unterhielten sich nur über Festnahmen wegen Marihuanabesitzes, bewaffnete Raubüberfälle, illegale Glücksspiele, wie die Spaghettis um die Kontrolle des Victoria Market kämpften, wie die Schauerleute darum kämpften, wer auf den Docks was klauen durfte.

Das Berufsbild änderte sich schleichend. Mehr Menschen liefen zugedröhnt herum, setzten sich auf der Straße, in Einkaufszentren, Bahnhöfen, Parks und Kirchen ihre Spritzen. Mehr dämliche Einbrüche, hirnverbrannte Raubüberfälle, Jugendliche verkauften sich jedem für irgendwas, die Leute lagen tot in Gassen, auf Bahnhöfen, in Tunneln, in Abwasserkanälen, an den verdreckten Stränden herum.

Villani erinnerte sich noch, wie das Hauptgeschäftsviertel sicher genug war, dass man freitagnachts hindurchgehen konnte. Doch kaum breiteten sich die Chemikalien aus, sahen Cops regelmäßig Dinge, die früher selten waren – wie Jugendliche alte Leute zusammenschlugen, wie Frauen und Kinder geschlagen wurden, wie Nachbarn, Freunde, Taxifahrer, Leute in Zügen, Straßenbahnen, Bussen, Fremde auf Partys, in Kneipen und Nachtclubs geprügelt, getreten und erstochen, mit Schwertern zerhackt wurden, sowie aggressive Gewalt im Straßenverkehr, Steine flogen auf Straßenbahnen, auf Zugführer.

Dann schaffte man die Alkoholgesetze ab. Ein zivilisatorischer Vorgang, hieß es. Australiens europäischste Stadt brauche weniger rigide Alkoholgesetze.

In kurzer Zeit eröffneten hunderte Clubs und Kaschemmen in wenigen Dutzend Häuserblocks im Geschäftsviertel, die meisten gehörten denselben Leuten, die auch die Poledance-Clubs und Tittenbuden betrieben.

An Wochenenden strömten tausende und abertausende Menschen in die Innenstadt, es galt als sehr europäisch, mit

seinen Kumpels aus Donnie, Brookie und Hoppers dort ein-
zufallen, schon vorher ziemlich knülle, und dort alles zu
schlucken, bis man völlig dicht war, ohne jede Angst rumlief,
Mann, wofür das Crystal-Meth-Fieber sorgte, seinen Kumpel bekämpfte, jedes Arschloch, das einen anguckte, und dass
man überall hinreiherte, hinpisste, hinkackte.

Handy.

»Ist das ein guter Zeitpunkt, Chef?« Dove.

»Hängt davon ab, was Sie zu sagen haben.«

»In Preston hat man gar nichts gefunden. Keine Abdrü-
cke, keine DNA. Gar nichts. Es gibt Anzeichen dafür, dass
alle Spuren beseitigt wurden.«

»Es ist kein guter Zeitpunkt«, sagte Villani.

Tief hinten im Eisfach fand er eine in Plastik verschweißte Pizza. Er legte sie in die Mikrowelle und setzte sich dann zum Essen an den Mönchstisch. Sie schmeckte wie in einem Gletscher entdeckte Lebensmittel, die hundert Jahre lang im Eis eingeschlossen waren, wie die Erinnerung an eine Pizza, bei der man alle schmackhaften Bestandteile vergessen hatte.

Zum Duschen stellte er sich in eine große Porzellanuntertasse. An einem Haken neben der Tür hing ein dicker, weicher Frottee-Herrenbademantel. Eigentum des geheimnisvollen Anwaltarschlochs aus Byron Bay?

Nackt durchquerte er das Ankleidezimmer und legte sich auf das niedrige Bett, eine steinharte Matratze, wahrscheinlich ein Futon. Futons. Wurden heutzutage noch Futons verkauft? Er betrachtete seinen Körper, war nicht zufrieden damit. Er berührte die dreckigen Stellen, die lila Flecken, wo Les ihn in die unteren Rippen getroffen hatte, eine gute Stelle, um jemanden zu schlagen, die Rippe in die Körperhöhle zu biegen.

Anna hatte nicht angerufen.

Hätte er eine Nachricht hinterlassen sollen? Neben ihrem Telefon im Flur lag ein Notizblock, er hätte ein paar Worte schreiben können.

Ich liebe dich. Stephen.

Er hätte es als Scherz abtun können. Oder auch nicht. Falls die Reaktion positiv ausfiel. Wahrscheinlich nicht. Garantiert nicht.

Was war er doch für ein blöder, trotteliger Teenager.

Lizzie. Man würde ihn anrufen, falls man sie fand, er hatte die Anweisung dazu erteilt, jederzeit, vierundzwanzig Stunden am Tag. Irgendwo bei den Stadtstreichern? In irgendeiner Spalte in der Innenstadt, in einem Tunnel, einem halb fertigen Hochhaus, wo sie auf dem nackten Beton schlief? An solchen Stellen fand man täglich Tote.

Das Prosilio-Kind.

Der Truckstop am Hume. Ein belebter Highway, eine heiße Nacht, kein Lüftchen. Sobald man die Wagentür öffnete, schlug einem alles entgegen: Benzin, Diesel, erhitzter Gummi, Abgase, Frittenfett, der Geruch von verbranntem Fleisch. Übergewichtige Trucker kamen aus dem Waschhaus, nasse Haare, Männer schissen, rasierten sich, duschten, schamponierten sich.

Man hörte Motoren ticken, Klimaanlagen und Sauglüfter rattern.

Ein Mädchen kam aus dem Waschhaus, eine Weiße, und redete mit einem Mann in ihrer Muttersprache. Nicht Englisch. Unterwegs nach Melbourne, zu der hässlichen Festung in Preston, vielleicht mit einer billigen Reisetasche aus Nylon im Kofferraum, Nuttenkleidung, sexy BHs, Hosen, Strapse.

Um in dem Hochhaus der Reichen umgebracht zu werden. Bei der Suche nach ihrem Mörder waren sie keinen Zentimeter weitergekommen. Die Besitzer des Gebäudes hatten sie an der Nase herumgeführt. Sie hatten sich unsinnigerweise einen mächtigen Mann zum Feind gemacht. Sie sahen wie Idioten aus.

Wieder das Handy.

»Chef, was ich noch sagen wollte«, sagte Dove, »ich hab mir den dortigen Wasserverbrauch beschafft. In dem Monat vor der Sichtung auf dem Hume Highway wurde überhaupt kein Wasser verbraucht. Danach liegt ein durchschnittlicher Verbrauch für vier Personen vor, ein wenig höher.«

»Vier Personen?«

»Vielleicht Personen, die häufig duschen müssen.«

Dove hatte weit mehr zu bieten als exzellente Blutgerinnungswerte.

»Das ist eine Art Muster«, fuhr Dove fort. »Während der letzten drei Jahre.«

»Nun, das ist zwar interessant, bringt uns aber nicht weiter.«

»Und, Chef, diese Nummer, ich habe …«

»Wenn wir uns sehen«, unterbrach ihn Villani. »Von Angesicht zu Angesicht. Ich beobachte gern Ihre Körpersprache.«

»Bis morgen früh also.«

»Ja. Gehen Sie nach Hause. Haben Sie eigentlich ein Zuhause?«

Warum hatte er das gefragt? Dämlich.

»Ich hab ein Bett, ja«, sagte Dove. »Eine Dusche.«

Über Doves Privatleben wusste er überhaupt nichts. Singo hatte alles über das Leben seiner Leute gewusst, er kannte die Geburtstage ihrer Kinder, er konnte eine Anspielung auf ihren Hochzeitstag machen, einem zeigen, dass er Bescheid wusste. Doch Singo waren die Leute egal.

Mein Junge, das Leben besteht aus Schichten. Ganz oben ist die Arbeitsschicht. Das ist meine Schicht, das ist meine Sache, das ist meine Pflicht. Darunter liegt das Private, das ist Ihre Sache, das will ich nicht wissen. Nicht, dass es mir egal wäre. Es wäre mir nicht egal. Da liegt das Problem. Deshalb will ich es schlicht nicht wissen. Verstehen Sie das?

Villani hatte es verstanden.

»Frühstücksbesprechung«, sagte er. »Kennen Sie Enzio's? In der Brunswick Street?«

»Ich finde Enzio's.«

»Sieben Uhr fünfzehn. Ecktisch hinten links.«

Villani schlief ein und träumte von Greg Quirk, träumte

davon, wie er das verdreckte Apartment durchquerte und sah, wie aus Greg Blut spritzte, wie er hochschaute und Dance dastehen sah, der mit beiden Händen die Waffe hielt und sein hündisches Lächeln lächelte.

Villani wurde kurz nach sechs Uhr früh mit einem Brumm-
schädel wach; er wusste zwar, wo er war, hatte aber ein
ungutes Gefühl wie während seiner Anfangszeit bei den Räubern. Er blieb liegen, wollte nicht aufstehen, die Schwelle in
den Tag überschreiten.

Er dachte an den kleinen Bauernhof in dem Tal bei Colac, wo Dave Cameron mit seiner Freundin gelebt hatte.
Dave hatte sich gewehrt, die Küche war ein einziges Tohu-
wabohu, überall Blut, umgekippte Tische, Geschirr auf dem
Boden. Mit irgendwas war auf ihn eingehackt worden, einem großen Messer, einem Schwert, er hatte tiefe Schnitte in
Armen, Schultern, Hals, Kopf, ehe man ihn erschoss. Zwei
Schüsse aus einer unbekannten Waffe, zwei aus seiner eigenen Dienstwaffe.

Seiner Freundin war in den Kopf geschossen worden, dreimal, mit Daves Waffe. Wie sich herausstellte, war sie schwanger gewesen, von Dave.

Sie gaben wirklich alles, die gesamte Polizei, andere Ermittlungen kamen in die Warteschleife. Matt Cameron sahen
sie wochenlang nicht. Deke Murray, der SOG-Chef, wurde
zum Leiter der Ermittlungsgruppe gemacht, er hatte mit Matt
als Cop angefangen, sie waren wie Brüder, ihre Karrieren liefen parallel, beide wurden zu Legenden im Raubdezernat. Sie
sahen sogar wie Brüder aus.

Noch bevor Villani kam, war Deke zur SOG gewechselt,
aber er kam zu den Besäufnissen der Räuber, zu Camerons

Partys, ließ sich manchmal freitagabends im Pub sehen. Als Matts Frau Tania Selbstmord beging, kündigte er bei der Polizei, er hatte keine Familie mehr. Deke hörte bald danach auf.

Der Hauptverdächtige, ein schlimmer Finger namens Brent Noske, den Dave Cameron in den Monaten vor den Morden zweimal festgenommen hatte, brachte sich um, schoss sich in den Mund. Noske war ein Polizistenhasser, sie hätten ihm fast nachgewiesen, dass er mit einer M16 Schüsse auf das Haus eines Cops in Geelong abgegeben hatte.

Was war aus Deke geworden? Er hatte den Dienst quittiert. Wo war er geblieben?

Villani schüttelte diese Gedanken ab, stand auf, duschte, zog sich an, ging in das große Zimmer und machte das Radio an.

Bruce Frank, der Morgenmann auf ABC, gab sein übliches Gewäsch von sich, seine Stimme änderte den Tonfall, wechselte im selben Satz von barsch zu schrill. Villani saß in einem Sessel, Akkurasierer in der Hand, Kopf im Nacken, Augen zu, der Apparat war seiner Aufgabe nicht gewachsen, aber es tat gut.

Als er das Wort »Polizei« hörte, knipste er den Rasierapparat aus.

… Oppositionsführerin Karen Mellish am Telefon, sie rief von sich aus an. Sie sind früh auf den Beinen, Ms. Mellish.

Ich bin eine Farmerstochter, Bruce. Und Frau eines Farmers. Wir räkeln uns nicht lange im Bett rum. Es gibt Dinge zu erledigen.

Es finden sich doch bestimmt Argumente dafür, sich noch ein wenig im Bett zu räkeln, oder? Schließlich ist die Geburtenrate auch nicht mehr so, wie sie sein…

Keine Frivolitäten bitte, ich melde mich, weil Ihr Anrufer sagte, meine Partei habe Spaß daran, über die Polizei des Staates Victoria herzuziehen. Das ist absolut und völlig falsch, und…

Sie haben doch in letzter Zeit ein paar harte Worte über die Polizei verloren, nicht wahr? Da waren einige ganz schön angefressen.

Bruce, wir sind verpflichtet, Inkompetenz anzuprangern wenn wir sie sehen. Und unter dieser unfähigen Regierung sehen wir sie überall. Doch Spaß daran haben, die Polizei zu verunglimpfen? Niemals. Nein. Wir wollen erleben, dass unsere Polizei das Personal und die Führung erhält, die nötig sind, um das zu tun, wozu sie durchaus in der Lage ist, nämlich diese Stadt und diesen Staat für Gewaltverbrecher, Drogendealer und Berufskriminelle zu dem ungastlichsten Ort auf Erden zu machen…

Ein großer Wunsch. Zweifellos wird die Regierung…

Um ohne dieses Katergefühl aufzuwachen, war ein mindestens eine Woche langer Urlaub erforderlich. Die ersten zwei, drei Tage dienten der Entgiftung, er war nervös, gereizt, registrierte eine Anspannung in den Schultern, im Nacken, im Rücken. In der zweiten Woche verlor er das Interesse daran, sich Alk zu besorgen.

Zwei Wochen Urlaub? Nicht, seit Corin fünfzehn war.

Surfers Paradise war als eine Woche nur für sie beide geplant gewesen, die Kinder in sicheren Händen. Er dachte, sie könnten die Beziehung flicken, einen neuen Anfang machen. Dass Laurie die Reise vorgeschlagen hatte, gab Anlass zur Hoffnung, die Sache mit der Mutter von Tonys Freund lag noch nicht lange zurück.

Kunden der Cateringfirma, Fernsehleute, boten ihre Ferienwohnung an. Mittlerweile übernahm Lauries Firma bei vielen Drehs das Catering.

Sie flog voraus. Villani wusste noch, wie er beinahe das Flugzeug verpasst hätte, wie er vor dem Start einschlief, am Ziel ein Taxi nahm, auf dem schmalen Balkon des am Strand gelegenen Hochhauses stand und aufs Meer schaute, der Strand lag weit unten und tief im Schatten, spitzenbesetzte

Wellen brachen sich, Menschen gingen auf dem nassen Sand spazieren.

Er schlief auf dem Sofa im Wohnzimmer ein, während Laurie auf dem Balkon war und in ihr Handy sprach. Mitten in der Nacht weckte ihn ein Krampf in der linken Wade. Die Schmerzen waren unglaublich stark. Er dachte: eine tiefe Venenthrombose. Er stellte die Füße auf den Boden, massierte hektisch den Muskel, hieb auf ihn ein, Tränen stiegen ihm in die Augen, er stand auf, schüttelte das Bein, stampfte mit dem Fuß auf.

Der Schmerz wich einer Benommenheit. Er schlief ein paar Stunden, wachte im Morgengrauen auf, hatte Hunger. In dem Apartment gab es nichts zu essen, er rauchte eine Zigarette auf dem Balkon. Ein paar Dutzend Surfer waren schon draußen, weithin verteilt, eine große Spielgruppe, der Wind wehte aus Südosten, nichts los, halbmeterhohe Wellen.

Villani nahm den Aufzug nach unten, legte Hemd und Handtuch auf den Sand. Während er mit zwei jungen Surferinnen, Mädchen, durch das warme, seichte Wasser watete, betrachtete er sich kritisch, bleiche, hühnerbrustartige Haut, Schwabbel um die Hüften. Um eine Welle zu erwischen, musste man weit rausschwimmen, die Mädchen waren vor ihm, paddelten, hatten keine Eile.

Er war nicht der weltbeste Schwimmer und schon eine ganze Weile nicht mehr im Fitnessstudio gewesen. Er musste sich quälen, die Mädchen sahen sich nach ihm um – mitleidig, wie er glaubte. Im tiefen Wasser angelangt, war er außer Atem. Jedes Jahr schwammen von diesem Strand hunderttausende Menschen los, und er war plötzlich allein.

Joe Cashin hatte ihm das Surfen beigebracht. Cashin stand vom Rang her unter ihm, er wirkte reserviert, ein leichtes Lächeln, keine Freunde im Kollegenkreis. In Carlton freundeten sie sich an, beide viel intelligenter als die meisten Menschen um sie herum. Wenn sie tagsüber nicht arbeiteten, fuhren sie in Villanis Falcon nach Rye oder Portsea. Für Cashin waren die Wellen lahm, er hatte von Kindesbeinen an gesurft, alberte herum, ging auf seinem Brett hin und her, drehte der Küste den Rücken zu. Doch er fand sich damit ab, bis Villani für die echte Brandung bereit war, bereit, in die Brecher von Bells geworfen zu werden.

In Surfers Paradise ließ Villani sich mit der Dünung treiben, zurück zum Ufer, versuchte durchzuatmen, als er die erste einer ganzen Reihe von Wellen sah. Er ließ sich emportragen von der ersten, der größeren zweiten Welle, machte kehrt und schwamm auf die dritte zu. Den Kopf gesenkt und mit wirbelnden Armen erwischte er sie, zog die Schultern hoch. Er spürte, wie ihre Kraft ihn packte, ihn erfüllte, er wurde nicht von der Welle nach vorn geschleudert, er war die Welle, er war die Kraft, angelegte Arme, gewölbter Körper, er war die herrliche federnde Stärke.

Dann gehorchte die Welle einem geheimen Befehl, ließ ihn im Stich. Sie stürzte in sich zusammen, schleuderte ihn nach unten, seine Stirn traf auf Sand, er dachte, er hätte sich das Genick gebrochen, die Kraft rollte ihn umher, ließ ihn taumeln, zog ihm die Badehose aus, er schluckte Wasser, Wasser stieg ihm in die Nase, er wusste nicht, wo oben war, er ertrank.

Sein Kopf durchbrach die Wasseroberfläche, und es war vorbei, nichts Besonderes, er trieb im Schaum, Bodysurfer nahmen dergleichen als selbstverständlich hin – sie schnaubten ein halbes Glas salzigen Rotz aus und schwammen zur nächsten Runde wieder raus. Doch er hatte genug.

Er ging aus dem Wasser, schaute an sich hinab und sah das Blut von seinem Kinn auf den Brustkorb, auf den Sand in seinen glänzenden schwarzen Bauchhaaren tropfen. Als er sein Hemd anzog, sah er die blutenden Schürfwunden an Unterarmen und Ellbogen.

Laurie war auf, als er zurückkam.

»Meine Güte, was ist denn mit dir los?«

»Nichts. Eine Welle hat mich geschmissen.«

»Da muss man was draufmachen.«

Sie klang unbekümmert, sie kannte Blut, sie leitete eine große Cateringküche, da schnitten sich andauernd Leute, bluteten in den Gelbflossenthunfisch, das Wagyu-Kobe-Rindfleisch, das Schwimmkrabbenfleisch, die kross gebratene Ente, fügten Blut aller Gruppen zu dem Fingerfood hinzu, von dem eine erlesene, münzgroße Portion fünf Dollar kostete.

In der Dusche inspizierte er seine Knie, Unterarme, Ellbogen. Im Medizinschränkchen fand er antiseptische Creme, trug sie auf, zuckte zusammen.

Sie frühstückten in einem Café – kaltes Rührei, kalten Schinkenspeck, kalten Toast, lauwarmen scheußlichen Kaffee. Sie lasen Zeitung, sprachen apathisch über die Kinder, er machte über irgendetwas eine Bemerkung, sie war an seinen Ansichten nicht interessiert. Das war einmal anders gewesen. Er überlegte, wann das gewesen war. Sie kauften Lebensmittel in einem Supermarkt, in einem Feinkostgeschäft. Laurie schlug vor, zum Strand zu gehen. Er sagte Nein. Eine Blamage am Tag war genug.

Sie zog sich um, ging nach unten, und er setzte sich auf den Balkon und machte sein Handy an – ein Dutzend Nachrichten. Es dauerte über eine halbe Stunde, um alles zu regeln. Er schaltete das Ding aus, nickte ein.

Am frühen Nachmittag kam Laurie zurück, sie hatte keinen Schlüssel mitgenommen und klingelte. Er öffnete die Tür. Sie hatte Shorts und ein T-Shirt an, rosa Haut unter einem Film aus Schweiß und Öl, war wieder neunzehn.

Sie sah ihn an, und seine Hand schob sich in Richtung ihrer Wange.

Sie verzog den Mund voller Abscheu. »Mein Gott, du siehst aus wie nach einer Prügelei«, sagte sie.

Als seine Hand sank, wusste er auf den Millimeter genau, wie weit sie sich voneinander entfernt hatten.

Er machte kehrt. Der Nachmittag verging. Laurie ging zweimal raus, telefonieren. Wenn sie ein Gespräch begannen, klingelte jedes Mal ihr Handy.

»Herrgott noch mal«, sagte er. »Wenn ich das Scheißding abschalten kann, kannst du das auch.«

»Glaubst du vielleicht, das macht mir Spaß?«, sagte sie. »Chris hat Grippe, Bobby ist unterwegs, da weiß niemand, was zu tun ist.«

Am heißen, stillen Nachmittag kam ein Nordostwind auf, der Horizont verschwand, und es regnete in kurzen, heftigen Schüben.

Er ging raus, am Strand entlang, wurde nass. Auf der Hauptstraße fand er einen Wettschuppen – halb besoffene junge Männer in Boardshorts und T-Shirts, Perlenketten und Goldarmbändern, knopfäugige alte Männer, kaputte Haut wie braunes Brot, Mützen und Strümpfe, sie alle saßen in dem flackernden, gekühlten Halbdunkel und lasen die Bildschirme: Murray Bridge, Kembla Grange, Darwin, Alice Springs, Bunbury, Neuseeland. Er kombinierte Favoriten mit Außenseitern, je aussichtsloser, desto besser, warf Geld weg. Ein junger Mann mit verlängerten Haaren versuchte, ihn in ein Gespräch zu verwickeln. Villani war alles andere als entgegenkommend. Er schenkte ihm den langen Verpiss-dich-Blick, und der Mann verzog sich wieder.

Im Apartment, der Abend kam näher, langweilte er sich, war fahrig, trank schon sein viertes Bier, schaltete sein Handy an, durchstöberte die Schränke.

»Scrabble«, sagte er. »Willst du spielen?«

Laurie lag auf der Couch, blätterte in einer Zeitschrift. »Eher nicht«, sagte sie.

»Na, komm. Mir fällt die Decke auf den Kopf.«

Sein Vater hatte ihm das Spiel beigebracht. Für Bob ging

es dabei um Geschwindigkeit, man legte das erste Wort, das einem einfiel, mit taktischen Albernheiten wie dem Versuch, den höchsten Punktwert zu erzielen, gab er sich nicht ab.

An diesem schwülheißen Spätnachmittag in der Hochhausschachtel verlor er nach fünfzehn oder zwanzig Minuten die Geduld. Er begann, an Laurie herumzumäkeln. »Nun entscheide dich endlich, ja, wir haben nicht den ganzen Tag Zeit.«

Sie sagte nichts, konzentrierte sich auf ihre Buchstaben, bekam hohe Punktzahlen.

Er ließ nicht locker. »Na los, na los, mach schon, ja?«

Ohne Vorwarnung stand sie auf, kippte mit Schwung das Spielbrett, die Buchstaben flogen, trafen ihn, flogen überallhin, und sie sagte ruhig, kontrolliert: »Du dämlicher Tyrann, das ist nur ein Spiel. Hast du dich je gefragt, warum Tony nie mit dir spielen wollte?«

Villani legte das Brett wieder auf den Tisch, richtete es aus. Er sah nach unten, entdeckte die Buchstaben auf dem Teppichboden, die glatt polierten, hellen Holzquadrate auf grünem Nylon. Er schob den Stuhl zurück, kniete sich auf allen vieren hin.

Sein Handy klingelte. Er ging dran, ohne aufzustehen, kniete auf dem Boden.

»Villani.«

»Steve«, Singo, die weiche Stimme. »Hier ist die Kacke am Dampfen.«

»Was gibt's?«

»Cashin und Diab. Ein Typ hat sie gerammt. Diab ist tot, Joe ist auf der Kippe. Lebenserhaltende Maßnahmen.«

»O Gott, nein.«

Laurie sagte: »Was denn, Steve? Was ist los?«

Villani sagte zu Singo: »Ich nehme das erste Flugzeug, Chef.«

»Rufen Sie diese Nummer an«, sagte Singo. »Dann holt Sie jemand ab.«

Villani klappte das Handy zu, steckte es in seine Hemdtasche.

»Was ist?«, sagte Laurie. »Was ist?«

»Joe«, sagte Villani. »Lebenserhaltende Maßnahmen.«

»Nein«, sagte sie. »Mein Gott, nein.«

Gemeinsam nahmen sie den letzten Direktflug nach Hause und redeten an diesem und an jedem Tag danach nie mehr als ein paar Dutzend Worte miteinander.

... intelligentes Führungspersonal und genug Truppen, Bruce. Gemeinsam können sie Berge versetzen. Und die intelligente Führung ist am wichtigsten. Darf ich hier sagen, dass ich das Morddezernat zu seiner Arbeit bei den Oakleigh-Morden beglückwünsche? Es passiert nicht jeden Tag, dass ein leitender Beamter, der hinter seinem Schreibtisch sitzen könnte, loszieht und sein Leben riskiert. Wir zollen ihm höchste Anerkennung.

Verzeihung, ich bin in dieser Sache leider nicht auf dem Laufenden, wen genau meinen Sie damit ...

Inspector Stephen Villani vom Morddezernat. Mehr sage ich dazu nicht.

Ja, nun, ein anderes Thema, Max Hendrys AirLine-Projekt, wo stehen Sie ...

Ich mag Max. Nur Max könnte versuchen, mit so etwas durchzukommen, ohne irgendwelche Zahlen auf den Tisch zu legen. Wenn er AirLine zum Fliegen bringen will, heißt sein Hauptproblem Stuart Koenig, der Infrastrukturminister. Koenig hat der Laborfraktion gesagt, ehe Max Hendry die Unterstützung der Regierung bekommt, werden fliegende Schweine den Himmel verdunkeln ...

An jenem kalten, nebligen Abend sahen sie zu, wie die Männer im Schnee eine Trage unter das schlafende Mädchen schoben, wie zwei Männer sie ohne die geringste Mühe zu dem Fahrzeug trugen, sie hätte ein Hund sein können, ein Greyhound.

Zusammengerollt. Sie war zusammengerollt.

Villani nahm eine gelesene *The Age* aus dem Korb und setzte sich an den Ecktisch. Sekunden später war die Kellnerin bei ihm. Sie war in Corins Alter, eine Studentin, die nebenher arbeitete.

»Zwei Sauerteigtoasts«, sagte er. »Haben Sie noch die italienischen Würstchen? Die mit Fenchel?«

»Aber gewiss doch.«

»Zwei. Und eine gegrillte Tomate. Einen großen doppelten Espresso, schwarz.«

»Sie wissen, was Sie wollen«, sagte sie.

»Wir sind schon lange zusammen«, sagte Villani. »Mein Hirn und ich.«

»Das klingt wie ein Songtext.« Und sie sang, leise: »*Mein Hirn und ich, wir sind schon lange, oh, so lange zusammen.*«

Sie war älter als Corin. Eine reife Studentin. Doktorandin.

»Woher wissen Sie, dass ich Talentsucher bin?«, sagte er.

»Ihre Hände«, sagte sie. »Kräftige, aber sensible Talentsucherhände.«

»Ich hab meine Karte nicht dabei.«

»Ich gebe Ihnen meine.«

Er hatte gegessen, der Teller war weg, er schnupperte an seinem Kaffee, als Dove eintrat, mit einer Aktentasche bewaffnet, auf die Minute pünktlich. Die Kellnerin folgte ihm zum Tisch.

»Frühstück?«, fragte sie.

»Nein, danke. Einen großen Schwarzen, bitte.«

Als sie weg war, sagte Villani: »Damit das klar ist, solche Dinge weder am Telefon noch im Büro.«

»Tut mir leid, Chef. Hab mich gestern Abend mit ein paar Telefondaten befasst. Es sind die Daten von einem halben Jahr, ein ganzer Berg.«

»Die haben Sie doch nicht etwa ins System eingegeben?«

»Nein, nein, das habe ich zu Hause gemacht.«

»Sie haben das Programm zu Hause?«

»Nun, nicht das große, nein. Aber genug. Ich habe das schon bei meinem letzten Job gemacht. Andauernd.«

Dove wollte das Wort »Bundespolizei« vermeiden.

»Und?«

»Ich hab das Programm nach Cluster suchen lassen. Das heißt, dass es bei der Suche lernt…«

»Ich weiß, was das heißt«, sagte Villani.

»Verzeihung, Chef. Die Suche ergab zahlreiche Cluster, große und kleine. Drei um Mark Simons, von Simons & Galliano, den Insolvenzkönigen. Und sie korrelieren mit Anrufen für einen gewissen Ryan Cordell. Er ist eine Art Steuer- und Finanzberater. Wenn es losgeht, ist es wie ein Fressanfall. Er ruft Curlew an, Curlew ruft Hendry und Bricknell an, die wieder andere anrufen, dann rufen einige Cordell an, es geht hin und her.«

Doves Kaffee kam. Die Kellnerin deutete auf Villanis Glas. Er machte das Zeichen für »klein«.

»Hilft uns das weiter?«, sagte Villani.

Dove griff in seine Aktentasche, legte eine Mappe auf den Tisch, öffnete sie.

»Das nicht, nein«, sagte er. »An dem Abend, dem Prosilio-Abend, erhielten Bricknell, Curlew, Simons, Jourdan, Hendry und Brody allesamt Anrufe aus dem Ortsbereich des Kasinos und tätigten auch welche von dort. Um elf Uhr dreiundzwanzig ruft Bricknell Koenig an. Zu Hause in Portsea. Dem Haus. Dann, elf Uhr neunundzwanzig, ruft Bricknell

324

eine Handynummer an, ein Prepaid-Handy, also ist das wahrscheinlich eine Sackgasse.«

Villani begriff, worauf er hinauswollte.

»Um zwölf Uhr sieben«, sagte Dove, »ruft Bricknell dieselbe Nummer wieder an. Um zwölf Uhr einunddreißig wird er von dieser Nummer aus angerufen. Um ein Uhr sechsundfünfzig ruft er die Nummer erneut an. Um zwei Uhr vier ruft sie ihn an.«

»Einen Moment«, sagte Villani. »Das ist ein sehr kleiner Cluster. Ein Cluster aus zwei Personen.«

»Stimmt.«

»Und was dann?«

»Damit befasse ich mich gerade.«

»Nun, Bricknell ruft Koenig an. Sie sind Freunde. Später ruft er wiederholt jemanden an, dessen Prepaid-Handy auf den Namen einer Katze läuft. Diese Person ruft ihn zurück.«

»Das stimmt.«

»Na, und wenn schon.«

Dove blickte weiter auf seine Notizen. Er trank seinen Kaffee halb aus.

»Haben Sie eine Theorie?«, sagte Villani. »Wollen Sie mir Ihre Theorie erzählen? Koenig und die Jungs von St. Thomas? Was ist damit?«

»Sie gehen gemeinsam ins Fitnessstudio«, antwortete Dove. »Das Rogan's in Prahran. Dieselbe Trainingsgruppe. Bricknell, Simons, Brody, Curlew, Hendry. Und Jourdan.«

»Woher wissen Sie das?«

»Hab rumgeschnüffelt.«

»Sie wollen damit andeuten, obwohl wir versehentlich an Koenig geraten sind …«

»Ich habe nachgedacht. Vielleicht war es nicht versehentlich. Vielleicht hat man uns Koenig gezeigt.«

Villani aß, dachte nach. »Phipps?«, sagte er dann.

»Geht nicht ans Telefon. Ist nicht zu Hause. Die Nachbarin

sagt, sie habe ihn schon eine Weile nicht mehr gesehen. Was aber nicht ungewöhnlich sei, sagt sie.«

Dove schob die Hand in seine Jackentasche, nahm sein Handy heraus, klappte es auf, redete, ja, nein, ja, in Ordnung. Er steckte das Handy wieder weg.

»Eine Frau hat gestern Abend Crime Stoppers angerufen«, sagte er. »Sie wohnt in einem Haus gegenüber vom Prosilio, ist gerade von irgendwo zurückgekommen, sie war verreist. Hat etwas gesehen.«

Villani erhaschte den Blick der Kellnerin, bedeutete ihr, er wolle zahlen. Sie huschte zwischen den Tischen hindurch.

»Ist schon erledigt«, sagte sie.

»Wie das?«

»Mit Grüßen von Jack Irish.«

Sie wies auf einen am Fenster sitzenden Mann, der Zeitung las.

Sie erhoben sich. Dove ging direkt zum Ausgang, Villani nahm den Umweg am Fenster vorbei.

»Ich bin nicht käuflich«, sagte er.

»Ich wusste immer, dass Sie billig zu haben sind«, sagte der Mann. »Aber gratis? Damit würden Sie Ihre Kollegen noch unterbieten. Verwenden Sie immer noch die Verhörmethode mit dem nassen Handtuch, bei der keine Spuren zurück bleiben?«

»Sie wollen gestehen. Für sie ist es eine Erleichterung.«

»Überlegen Sie mal, in die freie Wirtschaft zu gehen. Den von Schuld Gepeinigten helfen, ihren Frieden zu finden.«

»Leuten wie Ihnen. In letzter Zeit jemanden umgebracht?«

Irish lächelte. »Das erfahren Sie als Erster. Na ja, wahrscheinlich als Zweiter.«

Dove sprach mit der Frau vom Empfang aus. Sie hieß Keller. Der Wachmann fuhr mit ihnen vom Foyer nach oben in den sechsten Stock, begleitete sie zur letzten Tür im Korridor, drückte auf den Summer, blickte in das Kameraauge neben der Tür.

»Security, Mrs. Keller«, sagte er.

Die Sicherheitstür glitt in die Wand, die zweite Tür wurde von einer Halbasiatin mit kurzen grauen Haaren geöffnet, circa sechzig, hübsch, ausgeprägte Wangenknochen, von Kopf bis Fuß schwarz gekleidet.

»Danke sehr, Angus«, sagte sie, betont englisch. »Treten Sie ein, Gentlemen.«

Sie folgten ihr einen Flur entlang, Gemälde an beiden Wänden, in ein großes Wohnzimmer, grauer Teppichboden, drei weiße Wände, eine Glaswand, drei große Gemälde. Die Sitzmöbel waren aus verchromtem Metall und schwarzem Leder.

Dove übernahm die Vorstellung.

»Der Leiter des Morddezernats«, sagte sie. »Es ist mir so peinlich. Es ist wirklich gar nichts. Ich dachte, ein Constable käme vorbei.«

»Sie waren verreist, soviel ich weiß«, sagte Villani.

»Ich bin letzten Freitag nach Singapur geflogen«, sagte sie, »und gestern Abend zurückgekommen. Der diensthabende Wachmann erzählte mir, im Prosilio-Tower sei jemand ermordet worden, worauf ich fragte, wann, und er antwortete, in der Nacht vor meiner Abreise, und es sei eine Frau.«

Sie hielt inne. »Nun, ich habe etwas gesehen, wahrscheinlich hat es nichts zu bedeuten, aber als ich davon hörte, wurde mir ganz anders, und ich dachte, ich sollte …«

»Sagen Sie es uns, Mrs. Keller«, sagte Dove.

»Kommen Sie hierherüber.«

Sie gingen zu der gläsernen Wand, Mrs. Keller schob die Glastür auf, und sie traten auf den Balkon und in den wärmer werdenden Tag. Man blickte auf die Westfassade des Prosilio-Gebäudes, dunkles, glattes Glas ohne irgendeinen Vorsprung.

»Mein Mann hat nach Prospekt gekauft«, sagte sie. »Uns wurde der Eindruck vermittelt, man blicke über eine Freifläche direkt auf den Hafen. Ein Park, dachte ich, der Broschüre nach. Auch wenn es dort nicht wörtlich drinstand.«

»Es kommt nicht darauf an, was sie sagen«, sagte Dove, »sondern darauf, was sie nicht sagen.«

Sie wandte Dove ihr Gesicht zu, sah ihm direkt in die Augen. »Ja, Sie haben völlig recht. Wir waren damals in Zürich, Danny ging es nicht gut, wir träumten von warmem Wetter, dem Meer. Ich wollte nach Byron oder Noosa, aber er war ein echter Stadtmensch, er ist in Gilgandra aufgewachsen und sagte immer, er wolle nie in einem Ort mit weniger als drei Millionen Einwohnern leben.«

»An dem Donnerstagabend«, sagte Villani.

»Genau. Nun, ich bin ein Nachtmensch, bleib lange auf, stehe spät auf. Ich war hier draußen und habe eine Zigarette geraucht, ich kann immer noch nicht drinnen rauchen, er ist jetzt seit … jedenfalls war es nach Mitternacht, und ein Auto fuhr die Rampe hoch.«

Sie zeigte auf das Fundament des Prosilio-Towers. Eine lange Rampe endete vor drei Rolltoren.

Villani fragte: »Was ist hinter den Toren?«

»Lastwagen kommen und fahren«, sagte Mrs. Keller. »Lieferungen. Den ganzen Tag lang. Ein riesiger Müllwagen setzt rückwärts in das rechte Tor, wo das Auto geparkt wurde. Er kommt tagtäglich … wirklich bemerkenswert.«

Ein Lkw fuhr rückwärts die Rampe hoch. Zooma Waste.

»Das ist er«, sagte sie. »Der Müllwagen. Wie bestellt.«

Das Rolltor glitt hoch, der Lkw fuhr hinein, sie sahen seine Front.

»Da hat ein Auto geparkt?«, sagte Dove.

»Ja. Und ein Mann ist vorne ausgestiegen. Er hat telefoniert, und plötzlich glitt das Tor hoch. Nicht ganz. Er ging hindurch, und das Auto fuhr hinein.«

»Und das war nachts gegen halb eins?«, sagte Villani.

»Ziemlich genau, ja.«

»Was geschah dann?«

»Das Tor ging wieder runter«, sagte sie. »Und ein paar Minuten später ging es wieder hoch, das Auto fuhr rückwärts raus und weg.«

»Sie haben sich nicht zufällig das Kennzeichen gemerkt?«

»So gut sind meine Augen nicht. Außerdem habe ich mir nicht viel dabei gedacht. Also, ich dachte, das ist aber eine komische Art, um in das Gebäude zu kommen, aber es sah nicht, nun ja, illegal aus. Ich dachte, es sei halt Personal.«

Dove betrachtete den Straßenverkehr. »Und das Fabrikat, die Farbe?«, sagte er.

»Schwarz«, sagte sie. »Aber das ist noch nicht alles.«

»Nicht?«

»Ich ging zwar zu Bett, konnte aber nicht schlafen und kam noch mal hierher, und da traf ein zweiter Wagen ein.«

Villani sah sie an. Sie fuhr sich mit den Handflächen über die Haare.

»Das Gleiche noch mal«, sagte sie. »Das Rolltor ging auf, das Auto fuhr hinein. Aber diesmal vergingen fast zwanzig Minuten, bis es wieder rauskam.«

In der Wärme hatte Villani ein Gefühl auf der Haut, als hätte sich die Tür zu einem eiskalten Raum geöffnet.

»Ist Ihnen die Uhrzeit aufgefallen?«, fragte Dove, er sprach zu schnell.

»Als ich rauskam, war es zehn vor zwei.«

Dove richtete den Blick auf Villani. »Das ist präzise. Sind Sie da sicher?«

»Ich bin auf ein Glas Milch in die Küche gegangen. Da hängt eine große Uhr. Wenn ich nicht schlafen kann, werde ich unruhig, daher... nun, ja, ich bin mir sicher. Er kam um Viertel vor zwei.«

Dove sagte: »Der Wagen fuhr um zehn nach zwei wieder weg?«

»Ja.«

»War es dasselbe Auto wie vorher?«

»Nein«, sagte Mrs. Keller. »Ein anderer Wagen. Aber auch schwarz. Der erste war leise, wie ein Mercedes oder ein BMW, so was in der Art. Dieser hier ratterte laut, diese großen Auspuffdinger, die konnte ich sehen. Wie Kanonenrohre.«

»Das Nummernschild haben Sie nicht gesehen?«

»Nein. Ich hab mir immer noch nichts dabei gedacht. Der Mann hatte eine Weste an.«

»Eine Weste?«

»Sie wissen schon. Unterhemd ohne Ärmel.«

»Ein ärmelloses Trikothemd«, sagte Villani. »Was hatte der erste Mann an?«

»Das weiß ich gar nicht. Voll bekeidet. Dunkle Kleidung.«

»Das hatte es vorher noch nie gegeben, dass jemand dort reinfuhr?«

»Hatte ich noch nie gesehen. Nein.«

Dove sagte ihr, was sie noch von ihr brauchten.

Villani überlegte, ob er eine Frage stellen sollte. Eigentlich war sie unsinnig, es fuhren tausende schwarze, ratternde, puckernde, aufgemotzte Muskelautos durch die Stadt, gelenkt von Muskelprotzen in Muskelshirts. Und doch und doch...

Er stellte Mrs. Keller eine schlichte Frage, keine Suggestivfrage.

»Drei«, antwortete sie. »Zwei vorn und eine hinten. In der Mitte. Kleine Antennen. Hilft Ihnen das weiter? Es fiel mir auf. Ich hätte es erwähnen müssen, nicht wahr?«

»Bin froh, dass es Ihnen auffiel, Mrs. Keller«, sagte Villani. »Solche Sachen können helfen. Und Sie waren in jeder Hinsicht eine große Hilfe. Wir stehen in Ihrer Schuld.«

»Na dann, danke sehr.«

Sie gingen durch das Wohnzimmer, in den Flur, beim Gehen sagte sie: »Heute Morgen habe ich gehört, wie Sie im Radio erwähnt wurden, Inspector. Karen Mellish. Sie sagte nette Dinge über Sie.«

»Ich bin für jede Nettigkeit dankbar, die man über mich sagt«, sagte Villani. »Was nicht oft vorkommt.«

»Ach, das tut es bestimmt. Kein Zweifel.«

Im Wagen, in höchster Anspannung, sagte Villani: »Sie befragen die Bewohner dieses Hauses, die ersten drei Etagen mit dem besten Blick. Vielleicht haben sie die Kennzeichen unter der Tür hindurch gesehen. Wahrscheinlich wohnen in dem Haus lauter Leute, die nicht schlafen können, die alles sehen. Das hätte man sofort machen sollen.«

Dove sagte: »Heißt das, ich hätte…«

Er verstummte.

»Als Chef«, sagte Villani, »kriegt man für die ganze gute Arbeit Punkte. Andersrum wird aber auch ein Schuh draus. Ich habe diesen Fall übernommen. Deshalb gebe ich mir die Schuld.«

»Nun, ich habe nicht darum gebeten, dass…«

»Und anschließend gebe ich Ihnen die Schuld«, sagte Villani. »Es muss auch gar nicht mit dem toten Mädchen zu tun haben. Vielleicht waren es nur Kokslieferungen.«

»Zeitlich passt alles wie die Faust aufs Auge zu den Telefonaten.«

»Mr. Bricknell«, sagte Villani. »Freund der oberen Zehntausend, Patron der Künste, Mitglied der Melbourne Group, hat acht Millionen Dollar an Buschfeuerspenden aufgebracht. Und Sie schlagen vor, ihn nach seinen Telefonaten zu befragen?«

»Ist das eine Fangfrage, Chef?«

Villani schwieg, sah nach vorn. Er spürte, dass Dove unsicher wurde, bald würde er das Schweigen durchbrechen. Bob Villani war der Meister des Schweigens, Bob verunsicherte einen mit Schweigen, brachte einen zum Plaudern, wodurch man alles noch schlimmer machte. Am Ende der zehnten Klasse las Bob sein Zeugnis, musterte ihn über den Zeugnisrand hinweg, faltete es zusammen, steckte es in den Umschlag, sah weg, als hätte irgendetwas an der nackten Wand seine Aufmerksamkeit geweckt. Er lernte den vorteilhaften Gebrauch des Schweigens von Bob und wandte es bei Mark und Luke an.

Am letzten Sonntag hatte Luke mit seiner bestussten kleinen Wetterfee den Blick, das Schweigen nicht ausgehalten und immer sinnloseres Geschwätz von sich gegeben, mit unstetem Blick.

Und Mark hinter seinem Arztschreibtisch, überall die kleinen Geschenke der Pharmavertreter, die Notizblöcke, die Porsche-Computermaus mit Scheinwerfern, die Röhren mit chinesischen Tennisbällen im Regal, Mark hielt es gerade mal fünfzehn Sekunden aus.

Das gehörte zu dem herrischen Auftreten. Und Bob besaß die Frechheit, so zu tun, als missbillige er das, als sei er am Entstehen dieses Chefgehabes nicht beteiligt, als gefiele es ihm nicht, dass Gordie dadurch eingeschüchtert war, dieser Schwachkopf, dessen massiger Vater Ken sich seine Bettrolle geschnappt und sich Monate vor Gordies Geburt aus dem Staub gemacht hatte. Doch vorher kam er noch vorbei und fetzte sich mit Bob, was sie nicht mit ansahen, weil Bob befahl, sie sollten im Haus bleiben. Die Männer gingen hinter den Wellblechschuppen, sie hörten Kens laute Stimme und spürten die Gewalt wie einen Druck auf der Haut, das dauerte ein paar Minuten, dann hörten sie den Pick-up die Auffahrt hinunterrasen und ein Geräusch, fast wie einen Knall.

Als Bob zurückkam, spannte er die Finger an, ging zum Wassertank und hielt sie unter den Hahn. Später sahen sie, dass das Tor gute vier Meter von den Pfosten entfernt lag, offenbar hatte Kens Kuhfänger es mitgeschleift.

Bob sagte: »Der Junge weiß, was gut für ihn ist, er fährt nach Broome.«

Wenn man so wollte, waren Mark und Luke Villanis erste Kinder gewesen. Und dann sein richtiger Sohn, Tony. Hatte er ihn durch Schweigen eingeschüchtert? Ein paarmal bestimmt. Corin nicht, nein, ihr hatte er nie so zugesetzt. Na gut, ein- oder zweimal, als sie kurzzeitig ein launischer Teenager war.

Und Lizzie? Lizzie hätte ihn überhaupt nicht beachtet, oder sie hätte ihn auf ihre direkte, missmutige Art angesehen, strenger Mund, fester Blick. Lizzie ließ sich von ihm nicht einschüchtern.

Laurie? Anfangs vielleicht. Eine Zeit lang bewunderte sie ihn, was ihm erst später, Jahre später klar wurde, als sie eines Tages sagte: *Du wirktest so viel älter als ich, hast einen immer beurteilt. Viel mehr als mein Dad.*

Doch das hatte sie überwunden, sein Schweigen, seine Urteile waren ihr scheißegal. Sie zuckte nur noch mit den Schultern und ging, ging ihren eigenen Weg.

Dove wartete ab. Er würde nicht reden.

»Nicht alles ist ein Test«, sagte Villani. »Manchmal will man nur eine Meinung hören.«

»Ist nicht immer leicht, aus Ihnen schlau zu werden«, sagte Dove, »Chef.«

»Bricknell war also auf der Party im Orion«, sagte Villani. »Fragen Sie ihn nach den Telefonaten mit dem Prepaid-

Handy. Er wird fragen, wie Sie zu seinen Verbindungsdaten kommen. Was antworten Sie ihm?«

»Was weiß er schon, wir können das Handy haben«, sagte Dove. »Wir haben es analysiert, haben alle Daten.«

»Es ist über eine Woche her«, sagte Villani. »Wenn er nervös ist, hat er inzwischen mit den Leuten gesprochen, die das Mädchen gebracht haben. Dann weiß er, dass wir das Handy nicht haben, weil sie es ihm sonst gesagt hätten. Er wird nicht in Panik geraten, weil er weiß, dass wir rein gar nichts in der Hand haben. Und selbst wenn er bereit ist, Fragen zu beantworten, wird er behaupten, jemand habe sich sein Handy ausgeliehen, ein Fremder habe es gestohlen, als sie auf dem Klo Koks geschnupft hätten. So was in der Art.«

Dove fand seine Sonnenbrille. »Das Blut in Preston.«

»Noch so ein Geheimnis«, sagte Villani. »Diese Spur begann mit dem Mädchen auf dem Hume Highway. Das sieht mittlerweile fragwürdig aus. Wenn also der Wagen nichts zu bedeuten hat, dann hat das Haus des lange abwesenden Alibani einen Scheißdreck mit Prosilio zu tun.«

»Nun«, sagte Dove, »angenommen, wir wissen, wann das Mädchen eintraf…«

»Nehmen Sie gar nichts an. Es gibt schon zu viele Annahmen, Vermutungen. Weber soll herausfinden, wie man von der Müllbucht in das Apartment gelangt.«

In Gedanken versunken, fuhren sie los. An der ersten Kreuzung sagte Dove: »Warum haben Sie nach den Antennen gefragt, Chef?«

»Zuerst war es nur ein schwarzes Muskelauto. Jetzt hat es drei kurze Antennen.«

»Verstehe, Chef«, sagte Dove. »Das hat das Feld jedenfalls auf ein- oder zweitausend reduziert,«

Villanis Handy klingelte. Birkerts.

»Tomasic hat in Oakleigh Sachen gefunden. Willst du sie dir ansehen?«

»Oakleigh ist gegessen. Alle sind tot. Was macht er da?«

»Eine Wundertüte mit Erinnerungsstücken der Ribarics. Könnte spaßig sein. Na gut, interessant.«

»Wo bist du?«

»In der Basisstation. Mr. Kiely ist in Befehlslaune. *Geheimkommando*, Teil zwei.«

»Triff mich draußen, und zwar in, äh, zehn Minuten. Mit funktionierender Klimaanlage.«

Birkerts wartete bereits, an den Commodore gelehnt, aß irgendetwas, wischte sich gemächlich mit den Fingern über die Lippen.

Am ersten Tag dachte ich, es wär nur Familienkram«, sagte Tomasic. »Aber dann hab ich noch mal in den Sachen rumgeschnüffelt. Aus Langeweile, weiß auch nicht.«

Villani ging um den Küchentisch herum, betrachtete die Gegenstände: eine Brosche, Jadeohrringe, ein goldener Armreif, ein halbes Dutzend Fotografien, eine davon in einem filigranen Zinnrahmen, ein weiß gekleidetes Mädchen mit einer weißen Schleife im Haar, ein blasser Seidenschal, ein perlenbesticktes Täschchen, ein Tagebuch mit einer Seite pro Tag, ein dünnes, silbernes Kruzifix an einer Kette aus winzigen Silberperlen, abgenutzt vom Anfassen, vom Kummer.

»Und was sagt uns das?«, fragte Villani.

Tomasic kratzte sich an seinem Pitbullschädel. »Sachen von der Oma der Ribs. Valerie Crossley. Starb vor etwa einem Monat in einem Pflegeheim in Geelong.«

»Ist das die Mutter ihrer Mutter?«

»Genau, Chef. Die Mutter war Donna Crossley, deren Fürsorgeakte ist so dick wie ein Telefonbuch. Schnaps, Drogen, Verfügungen gegen Matko, die Kinder wurden ihr drei-, viermal weggenommen. Waren mehr bei Valerie als bei ihrer Mum. In Geelong.«

»Was wurde aus Donna?«

»Starb in Brissie. 1990. Auf dem Strich. Eventuell als Folge eines Straßenraubs.«

Villani nahm ein Foto zur Hand, eine Braut, ein Priester und eine Frau in einem cremefarbenen Kostüm samt Hütchen. Das Bild war vertikal durchtrennt worden, glatte Linie, mit einer Schere durchgeschnitten. Man hatte den Bräutigam entfernt. Die Braut hatte ein schmales Gesicht, hübsch, wenn man kurze Beine mochte, stark geschminkte Augen, toupierte Betonfrisur.

Auf der Rückseite stand in zittriger Handschrift:

Donna und Pater Cusack. Geelong 1973.

»Anscheinend hat sie sich Matko hier auch vom Hals geschafft, Chef«, sagte Tomasic und reichte ihm ein anderes Foto.

Zwei kleine Jungs in einem Planschbecken, Zahnlücken, nass, glänzend, glücklich. Der obere Teil des Fotos war abgeschnitten worden, auf den Kinderschultern lagen breite, behaarte männliche Unterarme und Hände.

Villani reichte es Birkerts.

»Wie in Russland«, sagte Birkerts. »Stalin hat so was gemacht.«

»Fotos zerschnitten?«, sagte Tomasic. »Das hat er gemacht?«

»Andauernd. Er war ein begeisterter Fotozerschneider.«

»Is ja irre«, sagte Tomasic.

Villani klappte ein gefaltetes Notizblatt auf.

Gemeinde St. Anselm's, Geelong
10. Juli

Liebe Mrs. Crossley,

Pater Cusack war krank. Er sagt, er will versuchen, morgen früh zu Ihnen zu kommen. Ich hoffe, Ihnen geht es besser.

Annette Hogan

»Und, was ist damit?«, sagte Villani.

Tomasic hielt das Tagebuch hoch.

»Ich hab da ein wenig drin gelesen«, sagte er. »Das alte Mädchen war etwa ein halbes Jahr in dem Pflegeheim, ehe sie den Löffel abgab, hat so ziemlich jeden Tag was geschrieben.«

»Und?«, sagte Villani.

»Über ihr Essen, dass Leute sterben, die Pflegerinnen, jede Menge religiöser Scheiß, Gott und Jesus und Maria und Sünden und Vergebung … Verzeihung, Chef.«

»Ich fühle mich beleidgt«, sagte Villani. »Und?«

Tomasic sah ihn nicht an.

»Tja, also, gegen Ende«, fuhr er fort, »geht's darum, dass sie Pater Cusack sehen will, aber er kommt nicht, und sie fragt immer wieder die Pflegerinnen, und die tätscheln sie nur, und er kommt nicht, und sie will nicht ohne Beichte sterben, und dann kommt er, und sie ist glücklich. Sie schreibt, sie habe Frieden gefunden.«

»Das ist wirklich schön«, sagte Birkerts. »Was für eine erhebende Geschichte. Vielleicht geh ich selbst mal beichten. Dann beichte ich, dass ich Sie hier herumalbern ließ, während Sie etwas Nützliches hätten machen können.«

»Und weiter?«, sagte Villani.

»Als Letztes schreibt sie, ein Pater Donald sei gekommen«, sagte Tomasic. »Er habe den Ring des Heiligen Vaters geküsst und ihr viele Fragen gestellt und gesagt, sie werde zur Rechten Gottes sitzen, weil sie Pater Cusack von dem Bösen erzählt habe. Der Sitz sei praktisch fest gebucht. Und besonders gesegnet. Jawoll.«

»Was ist mit der Linken?«, sagte Birkerts.

»Muslime wischen sich mit der Linken den Hintern ab«, sagte Tomasic. »Ausschließlich.«

»Den Ring zu küssen, das macht einem Sorgen«, sagte Villani.

Ihm war unbehaglich zumute, nicht nur, weil sie die Gegenstände betrachteten, die eine alte Frau an den Ort mitgenommen hatte, wo sie sich auf den Tod vorbereitete, ihren letzten Besitz, die einzigen wertvollen Besitztümer unter all den Dingen, die sie in ihrem Leben erworben hatte, unter all den Tausenden von Dingen hatten nur diese für sie einen Wert, eine Bedeutung.

Aus seinem Leben würde er nicht viel zum letzten Aufenthalt mitnehmen. Das hier hatte etwas zu bedeuten. Irgendetwas sprach zu ihnen, aber sie kannten die Sprache nicht.

Villani dachte an seine Bäume, wie sie in den heißen Winden schimmerten, wie die sommergrünen Blätter an den Rändern braun wurden, die Poren schlossen, versuchten, sich in den Spätherbst zu versetzen, wenn kein Wasser verdunstete, die Kette von Wassermolekülen in den Ästen keine Feuchtigkeit mehr aus den Wurzeln zog, wie die Bäume sich einredeten, das hier überstehen zu können, wenn sie sich völlig ruhig verhielten und ihre Atmung kontrollierten.

Sie hatten ein wenig Hilfe verdient, seine Bäume.

Er sollte jetzt gehen, diesen Ort verlassen, durchdrungen von der Schlechtigkeit der Menschen, die hier gelebt hatten, in der Nähe gestorben waren, die es verdient hatten, zu sterben, er sollte aufbrechen und auf den langen Straßen in seine Heimat zurückkehren, sie würden ihn die Straßensperren passieren lassen, er konnte seine Uniform anziehen, sie würden sich nicht mit einem Inspector anlegen, sie würden ihn weiterfahren lassen.

Sein Handy.

»Mein Junge«, sagte Colby, »ich sage Ihnen, Sie sollen sich unter dem Bett verkriechen, und Sie ziehen los und behandeln einen Minister wie Abschaum. Zur Belohnung sind Sie zu einem Essen mit Miss Orong und dem Justizminister Signor DiPalma eingeladen. Wie hört sich das an? Eine Scheiß-Quinellawette beim Pferderennen.«

»Halte nichts von Quinella«, sagte Villani.

»Ich erinnere mich, dass Sie auch ohne Exoten schon tief genug in der Scheiße gesteckt haben«, sagte Colby. »Und jetzt sind Sie zum Scheißemagneten der Polizei geworden, ziehen die Scheiße magnetisch an. Die wollen Sie sofort sehen. Die erwarten Sie.« Er legte auf.

Colby wusste nicht mal annähernd Bescheid. Oder doch? Damals an dem Tag im Auto, auf dem Parkplatz hinter der Lygon Street, hatte Dance unter seinen Sitz gegriffen und Villani eine schwarz-weiße Myer-Einkaufstüte gegeben.

»Wenn man es übergibt«, sagte Dance, »sollte man darauf achten, dass kein Fototermin draus wird.«

Villani legte die Tüte in seinen Kofferraum. Später zählte er es, was so lange dauerte, dass ihm klar wurde, warum die großen Drogendealer Geldzählmaschinen benutzten. Ein paar Hunderter, Fünfziger, hauptsächlich Zwanziger, Zehner und Fünfer. Alles in allem dreißigtausend Dollar.

»Tja, alles sehr interessant«, sagte Villani zu Tomasic. »Sie haben den richtigen Riecher, Tommo. Aber wir brauchen nicht noch mehr Geschichten aus der Vergangenheit der Ribarics. Seien Sie bloß dankbar, dass sie keine Zukunft mehr haben. Es ist Zeit zu gehen.«

Eine junge Frau mit hellbrauner Haut und Nadelstreifen-kostüm brachte ihn im Aufzug nach oben, einen langen Flur entlang voller Gemälde, Porträts. Sie öffnete eine Tür, winkte ihn hinein.

Hinter einem Schreibtisch saß eine Frau, tiefe Falten, die an der Nase begannen. Sie war eine Wächterin.

»Inspector Villani«, sagte die Begleitperson.

»Danke«, sagte die Wächterin.

Die Begleitperson ging. Die Wächterin nahm einen Telefonhörer ab und sagte: »Inspector Villani.«

Eine riesige getäfelte Tür ging auf, und ein aschblonder, mit Akten beladener junger Mann kam heraus. »Hi«, sagte er. »Gehen Sie rein.«

Villani trat ein, die Tür schloss sich hinter ihm. Der Justizminister, Chris DePalma, saß hinter einem Schreibtisch, groß genug für drei, er trug kein Jackett, ein rosa Hemd, Krawatte lose, die Brille weit unten auf seiner dünnen Nase, ernste Miene, wie ein Richter, der einen ins Gefängnis schickt, wenn man nicht zu Kreuze kriecht.

Martin Orong, der Polizeiminister, saß in einem Clubsessel. Er lächelte Villani an, eine Art Lächeln.

»Setzen Sie sich, Inspector«, sagte DiPalma. »Sie kennen Martin, soviel ich weiß.«

Villani setzte sich.

»Darf ich Steve sagen?«

»Ja, Herr Minister.«

»Zur Sache, Steve. Sie haben Stuart Koenig ganz schön in die Mangel genommen. Er ist außer sich.«

»Routinebefragung«, sagte Villani.

»Der Prosilio-Fall?«

»Eine Mordermittlung.«

»Das bleibt unter uns. Kollegen, strikteste Vertraulichkeit. Verstehen wir uns?«

»Jede Polizeiarbeit unterliegt striktester Vertraulichkeit, Herr Minister«, sagte Villani.

DiPalma sah Orong an.

»Mr. Koenig sagt, er sei kooperativ gewesen, habe Ihnen lückenlose und nachprüfbare Angaben über seine Aufenthaltsorte gegeben. Trifft das zu?«

Villani sagte: »Wir sprechen grundsätzlich nicht über Ermittlungen, Herr Minister.«

»Und dann beantragen Sie die Aushändigung seiner Telefonverbindungsdaten, die Sie im Zusammenhang mit einer Morduntersuchung benötigen.«

»Das trifft zu«, sagte Villani. »Er steht im Zusammenhang mit einer Morduntersuchung.«

»Herrgott noch mal«, sagte DiPalma, »Sie begreifen es einfach nicht, oder?«

Orong berührte seine feste Stirnlocke. »Also wirklich, Steve, das ist doch nur ein freundlicher Plausch, niemand kehrt hier den Vorgesetzten raus. Wir wollen nur, dass Stuart angemessen behandelt wird, das ist doch nicht zu viel verlangt, oder?«

Das war der Augenblick, um einen Rückzieher zu machen. Villani war kurz davor, als ihm einfiel, wie er Dove ermutigt hatte, sich mit Koenig anzulegen, und da konnte er nicht zurück.

»Wir wollen auch Sie angemessen behandeln«, sagte Orong. »Was Ihre Laufbahn angeht. Ihre Zukunft.«

Villani sagte zu DiPalma: »Herr Minister, wir gehen einem

Ermittlungsansatz nach, von dem wir glauben, dass er uns bei einer Morduntersuchung weiterhelfen wird. Mehr kann ich dazu nicht sagen.«

DiPalma hatte eine offene Akte vor sich liegen, er tippte mit den Fingernägeln darauf – maniküt, rosa. »Offenbar müssen wir deutlicher werden, Steve. Stuart Koenig war ein unartiger Junge, aber mehr auch nicht. Er hatte Sex mit einer Prostituierten. Das ist alles. Jetzt möchte ich, dass Sie ihn in Ruhe lassen. Mr. Barry ist ein großer Bewunderer von Ihnen, die Polizei steht kurz vor Veränderungen auf der Führungsebene, er zieht Sie für eine leitende Position im neuen System in Betracht.«

DiPalma nahm einen schwarzen, dicken Füllfederhalter, schrieb einen Satz in die Akte, schaute auf. »Ist das verdammt klar genug für Sie, Inspector?«

Villani nickte.

»Und da wäre noch eine Kleinigkeit, die Sie vielleicht bedenken sollten«, fuhr DiPalma fort. »Das neu aufgeflammte Interesse an Greg Quirks Tod. Das betrifft Sie, Dance und Detective Senior Sergeant Vickery. Wir könnten diese Sache ihren Lauf nehmen lassen. Oder auch nicht. Ist das auch verdammt klar genug?«

»Allerdings, Herr Minister«, sagte Villani.

»Gut«, sagte DiPalma. »Die Wahl rückt näher, das ist nicht der Zeitpunkt, um Minister mit Morduntersuchungen in Zusammenhang zu bringen. Wie unschuldig sie auch sein mögen. Wir haben uns also dahingehend verständigt, dass Sie Mr. Koenig aus Ihren Ermittlungen streichen. Von Ihrem Besuch bei ihm wird nichts an die Öffentlichkeit dringen. Absolut gar nichts. Nicht mal ein Fliegenschiss. Falls das durchsickert, wird Blut fließen. Ihres.«

Er stand auf, alle drei standen auf.

Orong hustete, das Bellen eines Hündchens. »Und diese ganze Prosilio-Scheiße«, sagte er, »die lassen Sie mal ein Weilchen ruhen. Sie können dabei nichts gewinnen, und für den Prosilio-Tower ist es nichts als schlechte Publicity. Befassen Sie sich wieder mit wichtigen Dingen. Mit Dingen, die Ihrer Karriere nützen.«

DiPalma streckte die Hand aus, Villani schüttelte sie. Dann schüttelte er Orongs verräterisches Händchen. Er verließ die Büroräume, ging den kühlen und wichtigtuerischen Flur entlang. Von den Wänden sahen ihm die Toten nach, sie hatten viele Feiglinge kommen und gehen sehen.

Bald war er auf der Straße, orangefarbene Sonne hinter dem Dunst, und suchte Finucane, dachte unverständlicherweise an Bobs erstes Rennpferd, das beste Pferd, das er je hatte, die fantastische kleine Schimmelstute namens Wahrheit, die ihr zweites Rennen gleich gewann, drei von zwölf gewann, immer lauffreudig war, nie aufgab. Sie wurde krank und starb binnen Stunden, brach zusammen und starb, ihre guten Augen vergaben ihnen, dass sie unfähig waren, sie zu retten.

Villani saß am Schreibtisch und stierte auf den fast leeren Posteingangskorb. Kiely tauchte in der Tür auf.

»Habe die offenen Fälle überprüft«, sagte er. »Ich war so frei. Falls dringende Entscheidungen hätten gefällt werden müssen.«

»Ich musste an ein schlechtes Restaurant denken«, sagte Villani, »wo der Geschäftsführer auch selbst kochen will.«

Das Rosa des Morgenlichts auf Kielys bleichen Wangen. »Eine Bemerkung, die im Eifer des Gefechts fiel«, sagte er. »Sie war unpassend, wie ich einräume. Außerdem möchte ich betonen, dass ich zu dem Zeitpunkt keinen Vermerk an die Führung geschickt habe. Und auch anschließend nicht.«

Er hatte etwas gehört und schaute in den anderen Raum hinüber, dachte an den Preis, den er möglicherweise zahlen musste.

»Also kein Verräter?«, sagte Villani.

Kiely kaute eine Weile Speichel. »Kein Verräter«, sagte er dann.

»Willkommen im Morddezernat«, sagte Villani.

Kiely wusste nicht, wie er sich verhalten sollte.

»Das war nett gemeint«, sagte Villani.

»Verstehe. Danke sehr.« Aus seinem Blick sprach Erleichterung. »Also, an manchen Fronten gibt es Fortschritte, bei der Ertrunkenen in Keilor, der Ehemann hatte sie voll Wasser gepumpt, er hat ein umfassendes Geständnis abgelegt. Und die junge Frau in Frankston, da haben wir die beiden Männer, die dort wohnten, das dürfte sich also von selbst aufklären. Der Mann mit der Papstmaske, das erweist sich als schwierig. Möglicherweise wurde er aus dem fünften Stock geschleudert, à la Matrosenweitwurf.«

»Finden Sie raus, wer im Hafen liegt«. sagte Villani. »Überprüfen Sie die Mannschaft der *Spirit of Tasmania*. Die sind groß im Weitwurf.«

»Ha. Unbedingt.«

Er ging.

Burgess klopfte, Akten in der Hand. Er sah bemerkenswert, geradezu irritierend gesund aus. Selbst am allerschlimmsten Morgen brauchte man Burgess nur anzusehen, und schon ging es einem besser. Der australische Standard für jemanden, dem man seinen Kater nicht ansah, der Richtwert schlechthin.

»Chef, das Mädchen da oben, im Schnee? Hatte es schon fast vergessen.«

»Was ist passiert?«

»Gar nichts. Der Fall ist noch nicht abgeschlossen.«

»Haben Sie die Akten gelesen?«

»Nicht alle Einzelheiten, nein. Hatte viel um die Ohren.«

Warum ließ er ihm plötzlich keine Ruhe, dieser eisige Tag, der zerfurchte Weg, der kleine Leichnam, warum tauchten diese Dinge gerade jetzt aus dem Nichts wieder auf?

»Wem sagen Sie das«, sagte Villani. »Ich hab mich mit neueren Sachen befasst.«

»Ich auch«, sagte Burgess. »Für Singo war sie nicht so wichtig.«

»Darwin, wieso fällt mir dabei Darwin ein?«

»In Darwin wurde sie mehr oder weniger identifiziert«, sagte Burgess. »Es gab in Darwin eine Teenienutte, angeblich sah sie der Leiche auf dem Foto ähnlich. Sagten die Cops in Darwin. Die sie wahrscheinlich gefickt haben. Mehr war da nicht. Tja.«

»Okay, lassen Sie's ruhen. Weshalb sehen Sie so gesund aus? Liegt's an etwas, das ich auch nehmen sollte?«

Burgess zwinkerte ihm zu. »Die Liebe einer guten Frau«, sagte er.

»Kostspielig?«

»Darf ich dem nächsten Kripochef sagen, er soll mich am Arsch lecken?«

»Wo haben Sie das gehört?«

»Die Vöglein pfeifen es. Von den Bäumen.«

»Blödsinn. Auf Ihr Bike. Trike.«

Sie können dabei nichts gewinnen… Befassen Sie sich wieder mit wichtigen Dingen. Mit Dingen, die Ihrer Karriere nützen.

»Schicken Sie mir Dove vorbei, das ist ein guter Staatsdiener.«

»Trauriger Junge, unser Lovey Dovey«, sagte Burgess. »Kein geselliger Mensch. Sein Aborigine-Erbe. Aber der Junge hat sich 'ne Kugel eingefangen.«

»Ist noch nicht zu spät für Sie, sich auch eine einzufangen. Bitten Sie Mr. Dove herein. Und halten Sie sich die gute Frau warm.«

Kurze Zeit verging, Dove trat ein, klopfte in die Luft.

»Schließen Sie die Tür. Setzen Sie sich.«

Dove schloss die Tür, setzte sich auf den Billigstuhl, faltete die Hände, die Sehnen traten hervor, dick wie Spaghetti.

»Ich sage Ihnen jetzt etwas«, sagte Villani, »ich sage Ihnen, man hat mich angewiesen, sämtliche Ermittlungen in Sachen Koenig einzustellen, ich wurde angewiesen, Prosilio auf Eis zu legen. Man sagte mir, meine Laufbahn stehe auf dem Spiel.«

Dove musterte seine Hände. »Verstehe«, sagte er.

Die Gänge wurden hochgeschaltet, der Lärm des großen Motors wurde leiser, leiser, verschwand, verschwand, verstummte, die Stille, Bob war weg, er war allein mit den Jungs, den Pferden, den Hunden. Er konnte nicht wieder einschlafen. Er musste sich um Dinge kümmern. Manchmal, frühmorgens, war die Last so schwer geworden, dass er sich das Kissen über den Kopf gezogen und das Atmen eingestellt hatte.

Manchmal quengelte Mark an einem Sonntagabend wegen irgendwas, und Bob sagte dann: *Steve macht das schon, Steve kümmert sich drum.*

Nie fragte ihn Bob, ob er das auch schaffte. Steve kümmerte sich um alles. Mit Lehrern reden, die Jungs zum Arzt, zum Zahnarzt bringen, ihre Haare schneiden, ihnen Kleidung, Schuhe kaufen. Dass Steve erst zwölf war, tat nichts zur Sache. Vielleicht war es Bob schlicht scheißegal. Nein, Mark bedeutete ihm etwas, genau wie irgendwann Luke. Die Pferde, die liebte er. Und dann die Eichen. Sie wuchsen aus den Eicheln, sie waren seine schönen und anspruchslosen Kinder. Wasser, mehr verlangten sie nicht. Und auch darum würde sich Steve kümmern.

»Was heißt das?«, sagte er zu Dove. Ein Reflex, typische Singo-Frage, keine Äußerung blieb unbeachtet.

Was genau hat er gesagt? Die Worte. Sag mir seine Worte. Ich sterbe, ich kann ohne sie nicht leben, ich bring mich um? Hat er solche Sachen gesagt?

Dove schaute auf.

»Das sind mächtige Menschen«, sagte er. »Sie beherrschen die Welt. Warum sollten sie nicht mit der Ermordung einer Hure durchkommen?«

Sie saßen stumm da, in dem Raum, der von dem größeren Raum umgeben war, Blechschreibtisch, Blechaktenschränke, Singos Trophäe, die aus dem Karton ragte, k.o. in der ersten Runde, das war beim Polizeiboxen in den höheren Gewichtsklassen selten, in der Regel drosch man da endlos aufeinander ein.

Er dachte an den Tag, als er Birkerts sagte, er wolle sich einige von Singletons ungelösten Fällen ansehen.

Birkerts sagte: »Sie sind tot, er ist tot, wir können uns bloß selbst in den Arsch schießen.«

»Wenn du's nicht begreifst«, sagte Villani bissig, »begreifst du's halt nicht.«

Birkerts erwiderte: »Ich begreife das Prinzip, ich verstehe nur den Nutzen nicht.«

»Den Nutzen?«, wiederholte Villani. »Scheiße, hast du darin deinen Studienabschluss gemacht? Herauszufinden, welchen Nutzen irgendwas hat?«

Gerechtigkeit für die Toten. Singos Botschaft für Neuankömmlinge. »Wir sind die Einzigen, die ihnen Gerechtigkeit verschaffen können. Das ist unser Auftrag. Das ist unsere Berufung.«

Diese Gedanken waren Villani in den kurzen Pausen seines Lebens gekommen – während er an Ampeln wartete, in den verwunschenen Momenten vor dem Einschlafen, in der nassen Wärme der Dusche.

Für Koenig, DiPalma und Orong war das Prosilio-Mädchen nur ein totes Wesen am Straßenrand. Eine Lappalie. Sie begriffen weder das Prinzip, noch verstanden sie den Nutzen.

Er dachte an den Augenblick, als er das tote Mädchen gesehen und für Lizzie gehalten hatte. War das eine Art Vorwarnung gewesen, eine Todesahnung? Blödsinn.

Für Singo war sie nicht so wichtig.

Das Mädchen auf der verschneiten Straße. Nein, vergiss es.

»Tja, das war's dann«, sagte er. »Finden Sie raus, welche Aufgabe Inspector Kiely für Sie hat.«

Dove stand auf, den Blick auf ihn gerichtet, undurchdringlich.

»Ja?«, sagte Villani. »Haben Sie noch was auf dem Herzen?«

»Nichts«, sagte Dove, »Chef.«

349

Wenn das ein paar sind«, sagte Villani, »wird's bestimmt ziemlich voll, wenn alle Ihre Freunde kommen.«

Vicky Hendry lachte, kostspielige Zähne. »Das ist noch gar nichts. Max treibt die große Furcht um, wir könnten eine Party geben und fünfzig Leute einladen, aber dann tauchen vielleicht nur zehn auf. Deshalb lädt er hundert ein, und die kommen auch noch alle. Das hier sind Leute in Freitagslaune, reif fürs Wochenende. Mit etwa vierzig kann man da immer rechnen.«

Villani war spät gekommen, unsicher, bereute seine Entscheidung schon lange, ehe das Taxi hielt. Er sprach seinen Namen in das Messinggitter an der Straße. Ein großer, lächelnder Mann in einem Anzug öffnete das Tor. Vicky Hendry wartete an der Haustür, küsste ihn auf die Wange, nahm seine Hand und lotste ihn durch einen Korridor und zwei riesige Wohnzimmer auf eine Terrasse, er hörte das Gelächter. Sie gingen zwei Stufen hinunter und gesellten sich zu einer Menschenmenge neben einem blassgrünen Meerwasserschwimmbecken, gleich viele Männer und Frauen, Kostüme, Anzüge, keine Krawatten.

An der Seite befanden sich eine Bar, ein Barkeeper, Bier- und Weinflaschen in Fässern mit Eis, ein Grill von der Größe einer Sicherheitstür. Dahinter standen zwei lange Tapeziertische.

Vicky Hendry kümmerte sich auch um andere Gäste, doch Villani hatte das Gefühl, ihr zentraler Anlaufpunkt zu sein. Sie sorgte dafür, dass er nie allein war. Sie schien ihn amüsant zu finden, fragte ihn direkt nach seiner Meinung, blinzelte langsam, stand dicht neben ihm, nur wenige Fingerbreit trennten sie davon, provokant vertraulich zu sein. Seine Unsicherheit legte sich.

Menschen schlenderten vorbei, stellten sich vor, alle hatten irgendwie mit Hendrys Unternehmen zu tun, viele von ihnen mit dem AirLine-Projekt. Sie wussten, wer Villani war, eine neue Erfahrung für ihn, die ihm nicht missfiel.

»Alice, ich möchte Ihnen Stephen Villani vorstellen.«

Sie war jenseits der sechzig, übergewichtig, rote Haare, gefärbt.

»Alice nennt sich Max' Sekretärin«, sagte Vicky. »Sie kennen sich seit fündunddreißig Jahren. Ich musste von Alice genehmigt werden.«

»Berechnendes Miststück, lautete meine Urteil«, sagte Alice. »Aber er wollte nicht auf mich hören.«

»Und weil er nicht auf Sie gehört hat, muss er jetzt sein Leben lang Tag für Tag büßen«, sagte Villani.

Die Frauen lachten, und Vicky stieß ihm ihre Faust gegen die Brust, ein spielerischer Hieb, er spürte ihre Knöchel, sie ließ die Faust eine halbe Sekunde zu lange dort, und er wusste, dass sie flirtete. Alice wusste es, Vicky wusste es.

»Wo ist er?«

»Hoffentlich auf dem Rückweg aus Canberra«, sagte Vicky. »Wo er mit der Bundesregierung Gespräche über AirLine geführt hat.«

Die Zeit verging, Gelächter, spanische Musik, so entspannt hatte er sich seit Ewigkeiten nicht mehr gefühlt. Er trank Bier, sie schlenderten zu einem Tapeziertisch, Platten mit Kebabs wurden gebracht, Schüsseln mit Salat, Flaschen mit Rot- und Weißwein. Um ihn herum wurde über Politik geredet, alle Seiten waren vertreten, über die schrumpfende Wirtschaft, die endlosen Buschfeuer, über Filme, Ferien, aktuelle Ereignisse, darüber, wie schlecht die Medien seien.

Auf ein Zeichen hin ließ Vicky ihn stehen und tauchte mit Max Hendry wieder auf, ohne Jackett und Schlips, weißes Hemd mit hochgerollten Ärmeln. Er hatte einen großen Arm um seine Frau gelegt.

Rufe.

Wird auch verdammt Zeit, Kerl.

Security, hier ist ein Eindringling.

Zeig uns die Knete, Maxie.

Hendry hielt die Hände hoch.

»Ihr verfluchten Nassauer«, sagte er.

Beifall.

»Ihr wisst also, wo ich heute war«, sagte er. »Hab mit den Drecksskerlen geredet, sechs Stunden lang. Bin noch nie im Leben so vielen dummen Menschen begegnet. Aber vermutlich haben wir es ihnen endlich in ihre dicken Schädel eingebläut, dass jede Alternative, die unsere Straßen von Verkehr entlastet, Teil der nationalen Infrastruktur ist.«

Jubel, Klatschen.

»Das ist zwar nur ein kleiner Schritt für die Deppen, aber ein Riesenschritt für die Menschheit. Was unser Anliegen ist.«

Mehr Jubelrufe, Pfiffe. Max verschränkte die Hände wie ein siegreicher Boxer und sagte: »Steckt eure Rüssel wieder in den Trog, ihr Tiere.«

Vicky nahm neben Villani Platz. Sie sahen zu, wie Max auf Schultern klopfte, Wangen küsste, Hände schüttelte, ein geliebter, soeben aus dem Exil zurückgekehrter Herrscher.

»Sie mögen ihn«, sagte Villani.

Sie schwieg. Max kam zu ihnen, schüttelte Villanis Hand.

»Danke, dass Sie hier sind, Mann«, sagte er. »Mein geliebtes Weib kümmert sich um Sie?«

Ein Kellner bot Essen an, Max sagte, er habe bereits gegessen. Der Barkeeper kam mit eiskalten Coopers, öffnete zwei.

Max trank das Bier aus der Flasche. Er ließ die Welt wieder in den Zustand vor seinem Eintreffen zurückkehren, erzählte Geschichten über Treffen mit dem Premierminister, dem Schatzkanzler, dem Verkehrsminister.

Er stellte Villani Fragen, Villani hatte das Gefühl, dass Max die Antworten bereits kannte, alles über ihn wusste.

Die Dunkelheit kroch über das Anwesen, die Gäste wurden weniger, alle bedankten sich, scherzten mit den Hendrys. Villani machte Anstalten aufzubrechen. Max legte die Hand auf seine Schulter.

»Nein, nein, Steve, bleiben Sie noch. Kaffee. Ein gemütlicher freitäglicher Absacker.«

Als Vicky gegangen war, um die letzten Gäste zu verabschieden, begaben sie sich auf die Terrasse, in große Holzstühle. Eine schwarz gekleidete lächelnde Frau mit silbrigen Haaren brachte Kaffee, Pralinen, eine Flasche Cognac, Cognacgläser.

Max goss ein. Vor ihnen erstreckte sich der dunkle Garten bis zum Fluss, dahinter standen die Stadt und ihre Türme in hell strahlendem Selbstbewusstsein.

»Zigarre?«, fragte Hendry. »Ich sollte nicht, aber vielleicht erlaube ich mir einen Rückfall. Gutes Wort, Rückfall. Klingt ein wenig wie Sündenfall, und darauf läuft's ja auch fast hinaus.«

»Vielleicht falle ich mit Ihnen zurück«, sagte Villani.

Hendry ging, kam mit zwei Zigarren und einem silbernen Stachel zurück, durchbohrte die dunklen Zylinder, reichte einen weiter, samt einer Schachtel Streichhölzer.

»Gott sei Dank für Kuba«, sagte er. »Für Kuba und Frankreich.«

Sie zündeten die Zigarren an. Der Rauch hing in der Luft.

Unter ihnen leuchteten Tatzenabdrücke auf, die sich in großen Schritten bis hinunter zum Fluss zogen.

Villani nahm sein Glas in die Hand, er war angeheitert. Das aus Bullaugen im Boden aufsteigende Licht färbte den

Cognac in ein dunkles Honiggold. Hendry wollte etwas loswerden, das merkte man.

»Was ich Sie fragen wollte«, sagte Hendry. »Eigentlich ein wenig dreist. Haben Sie schon einmal daran gedacht, sich ein anderes Metier zu suchen?«

Villani sagte: »Ich kann nur Cop.«

»Sie sind jetzt auch nicht gerade Streifenpolizist«, sagte Hendry.

»Ich habe das, was man wohl Qualifikationsmuster nennt. Ich habe meine Chefs kopiert und sie die ihren.«

»Das kann funktionieren«, sagte Hendry, »wenn man nicht etwas Fehlerhaftes kopiert. Dann werden die Kopien mit jeder Generation schlechter.«

»Das meine ich damit«, sagte Villani. »Ich bin ein fehlerhaftes Objekt der x-ten Generation. Bald wird es unbrauchbar sein.«

Das sagte er, ohne nachzudenken, mit einigen Drinks intus, und er wusste, dass es stimmte. Er war ein verschwommenes Abbild von Cameron, Colby und Singo. Und, zunächst einmal, war er eine schlechte Kopie von Bob Villani. Das Aussehen, die Größe, die Haare, die Hände – das alles stimmte. Doch die Mängel, all die unliebsamen Eigenschaften, sie wurden verstärkt: der Egoismus, die Treulosigkeit, die Blindheit, die Zwänge, der Brunsttrieb.

Alles Schlechte.

Doch das Rückgrat, der Schneid, der Mut, da hatte er eine Niete gezogen. Diese Dinge waren bei Bob ganz hoch entwickelt, aber bei seinem Erstgeborenen verkümmert.

Max lachte, kleine Verschlusslaute.

»Was Sie da gerade sagten, das bestätigt meine Instinkte«, sagte er. »Ich mag kluge Menschen, ich entdecke sie auf zig Kilometer Entfernung. Das ist so ziemlich das Einzige, was ich richtig gut kann. Wäre mein alter Herr Müllmann gewesen, würde ich heute auf 'ner Baustelle schuften.«

Sie rauchten, tranken, die Cognacdämpfe stiegen in die Nase.

Vicky kam wieder nach draußen.

»Schlingel beim Spielen«, sagte sie. »So gern ich auch herumsitzen, Cognac trinken und eine dicke Zigarre rauchen würde, ich muss passen. Bin erschöpft. Ich würde sagen, fix und alle, wenn ich nicht so eine Dame wäre.«

Villani stand auf und bedankte sich. Sie drückte seine Arme und küsste ihn halb auf die Lippen. Durch den Zigarrenqualm erhaschte er den Duft ihres Parfüms.

»War uns ein Vergnügen, Steve«, sagte sie. »Sie sind jetzt ein Mitglied der Freitagsbande. Auf vielfachen Wunsch, wie ich erwähnen möchte. Außerdem müssen Sie unbedingt mal übers Wochenende ins Tal kommen. Ich schicke Ihnen eine Einladung.«

Sie ging hinter Max' Stuhl vorbei, blieb stehen, beugte sich hinunter und küsste Max auf die Stirn. »Auch wenn es schwerfällt, Schatz, aber versuch bitte, vor dem Morgengrauen ins Bett zu kommen.«

»Ausgezeichnete Menschenkennerin, diese Frau«, sagte Hendry. »Hat sich bisher erst einmal geirrt. Aber zurück zum Thema.«

»Ich hab's vergessen.«

Hendry blies einen dicken, rollenden Rauchring. »Das hab ich in der Schule gelernt«, sagte er. »Mehr fällt mir aus meiner Schulzeit nich ein. Egal, hat keinen Zweck, um den heißen Brei zu reden, ich will Ihnen einen Job anbieten. Einen fetten Job.«

»Sie brauchen die schlechte Kopie eines toten Cops?«, sagte Villani.

»Einen operativen Chef für Stilicho. Sie wissen ja über Stilicho Bescheid. Das im Kasino war ein verfluchter riesiger Gau, aber das sind Kinderkrankheiten.«

Die PR-Fritzen wollten ein Aushängeschild haben. Einen

leitenden Polizeibeamten. Man brauchte irgendeinen drögen Bürohengst, um Dienstpläne zu erstellen und die gelangweilten, unterbezahlten Leute zu kontrollieren, die andere gelangweilte, unterbezahlte Leute kontrollierten, die wiederum Schlösser, Ausweiskarten, stickige Zimmer um drei Uhr morgens und WCs kontrollierten.

»Ich glaube nicht, dass ich für Security geeignet bin«, sagte Villani. »Trotzdem danke.«

Hendry sagte: »Nur nichts übereilen, mein Freund. Ich rede hier nicht von irgendeinem leitenden Rausschmeißerjob.«

Er konnte Gedanken lesen.

Ein heißer Nordwestwind wehte ihnen in die Gesichter, ein weiteres blockierendes Hoch dümpelte über dem Südmeer. Zwei lang gezogene Täler verliefen vom Nordwesten in Richtung Selborne, in einem davon lag die Hauptstraße. Das Feuer würde kommen, so wie es an jenem höllischen Tag im Februar bis Marysville und Kinglake gekommen war, mit dem furchtbaren Donnern einer Million Hufe würde es kommen, heranrollen, strömen, so hoch wie ein zwanzigstöckiges Haus, glühend heiße Speere und Feuerkugeln Hunderte von Metern nach vorn schleudern, aus Bäumen, Häusern, Menschen, Tieren die Luft saugen, aus allem in der Landschaft die Luft saugen, seinen eigenen tosenden Wind erzeugen, heißer und immer heißer werden, ein gigantisches Schmiedefeuer, das Menschen und Tiere schmolz, Gebäude explodieren ließ, weiche Metalle in silbrig fließende Flüssigkeiten verwandelte und Stahl verformte.

»Nein?«

»Nein, nein. Stilicho betritt völlig neues Terrain im Bereich der Sicherheit. Manches davon verstehe ich selbst nicht. Na ja, eine Menge davon. Herrje, ich hab erst mit zwanzig begriffen, wie Elektrizität funktioniert. Wir reden von der Zukunft der Sicherheitstechnik. Man sagt mir, das Zeug, mit dem wir arbeiten, sei dem übrigen Feld zwei bis drei Jahre voraus. Das ist eine Riesenchance.«

Was hatte Dove gesagt?

Stilicho hat israelische Technik gekauft und bringt jetzt alles zusammen – sicherer Zugang, die Identitätsüberprüfung, Irisscanner, Fingerabdrücke, Gesichtserkennung, verdächtiges Verhalten, Körpersprache ... Stilicho versucht sogar, Zugriff auf die Verbrecherdatenbank zu bekommen, Fotos und Phantombilder, Fingerabdrücke, Strafregister, einfach alles ... Dein Gesicht ist in der Datenbank, du tauchst irgendwo auf ...

»Ich dachte, Ihr Sohn sei Chef von Stilicho. Ihr Sohn und Matt Cameron.«

»Matt hält fünfzehn Prozent. Mir gehört der Rest. Hugh ist der CEO, kein Aktienbesitz. Operativer Chef, das ist eine große Herausforderung, Steve. Es gibt keine passende Stellenbeschreibung. Man riet mir, diese Headhuntererpresser zu beauftragen.«

»Gute Idee.«

»Ich kann selbst Führungskräfte suchen. Und zehntausende Dollar sparen. Es heißt, Sie hätten keine Probleme mit der Technik. Es heißt, Sie seien einer der wenigen Cops, die sich mit den neuen Technologien auskennen.«

»Ich habe jede Menge Probleme mit der Technik«, sagte Villani. »Sie sollten mir keinen Technikjob anbieten. Eigentlich überhaupt keinen Job.«

»Ich will aber.«

»Es geht hier nicht darum, dass wir diese kleinen Dreckskerle erwischen, oder?«, sagte Villani. »Das ist der Job. Dafür werde ich bezahlt.«

Hendry sagte: »Wir suchten jemanden mit umfangreichen Erfahrungen im Polizeidienst. Der intelligent ist.«

»Das schließt siebenundneunzig Prozent automatisch aus«, sagte Villani. »Plus minus ein Prozent.«

Hendry runzelte die Stirn. »Das ist ziemlich herb. Mir sagte man, zweiundneunzig Prozent. Jedenfalls hat mir Vicky vor dem AirLine-Abend erzählt, der Cop, der Davids Mörder gefasst habe, sei jetzt Chef des Morddezernats. So kam Ihr Name ins Spiel. Ich habe Nachforschungen angestellt. Und Gutes über Sie gehört.«

»Typisch Cops. Gutes über andere Cops zu sagen. Sind alle Brüder.«

»Und der Stammbaum, der hat mir auch gefallen.«

»Wie bitte?«

»Ihr alter Herr. Vietnam. The Team.«

»Das hat nichts mit mir zu tun.«

Max musterte ihn kurz, mit schräg gelegtem Kopf, sagte: »Nein, Verzeihung, wie dumm von mir. Ich hab selbst im Schatten gelebt, hätte es besser wissen müssen. Na klar.«

»Ich habe nicht im Schatten meines Vaters gelebt«, sagte Villani. Er wollte den Job dieses reichen Mannes nicht, nicht von seinem aalglatten Sohn herumkommandiert werden.

»Nein, das wollte ich damit nicht sagen. Das haben Sie bestimmt nicht.«

Villani holte sein Handy heraus. »Ein toller Abend, Mr. Hendry. Mein Tag ist noch nicht vorbei. Leider.«

Max sagte: »Stephen, warten Sie noch ein Weilchen, ja? Packen Sie das weg. Wir haben uns vergaloppiert.«

Villani wartete, abmarschbereit.

»Hugh hat sich in meinem Schatten aufgehalten, was ihm nicht gutgetan hat. Ich habe das erst bemerkt, als es schon zu spät war. Aber in geschäftlichen Dingen ist Hugh gut, ein guter Verkäufer. Ich suche jemanden, der das Kommando auf dem Schlachtfeld übernimmt.«

Max schnupperte an seinem Glas, trank ein Schlückchen.

»Steve, wir haben hier zwar zunächst nur eine private Securityfirma, aber wenn wir es richtig anpacken, wird sie die Methoden revolutionieren, mit denen wir im öffentlichen Raum für Sicherheit sorgen. Normale Bürger vor Abschaum von der Sorte schützen, die David totgetreten hat. Wir sind kurz davor, den Vertrag für ein riesiges neues Einkaufszentrum im Westen zu bekommen. Und es besteht ernsthaftes Interesse von einer neuen Wohnsiedlung in Brisbane. Da soll ein ganzer Komplex von Einzelhandelsläden, ein Ortszentrum, gesichert werden.«

»Sie glauben doch nicht zufällig, ich hätte Einfluss, oder?«, sagte Villani. »Dass ich behilflich sein könnte, an die Datenbanken zu kommen?«

Max hob die Hände. »Steve, wir bekommen den Zugang, wenn wir den Zugang verdienen. Wenn die Entscheidungsträger erkennen, dass die Vorteile schwerer wiegen als die Nachteile. Ich möchte Sie wegen der persönlichen Qualitäten haben, die Sie mitbringen. Das ist alles.«

Villanis Widerstand bröckelte: der Charme dieses Mannes, die Aufmerksamkeit, die man ihm den ganzen Abend geschenkt hatte, der Alkohol, die Stärkung seines Egos.

»Tja«, sagte er. »Ich fühle mich geschmeichelt. Muss darüber nachdenken.«

»Natürlich müssen Sie darüber schlafen. Wollen Sie nicht wissen, welches Gehalt wir Ihnen anbieten?«

»Nun…«

»Mehr, als ein Kripochef bekommt. Viel mehr. Wohlgemerkt, es ist ein Sechzehnstundentag.«

»Kriege ich den Sonntag frei?«

»Nicht automatisch.«

Kurz vor Mitternacht begleitete ihn Max durch Haus und Garten zum Tor an der Straße. Dort war der große, lächelnde Mann, der Villani zum Auto brachte und die hintere Tür öffnete.

»Ich sitze vorn«, sagte Villani.

Er und Max gaben sich die Hand.

»Ich weiß, dass ich recht habe«, sagte Max. »Überlegen

Sie sich's gut. Ich habe gehört, wenn Mellish an die Macht kommt, werden alle führenden Köpfe bei der Polizei ausgetauscht. Das sollte man berücksichtigen.«

»Betrachten Sie es als berücksichtigt«, sagte Villani. »Gute Nacht, Max.«

Er sagte dem Fahrer, er solle ihn in die St. Kilda Road bringen, wo sein Büro war.

Nach Hause.

Das Gebäude schlief nie. Es gab Schichtwechsel, müde Menschen gingen, weniger müde Menschen nahmen ihre Plätze ein.

Im Morddezernat, in dem weißen Licht, wo Tag und Nacht ihre Bedeutung verloren, nahm ein halbes Dutzend Köpfe von seinem Kommen Notiz. Er sprach mit diesem und jenem, mit dem diensthabenden Beamten, machte sich einen Becher Tee, setzte sich an seinen Schreibtisch, er war jetzt nüchtern, wusste nicht recht, warum er da war, wusste nur, dass er kein Zuhause hatte.

Den ganzen Tag hatte er geglaubt, Corin würde anrufen, mit Sicherheit. Sie hatte keinen Grund, ihm wegen irgendetwas Vorwürfe zu machen, was mit Lizzie zusammenhing. Doch sie hatte sich nicht gemeldet. Zu beschäftigt, die Uni fing an, ihr Job, der heiße Typ vom teuren Ende der Stadt.

Hör zu, meine Liebe, du musst unbedingt Lizzie abholen. Sofort.

Das hätte er sagen und darauf bestehen sollen, dass sie das Essen verließ. Sie war die Älteste, warum hatten sie ihr nicht die Aufgabe übertragen, sich immer um Lizzie zu kümmern? Dafür zu sorgen, dass Lizzie die Erwartungen erfüllte. Pünktlich in die Schule kam. Ihre Hausaufgaben machte.

Er könnte Corin anrufen.

Nein, nein, nein.

Sie schuldete ihm etwas. Sie schuldete ihm eine ganze Menge, und sie hätte all ihre Schulden mit einem einzigen kleinen, erbärmlichen Anruf begleichen können. Sie, seine geliebte Tochter, hatte ihn in Stich gelassen. Im Grunde war er ihr gleichgültig.

Er sollte hier aufhören und für Max Hendry arbeiten. Er war ins Morddezernat gekommen, um seine Ehe zu retten, um saubere Arbeit zu leisten. Kein Glücksspiel mehr, keine Frauen mehr. Saubere Arbeit hatte er geleistet. Dem Glücksspiel hatte er abgeschworen; er hatte sich von Gewissheiten abgewandt, sich abgewandt und geweint.

Er dachte an DiPalma und Orong. DiPalma, Juradozent an der Monash University, ehe er die Berufung verspürte. Vermögensrecht. Pachtverhältnisse. Übertragungen. Mein Gott, was wusste er von der Straße, dem Abschaum, der zerrissenen Welt?

Orong. Orong war ein Nichts. Einen Abschluss in Community Studies an dem ehemaligen Footscray Tech College. Politik und Soziologie. Er war immer in der Politik gewesen, hatte schon als Jugendlicher an Türen geklopft, ein Strippenzieher.

Er ging online, gab »Orong« ein. Ein Foto des jüngeren Orong mit Stuart Koenig aus dem *Western Citizen*. Koenig hielt Orongs rechten Arm hoch, als hätte der Blödmann gerade einen Boxkampf gewonnen. Die vorletzte Wahl. Neuer Abgeordneter für Robertsham. Villani ging auf eine politische Website namens Brumaire 18 und suchte nach Orong. Dort fanden sich Dutzende von Einträgen, er las einen der früheren.

SCHLANGEN UNTER VOLLDAMPF
Es war wieder ein schwarzer Tag für die Demokratie, als das dreiundzwanzigjährige Reptil Martin »Schlangenmaul« Orong sich in dieser Woche zu seinem sogar noch widerwärtigeren Mentor Stuart Koenig im Parlament gesellte. Koenig verdankt sein politisches Überleben selbstredend

der kleinen Viper mit den gegelten Haaren aus den westlichen Vororten. Als er noch Koenigs Bürojunge war, brachte Orong eigenhändig vielerlei in dessen Wahlkreis unter, von äthiopischen Analphabeten bis zu der »samoanischen Rausschmeißergemeinde«, wie er sie bekanntlich nannte. Koenig und Orong sind auch im Privaten Kumpel. Die beiden wurden einmal von einem Schneesturm auf Koenigs Familiensitz am Mount Buller eingeschlossen, als sie eigentlich auf einer Parteiveranstaltung in Canberra sein sollten.

DiPalma und Orong nahmen an, dass er sich wie geheißen verhalten, die Finger von Koenig und Prosilio lassen würde. Sie hatten sich aufgeführt, als hätten sie die Macht, ihm Befehle zu erteilen. Und diese Macht hatten sie tatsächlich, wenn er Angst vor dem hatte, was sie ihm antun konnten.

War es Singleton auch so ergangen? War er bedroht, gezwungen worden, Ermittlungen einzustellen? Singo hatte immer von *dem Griff* gesprochen – von Leuten, die ihn hatten, die etwas bewirken, verhindern konnten. Hatten andere Menschen Singo im Griff gehabt?

Es war schwierig, sich bei dem Job nicht von irgendwem greifen zu lassen.

Es war und blieb ein korrupter Job. Warum auch nicht? Unterirdische Bezahlung, schlimme Arbeitszeiten und Arbeitsbedingungen, Risiken. Er brauchte nur wenige Tage, um herauszufinden, wer seine Kollegen waren: die Unterbelichteten, die Schulhofschläger, Bodybuilder, Kampfsportfanatiker, Kontrollfreaks, Adrenalinjunkies, Einzelgänger, Kinder aus Polizistenfamilien, Kinder alleinerziehender Mütter.

In Uniform dämmerte ihm allmählich, was der Job wirklich bedeutete. Man befasste sich ein Leben lang mit den Unehrlichen, den Fahrlässigen, den Abartigen, den Abseitigen, den Verzweifelten, den Grausamen, den Gefühllosen, den Bösartigen, den Besoffenen, den Drogensüchtigen, den zeitweise

Verwirrten und den dauerhaft Gestörten, den Kranken und Betrübten, den Sadisten, Sexbesessenen, Kinderschändern, Exhibitionisten, Frauenschlägern, Kinderschlägern, Selbstverstümmlern, den Mördern, Muttermördern, Vatermördern, Brudermördern, Selbstmördern.

Manche von ihnen tot.

Man konnte rasch in die Andersartigkeit abgleiten, sich von der zivilen Welt entfremden, ein Anspruchsdenken entwickeln. Was war schon dabei, wenn man nicht den vollen Preis für seine Kleidung, für die chemische Reinigung zahlte, wenn man Kaffee, ein Sandwich gratis bekam, wenn Menschen einen in Kneipen zu Drinks einluden? Manchmal konnte man sich ein Lotterielos nehmen, ohne zu bezahlen. Leute gaben einem Tipps für Pferdewetten, luden einen in Clubs ein, man konnte nach der Schicht hingehen und einen Kumpel mitbringen, alles ging aufs Haus, die besten Mädchen.

Nenn mir nur deinen Namen. Du wirst schon erwartet.

Sie machten einen glauben, man sei der attraktivste Mann des Jahres, man machte Erfahrungen, die man normalerweise weder bei einem Date noch mit seiner Frau machte. Wenn man besoffen war, gab einem irgendwer irgendwas. Und eines Tages kam der Anruf.

Scheiße, Alter, so'n Drecksack hält mich auf der Tulla Road an, war 'n bisschen zu schnell, klar. Die Strafe ist unwichtig, Mann, auf die Scheißpunkte kommt's an, ich muss sonst noch das verdammte Fahrrad flottmachen, leg mal ein Wort mich ein, geht das? Danke dir, Alter.

Man kannte jemanden. Man rief ihn an. Und schon war man ein bestechlicher Cop. Ein Reisebüro bot einem eine kostenlose Woche auf Hayman Island an, Flugzeug, Hotel, Vouchers. Man kriegte Tipps für Rabatte bei Autos, Fernsehern, Waschmaschinen, Teppichen, Mitgliedschaften in Fitnessclubs, Alkohol, plastischer Chirurgie, BMX-Rädern.

Alles.

Jahr für Jahr gab es mehr bestechliche Cops, die Anzahl stieg im Gleichschritt mit der Anzahl von Kriminellen, speziell Drogendealern, die mit dem Verkauf von Ice, GBH, Special K und Ecstasy unvorstellbare Summen verdienten.

Die Nachfrage war grenzenlos, ein Dealer wurde reich, wenn er nur eine einzige Privatschule belieferte, jeder Jugendliche über zwölf hatte ein paar Drogen probiert. Wenn man abends ausging, gehörten Drogen einfach dazu, Handwerker wurden high, wenn sie ihre Werkzeuge nach der Arbeit beiseitegelegt hatten.

Jeden Freitag stellte ein ganzes Heer von Kurieren Koks, Bazooka zu, Incentives für Kunden im Hauptgeschäftsviertel, für Banker, Broker, Anwälte, Buchhalter, Werbeagenturen, Architekten, Bauunternehmer, Immobilienmakler, Ärzte.

Das Geld war überall sichtbar, und überall hörte man, wie sehr das die Cops verbitterte.

Alter, der Holden fällt fast auseinander, meine Frau hat ihren Job verloren, jetzt machen wir Urlaub mit den Schwiegereltern. Zum Wasser muss man erst mal fünfzig Meter durch den Schlamm. Alle sind sie da, der Vater, ein echter Zombie, der Bruder, ein Autofreak und Schnorrer, seine Frau ist noch schlimmer, die zickt ununterbrochen, rührt keinen Finger, außer um sich die Nägel zu lackieren. Vergleich das mal mit diesem Drecksack, den wir angehalten haben, der ist vielleicht zwanzig, fährt einen Porsche, der Mann ist für uns kein Unbekannter, er hat ein Apartment in den Docklands, nur Nutten der Extraklasse, Urlaub auf Scheiß-Bali und sagt zu uns: Glaubt ihr, ich bin so dämlich, mit Stoff in meinem Wagen rumzufahren, Jungs? Ihr vergeudet eure Zeit, was verdient ihr so? Fünfzig? Sechzig? Hab heute fünfzig auf ein Pferd gesetzt, Alter, die Scheißmähre bleibt am Start stehen. Vergiss es, morgen ist ein neuer Tag.

Villani legte die Hände hinter den Kopf, versuchte, seinen Nacken zu massieren.

Dancer hatte ihn gerettet. Als ihn das Glücksspiel voll im Griff hatte, als Joe Portillo seinen Abschaum geschickt hatte und ihm ausrichten ließ, es gebe Möglichkeiten, wie er seine Schulden begleichen könnte, hatte ihn Dancer vor der Umklammerung gerettet.

Dreißigtausend Dollar in der Myer-Tüte.

»Kitty ist gesund«, sagte Dance. »Hat ein paar Riesen gewonnen. Ich borg's dir. Du zahlst es zurück, wenn du dein Haus verkaufst und fünfhundert Riesen Kapitalgewinn machst.«

Sparen, Dancer nach und nach jeweils fünf Riesen zurückzahlen, so war es geplant. Dann kam die Sache mit Greg Quirk, und es lag auf Eis. Als er die erste Rate anbot, sagte Dance: »Also bitte, Kumpel, nein. Ist längst vergessen. Vergeben und vergessen.«

Greg Quirk.

Greg war Abschaum. Sein Bruder war Abschaum. Sein Vater auch. Und der Großvater, dieser Hundemörder.

Lange Zeit hatte es Villani nichts ausgemacht, wegen Greg zu lügen. Es war nicht sein Problem. Aber dann kamen die Träume. Doch selbst da ging es nicht nur darum, Greg sterben zu sehen, während sie zu dritt dastanden, zu sehen, wie er verblutete, Schaum vor dem Mund hatte, zuckte, wie die Beine traten, kleine verträumte Tritte.

Es ging darum, ein ehrlicher Mann zu sein. Ein Ehrenmann. *Ehre ist nicht billig zu haben, mein Junge. Gib nie dein Wort, wenn du nicht bereit bist, es zu halten oder bei dem Versuch zu sterben.*

Verdammt, was wusste Bob schon über das Worthalten? Er sagte, in ein paar Wochen werde er wieder zu ihnen zurückkommen, und es dauerte Jahre. Kein Auto fuhr Stellas Straße hinunter, ohne dass Villani die Luft anhielt und wartete, ob es nicht stoppte. Wenn er nachts im Bett lag und Autos vorbeifuhren, legte er den Kopf unter das Kissen, drückte sein Gesicht auf die Matratze und zog das Kissen mit beiden Händen runter.

Sein Kind war da draußen bei diesen Tieren auf der Straße, seine Lizzie. Das Ergebnis seines Versagens als Vater und als Mann. Es war ihm schlicht nicht wichtig genug gewesen. Als der Augenblick kam, sie aufzusuchen, ihr zu zeigen, dass ihr Vater sie liebte, hatte er sich von ihr abgewandt.

Zuerst kam der Job, alles andere war zweitrangig. Und so war es immer gewesen.

Bob Villanis Sohn. Die DNA glomm in ihm.

Hatte Bob seinen Greg Quirk? Seine Greg Quirks? Kleine Männer, in düsteren Reisfeldern erledigt? Mit einem einzigen Schuss. Die zitternden Knie, der verdutzte Hundeblick, der Sturz.

Er konnte Quirk nicht ungeschehen machen. Das war ihm in Fleisch und Blut übergegangen, in sein Wesen. Durch seine Zeugenaussage und sein Schweigen hatte er ihnen sein Wort gegeben. Daran war nicht mehr zu rütteln, er wusste es, sie wussten es.

Der sterbende Lovett. Er hatte versucht, ein wenig Erlösung von seinen Sünden zu erlangen.

Ich verlasse Sie mit dem Hinweis, dass wir, also wir drei und folglich die gesamte Scheißabteilung und die gesamte Scheißpolizei, dass wir das Prosilio-Mädchen im Stich gelassen haben.

Er machte die Lampen aus und trat ans Fenster. Unter ihm die hellen Schnüre des Verkehrs. Auf der anderen Straßenseite die dunkle Schule samt ihrem Gelände, der Botanische Garten. Dann, in weiter Entfernung, das Leuchten der Highways und am Himmel, schimmernd in den Wolken, das ganze Licht der großen Stadt.

Birkerts holte ihn ab. Als sie in der Stadt waren, an der Ampel standen, fing Villani an zu sprechen.

»Western Ring«, sagte er.

»Wie bitte?«

»Ich will sehen, wo Kidd und Larter umgekommen sind.«

Birkerts legte seine Stirn an das Lenkrad, was kein Zeichen von Respekt war. »Um dahin zu kommen, müssen wir einmal ganz herumfahren.«

»Genau.«

»Verdammt«, sagte Birkerts. »Sonst geht's dir danke, ja?«

»Ich bin nicht da gewesen, das lässt mir keine Ruhe.«

»Hast du nicht gestern noch gesagt, es sei an der Zeit, sich mit anderen Dingen zu befassen?«

»Danach befassen wir uns mit anderen Dingen.«

Sie fuhren im morgendlichen Stoßverkehr. Birkerts machte das Radio an. Villani las die Zeitung, legte den Kopf in den Nacken, nickte ein.

»Wir nähern uns dem Unfallort«, sagte Birkerts. »Wenn du blinzelst, verpasst du ihn.«

Villani setzte sich gerade hin, sie fuhren auf der linken Spur, kamen der Stelle näher, wo Kidd und Larter ihr Ende gefunden hatten.

»Fahr links ran«, sagte er.

Birkerts setzte den Blinker, sie hielten gute fünfzig Meter hinter der Unfallstelle, kurz vor der Abfahrt. Lastwagen erschütterten das Auto.

»Was jetzt?«, fragte Birkerts.

Villani sagte: »Nur mal umsehen. Schnuppern.«

»Dazu brauchst du mich nicht, oder?«

Villani stieg aus, die Hitze erfasste ihn. Er ging zu der Stelle zurück, wo etliche Büschel Quecken ergrünt waren, die das Wasser zum Löschen des brennenden Wracks, der Sitze, der Reifen, des Öls zu neuem Leben erweckt hatte. Auf dem Erdstreifen zwischen dem Highway und einem Zaun klammerten sich ein paar mickrige einheimische Bäumchen ans Leben, deren Äste in den heißen Straßenwinden ständig in Bewegung waren. Dahinter kamen noch ein Streifen Erde und ein Zaun, dann Brachland, auf dem nur ein verlassenes Haus stand. Auf die Ostwand hatte ein Sprengstoffhersteller sein Firmenzeichen gesprayt.

Villani stand in dem glühend heißen Tag und wurde von den Fahrtwinden der vorbeibrausenden Lastwagen gebeutelt, was seine Krawatte wie eine schmale Kriegsfahne wehen ließ.

Hier gab es nichts. Es war eine alberne Eingebung gewesen. Dennoch ging er zu den Bäumen hinüber. Als hätte man sie für eine armselige Weihnachtsfeier geschmückt, hingen sie voller glänzender Chipstüten und Fastfoodverpackungen, an einem baumelte ein silbriger Koffeindrink, der aus einem Fahrzeugfenster geflogen war und sich hier verfangen hatte.

Villani ging zu dem Zaun, dem er fünf oder sechs Meter folgte, machte kehrt, betrachtete den belanglosen Alltagsmüll von einer Million Vorbeifahrenden, atmete flach die Abgase ein.

Sein Handy.

»Dove … Neuigkeiten …«

»Was?«

»… unser Freund … Morgen …«

Villani schaute zu Boden, nahm nichts wahr, konzentrierte sich darauf, Dove trotz des Highwaylärms zu verstehen, und sagte: »Die Verbindung wird schlechter, ich rufe zurück.«

Er sah genau hin.

Zigarettenpackung? Er stupste sie mit seiner Schuh-spitze an, der staubigen schwarzen Spitze eines glänzenden McCloud's-Schuhs.

Ein fester Gegenstand.

Villani bückte sich, hob ihn auf.

Plastik, metallisch-blaugrau, mit einem Sprung.

Ein Handy. Ein halbes Handy, das Vorderteil fehlte.

In dreißig, vierzig Metern Entfernung von der Explosion? Das war nicht drin, keine Chance.

Er ging zu dem Commodore zurück, den Erschütterungen ausgesetzt, zwei im Konvoi fahrende Tanklaster, ein Zement-wagen, ein Transporter mit Abwasserrohren aus Plastik, ein überladener Mercedes auf der Suche nach einer Ausfahrt, ein Truck mit zwei Anhängern – der gesammelte Highwayhor-ror.

Im Wagen zeigte er Birkerts den Gegenstand. Birkerts be-netzte seine Unterlippe. »Sehr hübsch. Entfernte Ähnlichkeit mit einem Handy.«

Ein Truck fuhr einen halben Meter neben Birkerts' Fens-ter vorbei.

»Du glaubst doch nicht, dass es Kidds Handy ist?«, sagte er.

»Nein. Irgendein Unfallopfer, mehr nicht.«

Birkerts ließ den Motor an. Sie warteten, bis sie sich in den Blutkreislauf einreihen konnten, klassische Musik, Villani wechselte den Sender, vertraute Stimme:

… das Opfer einer Verleumdungskampagne. Unter diesen Umständen habe ich den Premierminister gebeten, und er hat meiner Bitte entsprochen, im Interesse der Partei und der Re-gierung von meinem Posten als Minister für Infrastuktur zu-rücktreten zu dürfen. Mehr habe ich im Augenblick nicht zu sagen. Danke sehr.

Die Frau sagte:

Nun, das war Stuart Koenig, der vor wenigen Minuten sei-
nen Rücktritt als Minister erklärte. Oder entlassen wurde. Ich
tendiere zur zweiten Version. Unsere politische Korresponden-
tin Anna Markham sagte heute in unserer Morgensendung,
Mr. Koenig habe sich der, äh, Dienste einer jungen Frau be-
dient, die im Zusammenhang mit einem Mord für die Polizei
von großem Interesse sei, und er sei inzwischen von keinem
Geringerem als dem Leiter des Morddezernats befragt wor-
den. Außerdem seien Mr. Koenigs Telefonverbindungsnach-
weise überprüft worden. Wie uns ein Vögelchen zwitscherte,
ergeben sie eine hochinteressante Lektüre...

Die Ader in seinem Hals pochte.

Anna Markham sagte...

Sie hatte ihn nicht angerufen. Sie hatte geglaubt, ihm nicht
erzählen zu können, dass sie an dieser Story dran war. Wie
wichtig war er ihr also? Nicht der Rede wert.

Villani rief Dove an.

»Haben Sie das mit Koenig gehört?«

»Ja, Chef. Deshalb habe ich Sie angerufen. Ich habe Ms.
Markham heute früh gehört.«

»Phipps. Schaffen Sie ihn her. Sofort.«

»Habe eben mit seiner Mutter gesprochen. Er ist im Ausland. Schon seit über einem Monat. Tracy überprüft das gerade.«

Die flache, kahle Landschaft, das gleißende Licht, die ra-
senden, lärmenden Trucks.

Herrgott noch mal. Reingelegt.

Reingelegt, übertölpelt. Am Arsch, fertiggemacht.

»In Sachen Prosilio ermitteln wir von nun an, bis kein Rattenloch mehr übrig bleibt, in dem man nachsehen kann«,
sagte Villani.

»Ein Sinneswandel?«, sagte Dove. »Würden Sie sagen, man
hat uns benutzt und missbraucht?«

»Ich würde sagen: Halten Sie die Fresse.«

Er hatte keine Ahnung, wie man in Sachen Prosilio ermitteln sollte, er wusste nicht, wie er er ein Rattenloch finden sollte, in das er jemanden schicken konnte. Er hatte das wirklich verbockt.

MIAW.

Nein. Das Morddezernat war diesmal nicht am wichtigsten gewesen.

In Preston hatten sie eine Menge Wasser verbraucht.

Für Menschen?

Spiel den Ball zu Snake.

Er sagte, ohne speziellen Grund: »Wir statten Preston noch einen Besuch ab. Wir treffen uns vor Ort, Mr. Dove.«

Sie standen in dem Flur, der ekelhafte Chlorgeruch hing immer noch in der Luft.

»Als käme ich heim«, sagte Dove. »Meine Mom war ein reinlicher Mensch.«

»Sie Glücklicher«, sagte Villani. »Bei uns habe ich das Haus sauber gemacht.«

»Manche sagen, das tun Sie immer noch, Chef.«

Es verging fast eine halbe Stunde, ehe sie aufgaben.

»Zu sauber«, sagte Dove. »Zu sauber. Das hätte uns auffallen müssen.«

Sie gingen vorne hinaus und ums Haus herum nach hinten.

»Haben Sie was zu rauchen?«, sagte Villani.

Sie zündeten sich beide eine an. Villani hockte sich auf die Hintertreppe. Dove ging zum Zaun und schritt auf und ab.

»Hätte nie gedacht, dass es so sein würde«, sagte er.

Er ging langsam, Blick auf den Boden gerichtet, ein Mann in Trance.

»Wie denn sein?«

»Ich und der Leiter des Morddezernats in irgendeinem heruntergekommenen Hinterhof in Preston.«

Dove blieb stehen.

Er trat gegen etwas, das wie ein verrottender Stapel Filzunterlagen für einen Teppichboden aussah.

Er trat noch mal dagegen, gezielt, verschob ein Stück mit seinem rechten Schuh, verschob noch ein Stück, noch eins, trat in die Erde.

373

Er bückte sich, betrachtete etwas.

Sein Kopf kam hoch, die Augen glänzten.

»Ein Einstiegsschacht«, sagte er. »Wurde kürzlich geöffnet.«

Villani überquerte den Hof.

Ein quadratischer Stahldeckel, verrostet, dreckverkrustet.

»Glaube kaum, dass hier seit 1956 eine Jauchegrube geleert wurde«, sagte Dove.

Die Ränder waren sauber.

»Wieso 1956?«

»Heißt so viel wie ›vor langer Zeit‹«, sagte Dove.

»Sagen Sie Trace, dass wir einen Mann hier brauchen«, sagte Villani. »Mit einer Brechstange. Ein Mensch à la 1956.«

Es kamen drei Männer. Sie legten Schutzkleidung an, die sie vor einer giftigen Feuersbrunst bewahrt hätte, einer öffnete den Deckel mit einer Brechstange. Er trat zurück.

Der kleinere Mann ging zu einer großen grauen Nylontasche, der er eine gelbe Taschenlampe entnahm, eine große, einen Strahler. Damit leuchtete er in das Loch, musste sich breitbeinig über das Loch stellen, winkte seinen Kollegen heran, der hineinsah. Beide traten zurück, der Kleinere kam zu Villani, hielt ihm Taschenlampe und Maske hin.

»Selber sehen, Chef?«, sagte er.

Villani nahm die Lampe, setzte die Maske auf, überquerte den Hof, knipste die Lampe an, der widerliche Gestank drang durch den Filter.

Er beugte sich über das Loch, leuchtete hinein.

Der Strahler erhellte die Grube mit weißem Licht, Villani sah etwas, konnte es nicht einordnen.

Dann konnte er.

Eine Ratte.

Eine Ratte in einem menschlichen Schädel.

Ihr schuppiger Schwanz zuckte, sah aus einer Augenhöhle hervor.

Villani ging den Weg zurück. Er sagte zu Dove: »Jetzt müssen wir die ganze beschissene forensische Katastrophe anfordern.«

Nach einer Weile traf die Bigband ein, drei Wagen fuhren vor, im Konvoi, was sie gern taten, wenn möglich. Villani sah zu, wie sie ausstiegen, die Experten, an Verfall und Zersetzung gewöhnt, die sich an Orte begaben, die andere Menschen lieber mieden.

Am späten Vormittag waren die Absperrbänder angebracht, die Straße war ein Parkplatz, die Presseleute hatten ihre Zelte aufgeschlagen, die Hubschrauber waren am Himmel aufgetaucht. Moxley – schweißbedeckte Kopfhaut, enttäuschte Miene – sah sich auf dem kleinen, tristen Grundstück um, die Leute in Schutzkleidung, die Autowracks, das vergrößerte Loch im Boden.

»Weiblich«, sagte Moxley. »Tendenziell eher jung. Man wird die ganze stinkende Chose ausbaggern müssen.«

»Tatzeitpunkt?«, sagte Villani.

»Dass Ratten beteiligt sind, kann die Einordnung erschweren. Monate, Jahre.«

»Niemand wird je Ihre rattige Einschätzung infrage stellen«, sagte Villani.

»Hat nichts mit Oakleigh zu tun, oder?«

»Wer weiß?«, sagte Villani. »Wir machen uns ein ganzheitliches Bild von der Welt. Von der ganzen stinkenden Chose.«

»Für Sie ist doch schon ein ganz tiefes Loch in der Erde ganzheitlich«, sagte Moxley.

»Mit Löchern in der Erde kenne ich mich aus. Wann geht das Ausbaggern los?«

»Sobald es sich arrangieren lässt.«

»Sie lassen es mich wissen, falls, und ich betone: falls Sie etwas herausfinden?«

Moxley holte ein Papiertaschentuch hervor, putzte sich die

Nase. »Welches Ihrer handverlesenen Genies sollen wir verständigen?«

Villani zeigte auf Dove. Der lehnte am Zaun, träge, rauchend, sprach in sein Handy.

»Mr. Dove.«

»Ein indigener Beamter, der damit der einzige Nichtfaulpelz der ganzen Polizeitruppe wäre«, sagte Moxley. »Was ist aus der Verletzung im Dienst als Fahrkarte an die Gold Coast bei voller Invalidenrente geworden?«

»Er ist Beamter des Morddezernats, Professor. Wir nehmen Verletzungen aller Art achselzuckend hin. Wer ist bei Ihnen für Hinweise an die Presse zuständig? Das machen Sie selbst, stimmt's?«

»Ich habe Inspector Kiely kennengelernt«, sagte Moxley. »Ein Mann mit professionellen Umgangsformen. Er kann eine gewisse Bildung vorweisen, soviel ich weiß.«

»In Neuseeland«, sagte Villani. »Das rangiert kurz vor dem Kongo und vor Schottland.«

Er gab Dove ein Zeichen, der trat näher.

»Ich möchte, dass Sie sich unseren Partnern von der Presse stellen«, sagte Villani. »Menschliche Überreste. Aber bevor die wissenschaftlichen Untersuchungen nicht abgeschlossen sind, wissen wir gar nichts. Einen Scheißdreck.«

»Sind das drei Wörter, Chef?«

Villani sah ein Pulsen in Doves rechtem Augenlid. »Was ist mit Ihrem Auge?«, fragte er.

Doves Lippen schlossen sich fest über den Zähnen. »Nur ein Muskelzucken«, sagte er.

»Ist das was Nervöses?«

»Daran sind Nerven beteiligt, Chef«, sagte Dove. »Das zentrale Nervensystem ist beteiligt. Und zwar spontan.«

»Sieht nicht gerade genial aus«, sagte Villani. »Diese Äußerung fiel natürlich spontan. Vergessen Sie's, ich übernehme das, Detective Dove.«

Villani setzte seine Morddezernatsmiene auf – ernst, betroffen – und trat vor die Kameras, sagte, was zu sagen war, die natürliche Ordnung des Universums sei wieder einmal auf den Kopf gestellt worden.

Er machte kehrt. Dove gab ihm ein Zeichen. Villani folgte ihm auf die andere Seite des Hauses.

»Sie haben in der Grube einen Müllsack gefunden«, sagte Dove. »Einen neuen.«

Ein Mann in Schutzkleidung hielt einen großen schwarzen Sack in den Händen, der zugeknotet war.

»Machen Sie ihn auf«, sagte Villani mit trockenem Mund. Dieser Müllsack war weder Monate noch Jahre alt.

Der Mann legte den Sack auf eine Plane. Er war wegen der Handschuhe ungeschickt und brauchte eine Weile, um den Knoten zu lösen. Er machte den Sack weit auf.

»Handschuhe«, sagte Villani. Jemand gab ihm ein Paar, er zog sie an.

Er zog ein schwarzes Kleid heraus, legte es auf die Plane. Ein schwarzer BH, ein winziges schwarzes Höschen, noch ein BH, noch ein Höschen, ein billiges chinesisches Handtuch, noch eins, noch ein schwarzes Kleid, ein, zwei, drei, vier Turnschuhe, billige. Eine schwarze Jeans. Ein seidiges Hemd, eierschalenfarben. Nylonjacke mit Reißverschluss, gelb.

Jetzt hatte er ihn im Kopf. Den Wasserverbrauch.

Noch eine Jeans, schwarz. Zwei Blusen. Strümpfe. Noch mehr Strümpfe. Ein weißes Hemd. Nylonjacke, rot.

Koenigs Worte:

Eine Blinddarmnarbe, mehr hab ich nicht gesehen.

Noch eine Bluse. Eine Kosmetiktasche aus blauem Nylon.

Noch eine Kosmetiktasche, grün.

Villani legte den Müllsack hin, nahm einen BH und schnupperte daran. Er legte ihn wieder weg, schnüffelte, um die Nase frei zu bekommen, beugte sich zum zweiten BH hinunter, schnupperte daran, legte ihn weg.

377

Er öffnete die blaue Kosmetiktasche. Supermarktkosmetika. Parfüm, ein Zerstäuber, Eau de Toilette. *Poison*.

Er nahm die Verschlusskappe ab, sprühte es auf den Rücken seines rechten Handschuhs, schnupperte. Er legte den Zerstäuber auf den zweiten BH.

Zweite Tasche. Die gleichen Kosmetika. Anderer Zerstäuber. *Taboo*.

»Geben Sie mir Ihre Hand«, sagte Villani zu Dove.

»Nur unter Zwang«, sagte Dove. Er streckte die linke Hand aus, Handfläche nach unten.

Villani sprühte auf die Hand, hob sie an, schnupperte.

Dove guckte ihn an.

»Zwei Mädchen«, sagte Villani. »Beide im Prosilio-Tower.«

In der St. Kilda Road sprach Villani mit Kiely.

»Nun, wir haben eine ganze Menge um die Ohren«, sagte Kiely. »Und natürlich die Sache ist nicht so richtig vielversprechend.«

»Ich will jeden in diesem Etablissement, der nicht gerade an einer Festnahme beteiligt ist«, sagte Villani. »Betrachten Sie das als Befehl.«

»Wie Sie wünschen«, sagte Kiely.

»Dove und Weber, bitte.«

Sie kamen rein, standen vor dem Schreibtisch.

»In dem Zeitrahmen, den uns die gegenüber vom Prosilio wohnende Dame aus Tommyland genannt hat«, sagte Villani, »will ich von der kürzesten Strecke nach Preston sämtliche Aufzeichnungen haben. Schwarzes Muskelauto, drei Antennen. Mr. Kiely wird das nötige Personal zuweisen.«

Beide runzelten die Stirn.

»Das wird außergewöhnlich schnell passieren«, fuhr er fort. »Ich will in wenigen Stunden Resultate sehen.«

Die Männer blieben stehen. Dove öffnete den Mund.

»Gehen Sie«, sagte Villani. »Gehen Sie einfach los und fangen Sie an, verdammt.«

Sein Telefon klingelte.

»Stevo, Geoff.«

Searle.

Tief durchatmen. Nett zu ihm sein. Er war keine Hundescheiße, sondern stammte aus einer Hundescheißefamilie.

Er war ein nützliches Mitglied der Gesellschaft, Abteilung Parasiten.

»Ja, Mann«, sagte Villani.

»Dieser Koenig ist eine beschissene Landmine, Mann.«

»Ja.«

»Aber ich habe hier eine andere heikle Angelegenheit. Können Sie sprechen?«

»Ich bin allein, ja.«

»Steve, mir ist zu Ohren gekommen, dass *The Sunday Age* morgen ein Bombe voller Scheiße platzen lassen will.«

»Ja?«

»Tony Ruskin. Es geht um einen leitenden Polizeibeamten.«

»Ja.«

»Mein Bauchgefühl sagt mir, dass Sie das sind.«

»Ich bin was?«

»Tochter behauptet Missbrauch.«

Villani hörte sich selbst, wie er die Luft einsog. Eine Weile verging, er hatte das Gefühl, außerhalb seines Körpers zu sein.

»Meine Tochter?«, sagte er.

»Stimmt. Die jüngste Tochter. Vermutlich kommt das vom Sozialamt. Jugendfürsorge.«

»Missbrauch?«

»Sexueller Natur.«

»Also echt«, sagte Villani. »Dummes Zeug.«

»Ihnen wurde nicht gesagt, dass sie das behauptet hat?«

»Sie treibt sich mit irgendwelchem Gesindel auf der Straße rum. Bestiehlt ihre eigene Familie. Die können so einen Mist nicht drucken, als wäre es …«

»Das können sie«, sagte Searle. »Und sie werden's auch tun.«

»Tja. Herrje.«

»Abwarten«, sagte Searle. »Ich bin an dem Fall dran.«

»Sehr freundlich«, sagte Villani.

»Keine Sorge. Müssen zusammenhalten. Ihre Frau, die

steht doch zu Ihnen, stimmt's? Und wird Sie voll und ganz unterstützen?«

Was sollte er sagen? »Natürlich. Meine ganze Familie.«

»Gut. Geschlossen auftreten, das ist die Hauptsache. Drogensüchtiges Kind, klar... Ich melde mich bald wieder, Mann.«

Villani saß da, Telefonhörer in der Hand. An seinem Arm traten die gespannten Sehnen hervor.

Wie konnte ihm das kleine Miststück so was antun? Er fand sein Handy, Lauries Nummer. Sie ging sofort dran.

»Ich bin's«, sagte er. »Wo bist du?«

»Zu Hause.«

»Bleib da. Ich bin unterwegs.«

Er parkte in der Auffahrt hinter Lauries VW und klopfte an die Vordertür. Sie machte auf.

»Was hat Lizzie dir gesagt?«, fragte er, die Zähne zusammengepresst.

Laurie sprach langsam, als hätte sie das Englische verlernt. »Sie hat gestern Abend angerufen und gesagt, sie habe Angst. Nach Hause zu kommen. Sagt sie. Sie könne hier nicht wohnen. Weil du sie gezwungen hast ... du sie missbraucht hast.«

»Sie missbraucht. Wie?«

»Sie musste dir einen blasen. Wiederholt.«

Der Tag, die Uhrzeit, die Hitze, wo er war, alles verschwand. Irgendetwas blockierte seinen Hals, er versuchte, sich zu räuspern.

»Ich?«

»Das hat sie ihnen erzählt, ja.«

»Wem erzählt?«

»Ich weiß es nicht.«

»Was genau hat sie ihnen erzählt?«

»Du seist in ihr Zimmer gekommen. Hättest sie geweckt. Mehrere Male.«

»O Gott«, sagte er, er zitterte, innerlich. »Sie ist nicht bei Trost. Wie kann sie das tun?«

Laurie schaute ihn an, und da sah er es.

»Sieh mich nicht so an, sieh mich nicht so an ... sag, dass du's nicht glaubst.«

Sie schwieg.

»Sag es.«

»Ich weiß nicht, was ich glauben soll«, sagte sie. »Ich bin unter Schock.«

Die Gewalt nahm ihn in Besitz, er packte Lauries Schultern, schüttelte sie. »Du glaubst ihr nicht. Sag's, verdammt. Sag es.«

Sie wehrte sich nicht, ihr Kinn sank auf ihren Brustkorb, und er sah ihre weiße Kopfhaut unter dem Scheitel. Alle Wut schwand, er ließ die Arme sinken und versuchte, sie auf den Kopf zu küssen, doch sie entzog sich ihm.

»Tut mir leid«, sagte er. »Es tut mir leid. Tut mir leid.«

Sie wich zurück, ließ ihn nicht aus den Augen. Er sah kein Verständnis, nur Fassungslosigkeit. Sie hielt es für möglich, für denkbar, sie konnte sich vorstellen, dass er es tat. Wie konnte das sein? Wie konnte sie nicht instinktiv spüren, dass es unmöglich war?

Laurie machte kehrt und ging. Er folgte ihr in die Küche. Sie entfernte sich so weit wie möglich, bis zur Spüle.

»Damit eins klar ist«, sagte Villani, blinzelte, seine Augen waren feucht. »Ich habe dieses Mädchen in meinem ganzen Leben nie angefasst, außer um ihr einen Kuss zu geben. Ich habe nachts nie ihr Zimmer betreten. Ich habe sie nie dazu gebracht, irgendetwas mit mir zu tun, und wenn ich es getan hätte, würde ich mir mein Scheißhirn aus dem Schädel pusten.«

Laurie wusch einen sauberen Teller ab, achselzuckend, er sah, wie sich die Schulterblätter bewegten. »Sie ist wichtig«, sagte sie. »Du nicht.«

Er hätte ihr einen Schlag auf den Kopf versetzen können, so sehr traf ihn diese Ungerechtigkeit. Er riss sich zusammen. »Du weißt doch, wer dahintersteckt, oder?«, sagte er. »Es ist dieser Abschaum, mit dem sie sich rumtreibt. Die wollen Geld aus ihr rausholen.«

Laurie trocknete ihre Hände an dem Geschirrtuch, ließ sich

Zeit, rieb jeden einzelnen Finger. »Wir werden sehen«, sagte sie.

»Wo ist sie?«

»Sie sagen, man habe sie in Obhut gehabt, aber sie habe sich wieder abgesetzt.«

»Also ist sie ihnen durch die Lappen gegangen?«

»Offenbar.«

»Du weißt, wo sie ist, stimmt's? Hab ich recht?«

»Tu ich nicht. Ich weiß es nicht.«

Laurie drehte sich um, gefasste Miene, verschränkte die Arme. Tiefe Falten lagen wie Klammern um ihren Mund. Die waren ihm noch nie aufgefallen. »Stephen, halt dich da raus. Du machst es sonst nur noch schlimmer.«

Villani schaute zu Boden, atmete zweimal tief durch. »Ich soll's einfach hinnehmen?«, sagte er. »Sie erzählt den Fürsorgeheinis Lügen über mich, und ich geh einfach zur Tagesordnung über?«

»Lass es, Stephen.«

Am liebsten hätte er seine Wut laut herausgebrüllt, ihren Kopf gegen den Kühlschrank geknallt. Er atmete tief durch. »Wo ist Corin?«, fragte er. »Sie wird dir sagen, dass das Mist ist. Sie kennt ihre Schwester, sie kennt mich. Sie wird's dir sagen.«

»Sie ist übers Wochenende weggefahren. Ich werd sie damit jetzt nicht behelligen.«

»Lizzie soll es mir ins Gesicht sagen«, sagte Villani. »Sie soll mir in Gegenwart von Zeugen in die Augen sehen und sagen, sie habe mir mehrmals einen blasen müssen.«

Laurie schwieg, wollte um ihn herumgehen, Villani streckte den rechten Arm aus. Sie blieb stehen.

»Sag einfach nur, dass du mir glaubst«, sagte er. »Sag's einfach, mehr nicht.«

»Ich weiß nicht, was ich glauben soll. Sie ist mein geliebtes Kind. Was soll ich noch sagen?«

»Adieu, du kannst Adieu sagen. Du und deine gottver-
dammte Schlampentochter, ihr könnt euch beide von mir verabschieden.«

Mit den Fingerspitzen schob Laurie ihre Haare nach hinten, rasch, er sah Grau an ihren Schläfen, das hatte er auch
noch nie gesehen.

»Kann ich gehen?«, sagte sie.

Villani sah, wie groß und plump seine Hand war, ließ den
Arm fallen. »Verabschiede dich von mir.«

»Adieu, Stephen«, sagte sie. »Geh jetzt.«

Und dann sagte er es.

»Sie ist sowieso nicht mein Kind. Warum schickst du nicht
ihren Scheißvater los, um nach ihr zu suchen?«

»Hau ab«, sagte sie. »Dir trau ich alles zu.«

Unterwegs in der Hitze, die Klimaanlage musste kämpfen, wusste er einige irritierende Augenblicke lang nicht, wohin er fahren, was er machen sollte, und überfuhr ein paar rote Ampeln, langes Hupkonzert.

Die Wut verschwand abrupt, jetzt war ihm übel, er hatte einen trockenen Mund, Schmerzen im Nacken.

Wie ging man mit so etwas um? Man konnte nicht weiterarbeiten, wenn die eigene Tochter einen des sexuellen Missbrauchs bezichtigte. Jeder, den man kannte, würde einen mit anderen Augen betrachten. Verächtlich. Man war gestört, man war ein widerwärtiger Perversling, man konnte kein Chef mehr sein, keine Frau würde einem je wieder nahe kommen. Anna würde seinen Namen mit Schaudern aus ihrem Adressbuch streichen.

Weshalb sollte das Jugendamt so etwas durchsickern lassen? Falls Lizzie diesen Vorwurf erhoben hatte, waren sie verpflichtet, die Abteilung für Sexualverbrechen einzuschalten. Hatten sie das gemacht? Die Abteilung eingeschaltet und die Geschichte *The Age* zugespielt?

Er war jetzt in der Rathdowne Street. Am Park bog er links ab, fand eine Lücke, blieb eine Weile sitzen und sah Müttern zu, die ihren kleinen Kindern dabei zusahen, wie sie sich im Sandkasten vergnügten. Ein Kind zwang ein anderes, eine Handvoll Sand zu essen, das Opfer wehrte sich nicht, aber seine Aufsichtsperson zog es weg und steckte einen Finger in den dreckigen, klebrigen Mund.

Zwei Frauen, verschwitztes Fleisch, dicke Beine, Knirpse in Geländewagen, wie zum Kampfeinsatz. Sie sahen ihn an, keine flüchtigen Blicke, sondern herausfordernd, diese Frauen würden die Polizei anrufen und melden, dass ein Mann in einem Auto saß und Kinder in einem Park beobachtete.

Angeblicher Sexualverbrecher beobachtet Kinder in einem Park. O Gott, das hatte Lizzie ihm angetan, so weit hatte sie ihn gebracht.

Er stieg aus, lehnte sich an den Wagen, so sah es besser aus. Er hatte keine Angst, sein Gesicht zu zeigen. Jetzt brauchte er was zu rauchen.

Der Zeitungskiosk eine Straße weiter.

Er verschloss den Wagen, ohne hinzusehen, das gedämpfte Klicken, ging los, bog um die Ecke. Er war schon lange nicht mehr durch die Rathdowne Street gegangen, seit er und Laurie zur Miete in der Station Street gewohnt hatten, nicht mehr. Gab es die Pizzeria noch? Früher hatten sie mindestens einmal in der Woche dort gegessen, nur sie beide, dann mit der kleinen Corin, dann mit Corin und dem kleinen Jungen, Cashin gesellte sich oft zu ihnen. Als Lizzie da war, machten sie so etwas nicht mehr.

Er könnte Laurie anflehen, Lizzie zur Vernunft zu bringen. Niederknien und sie bitten, ihn zu retten. Wie konnte sie diesem kleinen Hippiemiststück glauben und nicht ihm?

Sie konnte. Sie hatte es getan.

Er hatte sie angelogen, ja. Doch sie wusste nicht alles. Über manche Lügen wusste sie Bescheid, er hatte dümmliche Lügen erzählt, einige Lügen hatte er gestanden. Man log, weil man andere Leute nicht kränken wollte. Welchen Sinn hatte es, etwas zuzugeben, was schon Vergangenheit war? Was bald Vergangenheit sein würde.

Er verdiente Laurie nicht, das hatte er nie bezweifelt. Sie war ein guter Mensch, sie konnte gar nicht lügen. Er hatte nie daran gedacht, sie zu verlassen, nicht einmal nach dem Tag, als er versehentlich den Brief mit ihrer Handyrechnung öffnete, und den Betrag sah, als er die Rechnung wieder in den Umschlag stecken wollte: 668,45 Dollar. Wie hatte sie das geschafft? Er sah sich die Einzelverbindungsnachweise an. Sie führte lange und teure Telefonate. Die meisten davon mit denselben beiden Nummern.

Diese Nummern notierte er sich. Im Büro gab er sie einer Spezialistin. »Sehen Sie die für mich nach, ja?«

Minuten später kam sie mit einem Blatt Papier wieder.

David Joliffe, Kameramann, St. Crispin's Place 22/74, King Street, East Melbourne. Private Festnetznummer und Handy.

Die Pizzeria gab es immer noch, genau wie den Laden für Bilderrahmen, in dem das Hochzeitsfoto gerahmt worden war. Wo mochte das jetzt sein? Er hatte es seit Jahren nicht mehr gesehen, es wahrscheinlich an dem Tag oben auf einen Schrank gelegt, als Laurie den Verlobungs- und den Ehering abstreifte und unberingt herumlief.

Der Grund war Clem, die Innenarchitektin. Sie schien damit zufrieden zu sein, gelegentlich in ihrer Wohnung eine Nummer zu schieben, doch als er die Reißleine zog, und zwar keineswegs unfreundlich, rief sie regelmäßig an. Gott wusste, woher sie die Nummer hatte, sie hinterließ bei ihm zu Hause Nachrichten.

Das war auch das Ende von Mrs. Lauren Villani. Sie nahm wieder ihren Mädchennamen an.

Er ging weiter, rauchte dabei, rief Searle an. Wichtig war, eisige Ruhe zu bewahren.

»Stevo, Alter. Die Sache ist vom Tisch. Momentan. Ich musste eine Hypothek auf meine Einkünfte aufnehmen, die Kids in die Sklaverei verkaufen.«

»Ich sag's nicht.«

»Nein, nein, bloß nicht. Getrennt sind wir gefickt.«

»Hören Sie«, sagte Villani. »Hatte die Zeitung das von der

Jugendfürsorge oder von der Abteilung für Sexualverbrechen?«

»Das wollte man mir nicht verraten.«

»Aber sie hat eine Aussage gemacht?«

»Bin mir nicht sicher. Abwarten, würde ich sagen. Ehe was nach draußen dringt, erfahre ich davon, und dann hören Sie's als Erster.«

»Bin Ihnen was schuldig.«

»Problematisch wird's«, sagte Searle, »wenn Moorcroft davon Wind bekommen hat. Der Wichser ist ein Kumpel dieser Fürsorgelesbe Rotties, der wäre ihr erster Anlaufpunkt.«

Gary Moorcroft, Annas kleiner Freund beim Sender, der Polizeireporter, der gefragt hatte, ob sie was miteinander hätten.

Unnatürlich neugierig.

»Tja, mal abwarten, was passiert«, sagte Villani.

»Abwarten und Tee trinken wär nicht so mein Ding«, sagte Searle. »Darf ich etwas vorschlagen?«

»Ja.«

»Ms. Markham. Da haben Sie einen Stein im Brett.«

»Stein im Brett?«

»Mann, Mann, Ihr Auto steht um vier Uhr morgens vor der Bleibe dieser Person, da haben Sie doch wohl einen Stein im Brett, oder?«

Searle gab eine Art Lachen von sich.

Eisige Ruhe.

»Ich werde beobachtet, oder?«, sagte Villani.

»Nichts Persönliches, nur das Haus, die Straße. Wenn der Premierminister auftaucht, wird das aufgezeichnet.«

»Wer macht das?«

»Steve, reden Sie mit Ihrer Freundin. Sie ist einflussreich, sie kann den kleinen Arsch fertigmachen, so was wäre nicht das erste Mal.«

»Was heißt ›so was‹?«

»Behilflich sein. Sie ist ein Profi. Sie kennt sich mit Geben und Nehmen aus.«

»Sie befasst sich mit Politik. Wie kann sie da behilflich sein?«

Searle gab einen ungeduldigen Laut von sich, das war jetzt seine Show. »Alter, heutzutage ist alles Politik, das ist nun mal so. Fragen Sie sie einfach. Riskieren Sie's. Wenn sie Ihnen glaubt, dass es Blödsinn ist, wird sie dann nicht helfen?«

Was hatte er all die Jahre ertragen, die Schinderei, die Angst, um sich jetzt bevormunden, sich Anweisungen geben lassen zu müssen von diesem Schwächling, der den Job nur aus den Erzählungen seines schäbigen Vaters und seiner elenden Onkel kannte, die die Schlitzi-Konzession hatten und von denen es hieß, dass ihnen ein Großteil von Saturn Bay gehörte, dem Arbeiterparadies auf Meereshöhe. Die einzige Gerechtigkeit lag darin, dass jetzt, bei jeder Sturmflut, das vom Eis angeschwollene Meer die hundertvierzig Kilometer lange Düne flächendeckend unter Wasser setzte, bald würde es unter die Paläste der Searles in Hardy Plank fließen, ihre Schiffe mit sich fortschwemmen, ihre Grills, die Gegend würde wieder den Mücken gehören, den verwilderten Katzen, den Dünenratten, den Möwen, die alle den Wind nicht beachteten, den pausenlosen, traurigen, sägenden Wind.

»Sie hören von mir«, sagte Villani.

Anna bitten, ihm zu glauben, dass er seine Tochter nicht belästigt hatte? Die Anna, die ihn in die Geschichte von Koenigs Sturz hineingezogen hatte. Searle hatte keine Ahnung, was ihn das kosten würde. Von Stolz und Würde hatte der Mann keinen blassen Schimmer.

Und was hätte er davon, Zeit zu gewinnen? Er sollte jetzt abtreten.

Scheiß drauf. Er hatte nichts getan, außer ein mittelmäßiger Vater zu sein, war das etwa ein Verbrechen? Dann gäbe es in den Knästen nur noch Stehplätze.

Dad, du schläfst hier nur, du schwebst über dieses Haus hinweg wie ein Wolkenschatten.

Villani warf einen Blick auf seine Nachrichten,

Clinton Hulme. Max Hendrys Stabschef.

Stephen. Ich wollte Ihnen nur sagen, dass wir heute gern Ihre Antwort hätten, spätestens morgen. Ich würde mich freuen, von Ihnen zu hören.

Birkerts.

Wir haben das Ding analysiert, das du neben der Straße gefunden hast. Unfassbar. Es ist das Handy der Tante. Wir haben ein paar SMS. Wir müssen reden.

Ja. Jawoll. Wenigstens etwas.

Matt Cameron.

Wenn Sie mich fragen, Sie sollten das Angebot annehmen, mein Junge. Wir reden später. Den Horizont erweitern.

Dove.

Chef, können Sie herkommen, wir haben etwas.

Schwarz-Weiß-Bild, eine fast leere städtische Straße, ein sich nähernder PKW. Auf der Digitalanzeige stand: 0.2.22.

»La Trobe Street«, sagte Weber. »Blickrichtung Südwesten. Zur Rechten liegt Flagstaff Gardens.«

»Möglicherweise Dudley Street rauf, rechts in die King Street, links in die La Trobe«, sagte Dove. »Hier ist es.«

Ein zweites Auto kam in Sicht, schwarz, näherte sich dem ersten.

»Der Honda will bei Rot fahren, entscheidet sich anders«, sagte Weber.

Das vordere Fahrzeug bremst abrupt, dreht sich leicht.

»Zack«, sagte Weber. »Der BMW ist aufgefahren.«

Fahrer und Beifahrer des Honda steigen aus.

»Beifahrer des BMW«, sagte Dove.

Großer Mann in Schwarz, Haare zum Pferdeschwanz gebunden.

»Kenny Hanlon«, sagte Villani.

»O Mann«, sagte Dove und sah Villani an.

Hanlon gestikuliert, er schreit, droht dem Fahrer des Honda.

»Hinter ihm, Chef«, sagte Weber.

Eine schmale Gestalt springt aus dem BMW, hintere Tür, kalkweißes Gesicht, schwarze Haare, schwarzes Kleid, nackte Schultern, sie zögert nicht, sondern läuft, hinter ihr ein Buswartehäuschen, sie ist auf der Fahrbahn.

»Verliert einen Schuh, tritt den anderen weg, ist jetzt im Park«, sagte Dove.

Die Kamera erwischt den Stöckelschuh in der Luft.

Hanlon gibt dem Hondafahrer eine Ohrfeige, einen Schlag mit der flachen rechten Hand, der Beifahrer des Honda will Hanlon packen, der BMW-Fahrer hat den Wagen verlassen, sein Mund steht offen, er ruft etwas.

»Wir haben das Video aus dem Park«, sagte Weber, Blick auf die Konsole gerichtet.

Das Mädchen läuft auf eine Kamera zu, biegt nach rechts ab, keine Aufnahme.

»Das ist Kamera sechs«, sagte Weber. »Mitten im Park.«

Eine Gestalt nähert sich der Kamera, das Mädchen.

»Kamera neun«, sagte Weber. »Unterwegs in Richtung Kreuzung von Dudley und William Street.«

Sie war jetzt deutlich zu sehen, Augen aufgerissen, Mund stand offen, außer Atem.

Lizzie. O Gott.

Nein, nicht Lizzie.

»Haben Sie Peel Street überprüft?«, fragte Villani. »Vielleicht ist sie in die Richtung weiter. Um den Vic Market herum muss es Kameras geben. Freitagmorgen, da wird früh gearbeitet.«

Dove sagte: »In der Gegend sind jetzt drei Leute.«

Villani sah die Männer an. »Gute Arbeit«, sagte er.

Die Männer sahen ihn an, warteten.

»Zwillinge«, sagte Dove. »Sie ist die bei Koenig.«

»Die Blinddarmnarbe«, sagte Villani. »Mein Gott.«

Schweigen.

»Kenny Hanlon«, sagte Villani. »Sofort.«

Elektronisch gesicherte Tore, Kameras, Bewegungsmelder, stählerne Fensterläden im Erdgeschoss«, sagte Finucane, der Fahrer. »Sind alles ihre Häuser, die dahinter auch. Hellhound-Komplex. Rund um die Uhr von Gorillas bewacht.«

»Da kann die alte Zementfabrik in Northcote nicht mithalten«, sagte Villani. Er kaute das letzte der Salatsandwiches. Er zerknüllte die Tüte, steckte sie in den Getränkehalter, schob ihn in das Gehäuse zurück.

Ein paar Türen weiter tauchte ein massiger Mann in einer Windjacke auf, musterte sie durchdringend.

»Gorilla bei der Arbeit«, sagte Finucane. »Hellhound-Lehrling.«

Villani, Dove und Weber stiegen aus. Der Mann senkte den Kopf und sprach in ein Gitter im Stahlblechtor des zweiten von vier Stadthäusern, einstöckig, ein gutes Stück hinter der drei Meter hohen Mauer. Oben blickten getürkte Fenster auf nutzlose Balkone.

Als sie näher kamen, sagte Weber: »Sagen Sie Mr. Hanlon, die Polizei will ihn sprechen. Morddezernat.«

Der Mann zog die Oberlippe hoch. »Dann weisen Sie sich mal aus«, sagte er.

Weber zeigte ihm die Marke. »Diese Jacke. Sind Sie bewaffnet, oder ist bloß der Thermostat kaputt?«

»Sie können mich auch mal«, sagte der Mann. Er sprach in das Gitter, eine unhörbare Antwort. Riegel klickten. Er öffnete das Tor, ging als Erster hindurch.

Ein unrasierter Mann in Jogginghose und einem schwarzen T-Shirt stand an der Haustür. Groß, Mitte vierzig, das Gesicht pockennarbig wie eine Netzmelone, die dunklen, fettigen Haare zum Pferdeschwanz gebunden.

»Was soll der Scheiß?«, sagte Hanlon, als er Villani erkannte. »Ach Gottchen, Sergeant Villani, Scheiße, wollen Sie mich mein ganzes verdammtes Leben lang verfolgen?«

»Wir müssen reden«, sagte Villani.

»Aha. Und worüber?«

»Ich komme mit den SOGgies zurück«, sagte Villani. »Dann zerschlagen wir Ihr beschissenes Haus und erschießen Sie. Versehentlich.«

Hanlon sagte zu dem Wachmann: »In Ordnung, Kumpel, zurück auf deinen Posten.«

Hanlon machte kehrt. Sie folgten ihm durch ein gekacheltes Foyer in eine Art Essküche. Er setzte sich an einen Tisch mit einer Platte aus poliertem Granit, auf der zwei Handys lagen.

»Also was?«, sagte er.

»Sind Sie sicher, dass ein Hirni genügt, um Sie zu beschützen?«, sagte Villani.

»Das hat einen Scheißdreck mit euch zu tun, Alter. In der Gegend wimmelt's nur so von Drogensüchtigen. Würdet ihr euren Job machen, bräuchte ich keine Security. Ein Scheißpudel würde reichen.«

»Intelligenter Hund, der Pudel«, sagte Villani. »Vielleicht möchte er Sie gar nicht beschützen. Früher habt ihr in eurer Fledermaushöhle gehaust, ihr alle, hattet die Hosen voll, Angst vor den Angels. Immerhin, sich in die Hosen zu kacken, hat euch warm gehalten.«

»Verpisst euch einfach«, sagte Hanlon.

Villani stand bei der Kücheninsel. »Es geht um eine Frau«, sagte er.

»Ja?«

»Um die, die Sie ins Prosilio-Gebäude gebracht haben.«

Hanlon strich sich beidhändig die Haare glatt, betrachtete seine Handflächen. Sie glänzten. »Alter«, sagte er, »wo haben Sie so 'n Scheiß her? Was ist Ihr Problem?«

»Totes Mädchen, das ist unser Problem«, sagte Villani. »Können Sie lückenlos nachweisen, wo Sie Donnerstagabend vor einer Woche gewesen sind, Kenny?«

Hanlon steckte eine Hand in seinen Kragen, kratzte sich. »Für jede einzelne Sekunde. Ich bin jeden Abend um elf zu Hause und schlafe fest, ausnahmslos.«

»Kann das jemand bestätigen?«

»Nein. Nur etwa zwanzig Personen. Und meine Frau. Und meine Schwiegermutter. Ausreichend? Genügt Ihnen das?«

»Die Schwiegermutter wohnt also bei Ihnen im Haus?«

»Sieht besser aus als Ihre Frau, Alter, und kochen kann sie wie, weiß auch nicht, wie diese Tommy-Schwuchtel vom Fernsehen. Besser.«

»Sie befördern also jetzt Nutten«, sagte Villani. »Wie wird daraus ein profitables Geschäft?«

Hanlon tippte sich mit zwei Fingerspitzen an die Stirn. »Ich bin im Gastgewerbe, Mann. Ihr Penner klebt seit Jahren an mir dran wie Schleim. Wollt ihr's wieder probieren? Scheiße, nur zu.«

Stille. Dove betrachtete mit ausdrucksloser Miene sein Klemmbrett.

»Ihr Wagen«, sagte er. »Ich meine den schwarzen BMW. Der war am vorletzten Freitag an einem Auffahrunfall in der La Trobe Street beteiligt, morgens um zwei Uhr dreiundzwanzig.«

»Ich nicht, Mann. Hab die Schnauze voll von deutschen Scheißautos, die Krauts können mich mal. Fahr jetzt 'nen Holden SV. Australisches Auto.«

Eine Frau in einem cremefarbenen samtenen Jogginganzug tauchte in der Tür auf. Sie war im Alter von etwa sechzig

schockgefroren, blondiert, aufgequollen wie nach Bienensti-
chen, in einem leuchtenden Pfirsichton geschminkt, grellrosa-
farbene, plumpe Kollagenlippen.

»Gäste, Kenny«, sagte sie. »Und so früh.«

»Gib uns zehn Minuten, Suzie, so isses lieb«, sagte Hanlon.

Die Frau lächelte Villani an, das Lächeln blieb, als hätten
die Gesichtsmuskeln einen Krampf bekommen. »Hat mich
wirklich sehr gefreut«, sagte sie. Dann ging sie davon, strahlend.

Hanlon stand auf, griff auf eine Ablage und fand eine
Packung Zigaretten, Camel. »Rauchen Sie?«

Sie reagierten nicht. Villani ging zur Tür, machte sie zu
und schloss ab. Er sah sich in dem Raum um, betrachtete die
Profikaffeemaschine, die Kühlschränke aus rostfreiem Edelstahl, die granitene Arbeitsfläche. »Soweit wir wissen«, sagte
er, »halten Sie in einem Haus in Preston Nutten gefangen. Bestätigen Sie das?«

Hanlon verzog das Gesicht. »Zurück zur Realität. Darf ich
wieder auf den Scheißplaneten Erde zurück? Mich wieder der
Menschheit anschließen?«

»Ein Wiederanschluss würde zwingend eine frühere Mit-
gliedschaft voraussetzen«, sagte Dove.

»Wer ist dieser klugscheißende Bimbo?«, sagte Hanlon.
»Kriegt ihr Fotzen jetzt keine Weißen mehr dazu, bei euch
mitzumachen? Kratzt ihr jetzt am Bodensatz?«

Villani sah weg, kam näher, balancierte sich aus und schlug
Hanlon unter die Rippen, ein fester Hieb mit der rechten
Faust, gefolgt von einer Linken in die Rippen, einer schweren
Rechten in einen schwabbligen Brustmuskel.

Hanlon ging in die Knie und kotzte, gelb, wie ein Geschoss.

»Respekt, Kenny«, sagte Villani. »Auch wenn Sie den
Mann nicht respektieren, müssen Sie die Marke respektieren.«

Er fand ein Geschirrtuch auf der Kücheninsel, schmiss es
Hanlon hin. »Wischen Sie's weg, ehe die Botoxhexe es sieht,

Kenny. Sonst versohlt Sie Ihnen noch den haarigen Arsch. Oder macht sie das eh?«

Hanlon wischte sich mit dem Tuch über den Mund, wischte die Fliesen ab, stand auf. »Dafür wirst du sterben«, sagte er. »Du stirbst, Mann.«

»Detectives, halten Sie fest, dass Mr. Hanlon mich mit dem Tod bedroht hat«, sagte Villani. »Kenny, ich gebe Ihnen eine Gelegenheit, mit uns zu reden. Könnte Ihnen das Leben retten.«

Hanlon seufzte, Villani hörte Resignation heraus. »Für wie dämlich halten Sie mich? Wie dämlich sind Sie? Ihr könntet nicht mal meiner Scheißkatze das Leben retten.«

»Das wär geklärt«, sagte Villani. Er lächelte Dove an, gab das Lächeln an Hanlon weiter. »War mir eine Freude, mit Ihnen zu plaudern, Kenneth.«

»Das war's?«, sagte Hanlon. Hob die Hände, zwei goldene Ringe an jeder Hand, Zeigefinger und kleiner Finger.

»Es sei denn, Sie wollten noch was sagen.«

Hanlon fand eine Zigarette, zündete sie mit einem Plastikfeuerzeug an, hob den Kopf, blies den Rauch aus seinen Nasenlöchern. »Und tschüs. Das will ich sagen. Tschüs.«

»Diese Camels«, sagte Villani. »Sind die Steuern bezahlt?«

»Ein Typ hat mir 'ne Stange geschenkt.«

»Ein Typ in 'ner Kneipe?«

»Sie kennen ihn?«

An der Küchentür sagte Hanlon zu Villani: »Da fällt mir ein, sind Sie mit Dr. Marko verwandt?«

»Nie von ihm gehört, Sonnenscheinchen«, sagte Villani. »Gesicht zur Wand, näher treten, Hände auf den Rücken. Sie sind festgenommen.«

»Was soll der Scheiß ...«

»Ziehen Sie Ihre Waffe, Detective Weber«, sagte Villani. »Mr. Hanlon will sich der Festnahme widersetzen. Kenny, ich reiß Ihnen die Eier ab, und dann erschießen wir Sie.«

»So wie Sie's bei Greg Quirk gemacht haben?«

Villani holte mit der rechten Hand aus. Hanlon sah ihm in die Augen und drehte sich um, schob die Hände hinter den Rücken. Weber legte ihm Handschellen an und erklärte ihm seine Rechte.

Villani zeigte auf die Handys auf dem Tisch. Dove steckte sie in seine Innentasche.

»Öffnen Sie die Tür, Detective Dove«, sagte Villani. »Sie gehen als Erster, Mister Hanlon. Und sagen Sie Ihrem Arsch da draußen, er soll die Hände aus seinen Klamotten lassen, sonst erschießen wir ihn, was ein Vergnügen und ein Dienst an der Allgemeinheit wäre.«

Im Auto, Weber teilte sich mit Hanlon den Rücksitz, meldete sich Doves Handy. Dove stöpselte den Ohrhörer ein, redete, steckte es weg und sah Villani mit glänzenden Augen an.

»Da, wo Sie meinten, Chef«, sagte er. »Tomasic hat einen Typen, der eben erst seine Schicht angefangen hat.«

Villani rief die Nummer an. »Villani. Ich muss unbedingt ein Stück Scheiße abladen. Genau. In zwanzig Minuten.«

Zu Dove sagte er: »Die Anklage gegen ihn lautet auf Beihilfe zum Mord, Verschwörung mit dem Ziel der Förderung des Sittenverfalls, Freiheitsberaubung, jeder Scheiß, der Ihnen in den Sinn kommt. Dann kann er bis Montag warten, so bleibt ihm ein wenig Zeit zum Nachdenken.«

Im Büro der Securityfirma gaben sich Villani und der Mann die Hand. Er hatte einen dicken Bauch, einen Bart wie ausgeblichenes rotes Moos und hätte eigentlich in Venus Bay seine Rente genießen sollen.

»Erzählen Sie's mir, Vic«, sagte Villani.

»Also, an der Ecke Dudley Street sah ich sie kommen«, sagte Vic. »Das Licht da is gar nich übel, und sie kommt über die Straße gelaufen, das hab ich gesehen, sie hat keine Schuhe an. Sie sieht mich, kommt zu mir gelaufen, kann kaum atmen, so kaputt is sie.«

»Wie sah sie aus?«, fragte Villani.

»Noch ein Kind. Sechzehn vielleicht? Dünn, weiße Haut, schwarze Haare.« Er berührte seine Schultern, um die Haarlänge zu zeigen. »Sie hat so 'ne Art Partykleid an, schwarz? Mit so kleinen Trägern, versteh'n Sie.«

»Spaghettiträger?«

»Genau. Diese Dinger. Roter Lippenstift.«

»Was hat sie gesagt?«

»Konnte kein Englisch. Kaum.«

»Und?«

»Und da sag ich, komm mit, und wir gehen hierher. Sie hat total Angst, brabbelt immer weiter auf Rumänisch, und sie guckt hinter sich, die Peel Street runter und versucht irgendwie, sich zu verstecken, geht genau vor mir. Versteh'n Sie? Als wäre sie mir im Weg.«

»Rumänisch?«, sagte Villani.

»Genau. Hatte keine Ahnung, was es war. Is für mich bloß Kanakengebrabbel, Mann.«

»Und?«

»Ich ruf den anderen Burschen an. Hab Tee gemacht, den kann sie kaum trinken. Egal, er kommt her, heißt Maggie, auch 'n Kanake. Er versteht sie zwar nicht, sagt aber, sie is Rumänin, das hört er raus. Und dann sagt er, hol die Polizei, und das hat sie verstanden, sie flippt aus, nein, nein, nein, ruft sie.«

»Eine gängige Reaktion«, sagte Dove.

Vic lachte. »Jedenfalls sagt Maggie, er kennt einen Rumänen, den ruft er am Morgen an. Wir sagen zu ihr, keine Sorge, wir rufen keine Polizei, bauen ihr hinten ein Bett auf. Sie fällt drauf wie ein Stein, rollt sich zusammen, schläft tief und fest.«

Villani sagte: »Und am Morgen?«

»Maggie hat den Typen angerufen, ihr den Hörer gegeben, sie redet mit ihm. Ich hatte hier Schluss, aber er wollte rumkommen. Maggie blieb bei ihr.«

»Wie erwischen wir Maggie?«

»Macht Ferien. Mit 'm Camper. Allein. Montag isser los.«

»Wohin denn?«

Vic zuckte die Achseln. »Weiß nich, Mann. Angeln, isser ganz scharf drauf. Kommt aus Collingwood, ganz wild aufs Angeln. Könnte überall sein.«

»Telefonnummer?«

Vic ging zu einem Regal, wo er einen zerfledderten Aktenordner fand, den legte er auf den Tisch. Mehrere Seiten waren eingeheftet. Er fuhr mit dem Finger eine Seite runter. »Meine Güte, gibt 'ne unglaubliche Fluktuation hier. Da. Der Mann heißt Bendiks Vanags. Wenn das kein Name ist!«

»Vanags«, sagte Tomasic. »Das heißt ›Falke‹.«

»Stimmt«, sagte Vic. »Das hat er erwähnt. Darum nennt man ihn Maggie wie Magpie. Haben Sie einen Stift?«

Dove notierte sich die Nummer. »Handy?«, sagte er.

»Hier steht keine Handynummer.«

»Hat er Verwandte?«

»Nein, Mann. Is ganz allein. Die Frau hat ihm die Arschkarte gezeigt, is 'ne Weile her. Jahre.«

»Wir kriegen von Ihnen die Adresse«, sagte Dove.

Sie gingen ins Freie, ein glühend heißer Tag, die Windschutzscheiben auf dem Parkplatz reflektierten grelle Lichtplatten, Dove telefonierte beim Gehen.

Lizzie. War ihr je in den Sinn gekommen, dass sie ihn vernichten würde? Er nahm sein Handy heraus.

»Kumpel«, sagte Vickery mit einer Stimme wie nach der dritten Zigarettenpackung des Tages, dem letzten Drink.

Villani beschrieb den Mann. Dreadlocks, Tattoos im Gesicht, zwischen den Augen. Schmutzig verstand sich von selbst.

»Ich erinnere mich«, sagte Vickery. »Ich rühre jetzt die Trommeln für den Arsch.« Pause. »Konstruktive Gespräche sind wichtig, nicht wahr? Damit jeder in Richtung der aufgehenden Sonne schaut.«

»Steht absolut außer Frage, Kumpel«, sagte Villani, einen schalen Kupfergeschmack im Mund.

Birkerts legte ein Blatt Papier auf den Schreibtisch.

»Textmeldungen«, sagte er. »Passender Zeitraum, dortiger Ortsbereich. Aber kein Datum.«

Villani las.

Erhalten 02.49: WAS?
Gesendet 02.50: BALD.
Erhalten 03.01: ?????
Gesendet 03.04: WIR GEHN REIN.
Gesendet 03.22: SSD BANZAI OK.

»Sag's mir«, sagte Villani.

Birkerts streichelte seine Rasur, fand etwas unter dem Kinn. »Wirft ein neues Licht auf die Angelegenheit«, sagte er. »Ich würde sagen, dass Kidd und Larter die SOG-Arbeit machen, Vern Hudson töten, die Brüder aufhängen. Dann übergeben sie an einen anderen.«

»Könnte Kidd sein, der sich mit Larter unterhält.«

Birkerts trat ans Fenster, schob zwei Jalousienlamellen auseinander, spähte nach draußen.

»Es fällt mir schwer zu glauben«, sagte er, »dass sogar gelernte Killer es erst allein mit den Ribs und ihrem Kumpel aufnehmen und dann den anderen Kerl kommen lassen. Aber das ist nur mein Problem.«

»Es ist immer nur dein Problem«, sagte Villani. »Ich wünschte, es wäre nicht immer nur dein Problem. Was fangen wir hiermit an?«

Birkerts drehte sich um. »Hast du jemals eine Frage gestellt, auf die du nicht schon die Antwort kanntest? Dein Entschluss steht fest. Weißt du, wie sehr einem das auf die Nerven geht?«

»Das ist frech. Aufmüpfig. Weißt du, wie sehr einem das auf die Nerven geht?«

Birkerts sah ihn nicht an. »Ich kündige«, sagte er. »Montag. Mir reicht's.«

»Ganz ruhig«, sagte Villani. »Tu mir das nicht an.«

»Warum nicht? Außerdem hat es nichts mit dir zu tun, sondern mit dem Scheißjob. Man lebt in einer Art Gemeinschaft mit den Toten, kann nachts nie ordentlich durchschlafen, das Ganze lässt einem keine Ruhe, die Leute behandeln einen, als wär man ein Beerdigungsunternehmer, ein Bestatter, hat meine Ehe kaputt gemacht, hat jetzt auch noch die einzige anständige Beziehung kaputt gemacht, die ich seitdem hatte, und noch eine…« Birkerts brach ab. »Tja, jedenfalls reicht's mir.«

»Womit willst du dein Geld verdienen?«

»Keine Ahnung. Mein Exschwager sagt, er gibt mir einen Job als Immobilienmakler.«

»Grundstücke verkaufen? Bist du verrückt?«

»Was hast du gegen Immobilien? Man verdient Geld. Man wird nicht zu irgendeinem beschissenen Drecksloch gerufen, wo ein Vollidiot aus Spaß verbrannt wurde und man das verbrannte Fleisch noch eine Straße weiter riecht.«

Villani stand auf und ging um den Schreibtisch herum, ohne Grund, sein Körper stand unter Hochspannung, er trat gegen Singos Karton, holte mit dem Bein aus, die Schuhspitze bohrte sich in die Pappe, der Boxer flog heraus und mit dem Kopf, der abbrach, auf den Boden.

»So 'ne Kacke«, sagte er, bückte sich und sammelte die Bruckstücke auf. »Typischer Polizeidreck, die können einem nicht mal einen anständigen Pokal aus Metall geben. Ich soll das hier seinem Neffen schicken.«

Birkerts nahm ihm die Stücke ab. »Ich kenn einen, der das

neu machen kann. Aus Aluminium. Der Neffe wird nichts merken.«

»Eigentlich ist mir Singos Neffe scheißegal«, sagte Villani. »Ich kündige auch.«

»Wie war das?«

»Du bist nicht der Einzige, der die Schnauze voll hat, Alter.«

Birkerts schüttelte den Kopf. »Du sollst Kripochef werden, heißt es. Dann bist du die aufgehende Sonne in all ihrem Glanz.«

»Nein«, sagte Villani. »Sonnenuntergang. Mein Töchterchen sagt, ich hätte was mit ihr gemacht. Sex.«

Birkerts runzelte die Stirn. »Oje. Tja.«

»Zugedröhnt, auf der Straße, treibt sich mit Abschaum rum«, sagte Villani. »Ich bin erledigt. Im Arsch.«

Schweigen. Im Radio war zu hören:

… die Gegend um Morpeth-Selborne muss morgen mit dem Schlimmsten rechnen, extreme Wetterbedingungen sind vorausgesagt, Temperaturen in den Mitt- bis Endvierzigern und Winde, die Geschwindigkeiten von …

»Zu Kidd«, sagte Villani. »Er hat diese Nachrichten geschickt, aber das ändert nichts. Oakleigh ist abgeschlossen.«

»Herr im Himmel, was für ein Job ist das?«, sagte Birkerts. »Wir fahren eine Stunde lang durch diese Hölle, damit du an dem verdammten Straßenrand rumschnuppern kannst, dann findest du das Handy, und es führt zu gar nichts?«

»Mehr oder weniger«, sagte Villani.

»Ich hab zu arbeiten«, sagte Birkerts. »Vielleicht können wir Montag was trinken, wenn wir beide zu neuen Karriereufern aufbrechen. Ein jeder zu einem neuen Leben.«

An der Tür sagte er zu Villani: »Hat dich deine Frau deshalb rausgeworfen?«

»Immer in Bewegung bleiben«, sagte Villani. »Innenstadt verkaufen, damit liegt man immer richtig. Stimmt das?«

Er rief Bobs Nummer an. Es klingelte, bis es aufhörte. Er probierte es wieder und wieder.

»Ja, Villani«, sagte Bob.

»Wie sieht's bei dir aus?«

»Ich bin beschäftigt, hocke auf einem Scheißbulldozer.«

»Wo hast du einen Bulldozer her?«

»Hab ihn geliehen. Gordie und ich legen vor den Bäumen eine Brandschneise an. Wir reden später.«

Telefonat Ende. Mann in der Tür.

»Chef, Krankenhaus hat eben angerufen, da ist eine Dame eingeliefert worden, eine Mrs. Quirk.«

Eine Frau von der Krankenhausverwaltung nahm Villani in Empfang und führte ihn in den dritten Stock, einen kahlen Korrdior entlang und in ein Zimmer mit acht Betten, die durch zugezogene Vorhänge voneinander getrennt waren.

Eine junge Schwester mit dem fröhlichen Gesicht eines Farmermädels kam auf sie zu.

»Schwester, bringen Sie Inspector Villani bitte zu Mrs. Quirk.«

Villani bedankte sich und folgte der Schwester zu dem letzten Bett links.

Die Schwester sagte laut: »Mrs. Quirk. Besuch.«

»Wer?«, fragte Rose hinter den Vorhängen.

»Ich. Stephen.«

»Na, komm schon rein in das blöde Zelt«, sagte Rose.

»Sie liegt noch nicht in den letzten Zügen?«, fragte Villani die Schwester.

»Noch nicht ganz.« Sie schob einen Vorhang beiseite.

Rose lag auf zwei Kissen, den Kopf bandagiert, das Gesicht von entsprechender Farbe. Ihr rechter Unterarm war bis zu den ersten Fingerknöcheln eingegipst.

»Herrje, Ma«, sagte Villani. »Du musst mit diesen ständigen Schlägereien aufhören.«

Sie zog die Mundwinkel nach unten. »Der kleine Mistkerl hat mich über den Haufen gefahren. Warum hast du so lange gebraucht?«

»Nun mach mal 'n Punkt«, sagte Villani. »Hab die Nachricht erst vor zehn Minuten bekommen. Du hättest ruhig sagen können, dass du wohlauf bist, statt mir so einen Schrecken einzujagen.«

Rose machte ein Geräusch, verärgert. »Wahrscheinlich dachtest du, fort mit Schaden, blöde alte Schachtel.«

Villani setzte sich auf einen Formschalenstuhl. »Klar, das hab ich gedacht. Was ist mit deinem Kopf passiert?«

»Ist das nicht unfassbar?«, sagte Rose. »Der eine kleine Scheißer fährt mich um, der andere steht auf einem Skateboard. Als ich sterbend daliege, rollt er mir über den Kopf.«

»Wer hat dich gerettet?«

»Nachbarin von gegenüber kam und hat mir 'n Kissen unter den Kopf geschoben, meine Hand gehalten.«

»Wollte wohl vermeiden, dass die einzige Lieferantin von Gratisgemüse in der Straße den Löffel abgibt«, sagte Villani. »Ist der Arm gebrochen?«

»Nö, das Handgelenk.« Rose reckte den Hals in seine Richtung. »Hör mal, Stevie, ich kann hier nicht bleiben, will hier nicht sterben, der Laden ist eine verdammte Bazillenbrutstätte. Sag denen, sie sollen mich nach Hause lassen. Auf dich werden die hören. Bist schließlich Inspector.«

»Inspector beeindruckt die Ärzte nicht«, sagte Villani. »Es beeindruckt eigentlich gar keinen.«

»Bitte, mein Lieber.«

Rose streckte ihm die linke Hand entgegen. Er nahm sie, Hühnerknochen in einem Hautbeutel, hielt sie ungelenk in seinen beiden großen Händen.

»Sie erzählen mir diesen ganzen Gesundheitsquatsch«, sagte sie. »Blutdruck ist zu hoch. Auf meinem Herz lastet so ein Gewicht, es ist ein Wunder, dass es mir nicht aus den Ohren geflogen kommt.«

»Ich werd Druck machen, Ma«, versprach Villani. »Ich hol dich hier raus. Dann können sich diese mobilen Krankenschwestern um dich kümmern.«

»Die brauch ich nich«, sagte Rose. »Ich bin erledigt. Als mich das kleine Arschloch umgefahren hat, sah ich meine Seele aus dem Körper schweben.«

»Zigarettenrauch«, sagte Villani. »Kam aus der Lunge. Wird Zeit, ein bisschen weniger zu paffen.«

Sie zeigte auf den Blechschrank neben dem Bett, blinzelte ihm zu. »Hol meine Tasche. Wir rauchen ein Zigarettchen.«

»Nein, Ma. Nur deshalb wolltest du mich hierhaben. Ich muss los, mich um die Toten kümmern, du gehörst zu den Lebenden.«

Rose seufzte. »Stevie, Stevie«, sagte sie, »tust du mir einen Gefallen?«

»Worum geht's?«

»Kann ich dir trauen? Polizistenabschaum.«

»Hängt davon ab. Vielleicht. Nein. Worum geht's?«

»Ich hab Angst wegen dem Geld.«

»Was für Geld?«

Sie legte den Kopf aufs Kissen, schloss die Augen, Lider aus alter Seide. »Schatzkästchen. Gespartes. Rücklagen.«

»Auf der Bank?«

Sie schlug die Augen auf. »Herje, Mann, sieh die Welt endlich mal, wie sie ist. Unter dem Küchentisch, da kann man das Linoleum hochheben. Da ist eine Falltür, man steckt 'n Messer rein.«

»Ja?«

»Und mach ja meine Messer nicht kaputt. Ein Schatzkästchen.«

»Ja?«

»Bewahrst du das für mich auf, mein Junge? Ich hatte 'n Albtraum, Haus brennt ab, alles Asche. Wie beim Schwarzen Samstag, ich latsche da rum, hebe 'ne verkohlte Tasse auf. Versprochen?«

»Ist das Haus verschlossen?«

»Hab's abgeschlossen. Hol meine Tasche.«

Villani öffnete den Schrank, nahm ihre Tasche vom obersten Regal.

»Jib«, sagte sie. »Jib.«

»Ich bin so dämlich«, sagte Villani, »ich sollte Polizist werden. Schatzkästchen, Blödsinn. Du willst deine Glimmstängel, stimmt's? Vergiss es, Ma.«

Ihre Augen schlossen sich in Zeitlupe. »Nimm die Schlüssel, Stevie«, sagte sie leiser. »Fahr hin und hol mein Kästchen.«

Villani fand die Schlüssel, legte die Tasche wieder in den Schrank.

»Wird erledigt«, sagte er. »Keine Bange, Rosie. Ich komme wieder.«

Er stand auf. Sie hielt die Augen geschlossen.

»Jib 'n Kuss, Stevie«, sagte sie. »Jib 'n Knutsch. Mein einziger braver Junge. Kommst zu spät.«

Villani spürte die Tränen kommen, neigte sich vor, nahm ihre Schultern mit sanften Händen und drückte sein Gesicht auf ihres, küsste die eingefallene Wange unter dem Verband, empfand Verbitterung und spürte deutlich, wie groß die Ungerechtigkeit in seinem Leben war.

An einem Wintertag, in der großen Pause, die Rücken zum Schutz vor dem eisigen Wind an die Wand des Schulcontainers gedrückt, sagte Kel Bryson, das kleine Affengesicht mit der großen Klappe:

Hat man deine Mum je gefunden?

Im Wagen klingelte sein Handy.

Colby.

Colby sah aus, als käme er geradewegs vom Golfplatz. »Searle sagt, es ist vom Tisch, stimmt's?«, sagte er.

»Für morgen«, sagte Villani. »Die Frage ist, hat Ruskin es von der Jugendfürsorge oder der Abteilung für Sexualverbrechen? Oder von beiden?«

Colby öffnete eine auf dem Tisch liegende Akte, blätterte bis zu einer bestimmten Seite, setzte eine schmale randlose Brille auf. »Ich weiß, dass es bei Sexualverbrechen keine Aussage gibt«, sagte er. »Sagen Sie mir, was ›Missbrauch‹ heißt.«

»Ich hätte sie wiederholt dazu gebracht, mir einen zu blasen.«

Colby ließ sich nichts anmerken. »Stimmt das?«

Villani musterte ihn eine Weile. »Was glauben Sie?«

»Ich weiß nicht, was ich glauben soll.«

Villani stand auf, ging durch das lange Zimmer, an dessen Wänden Drucke hingen, registrierte jeden einzelnen Schritt, kaute die Galle in seinem Mund.

Colbys Stimme, lauter, aber ruhig. »He, kommen Sie zurück, Sonnenschein.«

Villani drehte sich um, Hand auf der Türklinke.

Colby winkte ihn heran, vier Finger so dicht beieinander wie ein Vogelflügel. »Kommen Sie her, mein Junge.«

Villani zögerte. Dann ging er zurück, er konnte nicht anders. Sie saßen da, Kinn gesenkt, fixierten einander, ihre gemeinsame Vergangenheit spürbar gegenwärtig. »O Gott, was für eine üble Scheiße«, sagte Colby.

»Ich kündige«, sagte Villani. »Muss vorher nur noch ein paar Sachen erledigen.«

»Wie lange ist sie schon auf der Straße?«

»Etwa eine Woche. Sie hat aber schon früher mit dem Abschaum rumgehangen. Sich herumgetrieben.«

»Drogen?«

»Was sonst?«

»Wie alt?«

»Fünfzehn.«

»Eigentlich noch ein Baby.«

Viele Wochen lang hatte Baby Lizzie Koliken gehabt, was auch immer Koliken sein mochten, ihre nächtlichen Schreie verfolgten ihn bis in die Träume, seltsame Geschichten spannen sich um das hartnäckige Geräusch. Abwechselnd gingen sie mit ihr durchs Haus, den Flur entlang, durch die Küche, das Wohnzimmer, mehrmals in der Nacht, man trug sie herum, sie hörte auf zu weinen, man legte sie so sanft ins Bettchen, als ließe man eine Seifenblase landen, legte sich wieder schlafen, sie gab einen Laut von sich, der zum Geschrei wurde, zum Stachel im Kopf, man stand wieder auf.

Manchmal schlief Lizzie zwischen den Stillzeiten. Manchmal schummelte er, wenn das Geschrei ihn weckte, dann stupste er Laurie an und log, er sei zuletzt dran gewesen; sie stand auf, ohne zu wissen, wie lange sie geschlafen hatte. Er redete sich ein, bestimmt habe sie es mit ihm schon genauso gemacht, sie wollten beide doch nur irgendwie über die Runden kommen. Aber er wusste, sie würde so etwas nicht tun, sie konnte nicht lügen.

Der Unterschied lag darin, dass Laurie nicht zu einem Tatort aufbrechen musste, sobald das Telefon klingelte. Vielleicht hatten bedröhnte, besoffene Volldeppen eine Knarre und um zwei Uhr morgens eine Superidee, vielleicht waren es auch die hartgesottenen Routinetypen, zwei, drei Überfälle in der

Nacht, dann ein paar Monate Urlaub im Norden, angeln, rumhuren. Beide Sorten konnten einen umbringen.

Einmal klingelte es, als er gerade Lizzies Windel wechselte, würgen musste, als er den gelben Matsch roch, ins Ostfenster fiel das erste dreckige Licht, Hirn, Füße, Hände – er war rundum wie betäubt, nur die Nase funktionierte. Zwanzig Minuten später stand er in einer von der Sydney Road abgehenden Gasse, Rücken an der Mauer, und lauschte zwei hirntoten Dieben, die gerade vom Dach stiegen, wo sie eine Lage Wellblech geklaut hatten. Neben ihm lächelte Xavier Benedict Dance sein Hundelächeln.

»Heutzutage hören die Mädchen früher auf, Babys zu sein«, sagte Villani. »Die Phase zwischen süßem kleinem Mädchen und Schweinebacke wird immer kürzer.«

»Ist mir nicht entgangen«, sagte Colby. »Aber Inzest, das ist keine Barbiebremse, das ist so was wie: Barbie explodiert, sieben Tote. Wir müssen dabei die großen Zusammenhänge betrachten …«

Schweigen. Colbys Telefon klingelte, ein paar Worte, Grunzen, Blick an die Zimmerdecke, Wiederhören, er sah Villani an.

»Und wo ist sie jetzt?«

»Keine Ahnung.«

»Sagen Sie mir noch mal, dass es dummes Zeug ist.«

»Sie glauben mir nicht?«

»Sagen Sie's.«

»Sie können mich mal.«

»Eindeutig verneint. Wahrscheinlich kann ich die Kampfhündin von der Jugendfürsorge unter Druck setzen, aber wir müssen sicherstellen, dass Ruskin dauerhaft Ruhe gibt. Glauben Sie, Ihr Frauchen kann das Mädel zur Vernuft bringen?«

»Vielleicht.«

»Na schön, wir finden sie. Stellen Sie sich weiter gut mit Searle. Hab keine Ahnung, warum er das macht.«

Villani nickte. Wenn er doch nur seinen Kopf an die Rückenlehne des Stuhls sinken lassen und einschlafen könnte, ein anderer das Kommando übernehmen und er sich wieder so fühlen würde wie damals, wenn der Kenworth an einem Freitagabend durch das Tor fuhr, er Bobs scharf geschnittenes Gesicht sah, das Lächeln mit den nach unten gezogenen Mundwinkeln, den erhobenen Daumen. Es war, als hätten ihm Engel einen Sack mit Bleigewichten von den Schultern genommen.

»Da ist noch etwas«, sagte Colby. »Wie ich von Mr. Barry höre, glaubt man allgemein, Sie hätten beim Ficken mit Ms. Anna Markham über Stuart Koenig gesprochen. Stimmt das?«

»Das stimmt nicht.«

»Bezieht sich aufs Reden, nicht aufs Ficken, oder?«

»Wer observiert ihr Wohnhaus? Oder observiert sie?«

»Woher soll ich das wissen? Wer würde mir so was verraten? Fragen Sie Ihren Kumpel Dance.«

»Crucible?«

»Ich habe nicht die geringste Ahnung. Eine Ahnung habe ich aber, was Greg Quirk angeht. Jetzt wird abgerechnet, mein Junge. Wenn diese Leute wieder an die Macht kommen, wird der Fall neu aufgerollt. DiPalma will Sie in die Mangel nehmen, bis Ihr Ohrenschmalz schmilzt und Sie für zwanzig Jahre in den Knast gehen, und dann wird's erst richtig lustig. Ich glaube natürlich zuversichtlich, dass Sie, Dancer und dieser verdammte Vickery beim ersten Mal nicht geschwindelt haben.«

Villani sah Colby an. Er schien weniger Falten um die Augen, eine glattere Stirn zu haben. Oder doch nicht?

»Die Prosilio-Nutte«, sagte Colby. »Soviel ich weiß, lag der Fall im Giftschrank.«

»Ist offen, da wird ermittelt.«

»Klar. Aber im Giftschrank.«

»Hab den Giftschrank vergessen, Chef.«

»Stephen, nur ein hirntoter Volldepp vergisst den Gift-schrank. Ist das klar?«

»Ja, Chef.«

»Und Sie sollten jetzt die Heilige Jungfrau persönlich meh-rere Stunden pro Nacht anflehen, dass die Wähler es diesen Ärschen besorgen. Und tagsüber lassen Sie die Hände aus den Hosentaschen und tun nichts, um die Penner zu verärgern.«

Koenig war da gewesen, als das Mädchen getötet wurde. Diese Gewissheit spürte Villani bis ins Mark. Von wegen, er sei zu Hause in Portsea gewesen. Das stimmte nie und nim-mer. Er war in Kew gewesen. Wie oft hatte Koenigs Frau schon ihm zuliebe gelogen? Bricknell rief ihn an, er fuhr ins Prosilio, parkte in der Tiefgarage. Ein Mädchen pro Mann.

Er nahm die Feuertreppe, unzählige Stufen, musste Türen aufstoßen, fand seinen Rhythmus, überlegte sich beim Gehen, was der Job ihm bedeutet hatte, und erinnerte sich an den Augenblick, als er sich in Singos Sessel zurücklehnte und dachte: Stephen Villani, Leiter des Morddezernats, und zwar zu Recht.

Bob machte es nicht stolz, dass er Chef des Morddezernats war. Ein Copjob, mehr nicht. Weit unter einem Vorarbeiter, Schichtleiter oder irgendeinem Nachtaufseher angesiedelt. Doch das Beste, was sein zweitbester Sohn tun konnte. Zweitbester, bis Luke auftauchte, dann drittbester Sohn. Nichts als ein nützliches Lebewesen, ein Koch, Wachhund, Klamottenwäscher und -bügler, Überprüfer von Hausaufgaben, Lese- und Rechtschreibtutor, Versorger von Hunden und Pferden, leitender Ausmister, Trainingsreiter, Bäumepflanzer und -wässerer.

Du bist nicht der Doktor, Junge, du bist der Scheißcop.

Mark.

Mark war Bobs Lebensleistung, sein Erfolgsmodell, der Beweis, dass seine Spermien Intelligenz in sich trugen. Mark konnte nichts falsch machen, über Mark wollte er nichts Schlechtes hören, Mark war von allem befreit, was Mark nicht machen wollte.

Mit Mark löste er Kreuzworträtsel.

Bob hatte Villani noch nie eine Kreuzwortfrage gestellt. Kein einziges Mal.

Und dann Luke, der Bankert von der Nutte aus Darwin. Der Freche, der keine Angst vor seinem Vater hatte, wie ein junger Hund Zuneigung von ihm einforderte, sich an ihn klammerte, die Beine hoch auf seinen Schoß kletterte, von seinem Teller aß, in seinen Taschen Süßigkeiten fand, im Handumdrehen auf ihm einschlief, sicher, in Sicherheit, endlich zu Hause. Bob trug ihn wie ein kostbares Neugeborenes ins Bett, deckte ihn zu, Villani sah das von der Tür aus, wie er ihn zudeckte, sah den Kuss.

Und dann, von Montag an, war es seine Aufgabe, sich um den jammernden kleinen Scheißer zu kümmern.

Auf seinem Schreibtisch lag eine Notiz von Dove zu den Ausgrabungen in Preston.

Jung, weiblichen Geschlechts, seit mindestens drei Monaten tot. Außerdem die Reste eines über vierzig Jahre alten Mannes, die Fotos aus der Forensik, Fotos von Ringen an kleinen Fingern deuten auf Hellhound hin. Laut Raubdezernat handelt es sich sehr wahrscheinlich um Artie Macphillamy, dreiundvierzig, der seit achtzehn Monaten vermisst wird, seit er in eine Kneipenschlägerei mit Kenny Hanlon und anderen verwickelt war.

Er rief Dance an.

»Wie ich höre, bist du zu Hause ausgezogen«, sagte Dance.

»Wo hast du das gehört?«

»Mir steht die teuerste Informationsbeschaffungsmaschinerie in der Geschichte der Polizei zur Verfügung, was glaubst du denn, wo ich es gehört habe? Einer meiner Leute war in 'ner Kneipe.«

»Dann wird's wohl stimmen. Frage an dich, ich will eine ehrliche Antwort.«

»Öfter mal nichts Neues also. Beruflich? Privat?«

»Beides.«

»Ich finde das Telefon so unpersönlich«, sagte Dance. »Spazier die Bromby Street runter, ich komme in, äh, zehn Minuten vorbei. Du bist bei der Arbeit, nehme ich an.«

Villani verließ sein Büro, setzte sich auf Doves Schreibtisch. Der telefonierte gerade, beendete das Telefonat.

»Wie hieß er noch gleich? Birdy?«

»Maggie«, sagte Dove. »Keine Telefone auf seinen Namen. Hab mir sein Kennzeichen besorgt, ihn zur Fahndung ausgeschrieben.«

»Tausende Senioren unterwegs«, sagte Villani. »Sitzen auf dem Campingplatz und betrachten andere Senioren, die Frau im Camper wischt Oberflächen ab, bügelt in Hauskleid und Schürze. Das ist die Belohnung für ein aufreibendes Arbeitsleben.«

»Koenig«, sagte Dove. »Ich schätze, er war nicht in Portsea.«

Sie waren einander ähnlich, ihre Hirne funktionierten identisch, seltsam copmäßig. »Ach ja, das schätzen Sie? Was ist mit Bricknell?«

»Koenig und Bricknell«, sagte Dove. »Ich finde, wir sollten Bricknell unter Druck setzen.«

»Koenig unter Druck zu setzen, war ungemein ergiebig«, sagte Villani. »Ich will mehr von Ihnen als ein paar Telefonate, mein Junge.«

Er schnorrte eine Zigarette von Dove, stahl dessen Feuerzeug, ging auf die Straße. Die Hitze lastete auf ihm, es war zu heiß zum Rauchen. Er überquerte die Avenue und ging die Bromby Street runter. Ein Stück weiter vorn hielt ein Audi an, in einer Parkverbotszone. Als er den Wagen erreichte, wandte Dance den Kopf und sah ihn an. Villani stieg ein, gekühlte Luft, stummer Motor.

»Nettes Auto«, sagte Villani. Er zündete die Zigarette an.

»Worum geht's?«, fragte Dance.

»Minter Street, Southbank. Ein Haus namens Exeter Place. Wird überwacht. Von deinen Leuten?«

»Minter Street«, wiederholte Dance nachdenklich. »Du hast ja keine Ahnung, wie viele interessante Menschen in der

Minter Street wohnen. Sie haben sich dort zusammengerottet, sind einem primitiven, dem drogensüchtigen Abschaum innewohnenden Herdentrieb gefolgt.«

»Ja oder nein?«

»Ja. Wenn du also nicht in den Observationsprotokollen auftauchen willst, weil du Exeter Place betrittst oder verlässt, mit oder ohne Ms. Markham, geh da nicht hin. Ich fälsche keine Protokolle, weder für dich noch für sonst wen.«

»Wieso hat dieser verfluchte Searle sie gesehen?«

»Gillam hat sie sich geben lassen. Gut möglich, dass er sie bei 'nem Abendessen im Rotary Club hat rumgehen lassen, an den Oberschenkel von 'ner Nutte gepappt.«

Villani sagte: »Man munkelt, ich hätte das Koenig-Material an Ms. Markham weitergegeben. DiPalma hat mich wissen lassen, ich sei tot, und der Fall Quirk werde wiederaufgenommen.«

Dance beobachtete drei vorbeigehende Mädchen, nackte braune Schultern, bauchfrei, nackte Beine. Sie stritten sich wegen irgendwas, nicht ernst, übertriebene Gesten, sie schnitten Grimassen, große geschminkte Augen. Er wandte sein Killer-Priester-Gesicht Villani zu, als wendete er den Blick von der Sünde ab.

»Tja, Stevo«, sagte er. »Ich hab's gehört. Es gibt da zwei Möglichkeiten. Erstens, diese Deppen kommen wieder an die Macht und machen ihr Ding. Zweitens, sie kommen nicht wieder dran und die anderen machen's an ihrer Stelle. Wir müssen hoffen, dass Nummer eins nicht passiert, und für Nummer zwei Vorsorge treffen.«

»Ich weiß nicht, was hoffen helfen kann.«

»Man hofft und hilft außerdem ein wenig nach.«

Dance' Blick sagte Villani: *Frag lieber nicht.*

»Falls nötig«, fuhr er fort, »wird am Wahlabend jemand der Frau des Landbesetzers sagen, Quirk sei eine Belastung, auf die sie verzichten sollten, Polizisten würden sonst dafür sorgen, dass sie einen schrecklichen Preis bezahlen, wenn sie Greg wieder ans Licht zerren.«

»Was für einen Preis?«, sagte Villani. Er wusste es.

»Die Gruften werden entsiegelt, die Giftschränke aufgeschlossen, die Toten werden wieder gehen lernen. Zunächst einmal werden Fotos von einer Parteiikone auftauchen, beim Vögeln eines fünfzehnjährigen schnuckligen Knaben.«

Fünfzehn Jahre alt. Lizzies Alter. Villani sagte: »Da ist noch etwas. Mein Töchterchen beschuldigt mich…«

Dance hob eine Hand. »Hab davon gehört. Vick wird sie aufspüren, uns fällt schon was ein.«

Er nahm ein kleines Abspielgerät aus seiner Hemdtasche, knipste es an, hielt es Villani hin: körniges Bild, zwei Männer im Frack, Fliegen um den Hals. Einer beugte den Kopf auf den Tresen hinunter. Er hob den Kopf wieder, hielt sich einen Fingerknöchel an die Nase, roch daran. Die versteckte Kamera erhaschte einen *Bin-ich-nicht-ein-cleveres-Kerlchen*-Gesichtsausdruck.

»Wenn es hart auf hart kommt, wird Mr. Barry das Richtige tun, oder er kriegt ein scharfes Filmchen.«

Villani kam der Gedanke, dass Dance viel, viel gefährlicher war, als er je geglaubt hatte.

»Bob ist doch jetzt bestimmt in dieser Kneipe da oben, oder?«, sagte Dance. »Und wartet im Bierkeller ab, bis es vorbei ist. Er ist zu schlau, um sein Eigentum zu verteidigen, koste es, was es wolle.«

»Nein«, sagte Villani. »Er hat einen Feuerwehrwagen, einen Bulldozer, und er hat Gordie, und er bleibt, wo er ist.«

Dance musterte ihn eine Weile. »Tja, irgendwo muss man Widerstand leisten, nicht wahr«, sagte er. »Sich für seine Freunde, für seinen Kampf entscheiden.«

Er klappte den Container zwischen den beiden Sitzen auf und entnahm ihm ein Handy.

»Ich ruf dich an, nenn dir eine Nummer.«

Villani nahm es und trat hinaus in den Tag. Der Wind war jetzt im Norden, er kam aus einer glühend heißen, knochentrockenen Gegend.

Das Blatt Papier lag auf seinem Schreibtisch. Er sah es sich noch einmal an.

Erhalten 02.49: WAS?

Gesendet 02.50: BALD.

Erhalten 03.01: ?????

Gesendet 03.04: WIR GEHN REIN.

Gesendet 03.22: SSD BANZAI OK.

Kidd und Larter in der Nähes des Hauses in Oakleigh.

Jemand wartete auf eine Nachricht von ihnen. Jemand, der in der Nähe war. Ein ungeduldiger Mensch, zwei SMS in zehn Minuten. Warum?

Worauf warteten die beiden Männer? Waren in dem Haus die Lichter ausgegangen? Wollten sie sichergehen, dass die Ribarics und Vern Hudson schliefen?

Vier Minuten nach drei: die Entscheidung, loszuschlagen. WIR GEHN REIN.

Nur Schatten, die sich bewegten. An der Hintertür. Ein Tritt, Riegel und Schrauben rissen aus dem Holzrahmen. Sie waren Profis.

Zweiundzwanzig Minuten nach drei: Auftrag erledigt. Hudson war tot, die Ribarics mit Isolierband an die Pfeiler im Lagerhaus gefesselt, ihre Münder zugeklebt.

Es wurde Zeit, die ungeduldig wartende Person anzurufen. Den Mann mit dem Messer. Das war kein gewöhnlicher Auftragsmord oder Racheakt. Es war weit mehr als Rache. Hier hatte jemand vor, den Brüdern furchtbare Dinge anzutun.

SSD BANZAI OK.
Sie sind dran. Banzai. OK.
Warum OK?

Villani schloss die Augen, ihm fehlte die Energie. Sein letzter Samstag in diesem Job. Man konnte eine Menge überstehen, aber nicht eine Anklage wegen Sex mit Kindern. Kripochef. Das hatte sich rasch erledigt.

Warum *OK*?

Weshalb hatte man ihn nicht vom Dienst suspendiert? Warum hatte Gillam das nicht angeordnet? Worauf warteten sie noch? Ging es um den richtigen Zeitpunkt? Wollten sie, dass er wie Koenig zurücktrat?

Als Letztes schreibt sie, ein Pater Donald sei gekommen. Er habe den Ring des Heiligen Vaters geküsst und ihr viele Fragen gestellt und gesagt, sie werde zur Rechten Gottes sitzen, weil sie Pater Cusack von dem Bösen erzählt habe. Der Sitz sei praktisch fest gebucht. Und besonders gesegnet. Jawoll.

Villani spürte eine Kälte auf dem Gesicht, als hätte das Zimmer ein eigenes Mikroklima, eine neue Kühle aus dem Südwesten, die von Singos Krimskramskiste ausging.

Das Böse. Von dem sie Pater Cusack erzählt hatte. Der es Pater Donald erzählt hatte. Wo blieb das Beichtgeheimnis? Durften Priester untereinander Beichten austauschen? Vielleicht durften sie in ihren eigenen Beichten ihren Beichtvätern Dinge sagen, und die wiederum durften…

Nein.

Das Böse. Welche Geschichte von dem Bösen mochte Valerie Crossley Pater Cusack erzählt haben? Eine Geschichte, die sie für sich behielt, bis sie ihr eigenes Ende kommen sah.

Ihm kam ein Gedanke. Den er verwarf. Der wiederkam. Villani stand auf, sein Körper stand unter Spannung, und ging Birkerts suchen. Er fand ihn halb von Akten verdeckt.

»Einen Augenblick deiner kostbaren Zeit«, sagte Villani. »Wo waren die Ribarics 1994?«

»Hab ich nicht irgendwen sagen hören, wir bräuchten nicht noch mehr Geschichten aus der Vergangenheit der Ribarics?«

»Meine Stimmung hat sich geändert. Ich leide an Stimmungsschwankungen.«

Birkerts seufzte. »Ich frage den Hüter der Ribaric'schen Familiengeschichte. Genau wie du vergisst er nichts. Vermutlich eine Krankheit.«

Villani ging zurück an seinen Schreibtisch, konnte nicht weiterdösen, stand auf, sah die Akte, die Burgess gebracht hatte: das Mädchen auf der verschneiten Straße. Er ging raus. Dove telefonierte gerade, hielt die Hand über die Muschel.

»Lesen Sie das«, sagte Villani. »Mir tun die Augen weh.«

Die Telefonistin der Wochenendschicht hob die Hand, ein Gespräch für ihn.

»Chef«, sagte Tomasic, »1994 waren die Ribarics in Geelong.«

Erleichterung. Noch funktionierte sein Instinkt.

»Woher wissen Sie das?«

»Sechs Monate auf Bewährung, Amtsgericht von Geelong, März 1994. Körperverletzung.«

»Graben Sie's aus, Tom, die Einzelheiten. Es ist dringend.«

»Das System macht heute 'ne Menge Stress, Chef. Es stürzt einfach ab.«

»Wir alle stürzen einfach ab. Reden Sie mit den dortigen Cops, irgendein Arsch muss sich daran erinnern. Und Pater Donald. Ich will Pater Donald, und wenn Sie den Papst fragen müssen.«

Er ging zu Birkerts. »Kleiner Ausflug nach Geelong. Zeit totschlagen.«

Birkerts sah nicht auf. »Lieber würde ich mich selbst tot-

schlagen. Im Zusammenhang mit welcher dringenden Angelegenheit, Inspector?«

»Metallic. Oakleigh.«

»Unwiderstehlich. Lass uns die Pferde satteln und losrei-
ten.«

Es dauerte fast eine Stunde, jemanden zu finden, der etwas mit der Kirchengemeinde St. Anselm's zu tun hatte, und auch dann gelang es nur dank Tomasic, den sie anriefen.

»Da gibt es eine Annette Hogan«, sagte er. »Sie hat Mrs. Crossley geschrieben. Mal sehen, was ich tun kann, Chef. Ich ruf Sie zurück.«

Tomasic rief an, als sie in der Hitze am Wasser saßen und schlechten Kaffee tranken. Architekten hatten sich in der ganzen Gegend ausgetobt, wohin man auch kam, jedes Haus war irgendwie aufgemotzt worden.

»Hab mit ihrem Freund gesprochen, sie kommt in einer Viertelstunde wieder«, sagte Tomasic. »Newtown. Wissen Sie, wo das ist, Chef?«

»Finden Sie Ihren Schwanz, mein Junge? Adresse?«

Annette Hogan kam zur Tür, eine große, verdorrt wirkende Mittsechzigerin, Adlernase, führte sie in ein Wohnzimmer. Einer der Stühle war noch in Folie verpackt.

Birkerts stellte die Frage.

»Pater Cusack starb vor etwa einem halben Jahr«, sagte sie. »Nach mehreren Herzinfarkten.«

»Er hatte ein Gemeindemitglied namens Valerie Crossley«, sagte Birkerts.

»Mrs. Crossley, stimmt. Sie ist auch tot. Starb vor ungefähr einem Monat.«

»Das ist jetzt eine heikle Angelegenheit, Mrs. Hogan«, sagte Birkerts, »aber sehr wichtig. Wissen Sie etwas über die letzte Beichte, die Mrs. Crossley gegenüber Pater Cusack ablegte?«

Annette Hogan riss die Augen auf. »Sie glauben doch nicht, Pater Cusack würde irgendwem von einer Beichte erzählen, oder? Wissen Sie nicht, wie heilig eine Beichte ist? Sie sind wohl nicht katholisch, oder?«

»Nein«, sagte Birkerts. »Lausiger Protestant. Vom Glauben abgefallen.«

»Nun, er würde exkommuniziert werden, nicht wahr? Im Beichtstuhl ist die Macht Gottes gegenwärtig. Der Priester darf niemals von dem reden, was er hört. Das wäre eine Sünde. Meine Güte.«

»Verzeihung«, sagte Birkerts.

Stille. Im Flur knarrte ein Dielenbrett. Das musste der Freund sein, dachte Villani.

»Es gibt da einen Pater Donald«, sagte Birkerts. »Ich weiß nicht, ob das der Vor- oder Nachname ist.«

Sie war wegen der heidnischen Frage noch immer beleidigt. »Pater Donald? Nicht in dieser Stadt. Von einem Pater Donald habe ich noch nie gehört.«

Villani stand auf, gefolgt von Birkerts.

»Also, danke sehr, Mrs. Hogan. Kannten Sie Mrs. Crossley?«

»Eigentlich nicht, nein.«

Villani sagte: »Das Haus, in dem sie gestorben ist? Wo ist das?«

Annette Hogan beschrieb ihnen den Weg. Sie brachte sie zum Tor, wo sie wartete, bis sie abfuhren.

»Ich glaube nicht, dass wir hier einen Sieger haben«, sagte Birkerts.

»Womöglich haben wir nicht mal ein Pferd«, sagte Villani. »Achte mal drauf, wo wir was zu rauchen kaufen können.«

Sie hielten an einem Fish-and-Chips-Imbiss. Villani ging rein und wurde von Hunger übermannt, er hatte Schwierigkeiten, sich an sein Frühstück zu erinnern. Er kam zum Wagen zurück mit Zigaretten und Pommes im Wert von sechs Dollar, Keile wie von einem Hackebeil geschlagen, sechs Stück aus einer großen Knolle. Sie aßen sie auf der Stelle, das fettige Päckchen dampfte auf der Armlehne zwischen ihnen und roch beißend nach Essig.

»Da kriegen die Wagen ihren Geruch her«, stellte Birkerts fest, nahm die letzte Fritte, kaute nachdenklich. »Eierfürze, Whopper, Essig, Frittenfett, Zigarettenqualm, Old Spice, vier Tage alte Socken.«

»Pack es in 'ne Spraydose, und du kannst Gewalttäter mit einem Sprüher ins Gesicht sedieren«, sagte Villani.

»Danach feuer noch ein paar Schüsse auf sie ab, um ganz sicherzugehen. Warum fahren wir zu diesem Altenbunker? Leuchtet mir nicht ein.«

»Zur rechten Zeit wirst du die Nützlichkeit eventuell erkennen«, sagte Villani.

»Du wirst mir dermaßen fehlen«, sagte Birkerts. »Allein schon, dich um mich zu haben.«

»Ich komme vorbei, wenn du mit Interessenten ein Haus besichtigst. Hickehackevoll. Sag allen, ich sei der Nachbar. Mach Sachen kaputt. Springe in den Pool.«

Birkerts ließ den Motor an. »Sei mein Lotse«, sagte er.

Es war ein T-förmiges, gelbes Backsteinhaus, davor ein asphaltierter Parkplatz und ein Dutzend splitternde *Eucalyptus nicholii* auf einem langen Streifen mit totem Gras.

Sie gingen eine Betonrampe mit Geländer hinauf. In einem Warteraum mit braunen Vinylfliesen drückte Birkerts fünf- oder sechsmal auf eine Klingel.

Eine Tür ging auf, und eine traurige rotgesichtige Frau in Blau mit beginnender Glatze kam heraus.

»Keine Besuchszeit«, sagte sie.

Birkerts zeigte seine Dienstmarke, sagte, wer sie waren.

»Ich hole die Heimleiterin«, sagte sie. »Muss sie wecken.«

Sie gingen raus, lehnten sich ans Geländer, rauchten.

»Was ist an einem freien Samstagabend?«

»Dachte schon, du fragst nie«, sagte Birkerts. »Früher bin ich mit meiner Frau essen gegangen. Dann bin ich mit dieser anderen Person essen gegangen. Heute lasse ich mir 'ne Pizza bringen. Man muss aufpassen, dass man keine Coke mitbestellt. Das kostet hundert Dollar extra, und man kriegt nicht mal 'n Trinkhalm.«

Jemand klopfte an die Glastür.

Sie gingen rein, die Empfangsdame brachte sie ins Büro. Die Frau hinter dem Schreibtisch mit Spanholzplatte hatte blutunterlaufene Augen, gebleichte Haare und das Gesicht einer Bardame, die auf Wärterin umgesattelt hatte.

»Shirley Conroy, Heimleiterin«, sagte sie. »Polizei, wie ich höre.«

»Ich darf Ihnen Inspector Stephen Villani vorstellen«, sagte Birkerts. »Leiter des Morddezernats der Polizeibehörde des Staates Victoria.«

»Erfreut.« Die Heimleiterin zeigte sich unbeeindruckt. »Setzen Sie sich, wenn Sie wollen.«

»Mrs. Valerie Crossley«, sagte Villani.

»Was ist mit ihr?«

»Sie starb vor Kurzem.«

»Ja.«

»Einige Monate vorher hat jemand sie hier besucht. Ein Priester. Stimmt das?«

»Worum geht's hier denn?«

»Wir sind die Polizei, verstehen Sie?«, sagte Villani. »Wir stellen die Fragen. Haben Sie schon mal vom Testament eines Patienten profitiert?«

Schotten dicht. Mund und Augen angespannt.

»Weiter im Text«, sagte Villani. »Hat außer Pater Cusack noch jemand Mrs. Crossley kurz vor ihrem Tod besucht? Eine leichte Frage. Ich habe noch andere. Sie werden immer schwieriger.«

Kein Zögern. »Ja, ein Mann, er hat gesagt, er sei ein Verwandter.«

»Haben Sie Unterlagen über Besucher?«

»Das ist ein ordentlich geführtes Heim«, sagte sie. »Und es wird zweimal im Jahr kontrolliert.«

»Anderenfalls wäre ich zutiefst schockiert. Zeigen Sie mir das Buch?«

Die Heimleiterin drückte auf einen Knopf an ihrem Telefon, sie hörten das schrille Bimmeln aus dem Nebenzimmer. Die blaue Frau öffnete die Tür.

»Das Besucherbuch, Judith.«

Judith brauchte nur wenige Sekunden. Die Heimleiterin fand die Seite problemlos, drehte das Buch so, dass Villani lesen konnte, deutete auf eine Zeile.

Name: K. D. Donald
Beziehung: Neffe
Adresse: Swanston Street 26/101, Melbourne

»Mrs. Crossley nannte ihn Pater Donald«, sagte Villani.

Der dünne Mund der Heimleiterin zog sich in die Länge. »Mrs. Crossley war zu der Zeit nicht im Vollbesitz ihrer geistigen Fähigkeiten. Sie dachte, ihre Hunde lägen unter dem Bett.«

»Was war mit ihren geistigen Fähigkeiten?«, sagte Birkerts.

»Hab ihre Beichte gehört«, sagte Judith hinter ihnen.

Sie drehten sich um.

Erst lief sie rötlich, dann knallrot an. »Ich hab's ihn sagen hören«, sagte Judith. »Gott der Allmächtige schenke dir Vergebung und Frieden. Ich spreche dich los von deinen Sünden. Das hat er gesagt.«

Eine Geschichte.

Jemand hatte eine Geschichte erzählt. Wo?

Bestimmt bei den Räubern. In den ersten Monaten, wenn man noch schüchtern war, lachte man über jede Geschichte, die einem die erfahrenen Kämpen erzählten, egal, ob man sie verstand oder nicht. Wer hatte sie erzählt? Worum ging es? Handelte sie von Beichte? Von Vergebung? Absolution?

Sie fiel ihm nicht ein, sie lag gleich hinter den Wellenbrechern, im tiefen Wasser, in dem dunklen, glitschigen, schwimmenden Seetang der Erinnerung.

In dem Backofen von einem Auto ließ Birkerts den Motor an, die Klimaanlage kämpfte gegen die Hitze. Villanis Handy. Tomasic.

»Ich komme in der Sache Körperverletzung durch die Ribs nicht weiter, Chef. Das System ist abgestürzt, keiner in Geelong war schon '94 da. Außerdem ist der einzige Pater Donald im ganzen Land vor drei Jahren gestorben.«

»Unser Glückstag.« Villani steckte das Handy weg. »Fahren wir heim«, sagte er. »Wenn man es so nennen will.«

Er duschte, zog den Morgenmantel an, ging in die Küche und machte ein Bier auf, leerte es zur Hälfte und nahm es mit zu einem Sessel an einem offenen Fenster, das die gesamte Länge der Wand einnahm. Der Fernseher stand vier Meter entfernt, in ein Bücherregal eingepasst.

Er benutzte die Fernbedienung, wartete auf die Nachrichten, schaltete den Ton ein. Nach dem Welt-im-Aufruhr-Vorspann sagte der Nachrichtensprecher mit starrer Miene:

Unsere Topstory heute Abend, infolge sensationeller Behauptungen der Oppositionsführerin Karen Mellish wird die Regierung des Bundesstaats von neuen Schockwellen erschüttert. Unsere politische Redakteurin Anna Markham berichtet.

Anna, ganz der leidenschaftslose Profi, in all ihrer geballten hübschen, ruhigen Intelligenz. Sie sagte:

Was Oppositionsführerin Karen Mellish vor zwanzig Minuten den Medien berichtete, ist eine komplizierte Geschichte. Aber es läuft auf Folgendes hinaus. Der Sohn des Justizministers Anthony DiPalma, die Stiefmutter von Planungsminister Robbie Cowper sowie die Exfrau von Assistant Commissioner John Colby haben offenbar allesamt riesige Spekulationsgewinne eingestrichen, weil sie in dem exklusiven Prosilio-Tower in den Docklands Apartments gekauft haben.

Filmclips der drei Männer: der JM in voller Aktion im Parlament, der kuhgesichtige Cowper, wie er in einem Vorort irgendeine Planungsentscheidung verteidigt. Und dann Colby in Uniform, wie er mit strenger Miene über Rockerbanden spricht.

Anna hob das Kinn mit dem Grübchen, legte den Kopf schräg.

Karen Mellish sagt, DiPalma, Cowper und Colby nahestehende Personen hätten noch während der Planungsphase Wohnungen im Prosilio-Gebäude gekauft. Sie hätten Anzahlungen von 80000 Dollar geleistet, die sie sich von einer Firma namens Bernardt Capital Partners liehen. Zwei Jahre später verkaufte dieselbe Firma die Wohnungen an Käufer aus Asien für etwa 750000 Dollar pro Wohneinheit. Dann zahlte Bernardt den Eigentümern Beträge zwischen 410000 und 450000 Dollar.

Karen Mellish, Nadelstreifenkostüm, eine strenge, sexy Schuldirektorin.

Wirklich kinderleicht. Diese Leute haben mal eben plus minus 430000 verdient, ohne auch nur einen einzigen Cent selbst aufzubringen. Sogar nach Bezahlung der Kapitalertragssteuer bleibt ein netter kleiner Gewinn, finden Sie nicht auch?

Handelt es sich dabei um eine Art Sippenhaft? Wissen Sie, ob Mr. DiPalma, Mr. Cowper oder Mr. Colby davon persönlich profitiert haben?

Mellish lachte.

Bleiben Sie dran, Anna. Mehr sage ich nicht. Bleiben Sie einfach dran.

Anna:

Das Prosilio-Gebäude gehört der Marscay Corporation, die beiden politischen Parteien großzügig Spenden zukommen lässt. Im Prosilio ist Australiens exklusivstes Kasino untergebracht, das Orion, das mit den etablierten Glücksspieletablissements Australiens um die High Roller konkurriert, die mindestens 250000 Dollar setzen, fast ausschließlich Chinesen.

Der fragende Blick.

Da bis zu den Wahlen im Bundesstaat nur noch zwei Wochen vergehen werden, könnten Karen Mellishs Vorwürfe der Todesstoß sein für eine Regierung, die mit den Wählern ernsthaft über Kreuz liegt und erst vor wenigen Stunden Infrastrukturminister Stuart Koenig wegen Vorwürfen sexueller Natur vor die Tür setzte.

Villani machte den Fernseher aus, trank den Rest von seinem Bier, was die großen Fritten aus Geelong wieder nach oben spülte. Colby? Ein Irrtum. Colby war zu schlau, das Risiko wäre er nie und nimmer eingegangen. Seine Exfrau? Colby hatte einmal gesagt, aufgrund der Scheidungsvereinbarung blieben ihm nur noch ein Hoden und ein zwölf Jahre alter Holden.

Ein Unschuldiger. Man hatte ihn benutzt, um Koenig zu vernichten. Jemand hatte Koenigs Stadthaus observiert, gesehen, wie das Mädchen mit Hanlon eintraf, das Ganze arrangiert.

Wer mochte das sein? Crucible? Würde Dancer Karen Mellishs Drecksarbeit machen?

Blackwatch Associates? Die befassten sich auch mit Observationen. Camerons Partner, Wayne Poland, war einmal Überwachungsexperte der Polizei gewesen. Und Blackwatch würde für jeden arbeiten.

Vielleicht war Koenig verwanzt. Vielleicht hatten sie gehört, wie er bei Hanlon ein Mädchen bestellt hatte.

Max Hendry.

Wenn er AirLine zum Fliegen bringen will, heißt sein Hauptproblem Stuart Koenig, der Infrastrukturminister. Koenig hat der Labor-Fraktion gesagt, ehe Max Hendry die Unterstützung der Regierung bekommt, werden fliegende Schweine den Himmel verdunkeln.

Karen Mellishs Worte. Folglich hatte sich mit Koenigs Sturz sein Hauptproblem erledigt.

So müde. So am Ende. Ein Leben, das dermaßen am Ende war. Was würde Bob sagen, wenn er die Schlagzeilen las:

TOCHTER DES TOPCOPS:
DAD HAT MICH MISSBRAUCHT

Handy.

Es war nicht seins, sondern das Handy, das Dance ihm gegeben hatte, es quäkte irgendwo dort, wo er sein Jackett hingeworfen hatte.

»Tut mir leid, dass ich dich wecke, Kumpel. Wo du dich doch schon um sieben Uhr abends aufs Ohr gehauen hast.«

Der Dancer, vorlaut, betont lässig.

»Ich mach gerade mein Yoga«, sagte Villani.

»Mit deinen drei Personal Trainern von den Philippinen. Hast du das von Colby gehört?«

»Gerade eben. Ja.«

»Habgier ist immer eine schlimme Sache. Habgier führt zu nichts Gutem.«

»Offenbar.«

»Und ich überbringe heute Abend noch andere schlechte Nachrichten«, sagte Dance. »Grace Lovett. Tot. In ihrem Pool. Wahrscheinlich im Suff reingefallen.«

Er war wieder ein Kind, Erwachsene erzählten ihm Dinge, wahre Dinge.

»Tragische Sache«, fuhr Dance fort. »Alkohol und Wasser passen nicht zusammen. Mit Ausnahme von Single-Malt-Whisky und uraltem Quellwasser, das funktioniert. Ich schätze also, die kleine Fotze wird nicht wieder auftauchen, um uns zu peinigen. Grace wird keine Aussage machen können. Das Video dürfte damit nicht mehr zulässig sein, würde ich sagen, du nicht auch?«

»Würde ich auch sagen. Danke für den Anruf.« Weit tödlicher, als er je gedacht hatte.

»Hast du einen Moralischen, Kumpel? Du bist raus aus der Brandung, Junge. Brauchst keine Angst mehr vor dem Ertrinken zu haben.«

»Bin nur müde.«

»Mein Junge. Dieser Scheiß ist endgültig vorbei. Vom System ausgeschieden. Bald ist der ganze Mist ausgestanden. Setz dich hin, trink einen Schluck.«

Villani saß eine Weile da, holte sein Handy heraus, schaltete es ab. Er ging zur Wand, machte die Beleuchtung aus, das Zimmer wurde vom Mond erhellt. Er ging zu dem großen Ledersofa, legte sich hin, machte sich lang, schloss die Augen und lauschte auf das grelle Kreischen, den klagenden Krach der Stadt.

Als die schwarzen Rohre verlegt waren und das Wasser den Hügel hinab zu den Bäumen sickerte, an den Sommerabenden nachdem er sechzehn geworden war, setzte er sich manchmal hin, den Rücken am Staudamm, drehte sich eine Zigarette, beißender Knaster aus dem Kiewa Valley, von einem Schulkameraden, der ihn seinem Onkel geklaut hatte. Wenn der Tag sich dem Ende zuneigte, war es in dem Tal so still, dass er das dumpfe Wummern von Lukes und Marks Tritten gegen den Football noch über einen Kilometer entfernt hinter dem Hügel hören konnte.

So müde.

In einem Traum klingelte das Telefon, er setzte sich auf, stand auf, schwankte, fand das Telefon vom Festnetzanschluss, es stand auf einem Regalbrett.

Birkerts.

»Steve, dein Handy ist aus, da haben sie mich angerufen.«

Ein Wagen holte ihn ab. Er stand auf der heißen Straße, kalt bis ins Herz. Er stand da und rauchte, und sie holten ihn mit eingeschalteter Sirene ab.

In dem Suchscheinwerfer des Vans führten ihn zwei Uniformierte, ein Mann und eine Frau, die schäbige Gasse hinunter, ihre langen Schatten gingen vor ihnen her.

Sie kamen an dem Mann vorbei, dessen Kopf an der Mauer lehnte, sie gingen zum Ende der Gasse, wo das kleine Etwas lag, ein Bündelchen, nicht größer als ein schlafender Hund.

Der Cop hustete. »Zu spät, um … na ja, Chef.«

Villani trat näher und betrachtete die Verstorbene, das machte man im Morddezernat, wenn man den Mumm nicht hatte, sollte man woanders arbeiten.

Dem Häufchen Mensch war übel gewesen, es hatte seinen Mageninhalt von sich gegeben, nicht viel, eine Tasse weißer Flüssigkeit auf dem Kopfsteinpflaster neben dem weißen Gesicht.

Lizzies Gesicht war schmutzig, und unter ihrem linken Auge war eine kleine wunde Stelle, wo sie sich gekratzt hatte.

»Überdosis, Chef«, sagte der Cop.

Villani ging auf die Knie und berührte, ohne zu überlegen, mit den Lippen die Stirn des Kindes, sie war kalt.

Er stand auf und betrachtete den an die Mauer gelehnten Mann, Kopf im Nacken, Knie angezogen, ganz in Schwarz, eine schwarze Ledermütze, unter der Dreadlocks hervorhingen. Auf seinen Wangenknochen hatte er kleine tätowierte Dreiecke, Quadrate und Kreise, ein Malteserkreuz zwischen den Augenbrauen, Stacheldrahttattoo am Hals, unter dem Adamsapfel.

Seine Augen waren geschlossen.

In ein Ohr war ein iPod gestöpselt.

Wut blockierte Villanis Ohren, die Nase, sodass er sich schwerelos und größer vorkam, er ging die paar Schritte und trat den Mann zwischen die Beine, es lohnte nicht, es war, als würde man einen Sack Weizen treten.

»Er ist tot, Chef«, sagte die Frau. »Er ist tot.«

Villani drehte sich um, sah zum anderen Ende der Gasse, der Scheinwerfer ging aus, und er konnte sie erkennen: Birkerts und Dove, Finucane und Tomasic.

Birkerts kam zu ihm, berührte ihn am Arm. »Soll ich es Laurie sagen?«, fragte er.

Villani richtete sich auf, räusperte sich. »Das ist eine gute Idee«, sagte er, »Kumpel.«

Er ging zu der Gruppe, biss sich auf die Lippe, sie schwiegen, machten ihm Platz, klopften ihm auf die Schultern, berührten ihn. Sie waren mitten in der Nacht hierhergekommen, weil er ihnen etwas bedeutete, so etwas erwartete er nicht. Finucane folgte ihm.

»Wohin, Chef?«, fragte er.

»Ich will einfach nur nach Hause.«

»Nach Hause heißt nach…«

»Nach Fitzroy.«

»Äh, weiß nicht, ob es gut für Sie ist, allein zu sein, Chef«, sagte Finucane. »Kann ich mir nicht denken. Nein.«

»Überlassen Sie das Denken mir, mein Junge. Sie fahren.«

Finucane fuhr ihn zurück nach Fitzroy, begleitete ihn zur Tür.

»Ich könnte einfach mit reinkommen, bisschen rumsitzen«, sagte er. »Falls Sie noch… irgendwas wollen. Genau. Einfach bloß da sein.«

»Fahren Sie nach Hause, Detective«, sagte Villani. »Es muss niemand bei mir herumsitzen oder einfach bloß da sein. Mir geht's gut.«

In der Wohnung überkam ihn der Drang zu duschen, er stand lange unter dem Wasserfall, hörte das Festnetztelefon klingeln, ließ es klingeln, bis es aufhörte.

Als er gerade Whisky in ein Cognacglas gießen wollte, klingelte es wieder. Er konnte es nicht ignorieren.

»Villani.«

»Ich bin's.« Laurie. An den zwei Wörtern hörte er, dass sie geweint hatte.

»Hi.«

»Stephen, ich muss dir sagen…«

Sie verstummte, konnte nicht reden. Er wartete.

»Was?«

»Sie hat vor etwa zwei Stunden angerufen und eine Nachricht hinterlassen. Ich war nicht da und…«

Sie brach wieder ab. Er wartete.

»Sie hat geweint. Sie sagte, du hättest ihr nie etwas angetan. Sie nie angefasst. Sie sagte, die hätten von ihr verlangt, das zu sagen.«

Villani spürte den Zorn in sich aufsteigen. »Wer ist ›die‹?«

»Ich weiß es nicht. Das waren ihre Worte.«

Schweigen, Laurie schniefte, hüstelte.

»Stephen, möchtest du… würdest du gern, würdest du gern nach Hause kommen?«

»Nicht jetzt«, sagte Villani. »Ist Corin da?«

»Ja. Tony kommt nach Hause, er nimmt…«

»Gut. Ich ruf dich morgen an. Hast du was zum Einnehmen? Damit du schlafen kannst?«

»Ja.«

»In Ordnung. Tja. Gute Nacht.«

»Ich kann dir…«

»Morgen. Wir reden morgen.«

»Steve, ich kann dir gar nicht sagen, wie…«

»Du hast ihr geglaubt«, sagte er. »Du dachtest, ich wäre zu so was fähig.«

»Du musst aber …«

»Morgen. Gute Nacht.«

Er ging wieder in die Küche, goss sich ein halbes Glas Whisky ein und nahm es mit zu dem Sofa, wo er früher am Tag geschlafen hatte. Er trank einen Schluck, und eine Träne lief ihm die Nase entlang. Er fing an zu weinen. Eine Zeit lang weinte er stumm, dann begann er zu schluchzen, zuerst leise, dann lauter und immer lauter.

Ihm fiel auf, dass er in seinem ganzen Leben noch nie laut geweint hatte. Es war, als sänge er zum ersten Mal.

Nach einer Weile zog er die Beine an und legte sich auf den Rücken. Er schlief ein, als hätte er einen Keulenschlag verpasst bekommen, und schlief die restliche Nacht durch, wachte mit nassen Wangen auf.

Am Morgen, als Villani ziellos umherlief, bemüht, nicht zu rauchen, rief Birkerts an.

»Unten«, sagte er.

»Wieso das?«

»Frühstücken.«

Am liebsten hätte Villani abgelehnt, doch das würde es nur hinauszögern. Man musste es einfach überstehen. In Bobs Worten: *Wer spricht von Siegen? Überstehn ist alles.*

Villani hatte wissen wollen, wer das gesagt hatte. »Irgendein Deutscher«, sagte Bob.

Jetzt sagte Villani: »Red nur nicht darüber.«

Sie gingen zu Enzio's. Für die Bewohner des Viertels war es zu früh, nur die solide Lebenden und die unsoliden Überlebenden der Nacht waren unterwegs.

»Hör zu«, sagte Birkerts. »Gestern habe ich über Geelong nachgedacht, und dann fiel mir Camerons Sohn ein. Was passierte, nachdem dieser Noske sich umgebracht hatte?«

»Die Ermittlungen verliefen im Sande«, sagte Villani. »Noske war es. Es hat nie einen Prozess gegeben, wohlgemerkt. Dazu hätte er aussagen müssen. Hinzu kam wohl, dass, nachdem Cameron und anschließend Deke Murray aufgehört hatten, keiner mehr so richtig Dampf machte, andere Dinge wurden wichtig.«

»Man ging davon aus, dass Noske allein war?«

»Ein irrer Einzelgänger, dem hätte keiner geholfen.«

Einige Fragen zu dieser kalten Nacht in dem Tal waren nie

beantwortet worden. Die umgeworfenen Möbel, das zerbrochene Geschirr, das aus der Schlagader quellende Blut, die Flecken des von der Waffe abgetropften Bluts, die durch das Zustechen erzeugten Blutspritzer, die blutigen Schuhabdrücke, das alles deutete darauf hin, dass Dave Cameron versucht hatte, sich einer Person zu erwehren, die mit einem großen Messer oder einem Schwert auf ihn einschlug. Dann wurde er zweimal mit einer unbekannten Waffe in den Körper und dreimal mit seiner eigenen Dienstwaffe in den Kopf geschossen.

Doch was machte Camerons Freundin, während all das passierte? Nichts deutete darauf hin, dass sie gefesselt wurde, ehe man mit Daves Waffe dreimal in den Kopf schoss. Doch möglicherweise war genau das geschehen: Sie war soeben von der Radrennbahn gekommen, sie war eine Radrennfahrerin und trug noch ihren Lycra-Sportdress. Das hätte verhindert, dass die Fesselung Spuren hinterließ.

»Die Ribs waren also in Geelong, und du dachtest ...«

»Mein Gehirn durchlaufen gewisse Schübe«, sagte Villani. Er kaute rein mechanisch. Er musste essen, er wollte es nicht.

»Vergebung, Frieden und Erlass der Sünden«, sagte Birkerts. »Das Prinzip gefällt mir. Wenn das keine Macht ist. Da kann man wirklich was bewegen.«

Die Gabel war kurz vor Villanis Mund.

Colbys Geschichte an jenem Freitagabend in den Büroräumen der Räuber, Bierflaschen in den Händen, Luft grau von Qualm. Sie handelte von zwei toughen Jungs aus Broady, die Jahre zuvor auf die Wache gebracht worden waren, zwei Brüder, Coogan, Cooley, so was in der Art. Sie hatten einen Drive-in-Getränkemarkt in der Johnson Street überfallen, gewartet, bis ein junger Mann, ein Schüler, die Rolltür runterzog, waren wie Krokodile darunter hindurchgeschliddert, hatten die beiden Angestellten zusammengeschlagen, mit selbst gefertigten Schlagringen, hatten die Gesichter blutig geschlagen, Nasen und Wangenknochen gebrochen, den einen bewusstlos getreten.

Dann, in den spartanischen Räumen des Raubdezernats, waren die Brüder an der Reihe, zu erfahren, was Angst und Schrecken bedeuteten. Nach einer Weile, so erzählte Colby, äußerte der Ältere, der glaubte, er werde dort sterben, seine Bereitschaft zu gestehen.

Er lässt sie niederknien und sagen, es täte ihnen wahnsinnig leid. Und dann sagt er: Bleibt locker, Jungs. Möge Gott der Allmächtige euch Vergebung, Absolution und Erlass eurer Sünden schenken. Da wirkten sie ein wenig erleichtert. Dann sagt er: Denn Gott der Allmächtige vergibt euch vielleicht. Aber ich nicht, Jungs. Ich werd euch umbringen, ihr erbärmlichen kleinen Arschlöcher.

Villani erinnerte sich an das Gelächter, sie waren hauptsächlich Protestanten, das Raubdezernat war eine protestantische Hochburg. Wer Verdächtige zum Knien brachte, musste etwas Besonderes sein, raue Schale, musste es ihnen doppelt heimzahlen.

»Pater Donald«, sagte Colby. »Sie mussten ihn Pater Donald nennen.«

Erhalten 02.49: WAS?

Gesendet 02.50: BALD.

Erhalten 03.01: ?????

Gesendet 03.04: WIR GEHN REIN.

Gesendet 03.22: SSD BANZAI OK.

Nein. Es war nicht »OK«.

Villani kaute, schmeckte nichts.

»Tu mir einen Gefallen«, sagte er. »Ruf an und find eine Adresse raus.« Er schrieb den Namen auf.

Birkerts telefonierte, sah Villani ausdruckslos an. Er las in Birkerts Blick: Was ist das für ein Vater, der sechs Stunden nachdem man seine tote Tochter gefunden hat, wieder arbeiten geht?

Sie aßen, Birkerts Handy meldete sich, er hörte zu.

»Sagen Sie das dem Inspector«, sagte er, gab das Handy Villani.

»Chef, die Adresse ist Yarraville, Enright Lane 12.«

Pause.

»Ich seh's mir gerade an, Chef… Backstein, einstöckig, Industriebau, kein Firmenschild… auf der anderen Straßenseite… ein Glaser, Speed Glass. Gute Geschäftsidee, es werden ständig Scheiben zerdeppert. Nebenan. B & L Shopfitting, Ladenbau, weniger gut. Jetzt die Draufsicht… ein Hinterhof, mit Klinkern gepflastert, würde ich sagen, Topfpflanzen, Garnitur Stühle, da wohnt jemand, hohe Mauern, da kommt man nicht leicht rein, Chef.«

Villani sagte: »Martin Loneregan, Chef der SOG. Privat, egal, wo. Er soll dieses Telefon anrufen.«

Er gab das Handy an Birkerts zurück. »Bald machen wir einen kleinen Ausflug nach Yarraville«, sagte er.

»Yarraville«, wiederholte Birkerts. »Wer da in den Neunzigern gekauft hat, wohnt jetzt in Noosa, sitzt auf dem privaten Landungssteg, lässt die Zehen im Fluss baumeln und lacht sich scheckig.«

»Bin für die Perspektive der Immobilienwirtschaft enorm dankbar«, sagte Villani.

Sie aßen, Villani gab ein Zeichen, man brachte zwei Kaffee.

»Kennt man dich hier schon?«, sagte Birkerts.

»Zweiter Besuch. Aufmerksames Personal.«

Birkerts Handy. »Er sitzt neben mir.« Zu Villani sagte er: »Inspector Loneregan.«

Villani sagte: »Kumpel, ich brauche ein wenig Unterstützung, und zwar rasch. Yarraville. Nicht die ganze Katastrophe.«

»Manchmal ist nicht die ganze Katastrophe die ganze Katastrophe«, sagte Loneregan.

»Ein Mann. Nicht mehr jung.«

444

»Sie würden staunen, wie viel Scheiße ein nicht mehr junger Mann anrichten kann.«

»Hab verstanden«, sagte Villani. Er sagte Loneregan, um wen es sich handelte.

»O Gott«, sagte Loneregan. »Sind Sie sicher, dass Sie das auf die Art machen wollen?«

»Bin mir sicher.«

Er sah die Ribarics in dem großen, leeren Lagerraum, nichts als hängendes, blutverkrustetes Fleisch, zerschnitten, durchtrennt, an die Wand geklatscht und verbrannt.

»Ich brauche eine Stunde«, sagte Loneregan. »Hab noch was um die Ohren.«

Sie parkten hinter der Enright Lane und blieben eine Weile stumm sitzen, starker Verkehr rauschte vorbei, in einiger Entfernung eine Fehlzündung.

»Bist du dir bei dieser Sache sicher?«, sagte Birkerts.

»Ich schätze, schon«, sagte Villani. Er bedauerte, dass er die SOG angefordert hatte, die Sons of God. Egal, was der Mann gemacht hatte, Respekt war angebracht.

Es war falsch.

»Ich geh rein«, sagte er.

Birkerts griff sich an den Ärmel seines Sakkos. »Steve, Steve, verdammt noch mal, mach's nicht, ich lasse nicht…«

»Sie warten hier, Detective«, sagte Villani.

»Also, ich werde nicht…«

»Kannst du das Wort ›Befehl‹ buchstabieren? Bleib. Ich ruf an.«

Villani stieg aus und ging unter dem bebenden Himmel los, die hässliche kleine Straße hinunter, Türen verrammelt, Fenster verbarrikadiert, gewerbliche Müllcontainer, Abfallreste von Take-away-Essen. Es roch nach Teer und Chemikalien.

Er stand vor der Stahltür von Nummer 12. Schweiß ließ das Hemd an seinem Brustkorb kleben. Er zupfte daran.

Ein Klingelknopf. Er drückte drauf und hörte es im Inneren des Hauses bimmeln, weit weg. Nach dem dritten Klingeln sagte eine Stimme aus dem Lautsprecher neben der Tür: »Inspector Villani.«

»Sie haben eine Kamera, Chef?«, sagte Villani.

»Neueste Technik, mein Junge.«

»Darf ich rein?«

»Weswegen? Kein Höflichkeitsbesuch, schätze ich.«

Villani spürte den Blick. Als er sich umdrehte, sah er Birkerts am anderen Ende der Straße stehen. Wind war aufgekommen und fuhr ihm in die Haare. Auf die Distanz trafen sich ihre Blicke. Wie ein besorgter Vater schüttelte Birkerts den Kopf.

»Das wissen Sie, nehme ich an, Chef«, sagte Villani.

»Sind Sie denn allein, Stephen?«

Weit weg ertönt das Dröhnen und durchdringende Wimmern der Lastwagen, wenn sie die geschwungene Biegung der großen Brücke hinauffuhren, die Motorgeräusche, wenn sie hinabfuhren.

»Ja, Sir.«

»Das ist nicht sehr klug.«

»Weiß ich noch nicht, Sir.«

Riegel klickten.

»Rechts die Treppe hoch.«

Es war eine Autowerkstatt gewesen, in der Mitte stand ein Land Cruiser, Türen rechts und hinten, eine stählerne Treppe führte an der Wand rechter Hand nach oben. Er ging hinauf, noch eine Stahltür.

Nach all den Jahren. All den Jahren, in denen er die Angst bekämpft hatte, all den Jahren, an die er sich erinnern konnte, all den Jahren, in denen er versucht hatte, ein Mann zu sein.

Dieser Mann würde ihn töten.

Villani öffnete die Tür.

Ein riesiger Raum, blanke Holzdielen, nackte Backsteinwände, am einen Ende eine Küche, ein Schreibtisch, zwei Stühle, eine Bücherwand, eine Musikanlage, ein Fernseher.

Auf einem Läufer lag ein Hund. Lang ausgestreckt. Ein Deutscher Schäferhund. Er rührte sich nicht.

»Hab gehört, dass Sie kommen. Hinsetzen.«

Villani durchquerte den Raum und setzte sich auf einen Stuhl vor dem Schreibtisch. Er wusste nicht, wohin mit den Händen. »Richtig so, Chef?«, sagte er.

»Die Welt ist klein. Meinetwegen hier?«

Der lange Hals, die lockigen Haare, der schroffe, sarkastische Mund, Villani erinnerte sich.

»Ja, Chef.«

»Sind Sie wirklich allein?«

»Wie Sie sehen.«

»Tja, das ist ziemlich überheblich, nicht wahr? Sie hätten wenigstens die Krieger mitbringen können. Musste ja nicht gleich die ganze Katastrophe sein.«

»Sie hatten was anderes zu erledigen«, sagte Villani. »Vielleicht kommen sie später vorbei.«

Ein Lachen, ein echtes Lachen, er war amüsiert, schüttelte den Kopf. »Bewaffnet, mein Junge?«, sagte er. »Sagen Sie wenigstens, dass Sie bewaffnet sind. Das ist wohl das Mindeste.«

»Ja.«

»Bringt nicht viel, wenn man sitzt.«

»Nein, Chef.«

»Na, da bin ich stolz auf Sie. Dämlicher Trottel. Was ist?«

Villani hielt seinem Blick stand. »Die Ribarics. Der Partner.«

»Schuldig.«

Murray hob seine Hände über die Tischplatte, sie hielten eine kurze abgesägte Schrotflinte, die jetzt auf Villanis Brustkorb, seinen Hals gerichtet war.

Er senkte sie.

»Primitive Waffe«, sagte Murray. »Reine Show, es sei denn aus kurzer Distanz.«

»Kidd und Larter?«

»Psychos«, sagte Murray. »Schwer zu sagen, wer von beiden es mehr verdient hatte, eliminiert zu werden. Wahrscheinlich

Larter. Internationaler Mörder. Der hätte seine eigene Mutter umgebracht, alles und jeden.«

Murray sah sich in dem Raum um, sah Villani an.

»Unangenehm«, sagte er, »aber nützlich. Nützliche Idioten.«

»Der Wagen«, sagte Villani. »Wer war das?«

Murray schaute hoch, eine wegwerfende Bewegung seiner großen Hand.

»Machen Sie sich deswegen keine Sorgen, mein Junge«, sagte er. »Lassen Sie es ruhen. Hat dem Steuerzahler Millionen gespart, dass die Scheißkerle nicht ihr Leben in einem Hochsicherheitstrakt fristen mussten.«

»Warum?«, sagte Villani.

»Warum?«

»Die Ribarics.«

»Sie wissen schon. Deswegen sind Sie doch hier.«

»Ich möchte es von Ihnen hören, Chef.«

»Im Gerät ist ein Video, das wird es Ihnen sagen. Wie sind Sie auf mich gekommen?«

»Die Beichte der alten Dame. Pater Donald. Mir fiel eine Geschichte von den Räubern ein, die alten Zeiten.«

Murrays Mundwinkel zogen sich nach unten, er nickte, als wollte er beipflichten. »Und Sie sind nicht dumm«, sagte er.

»Waren Sie das?«, sagte Villani. »Die Folter?«

»Nein«, sagte Murray. »Ich wollte es machen. Darum ging's ja. Aber letzten Endes konnte ich es nicht. Kidd und Larter. Hauptsächlich Larter.«

Villani sagte: »Und all das wegen Matt?«

Die Winteraugen musterten ihn. Waren sie feucht?

Murray hob den Lauf der Flinte, zielte und streckte seinen Arm aus, bis er den Abzug betätigen und Villanis Kopf wegpusten konnte.

Was für eine blöde Art zu sterben.

»Nein«, sagte Murray. »Nicht wegen Matt. Wegen mir. Macht sie Ihnen Angst, die Flinte?«

»Nein«, sagte Villani. »Nur zu.«

»Das ist nicht normal.« Murray seufzte. »Sie sind ein guter Cop, mein Junge.«

»Es gibt wichtigere Dinge, in denen man gut sein sollte.«

»Das findet man erst raus, wenn's zu spät ist«, sagte Murray. »Auf geht's.«

Er zog den Lauf zurück, hielt ihn unter sein Kinn, drückte ab.

Die Explosion zerstörte sein Gesicht, roter Nebel.

Villani saß da, Hände im Schoß, Kinn auf dem Brustkorb, wartete.

Keine Minute später traf die Ramme unten auf die Tür.

Die Sons of God.

Er ging zur Tür, ging um den Hund herum, der friedlich dalag. Eine Kugel für den Hund, eine für ihn selbst.

Villani öffnete die Tür und rief. Dann ging er zum Bücherregal, das ihn magisch anzog, die vier Fotos in silbernen Rahmen.

Die Camerons. Sie lagen am Strand, sie im Bikini, attraktiv, der schon ältere Junge lag zwischen ihnen.

Donald Keith Murray und Matt Cameron. Gingen auf die Kamera zu. Große, schlanke Männer, lang gezogene Muskeln, flacher Brustkorb, jeder hielt eine Hand des jungen Dave. Er schwebte durch die Luft, das kleine Gesicht voller Freude.

Drei Uniformierte posierten vor der Kamera. Abschlussfeier. Der Junge, inzwischen ein Mann, stand zwischen Deke Murray und Matt Cameron. Gleiche Größe, drei gut aussehende Männer.

»Meine Güte«, sagte Loneregan an der Tür. »Meine Güte, das war total dämlich.«

Birkerts stellte sich neben Villani, betrachtete das Foto.

»Starke Familienähnlichkeit«, sagte er.

»Zwischen?«

Birkerts zeigte auf den einen.

»Nein«, sagte Villani. »Das ist nicht Matt. Das ist Deke.«

Dave Cameron war nicht Matt Camerons Sohn. Er war Deke Murrays Sohn, Pater Donalds Sohn.

Nein, Oakleigh war nichts Beiläufiges, da hatten nicht irgendwelche Verbrecher andere Verbrecher beklaut und anschließend umgebracht. Es war die furchtbare Rache für den Mord an einem Sohn und an der Frau, die den Enkel eines Mannes in sich trug.

Deke Murray, Matt Camerons Waffenbruder. Sein guter Freund. Matt Cameron wusste, wer den Jungen gezeugt hatte, den er seinen Sohn nannte.

»Video im Gerät«, sagte Birkerts.

»Ich weiß«, sagte Villani. »Spiel ab.«

Birkerts drückte auf die Taste. Der Bildschirm flackerte, unruhig.

Handkamera, sprunghaft, ein Zimmer, ungemachtes Bett, Dosen, Flaschen, Teller.

Großaufnahme eines Gesichts, unrasiert, große Zähne.

Der junge Ivan Ribaric, kein Hemd, Flasche Jim Beam in der linken Hand, er schwankte, hängender Unterkiefer, betrunken, zugedröhnt.

Eine Polizistenmütze auf dem Kopf, auf dem Hinterkopf. Er zog sie sich über die Augen, trank aus der Flasche.

Er hob die rechte Hand, er hatte eine Pistole, die er auf den Kameramann richtete, sein Mund machte Schussgeräusche.

»Dienstpistole«, sagte Loneregan.

Dave Camerons Mütze.

Dave Camerons Waffe.

Ivan Ribaric drehte der Kamera den Rücken zu, legte Flasche und Pistole auf die Frisierkommode. Er hob etwas auf, drehte sich wieder um.

Mit beiden Händen hielt er ein Kurzschwert, eine Art Machete. Er machte Kampfbewegungen, stieß zu, hackte auf etwas ein.

Er hackte auf Dave Cameron ein.

Ivan Ribaric lachte.

... und gesagt, sie würde zur Rechten Gottes sitzen, weil sie Pater Cusack von dem Bösen erzählt habe.

»Aus«, sagte Villani. »Mach es aus.«

Draußen sagte Loneregan: »Hören Sie, ich habe das mit Ihrer Tochter gehört. Was kann ich sagen? Bleiben Sie stark, Mann.«

»Danke.«

»Und danke wegen meinem Dad.«

Villani hatte Deke Murray im Kopf, er brauchte einen Moment, um sich zu konzentrieren. »Bob lobt ihn in den höchsten Tönen«, sagte er. »Ein tapferer Mann, der seinen kleinen Sohn geliebt hat.«

»Es bedeutet mir viel. Dass Ihr Dad das gesagt hat.«

Im Wagen, sie fuhren über die West Gate Bridge, lange Zeit schien vergangen zu sein, seit sie zum Prosilio gerufen worden waren.

Villanis Handy klingelte.

»Dove, Chef. Chef, Verzeihung, ich wollte nicht…«

»Sprechen Sie.«

»Chef, ich komme gerade aus einem Haus in Niddrie. Mit Tomasic. Ich habe diesen Maggie in Mallacoota erwischt; mit ihm geredet, mir den Namen des Typs geben lassen, der das Mädchen vom Markt abgeholt hat. Der Rumäne?«

»Ich weiß Bescheid.«

»Tommo hat mit ihnen Rumänisch gesprochen. Es hat 'ne Weile gedauert, sie davon zu überzeugen, dass wir nicht gekommen sind, um die Kleine zu töten.«

So lange gar nichts, und dann alles auf einmal.

»Ist sie da?«, fragte Villani,

»Nein, Chef. Sie ist drüben in Heathcote. Sie ist bei der Tochter des Typs untergekrochen. Aber sie fliegt heute nach Hause. Ihr Flug geht in zwei Stunden. Austrian Airlines. Nach Wien.«

»Wer bringt sie hin?«

»Der Schwiegersohn des Typs und dessen Bruder.«

»Niddrie«, sagte Villani. »Also los. Tulla. Wir treffen uns am Depot Drive. Das ist zwischen Centre und Service. Unter den Bäumen, in Blickrichtung Westen. Wir wollen sie ohne Wirbel auflesen.«

Zu Birkerts sagte er: »Tullamarine. Das Prosilio-Mädchen.«
Auf dem ganzen Weg dachte er an Lizzie.

In den Sekunden, als er beschloss, sie nicht abzuholen, hatte er sie getötet. Als er sie der Arrestzelle überantwortete, hatte er sie getötet.

Sie fuhren den Departure Drive hoch, Villani und Birkerts auf den Vordersitzen, und parkten nicht weit von den internationalen Abflügen. Binnen Sekunden tauchten zwei Sicherheitsleute auf.

Villani zeigte ihnen die Marke. »Inspector Villani, Morddezernat.«

Die Wachleute verschwanden.

»Sag Tommo, er soll die Abflugzeit rauskriegen«, sagte Villani. »Schick Dove her.«

Birkerts stieg aus, ging nach hinten und sprach mit Dove und Tomasic. Tomasic stieg aus, rückte seinen Anzug zurecht und entfernte sich auf dem breiten Gehsteig.

Dove und Birkerts stiegen ein, Dove hinten.

»Fahren die hier vor und setzen sie ab, oder was?«, fragte Villani.

»Keine Ahnung«, sagte Dove. »Ich würde sagen, sie parken irgendwo und begleiten sie zu Fuß. Sie kann kein Englisch, sie hat Angst.«

Villani überlegte, was zu tun war. Ob sie zu Fuß kamen oder im Wagen, war nicht so wichtig.

»Wir machen Folgendes«, sagte er. »Birk, du und Tommo, ihr wartet im Gebäude hinter der ersten Tür. Wir sind drinnen, hinter der zweiten. Warnt diese Securityschnösel schon mal vor. Sagt ihnen, sie sollen gefälligst außer Sichtweite bleiben.«

»Chef«, sagte Birkerts.

»Ob sie allein oder mit den Brüdern ankommt, wir fangen sie gleich hinter der Tür ab, durch die sie den Terminal betritt«, sagte Villani. »Wir zeigen unsere Marken, wir wollen weder ihr noch sonst wem Angst machen. Sagt ›Polizei‹ so fürsorglich wie möglich. Wie einen Segen.«

»Herrje, das ist aber nun wirklich ziemlich viel verlangt«, sagte Birkerts.

Sie stiegen aus, fingen sofort an zu schwitzen, Tomasic kam aus dem Terminal. »Abflug um halb zwei«, sagte er. »Innerhalb der nächsten vierzig Minuten müsste sie eignetlich einchecken.«

»Folge mir, mein Junge«, sagte Birkerts.

Die Abflughalle war kühl, überfüllt, lange Schlangen, zwei große Gruppen japanischer Männer, schlanke Frauen in Sportklamotten, vielleicht ein Hockeyteam.

Villani schaute durch die gläserne Wand in Richtung des Parkplatzes, von dort würden sie kommen, falls die Brüder bei ihr waren. Er spürte die Angst, die Anspannung in seinem Solarplexus. Das alles geschah zu schnell, eigentlich sollten sie in Kompaniestärke hier sein. Eigentlich sollten sie gar nicht hier sein, sondern die SOG.

Das alles an einem Tag.

»Chef«, sagte Dove eindringlich. »Da.«

Er wies auf das mehrstöckige Parkhaus auf der anderen Straßenseite.

Zwei stämmige Männer, jung, T-Shirts, Cargohosen, Sonnenbrillen, einer hatte Flip-Flops an. Sie standen ein gutes Stück hinter der Kreuzung.

Lizzie.

Sie stand zwischen ihnen, reichte ihnen kaum bis an die Schultern, die Haare hatte sie unter eine Baseballmütze gesteckt, sie trug Jeans und ein weißes, kragenloses Hemd, ein Kind hinter einer großen, dunklen Brille, eine Tasche in der Hand, eine blaue Sporttasche mit seitlicher Klappe.

Die Fußgängerampel wurde grün, sie gingen los.

Villani sah nach links von den dreien über die Straße hinweg, die überdachte Bushaltestelle. Hinter einem Bus mit Gepäckanhänger schob sich ein schwarzes Auto auf die Straße, zwanzig, dreißig Meter von der Kreuzung entfernt.

Neben ihm, auf der entfernteren Seite, befand sich ein Motorrad, auf dem zwei Leute saßen, beide hatten Integralhelme auf, der Sozius legte die linke Hand auf das Dach des schwarzen Autos.

In diesem Augenblick wusste Villani Bescheid. *O Gott, nein.*

»Der Wagen, das Bike!« Villani sprang zwischen zwei Frauen hindurch, die gerade durch die Tür kamen, riss im Laufen die Waffe aus dem Holster.

Das Mädchen sah das Motorrad, den Wagen, ihr Mund stand offen, Licht fiel auf ihre Zähne.

Sie wusste, dass sie sterben würde.

Villani hatte die Straße zur Hälfte überquert, die Motorhaube des Wagens, eines Audi, die getönte Windschutzscheibe, der Biker, er sah die Pistole, den Lärm hörte er nicht.

Das Mädchen fiel um. Der Mann neben ihr fiel um.

Er schoss im Laufen, die Helme drehten sich zu ihm um, der Sozius schwang seine Pistole über den Kopf des Bikers hinweg.

Villani stolperte.

Dove war neben ihm, Dove hielt seine Waffe beidhändig, er schoss einmal, zweimal, Löcher in der Windschutzscheibe, der Mann auf dem Soziussitz stand jetzt.

Villani rappelte sich auf, erschoss den Motorradfahrer, er wusste, er hatte ihn getroffen, man wusste es. Er schoss wieder. Dove neben ihm schoss auch, erneut, der Helm des Sozius' ruckte, der Kragen seiner Lederjacke hob sich, er kippte seitlich weg.

Der schwarze Audi bog nach links, fuhr auf den Mittelstreifen, kam langsam näher.

Schreie, viele Menschen schrien, ein Kind schrie.

Villani sah die Gesichter in dem Wagen, den Kopf, den Arm und die Pumpgun, die auf der Beifahrerseite nach draußen ragte.

Lauf zurück.

Zu spät.

»O Scheiße«, sagte er, sah das Mündungsfeuer aus dem Lauf der Pumpgun, fühlte ein Rupfen an Hemd und Jackett, schoss auf den Schützen, er und Dove erwiderten das Feuer, standen nebeneinander, leerten ihre Magazine.

Der Audi hielt einen Meter vor ihnen an. Ein Loch in der Windschutzscheibe auf der Fahrerseite. Dove hatte den Fahrer erschossen. Jemand hatte ihn einmal angeschossen, und jetzt hatte er jemanden erschossen. Schussscheu war Dove nicht.

Stille.

Birkerts und Tomasic trafen ein.

Sie gingen zu dem Mädchen, sahen die in dem Audi zusammengesackten Männer, sahen die Biker am Boden liegen, hörten das Bike ticken. Villani roch Schießpulver, heißes Waffenmetall und Benzindünste.

Das Mädchen hatte sich zusammengekauert wie ein Baby, das an Koliken litt. Einer ihrer Begleiter lag auf der Seite, verlor Blut, überall Blut. Sein Bruder hielt seinen Kopf.

Sie müsste tot sein, im Sterben liegen.

»Polizei«, sagte Villani, nicht laut.

Sie hob den Kopf und sah ihn aus dunklen Augen an.

Nicht tot.

Er kniete neben ihr, Dove kniete auch, sie drehten sie sanft um, sie wehrte sich nicht, blieb schlaff.

Lag nicht im Sterben.

War nicht angeschossen.

»Bist jetzt in Sicherheit«, sagte er. »In Sicherheit.«

Sie blinzelte, sie weinte, sie lächelte ein mattes kleines Lächeln.

Nicht tot. Nicht Lizzie. Gerettet.

»Sanitäter«, sagte Villani. »Sagt ihnen, fünf Verletzte. Schusswunden.«

Sie saßen in dem großen Vernehmungsraum, Villani, Dove und zwei Dolmetscher, ein dicker Mann mit teigiger Haut, der außerdem Friedensrichter war, und eine strenge junge Frau, Gerichtsdolmetscherin für vier osteuropäische Sprachen.

Und das Mädchen. Es hieß Marica.

Man musste dem Mädchen keine Rechte vorlesen. Man warf ihr nichts vor. Sie machte bereitwillig ihre Zeugenaussage. Sie war Zeugin mindestens eines Verbrechens.

Dove stellte die Fragen, das war sein Recht.

Er war ruhig und freundlich, lächelte, diese Seite von Dove kannte Villani noch nicht. Dove geleitete Marica durch ihre Geschichte, angefangen an dem Tag im Ort Țăndărei, als ihr Onkel den Mann mitbrachte, der ihr und ihrer Zwillingsschwester sagte, sie könnten nach Australien gehen und sich dort als Friseurin oder Kosmetikerin ausbilden lassen, australische Mädchen wollten diese Arbeit nicht machen, außerdem seien sie hässlich und hätten große Hände und könnten keine feinen Dinge tun. Sein Lohn wäre ein kleiner Prozentsatz ihres Verdiensts, sobald ihre Ausbildung beendet wäre, das sei nur gerecht.

Es dauerte lange, man musste Pausen einlegen, nach Einzelheiten fragen. Marica kannte einige Namen, nur die Vornamen, nicht viele.

Endlich kamen sie zu der Nacht im Prosilio, zu der Fahrt von Preston, zu der Einfahrt für den Müllwagen, zu den Treppen und dem Aufzug und den Zimmern im Himmel, dem Badezimmer mit der gläsernen Wanne, dem Champagner und dem Kokain.

Und den Männern.

Den zwei Männern.

Der winzigen Kamera. Es gab eine Kamera.

Zu dem, was sie ihnen antaten. Den Schmerzen.

Marica weinte, Tränen der Scham und der Demütigung, weil sie Fremden, Männern, diese Dinge erzählen musste. Die strenge Dolmetscherin tröstete sie nicht. Als der dicke Mann, wie es schien, den Versuch unternahm, brachte sie ihn mit einem Blick zum Schweigen.

Und dann waren die Fotos an der Reihe. Dove hatte sie zusammengestellt.

Es war eine heikle Angelegenheit. Dove sagte den Dolmetschern, wie sie vorgehen wollten, was Marica tun sollte, falls sie eine der Personen auf den Fotografien erkannte. Aber die Dolmetscher sahen die Fotos nicht.

Dove gab Marica den roten Stift.

Er zeigte Villani den ersten Abzug, im Format A4.

Stuart Koenig.

Er schob ihn dem Mädchen zu, Gesicht nach unten. Sie beobachteten ihre Miene.

Marica drehte das Foto um, schaute, runzelte die Stirn, sprach zu der Frau.

»Sie sagte, man brachte sie in ein Haus«, sagte die Dolmetscherin. »Sie hatte Sex mit ihm, sah ihn aber nicht wieder.«

Dove zeigte Villani ein anderes Foto, ihre Blicke trafen sich. Er legte den Abzug auf den Tisch, mit dem Gesicht nach unten.

Mervyn Brody, Authändler, Rennpferdbesitzer.

Sie sah es an, legte es wieder hin, mit dem Gesicht nach unten.

Und so ging es weiter. Ein Foto wurde Villani gezeigt, dem Mädchen zugeschoben.

Brian Curlew, krimineller Anwalt.

Gesicht nach unten.

Chris Jourdan, Restaurants und Bar.

Gesicht nach unten.

Daniel Bricknell, Kunsthändler.

Gesicht nach unten.

Dennis Combanis, Bauunternehmer.

Gesicht nach unten.

Mark Simons, Insolvenzexperte.

Gesicht nach unten.

Hugh Hendry.

Gesicht nach unten.

Martin Orong, Minister des Staates Victoria.

Leise sagte Dove zu Villani, das Gesicht nah bei ihm: »Das Mädchen auf der verschneiten Straße.«

Er schob das Foto Marica zu. Sie betrachtete es, blinzelte, blinzelte.

Gesicht nach unten.

Dove sagte zu den Dolmetschern: »Jetzt möchte ich ihr einige Gruppenfotos zeigen. Uns fehlte die Zeit, Einzelpersonen herauszulösen. Falls sie jemanden erkennt, soll sie das Gesicht umkringeln. Klar? Wir haben die Bilder vergrößert, aber sie muss sie sich sehr genau ansehen.«

Der Mann erklärte, Marica nickte.

Dove zeigte Villani die Fotos, A5, sechs insgesamt. Fotos, die auf der Kasinoparty aufgenommen waren, der Party im Prosilio zur Eröffnung des Orion-Kasinos. Villani sah sie sich an.

Schwarze Krawatten, schwarze Cocktailkleider, Champagnerflöten, Facelifts, Haartransplantate, Botox, Kollagen, Kokslächeln, reiche Leute, schlaue Leute, talentierte Leute, untalentierte Leute, Schnorrer, Scharlatane, Steuerhinterzieher, frei herumlaufende Verbrecher, Frauen und Männer, die sich aushalten ließen, Toyboys, männliche Eskorten, ein Drogendealer, Vorzeigefrauen.

Er gab sie Dove zurück.

Dove reichte dem Mädchen das erste Bild. Sie betrachtete es. Sie war müde, sie rieb sich ein Auge. Sie sah wie Lizzie aus, wie Lizzie, als sie noch lebte.

Vorderseite nach unten, beiseitegeschoben.

Das nächste Bild.

Marica rieb sich das andere Auge, betrachtete das Foto. Sie hörte auf zu reiben. Sie sah Dove an, aus geröteten Augen, ihr Mund stand offen.

Sie nahm den dicken roten Stift und malte auf das Foto.

Einen Kringel.

Zwei Kringel.

Sie drehte den Abzug um, Vorderseite nach unten. Sie schob das Foto zu Dove zurück. Er nahm es auf. Schaute. Er gab es Villani.

Ein lächelnder Mann, Glas in der Hand.

Ein Mann, der auf eine Frau einredete, halb ernst, seine Augenbrauen waren hochgezogen.

Zu den Dolmetschern sagte Villani mit knochentrockenem Mund: »Ich gebe ihr das Bild jetzt zurück. Fragen Sie sie, ob sie sich absolut sicher ist. Sie müssen ihr deutlich machen, wie ernst diese Angelegenheit ist.«

Die Frau sprach. Der Mann sprach.

Villani schob ihr das Bild hin.

Marica sah es an und nickte heftig.

Da. Da. Da.

»Sie ist sich sicher«, sagte die Frau.

Guy Ulyatt von Marscay. *Uns. Gehört. Das. Gebäude.*

Max Hendry.

Villani und Dove gingen nach draußen. Sie sahen einander an, stumm.

»Tja, leck mich«, sagte Dove. »Das kommt einigermaßen …
das hab ich nicht erwartet. Nein. Was, äh, was jetzt, Chef?«

»Ihr Fall«, sagte Villani. »Sie sind hier der Chef.«

»Durchsuchungsbefehle für ihre Privathäuser und Büros
beantragen«, sagte Dove.

»Legen Sie los.«

»Chef.«

Schweigen.

»Es heißt, Max Hendry hätte Ihnen einen Riesenjob an-
geboten«, sagte Dove.

»Stimmt«, sagte Villani. »Er hat eine bestimmte Sorte
Mensch gesucht. Aber das war nicht ich.«

Sie rief an, als er im Aufzug war. Sie saß auf der anderen Straßenseite in ihrem Wagen.

Villani musste warten, ehe er die Straße überquerte. Er warf einen Blick auf seine Textmeldungen.

Liebe dich, Dad. Immer. Corin.

Er trat ans Fenster, die Scheibe ging runter.

»Es tut mir so leid, Stephen«, sagte Anna. »Ich kann dir gar nicht sagen, wie leid es mir tut.«

Sie reckte sich zu ihm hoch, und er neigte sich hinunter. Sie küsste ihn, hielt seinen Kopf mit beiden Händen, die Fingerspitzen in seinen Haaren, ein Druck auf seiner Kopfhaut. Dann löste sie sich von ihm.

Villani wischte sich über den Mund. Er empfand Trauer. »Dein Lippenstift«, sagte er. »Er ist verschmiert.«

Er machte kehrt und ging, sah sich aber noch einmal um, er konnte nicht anders. In dem getönten Licht wirkte ihr Gesicht bleich, ihr Mund grau. Ihre Augen konnte er nicht sehen.

Zu Hause. Das Telefon ausgestöpselt, Handys ausgeschaltet, er duschte, schloss die Jalousien, legte sich auf das große Bett. So müde. Er trug zu viel Last mit sich herum. Und er hatte kein Mitleid mehr übrig.

Wenn das Mitleid Sie verlässt, mein Junge, ist es Zeit zu gehen. Dann sind Sie kein vollständiger Mensch mehr.

Singo.

All die Jahre hatte er das Wissen in sich getragen. War bei Rose gewesen und hatte gewusst, dass sie ihren Sohn hingerichtet hatten. Greg war ein übler Zeitgenosse gewesen, aber er hatte zu ihr gehört, so wie Tony und Corin zu ihm gehörten.

Lizzie nicht. Sie gehörte nicht zu ihm. Sie gehörte zu Laurie. Er hatte Laurie ihr Kind genommen, so wie Dance Rose' Kind genommen hatte.

Er ertrug diese Gedanken nicht, ging ins Bad, wo er die Schlaftabletten von Birkerts' Schwester fand, zwei waren noch übrig. Nach einer Weile versank er in einen Schlaf voller trauriger, bedeutungsloser Träume.

Am Morgen kurz vor sieben wachte er auf, blieb lange liegen, dachte an nichts, überwältigt von der Welt, von dem, was ihn erwartete. Seine Hüftknochen fielen ihm auf. Er hatte abgenommen.

Rose' Schatzkästlein. Das würde er als Erstes machen, er konnte ihr nicht unter die Augen treten, wenn dem Ding etwas zustieß.

In der Küche hörte er Radio.

... die geänderte Windrichtung, die spät am gestrigen Tag die evakuierten Orte Puzzle Creek, Hunter Crossing, Selborne und Morpeth und zahlreiche Farmen rettete, hat nur für eine vorübergehende Atempause gesorgt. Da die Feuer nun weitgehend außer Kontrolle geraten sind und heute wieder extreme Bedingungen herrschen, setzt der Katastrophenschutz die größten Hoffnungen auf eine Änderung des Wetters... man erwartet, dass die Wetterlage anhält...

Im Wagen schaltete er sein Handy an. Dutzende von Nachrichten.

Später. Er würde sich später damit befassen.

Auf dem Freeway, unterwegs zu Rose' Haus, klingelte das Handy. Er stöpselte es in die Freisprechanlage.

»Villani.«

»Steve, hier ist Luke, hör zu, unser Heli war oben, und der Typ sagt, Dad ist in Lebensgefahr, es gibt keinen Weg raus, der verfluchte Wind dreht sich gerade und...«

»Er braucht keinen Weg raus«, sagte Villani. »Für einen Weg raus hat er keine Verwendung.«

»Tja, egal, ich fliege in dem Hubschrauber hin. Der Typ setzt mich ab, der ist auch ein verdammter Irrer.«

Luke Villani, der pampige, jammernde kleine Junge, der besserwisserische Jugendliche, den man in seinem Zimmer einschließen und dem man das Radio wegnehmen musste, damit er seine Hausaufgaben machte, der sich bei Bob eingeschleimt hatte, der jedes Mal angerannt kam und beschützt werden wollte, wenn Mark ihn bedrohte, dessen höchstes Ziel im Leben es war, Ansager beim Pferderennen zu werden.

»Hast du mit dem Doktor gesprochen?«

»Ich warte auf seinen Rückruf.«

»Ist 'ne völlig bescheuerte Idee«, sagte Villani. Er spürte die straffen Sehnen an seinem Hals, bis rauf in den Kopf. »Ich sage dir nur: Lass es.«

Es war seine Pflicht, das zu sagen, sein gutes Recht und seine Pflicht.

»Du kannst mir nicht mehr sagen, was ich tun soll«, sagte Luke. »Der eine ist mein Dad, der andere mein Bruder. Ich fliege.«

Mein Bruder.

Das hatte noch keiner gesagt. Villani hatte geglaubt, dass niemand es je sagen würde. Es war ihm unaussprechlich vorgekommen.

»Wo steht der Scheißheli?«, fragte er.

»Essendon«, sagte Luke. »Grenadair Air. Wirraway Road. Nicht weit vom Tulla Airport.«

»Warte auf mich.«

»Jawollsir«, sagte Luke mit Bobs Stimme.

Sie warteten auf dem glühend heißen Asphalt neben dem glänzenden Vogel mit den schmalen, silbrigen, hängenden Flügeln: Mark, Luke und der Pilot.

»Ich schätze, dafür kann ich in den Knast kommen«, sagte der Pilot. Er sah aus wie zwanzig.

»Ich weiß, dass Sie dafür in den Knast kommen können«, sagte Villani.

Sie flogen über das Gewimmel der Stadt, die Vororte und die niedrigen Hügel, flogen über die kleinen Siedlungen und großen Baumbestände, flogen über braungelbes, leeres Weideland. Am gesamten Horizont sahen sie den Rauch, bis weit hinauf in einen Himmel, der darüber unglaublich sauber und blau war.

Nach einer ganzen Weile und aus großer Entfernung sahen sie die roten Ränder des Feuers, wie Blut, das unter einem schmutzigen Verband hervorsickerte.

Der Funkverkehr nahm kein Ende, ruhige Stimmen in dem elektronischen Störfeuer.

»Ich muss mich von den Feuerwehrhelis fernhalten«, sagte der Pilot. »Wir nehmen den Weg außen herum.«

»Hab deinen Patienten verhaftet«, sagte Villani zu Mark. »Kenny Hanlon.«

»Ist nicht mein Patient«, sagte Mark. »Hab keine Patienten. Ich gehe nächste Woche nach Afrika. Darfur.«

»Gibt es Biker in Darfur? Eine Ortsgruppe der Hellhounds?«

»Du kannst mich mal«, sagte Mark.

Irgendwann sahen sie in einiger Entfernung Selborne, dem sie sich aus südwestlicher Richtung näherten, und jenseits des Weilers, in Richtung Bobs Anwesen, stand die Welt in Flammen, die Straße war eine sich schlängelnde Allee, deren Bäume orangefarben brannten, die Luft war finster.

»Vermutlich geh ich doch nicht in den Knast«, sagte der

Pilot mit normaler Stimme. »Vermutlich werd ich hier oben sterben.«

»Ruhig Blut, mein Junge«, sagte Luke. »Einfach nur dem Straßenverlauf folgen. Sie haben den besten Cop, den besten Arzt, den besten Pferderennenansager des Landes an Bord. Bauen Sie keinen Mist.«

»Ein Dreamteam«, sagte der Pilot. »Heiliger Christ, steh mir bei.«

Sie folgten der lodernden Straße in die dunklen und bedrohlichen Hügel hinauf, der Hubschrauber ruckelte, wurde von den Luftströmungen nach oben, nach unten und zur Seite gestoßen, alles trieb hilflos in der Hitze.

Plötzlich waren sie über der Farm, dem Haus, den Schuppen, dem Stall, den Pferdekoppeln.

Der Wald. Unversehrt, wild bewegt.

»Auf der Koppel, Black Hawk One«, sagte Luke.

Und dann waren sie auf dem Boden, und Luke klopfte dem Piloten anerkennend auf die Schulter, sie drängten sich ins Freie, die Hitze war beängstigend, raubte ihnen den Atem, ein schrecklicher Lärm, der Pilot schrie: »Ihr dämlichen Vollidioten.«

Sie liefen, und der Hubschrauber stieg auf, überschüttete sie mit Erde, Steinen und vertrockneter Vegetation.

Inmitten dieses furchterregenden, glühend heißen Tages, während hinter ihnen in Feuer und Rauch und mit dem Lärm einer Million Kosakenreiter, die über eine knochentrockene, harte Ebene galoppierten, Armageddon dräute, standen Bob und Gordie am Zaun.

Bob sprach. Sie hörten ihn kaum. »Alle drei auf einmal krieg ich hier nicht oft zu sehen«, sagte er. »Wem kommt ihr denn zu Hilfe?«

In dem Hochofenwind, in dem sie manchmal weder atmen noch reden oder einander hören konnten, kämpften sie den dunklen Tag über und bis in den späten Nachmittag hinein, um das Farmhaus und die Nebengebäude zu retten.

Als sie alle Schlachten verloren hatten, als die glühenden Holzstücke wie Salven von Leuchtspurgeschossen auf sie zuflogen, als die Feuerbälle in der Luft explodierten, nahm Bob die große Motorsäge und schnitt, unter dem ohrenbetäubenden Kreischen von Metall auf Metall, den oberen Teil des Regenwassertanks aus Wellblech ab.

Gordie lehnte eine Leiter außen an die Tankwand, und sie stiegen hinauf, warfen sich in das warme Wasser, fühlten den schleimigen Boden unter den Füßen, schoben sich bis an die von den Flammen am weitesten entfernte Wand.

Bob kam als Letzter. Zuerst reichte er Gordie den Hund, dann stieg er die Leiter hoch, wand sich zwischen zwei Sprossen hindurch, blieb eine Weile unter Wasser, tauchte wieder auf, die Haare an den Schädel geklatscht. Er sah wieder aus wie ein Junge.

Sie standen in dem Tank, ihre Schultern berührten sich, Wasser bis ans Kinn, es gab nichts mehr zu sagen. Das war das Ende von Eitelkeit und Ehrgeiz. Darauf lief es hinaus, sie alle fünf, Bobs Jungs waren alle hier, um mit ihm gemeinsam zu sterben, irgendein Instinkt, irgendein surrender Draht hatte sie in diesen dröhnenden, tosenden Warteraum des Todes gezerrt, damit sie gemeinsam in einem rostenden, schartigen Fass starben.

»Was war mit diesem Pferd, Stand of the Day?«, fragte Luke.

»Einfach Spitze«, sagte Bob. »Ich brauch mehr Tipps wie den.«

Sie sahen einander nicht an, Asche sank auf sie herab, klebte auf ihren Gesichtern, lag auf dem Wasser, bedeckte das Gesicht des alten gelben Hundes, den Bob an seinen Brustkorb drückte.

Und dann, im letzten Moment, brach der tosende Wind ab, ein Augenblick der Windstille, als holte er Atem. Dann drehte er sich, als würde er zu einem anderen Ort hingezogen, er drehte sich, und sie spürten die Veränderung auf ihren Gesichtern. Das Feuer stand still, kam nicht weiter, nährte sich nur noch von sich selbst, hatte keine Nahrung, keinen Sauerstoff mehr, alles war verbrannt.

Lange blieben sie stumm. Sie konnten nicht glauben, dass dieses schreckliche Monster weitergezogen war, dass sie am Leben bleiben würden. In der Stille hörten sie den Feuerwehrhubschrauber, er kam aus dem Nichts, hing mit dem Rumpf über ihnen und ließ einen kleinen Stausee Wasser auf das Haus fallen.

»Nie kriegt man die Luftunterstützung, wenn man sie braucht«, sagte Bob.

Sie zogen die Leiter in den Tank. Luke kletterte hoch, die anderen schoben die Leiter hinaus, und Luke rutschte darauf nach unten. Auf ihn folgte Mark, dann Gordie.

Villani sagte zu Bob: »Du bist der Nächste.«

Bob sah ihn kopfschüttelnd an. »Ja, Chef«, sagte er.

Ohne ein weiteres Wort machte sich Villani auf den Weg. Der Hund zögerte, folgte, sah sich nach Bob um. Bob kam nach, sie gingen Seite an Seite, mit nassen Klamotten, das Wasser aus dem Tank dampfte.

Sie gingen über die schwarzen, qualmenden Koppeln, hinunter zu dem untersten Tor, die Pfosten brannten noch, sie überquerten die Straße, die nirgendwohin führte, gingen über die Anhöhe.

Da stand der Wald.

Versengt, die äußeren Bäume waren angekokelt. Sie würden ein paar verlieren. Doch überall, in ihren Grüppchen, Haufen und Reihen, standen die Eichen in ihrem vollen, herrlichen Sommergrün.

Bob Villani legte seinem Sohn den rechten Arm um die Schultern, zog ihn linkisch an sich, küsste Villanis Schläfe, die aschebestreuten Haare.

»Hast auch bei den Jungs keine ganz schlechte Arbeit geleistet«, sagte er. »Hast dich um sie gekümmert. Das hätte ich schon längst mal sagen sollen.«

Das Linoleum ließ sich leicht aufklappen. Er schob das Tafelmesser in die Lücke und hob die Falltür an, steckte zwei Finger in den Spalt, öffnete sie.

Es war eine kleine Werkzeugkiste, wie sie vielleicht ein Elektriker mit sich trug, der Deckel wurde von einem Scharnierverschluss gehalten.

Villani stellte die Kiste auf den Tisch, öffnete sie.

Fünf oder sechs von Gummibändern zusammengehaltene Bündel Geldscheine. Hunderter, Fünfziger, Zwanziger, Zehner, Fünfer. Vielleicht zwanzigtausend Dollar.

Unter dem Geld lag ein Stück Pappe, aus einem Hemdenkarton geschnitten.

Er hob es mit dem Tafelmesser an.

Ein Abhörgerät der altmodischen Sorte. Ein winziger Kassettenrekorder und ein Knopfsender.

Villani legte das Geld in die Werkzeugkiste, verließ das Haus, stellte die Kiste in den Kofferraum, stieg in den Wagen. Er saß da und betrachtete den Rekorder. Einen Lautsprecher hatte er nicht, er musste in einen eingestöpselt werden.

Greg Quirk hatte eine Wanze getragen? Wessen Wanze?

Er fuhr in die St. Kilda Road, nahm den Aufzug in die Kriminaltechnik. Der kleine Mann, der in seiner Freizeit Spiele entwickelte, nahm das Gerät in Empfang. Sie gingen zu einer Werkbank. Er gab Villani Ohrhörer, drückte auf Tasten.

Alter, ich bin nicht zufrieden. Überhaupt nicht zufrieden.

Ich konnte doch nicht wissen, dass sie Scheiße bauen würden. Woher sollte ich das wissen?

Das zu wissen, ist dein Scheißjob, Greg. Ich mach diesen Mist nicht für ein Taschengeld, Jungchen. Wenn man diese blöden Penner ausrauben will, ist das riskant, da muss es sich auch lohnen.

Ja, klar, für mich ist der Mist auch riskant. Sie sind nicht der Einzige, der irgendwelche Scheißrisiken eingeht.

Ich brauch dreißig Riesen, und zwar pronto. Muss 'nem Kumpel helfen.

Scheiße, jetzt setzen Sie mich unter Druck, so geht man nicht mit mir um, Dancer, das gehört sich nicht…

Villani nahm den Kopfhörer ab. Er nahm den Rekorder. Er ging quer durch den lauten Raum in sein Büro, trat ans Fenster und schaute auf die Stadt.

An einem Tag im Spätherbst absolvierten sie ihren Auftritt vor den Fernsehkameras, alle drei in Uniform, ihre neuen Rangabzeichen hatten sie angelegt.

Premierministerin Karen Mellish hielt eine kurze Rede. Sie sagte, es sei ihr eine große Freude, den neuen Polizeichef, den neuen stellvertretenden Polizeichef und den neuen Leiter der Kriminalpolizei vorzustellen. Für die Polizeikräfte sei damit eine Ära der Reform angebrochen, eine Ära der Erneuerung, eine Ära, in der die Bürger die öffentlichen Räume dieser großen Stadt wieder in Besitz nehmen würden.

Als Villani sich schließlich umgezogen und Cashin getroffen hatte, neigte sich der kalte Tag seinem Ende zu. Sie gingen dem Wind entgegen, das Laub glitt auf sie zu wie unruhiges Wasser, gelb und braun und blutrot, teilte sich an ihren Fußknöcheln.

»Hab dich im Fernsehen gesehen«, sagte Cashin. »Hätte nie gedacht, dass ich mal einen Kripochef kennen würde.«

»Man kann ein gutes Leben führen, ohne einen zu kennen«, sagte Villani. »Ein befriedigendes Leben. Was treibt dich um?«

»Wird das wieder was mit dir und Laurie?«

»Nein«, sagte Villani. »Das haben wir verbockt. Ich hab's verbockt. Ich kann's nicht wiedergutmachen. Kann gar nichts wiedergutmachen.«

»Ruhe bewahren«, sagte Cashin. »Dann hört das Boot wieder auf zu schaukeln.«

»Kein Singo mehr, Joe. Nie wieder.«

»Es kommt einfach so raus«, sagte Cashin. »Ich war ein Schwamm.«

»Ich bin jetzt schwammartig«, sagte Villani. »Nichts als Wasser und Löcher.«

Drei Läufer tauchten auf, zwei massige Männer und eine schlanke Frau. Die Männer rannten nach rechts, die Frau lief direkt auf sie zu und wich erst im letzten Moment aus.

»Frech«, sagte Villani.

Cashin blieb stehen, sah nach oben. »Das Possum ist tot«, sagte er.

»Wie bitte?«

Cashin zeigte in einen Baum. Villani sah zuerst gar nichts, dann ein Knäuel in einer Astgabel. »Woher weißt du das?«

»Schwanz«, sagte Cashin. »Das ist ein toter Schwanz.«

»Woher weiß man, dass ein Schwanz tot ist?«, sagte Villani. »Könnte ein schlagender Schwanz sein.«

»Nein«, sagte Cashin. »Tot.« Er ging weiter, mit großen Schritten.

Villani holte ihn ein. »Joe«, sagte er, »komm zurück in die Zivilisation, oder bewirb dich bei dem Scheißamt für Parks und Artenschutz. Dann kannst du Kinder auf Naturspaziergänge mitnehmen.«

»Wie wird das denn so?«, sagte Cashin. »Mit Dance als Vorgesetztem?«

»Mich überrascht nichts, was Dance macht«, sagte Villani. »Rein gar nichts.«

Sie kamen zu der Avenue. Villani betrachtete die Hochhäuser, die in den Himmel aufragten, in deren gläsernen Wangen der Himmel sich spiegelte. Er war unten entlanggegangen, zu ihren harten, schmutzigen Füßen, ein Farmerjunge in der großen Stadt.